중국사 재발견

REDISCOVERY OF CHINA HISTORY

중국사 재발견

건륭제에서 시진핑 체제까지
중국역사 뒤흔든 108장면

왕중추 지음 | 김영진 옮김

서교출판사

일러두기

1. 이 책의 중국어 표기는 크게 지명地名과 인명人名으로 나눠서 달리 표기했다. 지명 표기는 독자들의 가독성을 고려해서 모두 한자음으로 표기했다. 예를 들어 '베이징北京은 북경'으로, '쯔진청紫禁城은 자금성'으로 표기했다. 인명 표기는 신해혁명(1911년)을 기준으로 그 시기 이전의 인물들은 모두 한자음으로, 그 시기 이후의 인물들은 모두 중국어 발음으로 표현했다.

2. 1에서 밝힌 바와 같이 신해혁명 시기 이후에 활동한 인물들은 중국어 현지 발음으로 표기하되, 글 본문에 첫 번째 등장하는 곳과 한동안 등장하지 않다가 재등장하는 경우 독자들의 가독성을 고려해 한자와 한자음을 병기했다.

3. 중국 역사에 등장하는 인물이지만, 한족漢族 문화권이 아닌 곳의 인물은 한자음이 아닌 그 인물 출생지의 현지 발음으로 표기했다. 예를 들면, 몽골 출신 장군 '僧格林沁'은 '승격림심'이 아닌 '셍게린친'으로, 서투르크스탄의 지배자 '阿古柏'은 '야고백'이 아닌 '야쿱벡'으로 표기했다. 또한 이 책에 등장하는 서양 각국 인물들의 이름을 병기할 때는 국적과 상관없이 모두 영어로 병기했다.

4. 주석註釋은 지은이 주註와 옮긴이 주註, 편집자 주註 모두 각주로 처리했다.

중국대륙 뒤흔든 중국역사 108장면

중국인 두 명과 일본인, 이탈리아인, 미국인이 이제껏 누구도 오르지 못한 높은 산에 올랐다. 정상 정복에 감격한 일본인이 각 나라를 상징하는 물품을 바치자고 제안했다. 이어 그는 최신형 카메라를 던지면서 이렇게 외쳤다. "우리 일본에는 다양하고 우수한 전자제품이 정말 많지." 이탈리아인은 축구공을 던지면서 우쭐댔다. "우리나라 축구는 세계 최고지." 미국인도 자신의 차례가 오자 달러뭉치를 꺼내 하늘에 흩뿌리면서 말했다. "우리는 마음만 먹으면 언제든지 달러를 펑펑 찍어낼 수 있어!" 그러자 이를 지켜보고 있던 중국인이 옆에 있던 중국인을 턱으로 가리키면서 소리쳤다. "우리는 13억 인구야. 사람이 최고 재산이라고!"

우리가 느끼는 중국의 첫인상은 어떨까? 앞에서 소개한 우스갯소리처럼 단순한 인구대국일까? 아니면 땅 덩어리가 넓은 영토대국일까? 그도 아니면 새롭게 떠오르는 거대 신흥 경제대국일까?

이 책은 온전히 중국 역사만을 다룬 저작물이 아니다. 저자인 왕중추와 왕샤오위는 《중국사 재발견》을 통해 근대화 과정에서 있었던 중국의 역사는 물론 경제 흥망사까지 전문가답게 아주 디테일하게 조명한다. 그들은 우선 독자들에게 앞 페이지에 있는 〈중국 GDP 점유율 추세도〉부터 보라고 권한다.

통계에 따르면, 1750년 중국 경제는 세계 GDP 총량의 32.8퍼센트를 차지했다. 당시 중국은 '중화中華'라는 말 그대로 세계 최강, 최고 부국富國이었다. 하지만 1750년부터 1949년까지 무려 200년 동안 중국 경제는 줄곧 내리막길만 걸었다. 급기야 1949년에는 세계 GDP 총량의 1퍼센트만 차지하는 세계 최빈국 수준으로 전락했다.

그로부터 다시 50여 년이 흐른 2010년에는 세계 GDP의 9.5퍼센트를 차지하면서 세계 최강 미국의 뒤를 이어 G2로 부상했다. 200여 년이라는 기나긴 잠을 잤던 중국, 그리고 50년 만에 롤러코스터를 타는 듯 현란하게 G2로 성장한 중국의 놀라운 저력을 우리는 어떻게 받아들여야 할까?

저명한 경제학자 엥거스 메디슨Angus Maddison이 제시한 자료에 따르면, 중국 GDP는 1820년에는 2,290억 달러였다. 이어 1900년에는 2,180억 달러, 1950년에는 2,400억 달러였다. 이 수치를 중국의 GDP가 세계에서 차지한 비중으로 환산하면 각각 33퍼센트, 11퍼센트, 2.9퍼센트다. 중국의 1인당 GDP 역시 1820년의 600달러에서 1900년에는 545달러, 1950년에는 439달러로 추락했다.

같은 시기 200년 이상 동안 서구 열강들의 경제는 꾸준히 성장했으나 중국은 제자리걸음도 모자라 퇴보하기까지 했다. 거인 중국은 1840년 아편전쟁으로 큰 타격을 받고 넘어진 후 100년이 지나도록 일어서질 못했다. 유구한 역사와 수천 년에 걸쳐 휘황찬란함과 번영을 자랑하던 세계 최대 문명국이자, 아시아 맹주를 자처하던 중국은 무슨 연유로 1750년부터 1949년까지 200년간 쇠퇴일로를 걸었을까? 그리고 이렇듯 처참하게 망가졌던 중국이 1950년 이후 어떻게 해서 다시 일어설 수 있었을까? 이 책은 이에 대한 명쾌한 대답을 담고 있다.

저자들은 근대 중국이 서서히 내리막길을 걸었던 원인을 '세상과의 단절' 때문이라고 규정한다. 중국을 세상과 동떨어지게 만든 것은 자유로운 사상의 억압이었다. 이는 무려 100년 동안이나 중국 사회의 발전을 가로막는 걸림돌로 작용했다. 영국에서 제니 방적기, 뮬 방적기에 이어 증기기관까지 발명되면서 산업혁명이 시작될 때 중국도 이에 못지않은 강건성세康乾盛世[1]의 시대였다. 그러나 중국 사회는 갈수록 암울해졌다. 잇따른 필화 사건인 문자옥文字獄으로 인해 중국 대륙은 활기를 잃었다. 싸우면 패할 줄을 몰랐다는 십전노인十全老人[2] 건륭제가 여섯 차례나 강남을 순유하면서 대량의 인력과 재물을 낭비할 때 영국을 비롯한 서방세계는 이미 변화와 개혁을 단행하는 등 부국강병책을 경쟁적으로 펼치고 있었다.

영국 국회에서 오래전에 이미 통과시킨 권리장전은 "국왕은 법률을 폐지할 권리가 없다. 국가의 중대 사무는 국회가 결정한다."고 규정해 공화정의 기틀을 닦았다. 즉, 국왕 일인 지배체제가 확실하게 무너진 것이었다.

프랑스 역시 걸출한 사상가들이 시대를 이끌었다. 볼테르는 개명 군주제로 왕권을 제약할 것을 주창했다. 또 몽테스키외는 입법, 행정, 사법 등 3권의 분립을 제안했다. 장 자크 루소는 한 걸음 더 나아가 국가권력은 국민으로부터 나온다면서 민주주의의 시행을 외쳤다. 프랑스 정부도 제헌의회가 통과시킨 인권선언문을 공표하면서 '자유와 평등, 박애' 등 인간이 누려야 할 권리를 보장하겠다고 약속했다.

미국은 1755년 13개 주가 영국 본토에 대항해 독립전쟁을 일으켜 조지 워싱턴을 독립군 총사령관으로 추대하고 이듬해 〈독립선언문〉을 발표했다. 제퍼슨이 기초한 〈독립선언문〉은 "모든 인간은 평등하게 창조됐고 그들은 생존, 자유와 행복을 추구할 권리를 가진다. 국민에게 이러한 권리

---

1 강건성세(康乾盛世): 청나라의 4대 황제 강희제부터 5대 옹정제, 6대 건륭제까지의 약 3대 140여 년간의 청나라 전성기를 일컫는 말이다. 중국에서는 태평성대와 동의어로 사용된다.
2 십전노인(十全老人): 10번의 원정 전투에서 승리를 거둔 것을 기리는 별명으로 건륭제는 개인적으로 십전노인이라 불리길 좋아했다.

를 보장해 주기 위해 정부가 필요한 것이다."고 밝혔다.

서구 열강이 이렇듯 개혁의 시대를 사는 동안 중국은 봉건왕조를 고수하면서 단절과 사상의 감옥에 갇혀 있었다. 20세기 중국의 역사학자인 뤼쓰몐呂思勉은 《여저중국통사呂著中國通史》에서 "청나라의 조락은 건륭의 성세 때부터 시작됐다."고 지적했다. 미국의 중국학자인 조너선 스펜서도 자신의 저서에서 "건륭제는 자만에 빠져 자신을 성찰할 줄 몰랐다. 따라서 태평성대를 구가하던 건륭제 중기에 이미 제국의 몰락 조짐이 나타났다."고 비판했다. 이 책의 저자들 역시 '몰락의 조짐'은 바로 사상 속박, 문화 봉쇄를 의미한다면서 건륭제 시기에 대해 많은 부분을 할애하고 있다.

그러나 가장 중요한 것은 중국이 나락으로 떨어졌던 과거를 딛고 일어나 다시 세계 최강국 반열에 올라섰다는 사실이다. 1949년 신중국 건국 이후 중국 공산당과 중국 정부는 열린 마음으로, 건륭제 시대 역사를 반면교사로 삼으면서 개혁·개방 정책을 펼쳐 적극적으로 해외로 진출했다. '흑묘백묘론黑猫白猫論'이 상징하듯 돈만 된다면, 인민을 배 부르게 먹이고 등 따뜻하게 해 줄 수만 있다면 어떤 것도 받아들이는 데 주저하지 않았다. 뿐만 아니라 교육에도 아낌없이 투자하기 시작했다. 소국인 한국의 과학기술을 배우러 방한하는 것은 기본이었고 심지어 한강의 기적으로 불리는 새마을 운동을 배워가서 변용도 했다. 또 고급 공산당 학교인 당교黨校를 세워 유능한 기술 관료를 양성하고 대학, 연구소 등도 활성화했다. 현재 G2로 올라선 중국의 저력은 이런 중국 공산당을 비롯한 중국 인민들의 노력을 대변하고 있는 것이다.

《중국사 재발견》은 1750년부터 1950년까지의 중국 역사를 디테일하게 분석하고 취재한 다음, 같은 시기 서방 열강들과의 비교를 곁들인 점에서 매우 탁월한 작품이다. 여기에 1950년 이후의 신중국 성장사를 더해 한

권의 책으로 엮어냈다. 중국 경제 250년의 흥망사를 심도 있게 해부한 이 책이 욱일승천하고 있는 중국을 더 잘 이해할 수 있고 또 그들의 전략을 아는 데 조금이나마 도움이 됐으면 하는 마음이다.

남한산성 연구실에서 옮긴이

제1장   18세기 세계 최부국 중국을 보다

1749~1799년의 중국

건룡제는 재위기간에 모두 여섯 차례에 걸쳐 장강 이남의 강남땅을 순유했다. 그때마다 행차 규모는 상상을 초월할 정도로 크고 호화로웠다. 광활한 영토를 보유한 대청제국이 얼마나 잘 사는 나라인지를 알 수 있는 대목이었다. 실제로도 건륭제가 재위한 18세기 후반 청나라는 세계에서 가장 부유한 국가였다.

하지만 건륭제는 생산 시스템을 개선하지 못했다. 그는 여전히 효율성이 낮고 원가가 높은 재래식 농업 시스템만 고집했다. 원래 물질적 부는 더 큰 이익을 얻을 가능성이 없게 되면 이익을 좇는 본능마저 잃고 만다. 청나라가 보유했던 대량의 물질적인 부도 장기적인 낭비 앞에서는 어느새 바닥을 드러내고 있었다.

세상만사는 흥할 때가 있고 쇠할 때도 있다. 그래서 편안할 때 위험을 잊지 말아야 한다. 눈앞의 근심을 대수롭지 않게 여기고 장래의 일을 미리 생각하지 않다가 문제가 한꺼번에 곪아터지면 그때는 후회해도 아무런 소용이 없다. 그러나 건륭제가 다스리던 대청제국은 그 당시 '강대한 세력의 대국'이라는 자아도취에 한껏 취해 있었다.

1750년
건륭제의
중국

건륭 15년인 서기 1750년은 아이신기오로 홍력愛新覺羅 弘歷이 대청제국의 옥좌에 올라 만민의 추앙을 받는 제6대 황제 건륭제가 된 지 15년이 되는 해였다.

대청제국 전국 각지에서는 태평성대를 찬미하는 춤과 노래, 황제의 은덕을 칭송하는 목소리가 끊이지 않았다. 비록 저 멀리 변경지방인 서북西北[1] 지역에서는 간간이 폭동과 민란 소식이 들려왔다. 하지만 광활한 제국에서는 충분히 발생할 수 있는 일이라 누구도 큰 신경을 쓰지 않았다. 각 지역에서 앞 다퉈 올리는 상주문과 진상품을 보는 황제의 얼굴에는 잔잔한 미소가 흘렀다. 그날 저녁 잠자리에 드는 황제의 몸이 약간 비대해져 있는 게 수행하는 환관의 눈에 들어왔다.

---

1 서북(西北) 지역: 중국의 '6대 지리구(6大 地理區)' 구분법에 의하면, 현재 중국의 서북 지역은 청해성(靑海省), 섬서성(陝西省), 감숙성(甘肅省), 신강위구르자치구(新疆維吾爾自治區), 영하회족자치구(寧夏回族自治區)를 포함하는 광범위한 지역이다.

18세기 중엽 청나라의 경제 현실

청나라 최전성기를 이끈 건륭제. 현재 중국의 영토는 이 시기에 완성됐다.

1750년 청나라의 산업 총생산량(이하 'GDP')이 세계 산업 총생산량(이하 '글로벌 GDP')에서 차지하는 비율은 무려 32.8퍼센트였다. 이는 같은 시기 유럽 전체 국가의 GDP가 글로벌 GDP에서 차지하는 비중보다 10퍼센트포인트 이상 더 높은 수치였다. 또한 1840년에 강철 군함을 동원해 청나라의 문호를 열어 청나라 정부와 백성들을 괴롭혔던 영국의 GDP가 이 시기 글로벌 GDP에서 겨우 1.9퍼센트를 차지하는 데 그쳤다는 사실을 알게 되면 당시 대청제국이 세계 최고 경제대국이었음을 알 수 있다.

그러나 대청제국의 경제 지표에도 문제점은 있었다. 엄청난 인구수의 격차에도 불구하고 1750년 청나라와 영국의 1인당 GDP는 대체적으로 비슷했다는 점이다. 가령 영국의 1900년 1인당 산업화 수준을 100이라고 가정하면, 1750년 영국과 청나라의 1인당 산업화 수준은 공히 8에 해당했다. 한마디로 국가 간의 GDP는 커다란 차이가 났지만 국민 한 사람이 만들어내는 생산량에는 별 차이가 없었다는 말이다.

물론 당시 건륭제와 청나라 신료들은 이와 같은 현대식의 정확한 통계 데이터를 알 리 없었다. 그것은 별로 중요하지 않았으니까. 굳이 통계를 꺼내지 않아도 눈으로 확인할 수 있는 당시 청나라의 눈부신 발전의 성과가 건륭제를 기뻐하게 만든 진정한 이유였기 때문이다.

물론 걱정거리가 없는 것은 아니었다. 3년 연속 쌀 가격이 오르기만 하고 내릴 기미를 보이지 않고 있었다. 예년에는 자연재해로 인해 쌀 생산량이 줄어들면서 가격이 상승했다. 하지만 요 몇 년 동안은 풍년이 들었는데도 쌀 가격은 여전히 치솟고 있었다. 영명한 황제는 그냥 지나칠 일이 아니라고 여겼다. 그는 여러 차례에 걸쳐 경제 분야를 담당하던 호부戶部의 관리들과 신료들을 소집해 쌀 가격 폭등 문제에 대해 논의했다. 더불어 각 성省의 총독總督과 순무巡撫2들에게 쌀 가격의 지속적인 상승 원인과 대책을 보고하도록 지시했다.

그러나 그 누구도 만족스러운 해답을 내놓지 못했다. 결국 그들은 강희제(康熙帝 · 4대 황제, 재위 1661~1722)와 옹정제(雍正帝 · 5대 황제, 재위 1722~1735) 때부터 있었던 뻔한 이야기, 다시 말해 "인구의 증가에 따라 쌀 가격이 상승했다."는 쪽으로 의견을 몰고 갔다. 정부 차원의 쌀 가격에 대한 논의는 이렇게 해서 흐지부지되고 말았다.

한편 북경北京에서 멀리 떨어진 광동성의 광주廣州3에서는 서양 상선들

---

2 총독(總督)과 순무(巡撫): 청나라는 명나라의 지방제도를 본떠 전국을 18개 성(省)으로 나누고, 총독(정2품 외직)과 순무(종2품 외직)를 보내 지방을 통치했다. 기본적으로 순무는 18개 성에 각 1명씩 임명했고, 총독은 직례성(현재의 하북성)과 사천성에는 각 성 당 1명의 총독을, 나머지 성은 2~3개를 묶어서 1명의 총독을 임명했다. 총독은 총 8인이었으며, 직례성에 직례총독, 사천성에 사천총독 외에 강소성 · 안휘성 · 강서성을 묶어 양강총독, 섬서성 · 감숙성을 묶어 섬감총독, 복건성 · 절강성을 묶어 민절총독, 호북성 · 호남성을 묶어 호광총독, 광동성 · 광서성을 묶어 양광총독, 운남성 · 귀주성을 묶어 운귀총독을 임명했다. 총독과 순무는 엄밀히 말해 종속 관계가 아니라 대등 관계로서, 각 성의 지방 정치는 총독과 순무가 협의해 처리하는 것이 원칙이었다. 총독과 순무를 합쳐 '독무(督撫)'라고 부르기도 했다.

3 광주(廣州): 현재 중화인민공화국의 광동성(廣東省) 광저우시다. 고대부터 시암(태국), 실론(스리랑카), 참파(남베트남), 자바(인도네시아), 말라카(말레이시아) 등의 동남아시아 국가들과의 무역 중심지로 발전했다. 이런 지리적 특성으로 인해 중국에서 가장 먼저 아랍인과 서양인들이 접촉한 지역이다. 옛날부터 서양 문물의 집산지와 서양인들의 교역 창구 역할을 했다.

이 황포항을 이용해 외국 상품을 중국으로 끊임없이 운송하고 있었다. 1750년 한 해에만 유럽 각지에서 황포항으로 2,350톤이 넘는 상품을 수출했다. 안타깝게도 대청제국의 관리와 백성들은 후에 산업혁명의 기초가 될 외국산 납, 주석, 동, 철, 모직물, 목화 따위에는 관심을 보이지 않았다. 오로지 황금과 은에만 열광했다. 그래서 서양 상인들은 대량의 금은을 가져다주고 유럽시장에서 잘 팔리는 중국산 차, 비단과 도자기 등을 사들였다. 대량의 은이 청나라에 유입됐다. 짭짤한 수입을 얻은 대소 관리들의 입가에서는 웃음꽃이 만발했다.

건륭제 이하 청나라 관리들은 아마 그들이 아는 지식을 전부 동원했더라도 위의 두 가지 현상(쌀 가격 상승과 외국 은의 유입)이 서로 연관돼 있다는 것을 눈치 채지 못했을 것이다. 후세 경제학자들이 심심찮게 거론하는 '인플레이션'은 한참 후에 나타난 경제용어였으니까 말이다.

40여 년이 지난 후 영국인 조지 스탠턴은 청나라에 방문사절단을 이끌고 북경을 방문하면서 "대량의 은 유입이 물가의 지속적인 상승을 초래한 가장 직접적인 원인"이라고 분명하게 밝혔다. 그러나 청나라 관리들은 그의 말을 그냥 흘려들었다. 다행히 건륭제는 아랫사람들보다 더 명석한 두뇌를 가지고 있었다. 탐욕스러운 눈길로 외국산 금은의 중국 유입을 허용하면서도 다른 한편으로는 외국인들의 중국에서의 경제활동에 대해 심각한 경계심을 드러냈다.

강남순유를 결심한 건륭제

1750년 여름이 가고 가을이 올 즈음, 장강長江4이남의 강남에서 잇달아 건륭제에게 보고서를 올렸다. 요지는 광주의 외국인들이 영파寧波5, 하문

중국의 젖줄인 황하(왼쪽)와 장강(오른쪽). 중국 북부 지역은 황하가 중국 남부 지역은 장강이 문화의 중심지였다.

廈門[6] 등지를 무역항으로 추가 개방할 것을 강력히 요구한다는 내용이었다. 건륭제의 신경은 날카로워졌다. '원래 평화롭던 청나라가 광주 개항 후 갑자기 뒤숭숭해지지 않았는가! 외국인들의 요구를 하나둘 들어주다가는 국가의 문호를 오랑캐에게 활짝 열어주는 꼴이 될 테니 어디 될 법한 소린가?' 건륭제는 조회를 받던 금란전金鑾殿에서 미간을 잔뜩 찌푸린 채 대책 마련에 부심했다.

얼마 후 건륭제는 절묘한 계책을 짜냈다. 그는 신하들을 불러 이렇게 말했다. "외국인들이 무엇 때문에 강남땅에 이토록 큰 관심을 가지고 있

---

4 장강(長江): 장강은 청해성(靑海省)과 서장(西藏)자치구의 접경을 이루고 있는 탕구라(唐古拉)산에서 발원해 중국 대륙 중남부를 돌아 상해 앞바다로 흘러간다. 예부터 중국 한자의 '강(江)'은 '장강'을, '하(河)'는 '황하(黃河)'를 가리킬 정도로, 장강은 황하와 더불어 중국인들의 삶에 지대한 영향을 미쳤다. 우리가 흔히 사용하고 있고 국제적으로도 통용되고 있는 양쯔강(揚子江·양자강)이라는 명칭은 원래 이 강의 하류인 강소성 양주(揚州)에서부터의 구간을 지칭하는 말로, 정작 중국인들은 양쯔강이라고 하면 제대로 이해하지 못한다. 그래서 이 책에서는 우리에게 익숙한 양쯔강이라는 명칭 대신 장강이라는 명칭을 사용하기로 한다.

5 영파(寧波): 현재 중화인민공화국의 절강성(浙江省) 닝보시다. 절강성의 란주만에서 삼문만까지 위치하고 있다. 당나라 시절부터 동아시아의 신라, 발해, 왜(倭), 류큐(琉球) 등의 국가들과 교역하던 국제 무역항으로 유명하다.

6 하문(廈門): 현재 중화인민공화국의 복건성(福建省) 샤먼시다. 복건성의 아모이 섬에 위치하고 있어 국제적으로는 아모이(Amoy)로 잘 알려져 있다. 현재 선전(深圳), 주하이(珠海), 산터우(汕頭), 하이난(海南) 등과 함께 외국인의 직접 투자가 허용되는 경제특구 지역이다.

는지 알기 위해 짐이 친히 강남을 순회해야겠소."

사실 건륭제는 오래전부터 남방순유 계획을 가지고 있었다. 그는 옥좌에 오른 그날부터 여섯 차례나 강남을 순유한 조부 강희제를 거울로 삼아 위대한 군주가 되려고 결심했다. 그런데 건륭제라고 그렇게 못할 이유가 있겠는가?

교육과 문화, 경제가 발전했던 장강 중하류의 강남땅은 당나라 이후 부와 문화의 상징이었다. 건륭제는 한 해 전인 1749년 10월 5일과 17일에도 연속으로 두 번이나 조서를 내려 강남 순유에 대한 강력한 의지를 드러냈었다. 건륭제는 꿈속에서도 강남을 산책하곤 했다.

그러나 천자天子의 강남 순유는 엄청난 일이었다. 자금성 밖의 호부戶部,

중국의 강남땅은 예로부터 중국에서 부유와 문화의 상징지역이었다.

---

7 군기처(軍機處): 청나라 때 황제의 정치를 보좌했던 군사·정무의 최고기관이다. 처음에는 군사와 정무에 관한 일만 처리했으나 나중에는 일반 정치까지 관여해 청나라를 움직인 기관이다.
8 플라잉셔틀(flying shuttle): 1733년에 영국인 J. 케이가 발명한 직조기계의 씨실을 넣는 장치다.

공부工部, 예부禮部 등 관아는 말할 것도 없고 자금성 안의 내무부內務府도 바삐 움직이기 시작했다. 당장 군기처軍機處[7]가 황제의 강남행을 위한 준비 업무를 선결 과제로 삼을 정도였다. 필요한 물자 조달, 황제의 수라 준비, 신변 안전 등 제반 분야에서 만전을 기하기 위해 청나라의 중추 시스템이 모두 이 거대한 프로젝트에 투입됐다. 북경에서 항주杭州로 이어지는 길목에 위치한 각 성의 관리들은 '어가를 영접'하는 일이 무엇보다 중요한 만큼 이들은 밤낮을 가리지 않고 근무해야 했다.

격변하는 세상

1750년에 대청제국 밖의 세계는 격동의 세월을 보내고 있었다. 이 시기 영국 식민지인 북아메리카에서는 이민자 후예들이 종주국 영국에 반항을 시작했다. 영국에서는 국회의 권위와 국회의원의 언론 자유를 확정한 〈권리장전〉이 66년째 발효되고 있었다. 이 권리장전으로 민주정치가 기본적으로 확립되고 국민은 법률에 따라 신체의 자유를 보장받게 되었다. 영국의 공업화 진행 과정도 매우 놀라웠다. 1733년에 영국인 J. 케이가 플라잉셔틀[8]을 발명해 직조 능률이 크게 향상됐다. 이로 인해 제직 원료인 면사의 수요가 공급을 초과하여 영국 각 지역에서는 면사 품귀현상이 나타났다. 영국은 이때 플라잉셔틀의 발명과 응용을 계기로 산업화에 속도를 내기 시작했다.

프랑스에서는 이 무렵 몽테스키외가 저술한 《법의 정신》이라는 책에 온 국민이 열광하고 있었다. 프랑스 지식인들은 이 책에서 묘사된 '분권 정부'와 '법치 사회'에 대해 광범위하고도 열렬하게 토론했다.

1750년, 아카데미프랑세즈 회원이었던 위대한 사상가 볼테르는 프로

이센 왕의 초청을 받고 베를린에서 《루이 14세의 세기》를 완성했다. 그는 프로이센의 황제 프리드리히 2세에게 이 책에서 언급한 '현명한 군주 제도'를 추천하면서 언론의 자유를 거듭 제기했다.

이 무렵 프랑스의 유명한 사상가와 과학자 160여 명도 각자 집필에 열을 올리고 있었다. 1751년 드니 디드로, 볼테르 등 백과전서파가 집필한 《백과전서》 제1권이 출판됐다. 당시 《백과전서》처럼 규모가 방대한 중국의 저작으로는 《고금도서집성古今圖書集成》, 《사고전서四庫全書》등을 꼽을 수 있지만 양자가 지향하는 사상은 너무나도 달랐다. 중국의 《고금도서집성》과 《사고전서》는 사상 폐쇄를 지향한 반면, 프랑스의 《백과전서》는 사상 개방을 주창했다. 그렇기 때문에 이로부터 200여 년이 지난 후에도 중국 사람들은 《사고전서》가 아닌 《백과전서》를 통해 과학과 이성의 매력을 실감할 수 있게 된다.

이 시기 건륭제가 다스리던 대청제국은 디드로의 백과전서에 나오는 것처럼 '강대한 세력의 대국'이라는 자아도취에 한껏 취해 있었다. 그러나 그 누구도 눈치 채지 못하는 사실이 한 가지 있었다. 잠잠한 바다 위를 순항하던 거대한 대청제국호를 향해 저 멀리서 다가오고 있는 거대한 폭풍우가 있다는 사실을 말이다.

강남을
순유하는
천자

건륭제 즉위 16년인 1751년, 강남의 대표 도시인 항주杭州의 서호 기슭 버드나무에는 파르스름한 새싹이 돋아나고 있었다. 예년보다 봄이 일찍 찾아온 것이다. 따뜻한 봄바람이 불어오자 집안에 있던 사람들은 너도나도 친척과 친구를 찾아 밖으로 나왔다.

그러나 총독과 순무를 위시한 정부 기관에서 근무하는 대소 관리들은 봄기운을 만끽할 틈이 없었다. 이번 봄에 황제께서 친히 강남을 순유한다는 내용의 조서가 도착했기 때문이다. 어가를 영접하는 일은 여간 번잡스런 일이 아니었다. 중요한 일에 차질이 없도록 일찍 공을 들여 준비해야 낭패가 없을 터였다.

이즈음 강남에서 1만 리 떨어져 있는 북경 황성 안팎도 바쁘게 돌아가고 있었다. 천자가 순유를 나가는 것은 정말 보통 일이 아니었으니까 말이다.

건륭제의 남순은 많은 비용을 소모했다. 자료 사진은 건륭제의 남순도 중 일부분이다.

강남순유에 나서는 건륭제

정월 13일 드디어 황제는 북경 내성 남쪽의 정양문을 나섰다. 태후, 황후와 황족 및 귀족들이 어가를 수행하고 수많은 정부 관리, 의장병, 근위병, 군졸, 하인 등이 어가를 호위했다. 2,000명이 넘는 대규모 인마가 수 킬로미터에 이르는 거대한 대오를 이루면서 앞으로 나아갔다. 맨 앞에 선 의장대가 정양문을 500미터 넘게 벗어났는데도 대오의 뒷부분은 아직 성문을 벗어나지 못하고 있었다.

황제의 남순 기간 중 국정을 맡아보게 된 대학사[9] 유통훈劉統勳과 군무를 총괄하게 된 대학사 사이직史貽直은 관리들을 이끌고 어가를 배웅하기 위해 이른 아침부터 정양문에서 대기하고 있었다. 두 사람은 얼음처럼 차디찬 석판 위에 장시간 꿇어앉아 있었다. 백성들도 위풍당당한 천자의 남순 행렬을 구경하기 위해 떼를 지어 거리로 몰려나왔다.

황제 일행을 태우고 갈 배들이 정박한 운하 안팎도 사람들로 북적거렸다. 황제가 배에 오르자 준비를 마친 1,000여 척의 큰 배들은 꼬리에 꼬리를 물고 수십 리[10]강에 늘어서서 출발 명령만 기다렸다. 황실의 정예 기마부대가 강 양안을 따라 어가를 호위할 예정이었다.

드디어 깃발이 휘날리자 천군만마가 내달리기 시작했다. 황제, 황비, 귀족, 수행원들을 태운 배는 노를 전혀 사용하지 않았다. 순전히 인력으로만 움직이게 돼 있었다. 그래서 남순하는 배들을 끄는 데만 인부 3,600명이 동원됐다. 육로에서는 말 6,000필, 마차 400대, 낙타 800마리 그리고 1만 명이 어가를 뒤따르면서 수시로 지시를 기다렸다. 건륭제는 이처럼 사람들의 간담을 서늘하게 하는 엄청난 기세를 자랑하면서 '그림처럼 아름다운' 강남을 향해 위풍당당하게 출발했다.

하북河北을 비롯해 산동山東, 안휘安徽, 강소江蘇, 절강浙江 등 각 성의 관

---

9 대학사(大學士): 보통은 내각대학사(內閣大學士)를 일컫는다. 원래는 황제의 자문에 응하던 직책이었으나, 명 태조 주원장(朱元璋) 이후 위치가 급상승했다. 주원장은 승상(丞相) 호유용을 제거하고 나서, 재상을 두지 않고 스스로 육부(六部)를 이끌었다. 그 뒤부터 주원장의 자문에 응하던 내각의 대학사가 중용되었고, 이후 가정제 때 대학사의 지위를 육상서 위에 두면서부터 실질적으로 재상(宰相)의 역할을 했다. 청나라 때는 만족·한족 각 2명을 내각대학사(內閣大學士)로 두고, 그 밑에 협판대학사(協辦大學士)로 만족·한족 각 1명을 두었다. 대학사는 보통 육부상서의 상서(尙書)를 겸임하는 경우가 많았고, 옹정제 이후부터 최고 의사기구의 역할은 군기처로 넘어갔다.

10 리(里): 중국의 1리는 왕조와 시대별로 조금씩 다르다. 청나라 시기의 1리는 약 576미터이며, 1949년 이후 500미터로 고정되었다. 현대에는 '공리(公里)'라고 지칭하는 킬로미터 단위도 많이 쓴다.

리와 부호들은 건륭제에게 대청제국의 태평성대를 보여주기 위해 그야 말로 평생의 심혈을 기울였다. 그들은 우선 대규모로 토목 공사를 벌여 황제가 지나는 길에 행궁行宮 30개를 지었다. 도로 양 옆의 민가와 점포들은 모두 칠을 새로 하고 화려한 붉은 초롱을 내걸었다. 또 강 양안에는 천막을 세우고 푸른 측백나무와 소나무 가지로 아름답게 장식했다. 황제의 배가 닿는 인근 30리 안팎의 정부 관리, 지방의 유지, 수재(秀才·생원), 노인들이 전부 나와 줄을 지어 엎드려 절을 하면서 어가를 맞이했다.

강소성의 진강성鎭江城에서는 황제의 시선을 끌기 위해 기막힌 이벤트까지 연출했다. 그들은 10리 밖에서도 보이는 거대한 복숭아 모양의 구조물을 만든 다음 붉은색과 푸른색 비단으로 겉면을 장식하고 어가가 가까이 다가오자 사방에서 불꽃을 쏘아 올렸다. 그러자 거대한 복숭아가 두 쪽으로 갈라지면서 그 안에서 수백 명의 미남미녀가 노래하고 춤을 추며 천자의 방문을 열렬히 환영했다.

안휘성 양주揚州의 관영 상인들은 황제가 낯선 환경에 적응하지 못할까 봐 건륭제 숙소인 대홍원에다 자금성의 라마백탑喇嘛白塔[11]을 꼭 빼닮은 탑을 하룻밤에 세우기도 했다. 그래서 북경에 있는 북해北海의 명승지 경도 춘음瓊島春蔭이 하룻밤 사이에 그대로 양주에 재현되는 일이 벌어지기도 했다.

그림처럼 아름다운 강남의 자연 경관에 완전히 넋을 빼앗긴 건륭제는 떨어지지 않는 발걸음을 가까스로 옮겨 그해 5월 4일 북경으로 돌아왔다. 그러나 건륭제는 북경에 돌아온 다음에도 강남의 수려한 경치를 잊지 못하고 마치 마약 중독자들이 마약에서 빠져나오지 못하는 것처럼 오매불망 강남땅을 그리워했다.

---

11 라마백탑: 티베트 불교 양식의 둥글고 하얀 석탑이다. 티베트어로는 초르텐(Chorten)이라고 한다.

국가 재정 좀먹는 강남순유

　　강남에 마음을 빼앗긴 건륭제는 1차 남순 행차에 이어 30년도 안 되는 사이에 무려 다섯 차례나 더 강남을 다녀왔다. 2차~6차 남순 행차는 각각 건륭 22년(1757년), 건륭 27년(1762년), 건륭 30년(1765년), 건륭 45년(1780년), 건륭 49년(1784년)에 이뤄졌다. 모두 정월 중순이나 말경에 출발해 강남의 봄 경치를 마음껏 즐기고 4월 말이나 5월 초에 귀경했다. 마지막으로 강남 순유를 마쳤을 때 건륭제는 나이 74세의 늙은이가 돼 있었다. 다음은 여섯 차례에 걸친 그의 강남 순유 일지다.

　　1차: 건륭 16년 (서기 1751년) 정월 13일 출발, 5월 4일 귀환(건륭 나이 41세).

　　2차: 건륭 22년 (서기 1757년) 정월 11일 출발, 4월 26일 귀환(건륭 나이 47세).

　　3차: 건륭 27년 (서기 1762년) 정월 12일 출발, 5월 4일 귀환(건륭 나이 52세).

　　4차: 건륭 30년 (서기 1765년) 정월 16일 출발, 4월 21일 귀환(건륭 나이 55세).

　　5차: 건륭 45년 (서기 1780년) 정월 12일 출발, 5월 9일 귀환(건륭 나이 70세).

　　6차: 건륭 49년 (서기 1784년) 정월 21일 출발, 4월 23일 귀환(건륭 나이 74세).

　　건륭제는 남순을 강행하는 이유를 다음의 네 가지로 설명했다. 강절(江浙·강소성과 절강성) 관리들이 그 지역 군민들을 대표해 어가의 왕림을 간절히 요청하는데 그 후의를 거절하기 어렵다는 것이 첫 번째 이유였다. 두 번째는 성조聖祖 강희제의 남순 선례를 따른다는 것이었다. 세 번째 이유는 군정을 살피고 백성들이 혹시 겪고 있을지 모를 고통을 알아보기 위해서라는 것이었다. 그리고 마지막 이유로는 강남 유람을 입버릇처럼 외우는 황태후의 소원을 들어드림으로써 아들의 의무를 다하는 효심이었다.

그러나 사실 그가 거론한 이유 중에서 국가 정치와 관련된 것은 세 번째 이유밖에는 없었다. 나머지는 모두 지극히 사적인 욕심에서 비롯된 것이었다. 따라서 처음 '남순' 계획이 거론될 때부터 반대 목소리가 없지 않았다. 대학사 눌친訥親[12]은 가장 먼저 황제의 명령에 따라 남순의 사전 답사에 파견된 사람이었다. 그는 짐짓 싫은 내색 한번 없이 강남 각지를 한 바퀴 빙 돌아보고 나서 다음과 같은 내용의 보고서를 올렸다.

"소주蘇州의 호구虎丘[13]는 거대한 봉분과 흡사합니다. 명승지라고 부르기도 부끄럽습니다. 성안의 강은 폭이 대단히 좁은데도 크고 작은 배들로 엄청나게 붐빕니다. 더구나 강 위에는 분변이 둥둥 떠다니고 악취가 코를 찌릅니다."

이렇듯 눌친은 황제의 남순 계획에 완곡하게 반대 입장을 표명했다고 할 수 있다. 그러나 눌친이 아무리 지혜를 짜내봤자 건륭제의 '강남앓이'를 근본적으로 치유할 수는 없었다. 그저 남순 계획을 약간 지연시키는 효과만 가져왔을 뿐이었다.

현군이었던 건륭제는 강남 순례가 단순히 먹고 마시고 놀면서 즐기기 위한 것이 아니라 백성들을 위한 위대한 사업이라는 사실을 세인들에게 인식시켜야 한다는 것을 알고 있었다. 그래서 그는 명분을 만들었다. 강남에 내려갈 때마다 의례적으로 현지의 치수 공사를 시찰했다. 한마디로 말해 건륭제의 남순 행에서 가장 중요한 일은 치수 공사였다. 그는 특히 강소성과 절강성 일대의 방파제 건설에 지대한 관심을 쏟아 현장에 직접

---

12 눌친(訥親): 만주족 명문가인 니오후루 가문 출신으로 건륭제 초기 수석군기대신의 지위에 올랐으며 이부와 호부를 모두 관할했다. 그의 증조부는 청나라 개국 1등공신이며, 고모가 강희제의 황후였을 정도로 대대로 청나라 황실의 인척으로 조정 안에 권력이 대단했지만 후일 건륭제의 눈 밖에 나 자결한다.

13 호구(虎丘): 소주에 있는 40미터 높이의 언덕으로 호랑이가 웅크려 앉아 있는 모습과 비슷하다고 해서 붙여진 명승지다. 북송대 시인 소동파(蘇東坡)가 "소주에 와서 호구를 구경하지 않는 것은 매우 안타까운 일이다."라고 말했을 만큼 경치가 아름답다.

가서 치수 공사를 지휘하기도 했다.

그가 3차 순유 기간에 절강성 해녕海寧에 이르렀을 때였다. 마침 그곳에 홍수가 나서 상황이 대단히 위급했다. 그는 휴식을 취할 틈도 없이 다음 날 직접 방파제 건설 현장을 찾았다. 이어 몸소 말뚝을 박아보고 마지막으로 나무로 제방을 쌓은 다음 돌로 제방을 더욱 튼튼하게 강화하라고 지시했다. 이때의 건륭제는 만민의 추앙을 받는 천자의 몸이면서 동시에 수리 공사에 정통한 전문가였다. 그의 방파제 건설에 대한 열정과 근면성은 성조聖祖로 일컬어지는 강희제도 따라가기 어려울 정도였다. 실제로 건륭제 시기의 치수 공사 규모와 여기에 투입된 인력과 자금은 역대 제왕의 치세 중에서 단연 으뜸이었다. 매년 '세수비歲修費' 명목의 고정 지출만은 380만 냥으로 당시 조정 세출 중 10분의 1을 넘어섰다.

그는 어느 한 지역 시찰을 끝낼 때마다 편액이나 비석에 글을 새겨 기념하는 것도 잊지 않았다. 위대한 시인 건륭은 아마도 주변의 수려한 산천이 모두 '내 것'이라고 생각했을 것이다. 건륭제는 일생 동안 꽤 많은 시를 남겼다. 지금까지 전해지는 것만 9,000편쯤 된다. 《전당시全唐詩14》 수십여 권과 맞먹는 분량이다. 이 때문에 세인들은 건륭제를 일컬어 '위대한 시인'이라고 부르기도 한다.

그러나 후세 사람들은 그의 시에 대해 큰 흥미를 느끼지 않았다. 기껏해야 제왕체帝王體의 허식이 많은 문장에 불과할 뿐 문학 작품다운 운치가 전혀 느껴지지 않는 시였기 때문이었다. 어쨌거나 대략 건륭제 사후 50~60년이 지난 후 청나라는 서서히 국력이 쇠퇴해지기 시작해 조정에서 지방의 치수 공사를 돌볼 여력이 없어졌다. 강소성과 절강성 일대의 방파

---

14 전당시(全唐詩): 청나라 시기에 당시(唐詩)를 모은 책으로 1705년 강희제의 명으로 만들기 시작해서 1745년에 완성되었다. 총 900권으로 2,200여 명에 이르는 작가의 작품 4만 8,900여 수를 수록했다.

제도 오랫동안 수리를 하지 않고 방치할 수밖에 없었다.

그러나 건륭제 시기의 청나라는 국고가 가득 차고 돈과 재물이 대단히 많았다. 건륭제는 가는 곳마다 거침없이 조세 감면이라는 혜택을 베풀었다. 예컨대 그는 남순 길에 들른 산동, 강소, 절강 등 4개 성을 지나면서 각 주州와 현縣의 과세액을 10분의 3이나 감면해줬다. 자연재해로 인해 흉작이 든 지역의 세금은 심지어 절반 이상 감면해주기도 했다. 그가 남순 길에 어가를 멈추고 숙박한 강소성 남경南京과 소주蘇州, 절강성 항주杭州 등 세 도시와 주변 각 현의 지정은地丁銀**15**도 모두 면제해주었다. 그 금액을 은으로 환산하면 무려 1,000만 냥이 넘었다. 당시 조정 세금의 3분의 1이 다되는 거액을 탕감해준 것이다. 만주 땅을 가지고 있던 큰 부자인 건륭제는 민심을 얻기 위해 조세 감면을 아끼지 않았지만 이로 인해 세수가 줄어든 청나라는 점차 국가 재정의 악화를 초래하게 된다.

후회하는 건륭황제

강소성과 절강성 일대는 예부터 인재와 문물이 집결됐던 곳으로 유명했다. 실제 이 지역의 통계만 보더라도 다른 성에 비해 수십 배나 더 많은 수재와 학자들이 배출됐다. 청나라 때만 하더라도 전국의 과거시험 1, 2, 3등인 장원狀元, 방안榜眼, 탐화探花 가운데 10명 중 6~7명인 60~70퍼센트가 강소성과 절강성 출신이었다. 청나라의 대학사, 상서尚書**16**, 총독, 순무 등

---

15 지정은(地丁銀): 청나라 때 종래에 따로따로 부과하던 지은(地銀·토지세)과 정은(丁銀·인두세)의 두 가지 세제(稅制)를 일원화하여 토지에만 부과해 은으로 징수하던 세금제도다.

16 상서(尚書): 명나라 때의 육부(六部)와 청나라 때의 육부(六部)와 이번원(理藩院)의 수장 벼슬로서, 명대에는 정2품, 청대에는 종1품 내직 벼슬이었다. 조선으로 치면 판서와 비슷하다. 청나라 때는 내각대학사가 상서를 겸임하기도 했다.

고위직을 역임하거나 현직에 있던 관리들도 대부분 본적이 강소성과 절강성 일대였다. 이같이 문인들의 온상이라고 할 만한 지역이 건륭제의 주목을 받지 못할 까닭이 만무했다. 따라서 건륭제 남순의 또 다른 중요 목적은 강소성과 절강성 일대 수많은 지식인을 포섭하는 것이었다. 예를 들면 이런 일이었다.

1757년은 건륭제가 두 번째로 강남에 내려간 해였다. 건륭제의 첫 번째 남순 때 청나라의 군무를 총괄했던 대학사 사이직은 이 무렵 고향 집에 머물고 있었다. 2년 전에 아들의 근무 문제로 건륭제의 분노를 사 삭탈관직을 당했던 것이다. 두 번째 남순 길에 오른 건륭제는 강남 지역에서 넓은 인맥을 자랑하는 이 옛 신하를 잊지 않고 있었다. 강소성 율양溧陽현의 고향집 화원에서 화초를 가꾸고 키우고 있던 사이직에게 "출두하라!"는 천자의 성지聖旨가 도착했다.

그때 이미 70세가 넘은 사이직은 잠시도 꾸물거릴 틈이 없었다. 황급히 향로를 설치하고 조복을 차려 입은 다음 북쪽을 향해 절을 했다. 이어 가마를 타고 어가를 영접하기 위해 황급히 기주沂州까지 달려갔다. 건륭제는 무려 세 황제나 섬긴 원로 중신이 헐레벌떡 달려와 공손하게 꿇어 엎드리는 것을 보고는 과거의 노여움을 풀어버렸다. 그리고 얼마 후 건륭제는 다시 조서를 내려 사이직을 재상에 임명했다. 이어 대학사와 태자를 가르치는 태자태부太子太傅의 벼슬까지 내렸다. 그러나 사이직은 1765년 건륭제가 네 번째로 남순할 때는 세상에 남아 있지 않았다. 이미 1년 전에 세상을 떠나 고향 땅에 묻힌 뒤였다. 사이직의 소식을 들은 건륭제는 먼 길을 마다하지 않고 그의 무덤을 찾아 애도의 뜻을 표했다.

이에 반해 절강의 학자 항세준杭世駿은 사이직과 반대로 비운을 면치 못했다. 책상물림의 전형인 그는 건륭 원년에 한림원翰林院의 사관인 편수編

修가 됐고 관직은 어사御史에 이르렀다. 그는 재능과 학식이 특출한데 반해 성격이 너무 강직하고 꼿꼿한 사람이었다. 항세준은 "조정에서 인재를 등용할 때 만주족과 한족의 차별을 없애야 한다."는 주장을 거리낌 없이 펼치곤 했다. 이로 인해 그는 건륭제의 미움을 받아 관직에서 쫓겨났다. 삭탈관직을 당했으니 고향에 은거하는 것은 자연스런 수순이었다.

건륭제는 강남을 순시하면서 고향에 은거하고 있던 항세준을 세 번이나 불렀다. 황제는 항세준을 첫 번째 만났을 때, 성격을 바꿨느냐고 물었다. 항세준이 아니라고 대답하자 건륭제는 버럭 화를 냈다. 두 번째 만남에서도 이 늙은 학자는 자신의 성격을 고치지 않았다고 대답해 황제를 자극했다. 세 번째 만남에서는 일부러 항세준의 얼굴을 보지도 않고, 좌우 신료들에게 항세준이 아직도 살아있느냐고 건륭제가 물었을 정도였다.

한마디로 건륭제는 '예스맨Yes man' 만 원하고 총애했다. 이를테면 고분고분 순종하는 착한 신하가 그의 마음에 들었던 것이다. 따라서 순종하지 않고 지조가 있는 신하들은 재능이 아무리 출중해도 황제의 신임을 얻지 못하고 나중에는 낡은 빗자루처럼 문밖에 내팽개쳐지는 비운을 맞이해야 했다. 물론 천자의 입장에서는 그게 지극히 당연한 일에 불과했지만 말이다.

건륭제의 강남 순유가 여섯 차례나 이어지자 조정 안팎에서는 황제의 남순을 반대하는 목소리가 끊이지 않았다. 건륭제는 처음에는 못 들은 척 무시해버렸으나 나중에는 날카롭게 질책했다. 한참 후에는 비판 의견은 아예 무시하고 간신들의 아첨하는 말만 가려들었다.

건륭제는 첫 번째 강남 순유 때, 소주에서 둘레가 한 아름이나 되는 매화나무 한 그루를 보고 감탄을 금치 못한 적이 있었다. 이때 옆에 서 있던 장군 보르분차博爾奔察가 갑자기 칼을 빼들더니 매화나무를 베어버리려는 시늉을 했다. 건륭제가 깜짝 놀라 왜 그러는지 다그쳤다. 보르분차가 대답했다.

"이 나무가 황실 정원인 원명원에 자라지 않은 것이 원망스럽습니다. 폐하께서 먼 길도 마다않고 이토록 험한 곳까지 오시게 만들었습니다. 그래서 베어버리려고 했습니다."

건륭제는 신하의 말속에 숨은 뜻을 알고는 대단히 불쾌해했다.

다섯 번째 강남 순유 때였다. 건륭제는 호주湖州를 유람하고 싶어 했다. 그래서 일부러 그럴 듯한 구실을 만들어냈다.

"짐은 놀기 위해 호주에 가려는 것이 아니다. 그곳의 양잠업을 살펴보려고 한다."

그러자 대학사 정경윤程景伊이 극력 반대하면서 말했다.

"폐하께서 이번에 호주에 가게 되면 노역에 시달릴 백성들의 고통이 너무나도 클 것입니다. 그리하면 다음번에 호주에서 뽕나무와 누에를 구경할 수 없게 됩니다."

건륭제는 이번에도 충신의 말을 무시했다. 그러자 건륭제의 측근인 기윤이 천자의 다섯 번째 행차를 막기 위해 동남쪽 백성들의 자금이 이미 고갈됐다고 말했다. 건륭제가 버럭 화를 내면서 호통을 쳤다.

"고린내 나는 서생 따위가 감히 국가 대사를 왈가왈부하는가."

그러나 건륭제는 그로부터 10여 년이 지난 후 죽음을 앞두고는 갑자기 머리가 명석해졌는지 처음이자 마지막으로 자신의 강남 순유에 대해 깊이 반성했다. 급기야는 남순을 막아서자 화를 내며 호통을 쳤던 측근 기윤에게, "짐은 60년 동안 재위하면서 덕을 잃은 적이 없었지만, 유독 여섯 차례 남방 순유에서는 백성들을 혹사시키고 재물을 낭비했다. 장래의 황제가 남방 순유를 하려고 할 경우 경이 막지 않는다면 다시는 짐을 볼 생각을 하지 말라." 는 말을 남겼다.

일국의 지배자가 이토록 겸허하게 자신의 행위를 반성하기는 결코 쉽지 않다. 그러나 뒤늦은 반성은 무슨 소용이 있겠는가.

산업혁명과 도약하는 유럽

건륭제가 방파제 건설과 농업, 양잠 사업에 혼신의 힘을 쏟아 붓고 있을 무렵, 영국은 '기계화 생산'이라는 새로운 길을 개척해 휘황찬란한 미래를 향해 달리고 있었다. 특히 직조 기계에 장착된 플라잉셔틀의 속도가 갈수록 더 빨라지고 있었다. 직조 능률이 이렇듯 크게 높아지면서 면사는 심각한 공급 부족 현상에 직면하게 됐다. 당시 일반적으로 사용하던 수동식 방적기는 한 번에 실 한 오라기밖에 만들지 못했다. 따라서 방적공 대여섯 명이 만들어낸 실은 기껏해야 직조공 한 명이 사용할 양밖에 되지 않았다. 이에 따라 영국 상공연합단체인 '런던공예협회'는 1760년에 특별 종목상을 신설해 새로운 방적기를 발명하는 사람을 크게 포상할 것이라고 선언했다.

포상의 행운은 제임스 하그리브스라는 목수에게 돌아갔다. 어느 날 그는 부주의로 아내의 수동 방적기를 넘어뜨렸다. 그런데 방적기는 계속 돌고 있는 게 아닌가? 넘어진 방차가 직립해 있는 방추를 작동시켜 실을 만들고 있었던 것이다. 그 광경을 지켜보던 그에게 갑자기 아이디어 하나가 떠올랐다. 그는 나무로 틀을 만든 다음 여러 개 방추를 틀에 직립 형태로 설치했다. 이렇게 해서 방차를 이용해 여러 개 방추를 동시에 가동시킬 수 있었고 한꺼번에 실 여러 오라기를 만들어낼 수 있었다. 그는 이렇게 발명한 방적기를 아내의 이름을 따서 제니 방적기라고 명명하고 1767년에 특허를 신청했다. 제니 방적기는 처음에는 한꺼번에 여덟 오라기의 실을 만들 수 있었다. 그러다 점진적인 개량을 거친 후에는 한꺼번에 80~100오라기의 실을 만들게 됐다. 방적 속도가 100배나 빨라졌다.

대박은 2년 후인 1769년에도 이어졌다. 이때의 주인공은 이발사인 리차드 아크라이트였다. 그는 제니 방적기보다 구조가 더 복잡한 방적기를 발명했다. 이 신형 방적기는 틀에 설치된 여러 개 축이 동시에 작동하면서 무명실을 뽑는 원리로 설계됐다. 게다가 방적기를 직접 수차에 설치해 물의 힘으로 축을 돌려 실을 뽑는 자동 방적까지 가능했다. 아크라이트는 이 방적기를 수력 방적기라고 이름을 붙였다. 면사 생산 속도가 빨라지자 이번에는 상대적으로 느린 플라잉셔틀의 직조 속도가 문제가 됐다. 이 문제를 해결하기 위해 에드먼드 카트라이트 목사가 동력 방직기를 발명했다. 영국 방직업은 이처럼 다양한 발명에 힘입어 빠르게 발전하기 시작했다.

아크라이트가 수력 방적기를 발명한 그 해, 글래스고대학의 기계 기사 제임스 와트는 지하실에서 증기기관을 발명해 특허를 획득했다. 그는 먼저 증기를 식히는 일종의 분리형 응축기를 발명한 다음 실린더 옆에 독립된 응축기를 설치해 실린더와 응축기를 분리했다. 이어 대포의 포신을 뚫는 기술을 이용해 새로운 실린더와 피스톤을 만들어 증기가 빠져나가는 것을 막았다. 이로써 재래식 증기기관의 에너지 소모가 크고 효율이 낮은 약점이 보완됐다. 와트가 발명한

제니방적기. 제니 방적기의 발명으로 유럽의 방직업은 급속히 발전했다.

고효율 현대식 증기기관은 와트와 매튜 볼턴이 공동으로 창업한 '볼턴-와트 상회'에서 대량으로 생산돼 일부 공장과 광산에서 널리 사용됐다. 이때까지도 사람들은 증기기관이 세계에 얼마나 큰 충격을 가져다줬는지 실감하지 못하고 있었다. 끊임없는 개선과 발전을 거쳐 증기기관의 응용 범위는 갈수록 넓어졌다. 사람들은 마차, 기선을 포함해 가능한 모든 것에 하나같이 증기기관을 설치했다.

이때에 이르러서야 사람들은 비로소 '우르릉' 하는 증기기관의 소리와 더불어 전 세계가 움직이는 속도가 한층 더 빨라졌다는 사실을 실감하게 됐다. 수십 년이 지난 후 영국인들은 증기기관을 장착한 기선을 몰고 청나라 영해에 들어갔다. 증기 기선을 처음 본 청나라 관리들은 처음에는 믿을 수 없다는 표정으로 입을 딱 벌렸다. 그러다가 나중에는 서양인들이 요사스런 술수를 부리는 것이라고 단정 짓고는 그냥 못 본 척 해 버렸다.

최부국
중국의
모습

　　건륭제가 재위한 18세기 후반의 청나라는 세계에서 가장 부유한 국가였다. 건륭제가 강남 순유 때마다 거동하던 강녕康寧, 소주, 항주는 모두 유명한 비단 산지로 도시마다 1만 대가 넘는 직조기를 보유하고 있었다. 또 항주, 가흥嘉興, 호주 등은 토양이 뽕나무 재배에 적합한 데다 비옥했기 때문에 양잠업과 견직업이 매우 발달했다. 항주 동북부에서는 수천만 가구가 견직업을 생업으로 삼았다. 직조기가 찰깍찰깍 돌아가는 소리가 마을 곳곳에서 아침저녁으로 끊이지 않았다.

　　항주 서남 지역의 해아항孩兒巷, 공후원貢院後, 만안교서萬安橋西 일대는 외지인 기계공과 날염공들이 운집해 밤낮을 가리지 않고 방직업에 필요한 서비스를 제공했다. 광동廣東과 복건福建 등지에서는 상인들이 비단을 사기 위해 크고 작은 거리와 골목들을 누비고 다녔다.

　　특히 당시 강녕 지역이 직조업으로 이름을 날렸다. 강희제도 강남 순유를 하면서 강녕의 직조부에 여러 차례 투숙할 정도였다. 이처럼 방대한 직조업 발전에 힘입은 강녕 지역의 부유함은 사람들에게 깊은 인상을 남겼다. 청나라의 문인 오경재吳敬梓는 그의 저서《유림외사儒林外史》에서 '성 안의 수십 개 큰 거리와 수백 개 작은 골목에 상가들이 즐비하고, 큰 거리와 작은 골목을 모두 합치면 크고 작은 식당이 600~700개, 찻집이 1,000개가 넘었다.'고 강녕 지역을 묘사했을 정도였다.

청나라 상인들의 막대한 부

강녕 인근에서는 양주揚州가 염직染織을 하며 독점적 우위로 번성했다. 염직업染織業을 하는 염상染商들은 일반인들이 상상도 못할 정도의 부를 축적했다. 대체로 정부 고위층과 밀접한 관계를 가지고 있는 이들 양주 염상들은 주머니가 불룩해지자 돈을 물 쓰듯 썼다. 앞에서 양주 상인이 건륭제를 위해 하룻밤에 라마백탑을 세웠다고 설명한 바 있었는데, 그 자금을 댄 사람이 다름 아닌 양주의 8대 염상 중 한 명인 강춘江春이었다. 또 청나라 정부가 1786년에 있었던 임상문林爽文의 반란를 진압하기 위해 군사를 출병시켰을 때에도 양주 염상 강광달江廣達이 은 200만 냥을 포상금으로 내걸어 병사들의 전의를 고취시켰다. 또한 정부의 치수 공사 경비가 부족하게 되자 양주 상인들은 함께 모은 은 300만 냥을 지원해 치수 공사가 중단되지 않도록 했을 정도로 당시 염상들의 주머니는 매우 두둑했다.

이 시기 북경을 비롯한 산서山西, 하북, 산동 등의 지역은 탄광업이 매우 발달했다. 1762년에 작성된 공부工部의 상주서에 따르면, 북경의 서산西山과 완평宛平, 방산房山 등의 현縣에는 오래된 탄광 750개와 당시 채탄 중인 탄광이 273개나 있었다. 특히 서산의 석탄은 수도 북경에 거주하는

100만 가구에 넉넉하게 공급할 수 있을 정도로 매장량이 많았다. 산동의 여러 현과 북경의 문두구門頭溝 등지에서도 거액의 부를 축적한 탄광업자 출신의 갑부들이 속속 등장났다.

또한 이 시대에는 시장도 발달하기 시작했다. 1794년에 이르러 각종 화물의 유통 총액은 은 4억 5,000만 냥에 달한 것으로 추산된다. 이렇게 무역량이 급증하면서 결제 수단으로서의 은의 문제점이 부각되기 시작했다. 사실 상인들이 고액 거래를 하려면 대량의 은을 휴대해야 했기 때문에 불편하기 짝이 없었다. 이런 불편한 문제를 해결하기 위해 총명했던 산서 사람들이 가장 먼저 산서성의 평요平遙에 현대적 금융기관인 표호票號[17]를 설립했다. 이렇게 설립된 표호들은 건륭제 말년에 이르러서는 궁벽한 산서성을 벗어나 중국 전역의 대도시에 지점을 설립하고 금융기관으로서의 역할을 수행하기 시작했다.

이처럼 강건성세 시기에 중국의 부富를 자랑하는 기록들은 역사 자료에서 쉽게 찾아볼 수 있다. 그러나 이런 기록들은 기껏해야 후세 사람들에게 대청제국의 부유함을 과시하는 용도로밖에는 쓰이지 않고 있다. 다시 말해 유럽에서 산업혁명이 시작되기 전까지의 청나라는 서양 국가들이 감히 비교할 수 없을 정도로 어마어마한 부를 가지고 있었다. 그래서 이 시기 중국에서는 상공업이 고유하게 지향하고 있는 자유시장경제체제와 전통적으로 중국에서 시행되었던 중앙계획경제체제가 서로 충돌하면서 심각한 이율배반에 빠졌다. 그러나 모든 기능이 황권에 지나치게 집중된 상황에서 부富는 그냥 부 자체로만 존재했을 뿐, 보다 합리적인 출로를 찾지 못하고 있었던 것이다.

---

17 표호(票號): 주로 환어음을 취급하고, 부수적으로 예금과 대출 등 현대 은행과 비슷한 업무를 수행했던 청나라 시대의 사설 금융기관이다.

1776년 3월 스코틀랜드 출신 애덤 스미스는 10여 년 동안 심혈을 기울여 집필한 《국부의 성격과 요인들에 관한 연구》를 런던에서 발표했다. 우리가 보통 《국부론》이라고 부르는 이 경제학 서적은 출판되자마자 뜨거운 찬사를 받았다. 후세 사람들로부터 '자유 경제학의 비조' 및 '자본주의의 대변인'으로 추앙받고 있는 그는 《국부론》에서 '정치경제시스템'을 '농업시스템'과 '상업시스템' 두 가지로 구분하고, '상업시스템'을 '현대적인 시스템'으로 규정했다. 그는 국민의 부는 '농업시스템'이 허용하는 최고 수준에 도달하면 바로 정체 상태에 빠지게 된다. 그는 이때는 '농업시스템'을 '상업시스템'으로 전환시켜야 새로운 부를 창출할 수 있다고 보았다. 그는 《국부론》에서 중국을 이렇게 묘사했다.

"중국은 예부터 세계에서 가장 부유한 나라 중 하나였다. 토지는 매우 비옥하고 잘 경작됐다. 또 국민은 가장 근면하고 인구도 많은 나라였다. 그러나 중국은 오랫동안 정체 상태에 있었던 것 같다. 요즘 중국 여행자들은 중국의 농업, 중국인들의 근면성과 많은 인구에 대해 말하고 있다. 그러나 그것은 500년 전에 중국에서 살았던 마르코 폴로가 묘사한 것과 거의 똑같다. 중국은 아마 지금보다 훨씬 이전에 이미 그 국가의 법과 제도가 그 사회에서 할 수 있는 최고 수준에 도달했던 것 같다."

애덤 스미스는 또 청나라의 국부가 청나라의 농업시스템이 허용하는 극한의 부유함에 도달했다고 보았다. 이 경우 부의 많고 적음은 부차적인 문제다. 어떻게 이 거대한 국부를 투자로 연결해 지속적인 이익을 도모하는가가 중요하다. 만약 상업시스템으로 전환하지 않고 계속 농업시스템에 머물러 있다면 '자본주의 맹아'가 싹튼다고 할지라도 아무 소용이 없게 된다.

표호는 청나라 때 금융기관의 역할을 수행했다. 사진은 산서성 평요의 표효 일승창이다.

대청제국의 폐쇄성과 실상

애덤 스미스의 《국부론》은 백여 년이 지난 후에야 비로소 엄복嚴復에 의해 《원부原富》라는 제목으로 번역돼 중국인들에게 알려졌다. 엄복이 《국부론》을 번역한 목적은 분명했다. 한마디로 말해 미래 중국의 자본주의 발전을 선도함으로써 중국이 시대의 흐름을 따르도록 하기 위해서였던 것이다.

애석하게도 당시 중국은 《국부론》의 정신과는 인연이 없었다. 역사는 돌이킬 수 없는 법이다. 마치 고속도로를 달리는 자동차가 출구 하나를 지나치면 별 수 없이 다음 출구까지 계속 달려야 하는 것처럼 말이다. 게다가 당시 청나라 황제 건륭제는 '고속도로 출구' 이론을 알 까닭이 없었다. 중국의 통치자들은 여태껏 이 '출구'를 통해 빠져나가려는 시도를 해본 적이 없었기 때문이다.

사서史書를 공부한 황제와 조정의 신료들은 자연재해와 기근으로 인해 생겨난 이재민들이 변란을 일으키는 것을 가장 두려워했다. 그래서 '중농억상重農抑商[18]'의 치국 이념도 이 때문에 생겨났던 것이다. 이에 반해 '상인商人[19]'이라는 단어는 생겨난 그날부터 굴욕적인 의미를 다분히 담고 있었다.

주周나라가 상商나라를 멸망시킨 후, 전 왕조에 충성을 지켰던 신하와 그 가족들은 재산을 전부 몰수당하고 농사를 지을 자격을 박탈당했다. 궁지에 몰린 이들은 장거리 운송업에 종사하면서 생계를 유지했다. 이들은 식량과 가축을 되파는 일을 하면서 간신히 먹고 살았으므로 당시 사회에서 가장 지위가 낮고 학대를 받는 계층에 속했다. 그래서 당시 사람들은 이들을 일컬어 '상인'이라고 불렀고 그 후 수천 년 동안 중국에서는 '상인'을 멸시하는 분위기가 계속 이어졌다.

당연히 제왕과 관료들도 상인들을 하대하거나 상업 활동을 하찮게 여길 수밖에 없었다. 역대 왕조의 지배층들은 국가 질서, 안정과 같은 국가의 대사는 일반 백성의 일상생활과 매우 밀접하게 관련돼 있다고 믿었다. 따라서 농업과 양잠업을 근본으로 하고 풍작을 목표로 하는 국가 정책의 기조가 형성됐다. 강희제와 옹정제 이래 황무지 개간, 식량 생산, 수리공사 건설을 장려하는 정책이 시행된 것은 그래서 당연한 일이었다. 더불어 농잠, 하천 운수와 조운 등의 업종을 발전시키는 것이 정부의 중요한 임

---

18 중농억상(重農抑商): 농업은 장려하고 상업은 억제하는 사상으로 중국에서는 한나라 때부터 성행했다.
19 상인(商人): 상인라는 단어는 《좌전(左傳)》 〈희공삼년(僖公三年)〉과 《묵자(墨子)》 〈귀의(貴義)〉에 최초로 등장한다.

무가 됐다. 정부는 이런 기조를 바탕으로 경제 작물의 재배를 반대했고, 심지어는 광산개발, 수공업 같은 업종들은 법으로 금지했다.

강희제를 롤모델로 삼은 건륭제도 정무를 주관하는 기간에 중농억상의 기본 국책을 그대로 답습했다. 상공업자들의 노력으로 국가에 풍요로운 재화가 창출됐으나, 그의 추종자들은 실속 없는 헛된 영화를 즐길 줄만 알았지 굳이 상공업의 발전을 부추길 생각은 아예 하지도 않았다. 실제로 청나라 정부는 농업과 수리 분야에는 천문학적인 재정을 쏟아 부으면서도, 상공업 발전을 위해서는 단 한 푼도 지출하려 하지 않았다. 국가의 물질적 부는 나날이 번창했음에도 청나라의 법과 제도는 애덤 스미스가 언급했던 '상업시스템' 으로 전환할 기미를 조금도 보이지 않았다.

사실 서양의 상공업 문명은 유구한 역사를 가진 청나라에 한두 번 '추파'를 던진 것이 아니었다. 영국인이 설립한 동인도회사는 오래전부터 청나라와의 무역을 확대하기 위해 온갖 노력을 아끼지 않았다. 이들은 1750년 이후부터 중국의 강절환공江浙皖赣[20] 일대에 개항장을 증설해달라고 여러 차례 중국 정부를 찾아갔다. 원래 1755년~1756년에 동인도회사의 상선들은 절강성 영파寧波와 정해定海 일대에서 활동을 하기 시작했다.

하지만 지방관으로부터 이 소식을 전해들은 건륭제는 "해변 지역과 같은 요충지에서는 불상사를 미연에 방지해야 한다." 는 명분으로 민절(閩浙·복건과 절강)총독에게 외국 상선들의 출입을 엄격하게 통제하라고 지시했다. 이에 따라 1757년 초 절강성 세관에서는 영국 상인들을 대상으로 새로운 세목을 내놨다. 법률적 수단을 동원해 영국 상인들의 동남 연해에서의 상업 활동을 금지하고자 작정한 것이다. 그렇기 때문에 새로운 세목

---

20 강절환공: 현재의 강소성(江蘇省), 절강성(浙江省), 안휘성(安徽省), 강서성(江西省) 지역을 일컫는다.

중 정세正稅 종목만 해도 광동 세관보다 2배나 더 많았다. 그러나 관세를 이처럼 대폭 인상했는데도 영국 상선들은 여전히 활동을 멈추지 않았다. 몇 달 후 건륭제는 갑자기 조서를 내려 광주廣州를 개항한다고 선포했다. 이후부터 외국 상선들은 중국의 유일한 통상 항구인 광주에서만 무역활동을 해야 한다는 내용을 담고 있었다. 마침내 동부 연안 지역에서 영국 상선들에 의해 일어났던 '불법' 통상 활동도 끝나고 말았다.

쇄국정책을 펼치는 중국

해금海禁정책21은 명나라 시대부터 이미 관례가 돼 있었다. 명나라 개국황제 주원장朱元璋은 가난한 집안 출신이었기 때문에 간소한 농업사회를 지향했다. 주원장은 가능하면 화폐 제도와 상품 거래마저 폐지하고 싶어 했다. 농업사회를 지향하던 주원장의 인식은 남경에 도읍을 정하고 성벽을 쌓을 때, 전국 각지의 농민들에게 각자 벽돌을 구워서 남경에 보내라고 명령한 데서도 찾아 볼 수가 있다. 남경에 벽돌 공장을 세워 한꺼번에 많은 벽돌을 생산하면 훨씬 더 효

정화가 아프리카에서 데려온 기린. 영락제 이후 중국의 역대 왕조들이 해상 무역을 장려했으면 중국의 역사는 크게 바뀌었을 것이다.

율적이고 경제적이었을 텐데도, 미처 그런 생각을 하지 못했던 것이다. 이런 주원장의 인식에 비춰봤을 때, 대규모 선단을 이끌고 여섯 차례나 원정 항해를 떠나 후세 중국인들의 자랑거리가 된 정화鄭和 역시, 사실은 주원장의 정치적 목적이 다분한 대규모의 퍼레이드에 불과했던 것이다.

정화(1371~1435)는 황제의 명을 받아 여섯 차례나 대규모 원정 항해를 떠났다. 가장 멀리는 아프리카의 동해안과 홍해 입구까지 갔다. 정화의 원정 항해는 중국과 서아프리카 각국 사이의 무역과 문화 교류 증진에 기여했다. 그러나 그의 개인적인 욕심은 명나라의 국력을 선양하는 것이었다. 이는 콜럼버스와 마젤란이 원양 항해에 나서서 지리적 대발견을 한 것과는 성격이 완전히 다르다.

명나라가 만일 이때 장기적인 안목에서 세계 곳곳에 식민지를 개척하고 해양무역에 막대한 투자를 했다면 후대 중국의 역사는 크게 달라졌을지도 모른다. 어쩌면 훗날 세계를 이끌었던 스페인, 네덜란드, 영국에 앞서 중국이 '해가 지지 않는 제국'으로 세상에 군림했을지도 모른다. 그러나 역사의 흐름은 당장 눈앞의 외적을 막기에 바빴던 지배층들이 해금정책을 시행하며 해상교류를 막아버리는 쪽으로 흐른다. 후세 중국인들의 입장에서는 두고두고 땅을 치며 후회할 만한 역사적 선택이었다.

명나라의 뒤를 이은 청나라도 기본적으로 해금정책을 실시했다. 청나라가 해금을 실시한 이유는 여러 가지가 있었다. 그중 가장 근본적인 원인은 황권, 농업 질서, 국가 안정 등을 고취하고자 하는 청나라 제도가 자유방임적인 상공업과는 병립할 수 없었기 때문이다. 건륭제와 청나라 정부 관리들은 상공

---

21 해금정책 : 중국에서 해상의 교통, 무역, 어업 등에 대해 제한하던 정책이다. 명나라 시기에는 왜구에 대한 방어책으로, 청나라 시기에는 남명(南明)정권과 정성공이 이끌었던 대만(臺灣)에 대한 방어책으로 실시되었다. 1684년 해제됐다가 서양 상선들이 연근해에 자주 출몰하자, 1757년 광주(廣州)만 개항장으로 인정하고, 다시 쇄국(鎖國)인 해금정책으로 전환하였다.

업을 발전시켜야 한다는 주장에 끝내 마음을 열지 않았다. 황권의 이성理性이라는 괴물이 이 모든 것을 거부한 것이다.

물론 이후에도 대청제국의 경제는 한동안 활기차게 발전했다. 각 지역은 여전히 앞부분에서 언급한 번영을 누렸다. 그중에서도 강소성과 절강성 지역이 두드러지게 성장했다. 그러나 경직된 체제 아래에서 이 같은 활력은 유행처럼 잠깐 빛을 발하고는 곧 사라져버렸다. 청나라 경제는 한동안 발전하다가 결국 고인 물처럼 침체 국면에 들어섰다. 중국에서는 애덤 스미스가 말한 '상업시스템'이 형성된다는 것 자체가 어려웠다. 대량의 국부는 단지 '농업시스템' 내부에서만 존재할 뿐이었다.

게다가 중국의 농업도 오랫동안 발을 멈추고 앞으로 나아가지 못했다. 당시 청나라를 방문한 외국인 모두가 걱정할 정도였다. 영국인 존 배로John Barrow는 자신의 저서 《중국여행기》에서 "중국인들은 분명 근면하지만, 2,000년 동안 사용돼 온 도구를 사용하며, 해마다 똑같은 땅을 갈아 똑같은 곡물을 심고, 새로운 땅을 개간하려 하지 않는다."고 중국 농업시스템의 문제점을 지적한 바가 있다.

청나라는 이토록 효율성이 낮고 원가가 높은 농업시스템에만 머물러 있었다. 부는 더 큰 이익을 얻을 가능성이 없게 되자 점차 이익을 좇는 본능마저 잃고 말았다. 청나라가 보유했던 대량의 물질적 부는 장기적인 소모를 감당하지 못하고 어느새 바닥을 보이고 있었다.

서역 정벌에
나선
철기군

경치가 수려한 강남이 화려하고 아름다운 분위기를 풍긴다면, 청나라의 변방이었던 서북西北 지역은 사람을 숨 막히게 만드는 냉랭함과 오만함이 묻어 있었다. 이 광활한 땅에 모여 살던 주인공들은 용맹스럽고 사나운 돌궐과 몽골계 몇몇 부족들이었다.

청나라 통치자들이 북경에 들어가 정권을 갓 잡았을 때에는 서북 지역을 돌볼 여력이 없었다. 그러나 중원에서 기반을 어느 정도 닦은 후에는 곧 예리한 눈길을 광활한 서북 지역으로 돌렸다. '대일통(大一統·중국은 하나)' 사상은 중국 민족 고유의 세계관이다. 따라서 청나라 통치자들도 이 사상을 항상 염두에 두고 있었다. 약 80년 동안 각고의 노력을 거쳐 몽골, 티베트西藏, 청해青海 등의 지역이 잇달아 청나라 영토에 편입된 것은 이런 사상과 깊은 관련이 있었던 것이다.

중가르칸국을 정벌한 서북전쟁

청나라는 천산산맥天山山脈22 남북에 자리 잡은 중가르칸국準噶爾汗國23 때문에 적지 않게 골머리를 앓고 있었다. 중가르칸국은 몽골, 티베트, 신강, 청해 지역에서 정치적, 군사적으로 막강한 영향력을 행사해 청나라에 대단히 큰 위협을 주고 있었다. 당시 강희제는 중가르 군대가 동쪽으로 세력을 확장하려는 조짐을 보이자, 세 차례나 친히 대군을 이끌고 북쪽의 사막을 넘어 중가르칸국을 친정親征했고, 옹정제 역시 재위 기간에 중가르칸국을 상대로 군사 공격을 감행한 적이 있을 정도로 중가르칸국은 청나라의 눈엣가시였다.

그러나 이 같은 청나라의 노력에도 불구하고 중가르칸국의 기반은 조금도 흔들리지 않았다. 중가르칸국은 여전히 강대하고 위험했다. 패기가 넘치던 젊은 황제 건륭제조차도 이토록 강대한 중가르칸국 때문에 다리를 펴고 편히 잠들지 못했다. 건륭제는 때를 기다리며 암암리에 중가르칸국을 뒤엎을 계획을 세우고 있었다.

1753년 겨울 중가르칸국 두르보트杜爾伯特 부족의 세 귀족이 내란의 고통을 견디지 못하고 1만여 명을 거느리고 청나라에 귀순해왔다. 건륭제는 이 세 귀족으로부터 중가르칸국의 내부 정보를 자세하게 입수해 서북지방 통일의 희망을 엿볼 수 있었다. 이듬해에는 중가르칸국에서 상당한

---

22 천산산맥: 중국과 중앙아시아를 나누는 대산맥으로 길이 2,000킬로미터에 너비가 400킬로미터에 이른다.

23 중가르칸국: 신강 북쪽 지역에서 17~18세기에 존재했던 몽골계 오이라트족 부족국가로, 현재의 중국 신강(新疆)과 청해(青海), 몽골, 티베트, 시베리아의 일부를 다스리던 중앙아시아의 유목국가다. 오이라트족인 초로스(綽羅斯) 부족의 추장 카라쿠라가 바가투트, 호이트, 투르크 등의 범(凡) 오이라트 부족을 정벌하고 세운 국가로, 나라의 명칭인 '중가르'는 유목민족의 전통인 좌익(左翼), 우익(右翼), 중군(中軍) 편제에서 '좌익'을 뜻하는 몽골어 '제웅가르'에서 파생됐고, 정복된 부족들에게 전(全) 오이라트족의 좌익을 맡게 했으므로 나라의 명칭을 중가르라고 했다는 것이 학계의 정설이다.

영향력을 지니고 있던 후이트輝特 부족의 귀족 아무르싸나阿睦爾撒納가 내란에서 패한 후 청나라로 도망쳐왔다. 황제는 친히 아무르싸나를 접견하며 일부러 몽골어로 대화를 나눴다. 그런 다음 그를 친왕親王에 봉하고 예물을 하사했다.

건륭제는 아무르싸나를 선봉으로 삼아 중가르칸국의 심장부를 공격하려고 했다. 전쟁은 곧 시작됐다. 옹정제 시대에 전쟁을 지휘하기 위해 임시로 만들었던 군수방軍需房은 이 무렵 군기처라는 이름으로 규모가 훨씬 더 커져 있었다. 이 시기 군기처의 권력과 지위는 6부六部는 말할 것도 없고 심지어는 내각內閣보다 더 큰 권력을 가지고 있었다. 군기처 대신들과 200여 명의 관리들은 불철주야 당직근무를 서면서 긴박하게 움직였다.

1755년 2월, 청나라 군대는 두 갈래로 나눠 중가르칸국을 공격했다. 정변좌장군定邊左將軍에 임명된 아무르싸나는 북로군北路軍을 거느리고 외몽골의 우리야쑤타이烏裏雅蘇臺에서 먼저 출발했다. 당시 중가르칸국은 오랜 내란으로 민심이 흐트러져 있었다. 게다가 아무르싸나의 영향력은 현지인들의 지지를 이끌어내기에 충분했다. 청나라의 두 갈래 부대는 칼날에 피 한 방울 묻히지 않고 중가르칸국의 수도 이리伊犁를 함락시켰다. 5월에는 중가르칸국의 대칸大汗인 다와치達瓦齊를 사로잡았다. 중가르칸국은 완전히 붕괴됐다.

그러나 전쟁이 끝난 뒤 문제가 생겼다. 공로를 다투는 과정에서 아무르싸나와 청나라 정부 사이에 심각한 의견 충돌이 생긴 것이다. 아무르싸나는 청나라 황제가 그에게 봉한 '쌍친왕雙親王'이라는 벼슬을 거들떠보지도 않았다. 그는 중가르칸국 대칸의 지위를 노리고 있었다. 그러나 청나라는 중가르칸국이 독립 왕국 형태로 계속 존재하는 것을 용인할 수 없었다. 아무르싸나는 목적을 달성하지 못하자 아무도 모르게 중가르 지역으로 도망쳤다. 이어 본인의 정치적 영향력을 이용해 중가르 부족들이 다시 청나라와 맞서도록 적극적으로 선동했다. 이 소식을 들은 건륭제는 크게 노했다. 재차 병력을 일으켜 중가르 부족을 혹독하게 징벌하도록 군기처에 명령을 내렸다.

건륭제는 이번 전쟁의 통수권을 자신과 똑같은 팔기八旗 출신 장군 조혜兆惠에게 줬다. 1757년 3월 조혜가 통솔하는 청나라 대군은 서쪽 중가르 칸국을 향해 진군을 개시했고 조혜는 건륭제의 믿음을 저버리지 않았다. 가는 곳마다 성을 공격해 함락시키며 승전고를 울렸고, 몇 달 후에는 중가르칸국의 수도인 이리伊犁를 되찾았다. 아무르싸나는 또다시 도주할 수밖에 없었다. 1757년 8월, 러시아로 도망간 아무르싸나는 그곳에서 천연두에 걸려 사망하고 말았다.

아무르싸나가 죽고 저항군은 완전히 붕괴됐지만 중가르인들은 유격전을 벌이며 청나라에 저항하는 것을 멈추지 않았다. 이렇게 완강하게 저항하는 중가르인들로 인해 청나라군은 큰 고전을 했다. 그러자 대로한 건륭제는 중가르인들을 아예 멸종시키라는 명령을 내렸다. 이렇게 해서 중가르인이라는 종족은 지구상에서 완전히 사라졌다. 오랜 세월이 지난 후까지 사람들은 중가르인들의 불행에 대해 탄식을 금치 못했다.

이듬해 조혜는 대군을 이끌고 남하했다. 청나라 대군은 천산을 넘어 회강回疆 지역24을 향해 곧바로 돌진했다. 전쟁은 생각처럼 순탄하게 풀리지 않았지만 우여곡절 끝에 1759년 10월에 드디어 카스喀什와 야르칸드葉爾羌를 점령함으로써 남부 신강 지역을 모두 탈환했다. 승전보가 북경에 전해지자 건륭제를 비롯해 조정 전체가 축제 분위기에 휩싸였다. 장장 5년 동

---

24 회강(回疆) 지역 : 회교(回敎)를 믿는 회족이 사는 지역이라는 데서 연유한 이름이다. 현재 신강위구르자치구의 카슈카르 지구, 아커쑤 지구, 호탄 지구 등의 지역이 옛 회강 지역이다.

청나라 병사는 한때 아시아 최강의 병사였으나 이후 몰락했다. 사진은 19세기 말 청나라 병사.

안의 서북 전쟁은 청나라의 완승으로 막을 내렸다. 조혜는 한반도 면적의 약 9배에 해당하는 190만 제곱킬로미터의 넓은 영토를 수복하고 군대를 철수시켜 조정으로 돌아갔다. 건륭제는 친히 황궁 정문인 안정문安定門 밖까지 나가 개선장군을 맞이했다. 전쟁터에서 갖은 고생을 겪은 노장 조혜는 황제의 극진하고 융숭한 대접에 감격해 급기야 눈물을 흘리고 말았다.

건륭제는 스스로 '무공武功이 고금의 으뜸'이라고 과시했다. 그래서 노년에 자신을 '십전노인'으로 일컬었다. 그의 십전무공 가운데 세 가지 무공은 위에서 언급한 전쟁, 다시 말해 중가르 부족 평정 전쟁, 중가르 부족 재평정 전쟁, 회강 부족 평정 전쟁 등을 가리킨다. 이처럼 건륭제는 서북 전쟁이 자신의 생애에서 가장 빛나는 업적이라고 종합하면서 자화자찬하는 것을 잊지 않았다.

중국 역사에서 1759년 서북 전쟁의 마지막 승리는 강건성세의 대미를 장식한 최고봉이라고 할 수 있었다. 그 후 수십 년 동안에도 건륭제는 크고 작은 전쟁을 여러 차례 치르면서 이른바 '십전무공'을 쌓아갔다. 하지만 이후에는 이렇다 할 위대한 공적을 남기지 못했다. 따라서 건륭제의 이른바 '무공'은 특별히 내세울 것도 없는 자화자찬의 의미가 강했다. 반면 잦은 전쟁으로 인해 피가 흘러 강을 이루고, 시체가 온 들판에 널리는 참극은 많이 연출됐다. 또 청나라 군대는 건륭제가 죽은 다음부터는 오히려 전쟁만 하면 항상 패했다.

제국의 몰락을 재촉한 팔기군

청나라를 세운 만주족 부족 연합체인 팔기군 자제들을 주체로 구성된 청나라 군대는 1750년대 이후부터 쇠퇴의 조짐을 보였다. 비록 정치 부패가 주요 원인이라고는 하지만 당시 팔기 자제들의 타락상도 사람들을 놀라게 하기에는 충분했다. 조혜가 인솔한 청나라 군대의 군기는 엉망이었다. 당시 청나라 대군은 양식과 사료가 고갈되자 자기편끼리 서로 무자비한 살육을 감행했다. 또 여러 차례 겹겹으로 포위돼 위태했던 때도 있었고 상대의 유격전에 속수무책으로 당했던 것도 부지기수였다. 그럼에도 그들의 공적이 뛰어난 것처럼 보였던 이유는 중가르 종족을 완전히 멸절시켰기 때문이었다.

사실 중가르칸국은 국력, 군사력, 무기와 장비 할 것 없이 거의 모든 면에서 청나라와 비교를 할 수 없을 만큼 약해 청나라군의 승리는 너무나 당연한 일이었다. 팔기병은 원래 청나라 주력 군대였다. 그러나 서북 전쟁 때부터는 한족으로 구성된 녹영병綠營兵[25]이 주력 군대의 위치를 차지했다. 건륭제는 친히 성 밖으로 나가 개선장군 조혜를 맞이했을 때 이런 사실을 깨달았다.

청나라 군사 중에 팔기병이 얼마 남지 않았다는 놀라운 사실을 말이다.

1784년 건륭제의 다섯 번째 강남 순유 때 항주에서 열병식을 거행한 적이 있었다. 현지에 주둔한 팔기병들은 황제 앞에서 마상 궁술 시범을 보였다. 그러나 황제와 수행원들은 깜짝 놀랐다. 예전의 늠름하고 씩씩했던 팔기 자제들이 활을 쏠 때마다 과녁을 벗어나기 일쑤였다. 심지어 말 위에서 굴러 떨어지는 병사들도 있었다. 팔기병들의 상태는 갈수록 약화돼 나중에는 전투는커녕 정상적인 행군조차 불가능한 지경에 이르렀다. 예컨대 백련교白蓮敎의 봉기26를 진압하기 위해 부대를 파견했을 때 팔기병 부대의 하루 행군 거리는 40리도 되지 못했다.

팔기 제도는 원시적 성격이 짙은 제도였다. 만주족이 대외 확장을 시작할 무렵인 17세기 초 세계는 아직 냉병기27시대에 머물러 있었다. 따라서 반농업, 반군사적 성격의 팔기 제도는 한동안 넓은 공간에서 큰 능력을 발휘할 수 있었다. 더구나 중국대륙을 정벌하고 변경 지역에서의 전쟁을 승리로 이끄는 등 계속 승리를 거두자 만주족은 팔기 제도가 세상에서 가장 우수한 제도라는 자만심을 가지게 됐다. 팔기 자제들 역시 자신들을 최고라고 자부하면서 우쭐거렸다.

사실 만주족같이 수렵과 유목을 주로 하고, 농업을 부수적으로 하는 적은 인구의 기마민족에게 팔기군은 가장 적합했던 제도였다. 만주족 각 부족을 8개의 군사 · 행정 조직으로 나누고 평상시에는 수렵이나 유목, 농업을 하다가, 전시에 각 기旗의 우두머리에게 통수권을 위임하고 연합작

---

25 녹영병(綠營兵): 만주족이 청나라를 세울 당시 투항한 명나라군을 개편해 조직한 것으로 녹색 깃발을 영(營)의 표시로 삼았기 때문에 녹영병이라는 이름이 붙었다.

26 백련교의 봉기: 1796년 가경제 때에 호북성(湖北省)에서 백련교도 왕총아(王聰兒)와 요지부(姚之富)가 주동하여 일으킨 반란으로 9년 동안 계속되었다.

27 냉병기(冷兵器): 화약을 사용하지 않는 칼, 창, 활 등 재래 무기류를 말한다.

전을 펼치거나 필요에 따라 단독작전을 펼치던 팔기군 제도는 전투력과 소속감, 신속성과 효율성 측면에서 만주족에게 가장 적합했던 민군일체 民軍一體제도였다.

그러나 만주족이 산해관山海關28을 넘어서 대청제국의 통치자가 된 다음부터 팔기는 낡고 부패한 제도로서의 약점을 고스란히 드러내기 시작했다. 만일 이때 시대의 흐름에 맞춰 팔기군 제도를 개편했더라면, 청나라는 외세의 침략을 위해 당하지 않았을 것이다. 그러나 청나라 정부는 안타깝게 시대의 흐름에 역행하는 길을 선택했다. 즉 낡고 부패한 팔기 제도를 고스란히 답습하는 것도 모자라, 정부가 팔기군에게 녹봉을 지급한 것이다.

결과론적인 이야기지만 청나라 정부의 이 같은 선택은 많은 문제점을 만들어낸 치명적 오판이었다. 원래 팔기군은 반농업, 반군사적 형태로 조직되었으나, 이 시기의 팔기군은 농업 생산에도 종사하지 않은 채 주 임무인 군사훈련마저 아예 뒷전이었다. 이들은 북경으로 몰려들어 매일 배불리 먹고 현실에 안주하면서 찻집, 극장, 도박장, 기생집을 뻔질나게 드나들었다. 또 꽃과 새를 기르고 닭싸움과 귀뚜라미 싸움을 소일거리로 삼고, 심지어 일부 팔기군은 범죄까지 저질러 청제국의 골칫거리로 떠오르고 있었다.

즉 이 시기 수십만 명에 달하는 팔기의 대부분은 먹고 놀면서 국가의 재정을 축내는 유휴 노동력으로 전락했다. 다시 말해 팔기 제도는 국가 재정의 상당량이 투입되어도 아무것도 얻지 못하는 비효율적 생산성의 극치를 보인 제도가 된 것이다. 만일 그 시기 수십만 명에 달하는 팔기 자

---

28 산해관: 하북성에서 만주 방면으로 통하는 연안 및 육상교통로의 관문이자 군사적 요충지다. 산해관은 만리장성의 동쪽 끝 시작 지점으로서 예부터 역대 중국 왕조와 이민족 간의 전투가 자주 벌어졌다.

제들이 좀 더 생산적인 일에 종사했거나 군사훈련만이라도 열심히 했다면, 후일 청나라의 재정 상태가 어려워지지 않았거나 군사력이라도 막강해졌을지 모르는 일이었다. 그러나 그렇게 하지 못했기 때문에, 이때부터 팔기 자제는 '방탕하고 퇴폐적이면서 빈둥거리고 놀고먹는 사람'의 대명사가 됐고, 지금까지도 그런 뜻으로 사용되고 있다.

팔기군이 쇠퇴하기 시작한 시기는 아이러니하게도 가장 강력하고 부유한 대청제국을 일군 건륭제 재위 기간이었다. 십전노인을 자처하며 청나라 방방곡곡을 거의 다 누빈 건륭제는 이 양자의 연관성에 대해 과연 생각이나 해봤을까? 역사를 돌이켜보면 팔기군의 쇠퇴는 그 후의 군웅할거를 불러온 주요한 원인이었다. 19세기 중엽, 다시 말해 청나라가 내우외환에 시달릴 무렵의 팔기 자제들은 정말 쓸모가 없을 정도로 완벽하게 타락한 상태에 있었다.

이때를 틈타 지금의 호남성인 '상湘' 지역과 안휘성인 '회淮' 지역에서 한족 부대가 잇따라 각광받기 시작했다. 청나라 통치자들의 유일한 선택은 자연스럽게 이들 한족 병력을 이용해 걱정을 덜고 어려움을 해결하는 것이었다. 그러나 만주족인 청나라의 통치자들은 다른 한편으로는 이들 한족 병력을 극도로 경계했다. 애써 손에 넣은 정권을 한족에게 빼앗기지나 않을까 두려웠던 것이다. 그래서 항상 한족을 시기하고 배척하면서 제약을 가했다.

이런 기묘한 정치적 국면이 형성되자 한족 부대 통수권자들 역시 한시도 경각심을 늦추지 않고 수중의 병권을 더욱 확고하게 틀어쥘 수밖에 없었다. 이들은 강대한 군사력을 확보한 자만이 자신을 보호할 수 있을 뿐 아니라 결정적인 순간에 정부와 흥정할 가질 수 있다는 이치를 너무나도 잘 알고 있었다. 이렇게 해서 크고 작은 군벌軍閥들은 궁극적으로 자신의 지위를 강화하기 위해 앞다퉈 군대를 보유하게 됐다. 이때 시작된 군벌 문제는 청나라가 멸망한 후에도 수십 년 동안 멈추지 않고 이어져 중국 근·현대사에서 가장 풀기 어려운 매듭으로 남아 있었다.

팔기군이 쇠퇴일로를 걷다가 급기야는 자그마한 충격도 견디지 못하고 맥없이 무너진 사실은 대청제국의 상황이 매우 나빠지고 있다는 사실을 입증한 것이다. 수십 년 후, 200년이 넘는 건국 역사를 가진 대청제국은 서구 열강들 앞에서 너무나 무기력한 모습을 보여주게 된다. 이 모든 것은 "왕성한 것이 극에 다다르면 쇠약해진다."는 고금의 진리에서 보듯 역사의 필연이었을까? 결코 아니라고는 말할 수 없을 듯하다.

떠오르는 강대국 미국의 리더십

건륭제 재위 기간인 18세기 후반, 서방세계의 정세는 복잡하게 요동쳤다. 사상가, 정치가, 군사가, 혁명가들은 정치 제도의 혁신과 정비에 혼신의 힘을 쏟아 부었다. 국가와 군대의 관계는 당연히 이들의 중점 연구 대상 중 하나였다. 이 시기 서방 각국에서 발생한 일련의 사건을 살펴보면 우리는 다음과 같은 사실을 알 수 있다. 일단 군대가 개인 소유의 군사력으로 전락할 경우 그 국가는 영원히 편안한 날이 없다고 봐야 한다는 사건이다. 한 사람, 하나의 가족, 하나의 집단은 일단 군사력만 확보하면 야심이 무한대로 팽창하게 된다. 따라서 서구 사상가들은 군대는 국가 방위를 위한 군사력으로 기능을 해야지, 한 사람이나 하나의 집단을 위해 사용돼서는 안 된다고 주장했다. 또 군대는 반드시 국가가 소유하되 정치로부터 독립적인 존재여야 한다고도 역설했다.

이성적이고 격정적인 북미인들은 이런 사상을 기반으로 신대륙에서 새로운 정치 제도를 확립하기 시작했다.

1776년 중국에서는 건륭제가 황실의 군사력을 동원해 사천四川성 서부 대소금천 지역29의 반란을 평정하기 위해 열을 올리고 있던 바로 그 해 7월 4일, 미국에서는 동부의 13개 식민지가 대륙회의를 개최하고 '독립선언'을 공포했다. 미국은 드디어 영국의 식민 통치에서 벗어나 아메리카 합중국으로 거듭난다. 앞서 1년 전에 열린 대륙회의를 통해 대륙군 총사령관에 임명된 조지 워싱턴은 이때 보스턴 일대에서 현지 민병 부대를 재편성하고 있었다. 당시 미국은 명목상으로는 독립국이었다. 그러나 그때까지 자신들의 군사력을 확보하지 못한 상태였다. 조지 워싱턴의 임무는 단시일에 국가의 독립을 위해 싸울 수 있는 군대를 조직하는 것이었다. 그는 새로 편성한 군대를 이끌고 8년 동안 처절한 싸움을 한 끝에 마침내 영국 식민 지배자들을 바다 저 멀리로 쫓아버렸다. 전쟁이 끝난 후 조지 워싱턴은 전쟁터에서 구사일생으로 살아남은 장교들에게 다음과 말했다.

"이제 국가는 당신들이 집으로 돌아가기를 원하고 있습니다. 나쁜 의도로 말하는 것이 아닙니다. 국가에 돈이 없기 때문입니다. 국가는 예전에 당신들이 용감한 전사가 되기를 원했습니다. 하지만 지금은 당신들이 훌륭한 국민이 되기를 바라고 있습니다."

조지 워싱턴은 전시에 부여받은 권력을 모두 국가에 반납하고 일반인의 신분으로 다른 장병들에게 '훌륭한 국민이 되기 위한' 시범을 보여준다. 그는 먼저 행장을 수습해 인편으로 고향에 보냈다. 이어 가볍게 휘파람을 불면서 포토맥 강을 따라 사랑하는 고향인 마운트 버논으로 떠났다. 그를 따라 전쟁터를 넘나들며 피 흘리고 싸웠던 미국 병사들은 아침노을

---

29 대소금천(大小金川) 지역: 사천성 서북부의 대도하(大渡河) 상류 지역으로 이 지역은 현재 사천성 간쯔티베트족자치주, 아바티베트족 · 창족 자치주 부근이다.

속에서 점점 멀어지는 장군의 뒷모습을 한참 바라보다가 하나둘씩 묵묵히 제 갈 길을 떠났다.

"국가는 무력으로 다스리는 것이 아니다." 이는 미국인 1세대들이 후손들에게 남겨준 가장 위대한 유산 중 하나이다. 미국의 초대 통치자들은 군대의 의무와 역할에 대해 명확히 규정했다. 그럼으로써 훗날 군사력으로 인해 다양한 정치적 위험이 초래하는 것을 미리 막을 수 있었다. 이는 신생 국가인 미국의 정치 제도에 백신을 한 대 접종한 것과 같았다. 아니 그 이상의 효과를 봤다고 할 수 있었다.

하지만 미국 선현들이 보여준 위의 사례는 미국이었기 때문에 가능한 일이었다. "짐이 곧 국가다."라는 세계관을 가지고 있는 절대적인 황권 체제 아래에서는 결코 실현될 수 없는 일이었다. 그 이유는 말할 필요조차 없다. 황제의 지위를 고수하기 위해서는 반드시 군대의 강력한 보호가 필요했기 때문이었다. 18세기 후반은 전 세계가 대변혁을 겪은 시기였다. 이런 배경에서 보면 팔기의 쇠퇴는 확실히 청나라에 천재일우의 변혁 기회를 가져다준 셈이었다. 그러나 건륭제를 위시한 청나라 지도자들은 그 좋은 기회를 두고 그 어떤 성과도 내지 못했다.

한 줌의 의기로 청탁을 논하다

한자는 세계에서 가장 오래 된 문자에 속한다. 또 문자 하나에 여러 가지 뜻을 담고 있어 가장 절묘한 문자이기도 하다. 한자가 만들어진 이후 수천 년 동안 사람들은 이 문자를 참으로 잘도 활용해왔다. 한자의 가장 절묘한 점은 표면적인 뜻뿐만 아니라 드러나지 않는 속뜻까지 모두 표현할 수 있다는 것이다. 이것을 흔히 '의경意境'이라고 한다. 똑같은 한자들을 조합해서 만든 똑같은 단어일지라도 읽는 사람에 따라 천 명이 천 가지 의미로 해석할 수 있는 것이다.

이런 이유로 강박관념을 가지고 있거나 심리가 왜곡된 사람들은 여러 뜻으로 해석되는 한자에 지나치게 예민한 반응을 보이는데, 만일 권력을 쥔 자가 이렇게 민감한 반응을 보인다면 문장 한 구절 때문에 사람을 죽이는 일도 심심찮게 생길 수 있었다. 실제로 남에게 지기 싫어하는 성격을 가졌던 건륭제는 영토 확장과 같은 공적에서도 역대 중국의 제왕들 중단연 으뜸이었지만, 그가 일으킨 문자옥文字獄 사건 역시 청나라 왕조 전체를 통틀어 가장 횟수가 많았다.

문자를 트집 잡는 건륭제

건륭제 때 문인인 호중조胡中藻는 벼슬이 내각학사內閣學士에 이르렀던 인물이다. 그가 진사에 합격한 그 해, 과거시험인 회시會試의 주임 시험관은 대학사 오르타이鄂爾泰[30]였고, 당시 관례에 따라 호중조는 오르타이의 문하생이 됐다. 강서성江西省 신건新建현 태생인 호중조는 이때부터 오르타이 문하에서 오른팔을 자처했다. 이른바 '오씨 일당'의 일원이 된 것이다.

오르타이는 옹정제 시기의 원로대신으로 건륭제 집권 후에는 또 다른 원로대신인 장정옥張廷玉과 함께 군기처의 사무를 주관했다. 그러나 오르타이와 장정옥, 이 두 군기처 장관은 처음부터 사이가 그다지 좋지 않았다. 두 사람이 각자 통제하고 있던 두 관료 집단들도 서로 주도권을 장악하기 위해 아귀다툼을 벌일 정도였다. 때문에 여러 차례 황제로부터 경고를 받았다. 훗날 오르타이는 딱 한 번의 실수로 황제의 총애를 잃었고, 그후 재기하지 못하고 울적한 나날을 보내다 곧 세상을 떠났다.

그럼에도 호중조는 오르타이 사건과 크게 연루되지 않았던 탓인지, 그후에도 섬서성陝西省과 광서성廣西省의 교육행정을 담당하던 벼슬인 학정學政을 맡았다. 그러나 전형적인 책벌레였던 호중조는 오르타이가 세상을 떠난 후에도 여전히 '오씨 그룹'의 다른 멤버들과 친하게 지냈고 장정옥의 무리를 눈엣가시처럼 미워했다. 혹시 그가 정치에 둔감했기 때문이었을

---

30 오르타이(鄂爾泰): 만주족 출신으로 옹정제와 건륭제 2대에 걸쳐 대학사와 군기대신으로 활동했다. 당시 권력의 정점에 있던 오각신(五閣臣) 중 한 사람이었다.

까? 아니면 실제로 패거리를 만들어 사리사욕을 도모하려고 했기 때문이었을까? 그것도 아니라면 스승의 은혜를 잊지 못해서였을까? 어쨌거나 그는 오르타이의 조카이자 감숙甘肅순무로 일하던 오창과 서로 시를 주고받고 풍월을 읊으면서 함께 어울리는 막역한 사이가 됐다.

신당을 결성하고 파벌을 만드는 것은 현대 서구 각국에서는 특색 있는 정치 행태 중 하나라고 할 수 있다. 때에 따라서는 긍정적인 의미로도 해석된다. 그러나 이런 정치 형태는 강력한 황권 아래의 중국 정치에서는 어울리지 않았다. 더구나 18세기 후반의 중국에서는 절대 용인될 수 없는 일이었다. 건륭제는 당연히 신당을 결성하고 파벌을 만드는 정치 행태의 장점을 알 까닭이 없었다. 그는 그저 이런 정치 행태가 황권에 심각한 위협을 줄 것이라는 사실만 알고 있었다. 이런 이유로 건륭제에 의해 가장 먼저 희생양으로 찍힌 사람이 바로 책벌레인 호중조였다.

1755년 2월 건륭제는 광서순무 위철치衛哲治에게 비밀 명령을 내렸다. 호중조가 광서성의 학정을 맡은 기간에 출제한 시험 문제와 그가 다른 사람과 주고받은 시와 글, 그리고 그의 모든 행적들을 낱낱이 조사해 조속히 보고하라는 명령이었다. 또 섬감陝甘총독 유통훈에게는 오창의 뒷조사를 하라는 밀령이 내려졌다. 이를테면 오창이 안서安西로 간 틈을 타, 난주蘭州의 순무부巡撫府를 샅샅이 수색해 오창과 호중조가 서로 주고받은 서신과 시와 글들을 모두 찾아내 봉인해 황제에게 올리라는 명령이었다.

이 과정을 거쳐 호중조의 시집인 《견마생시초堅磨生詩鈔》가 중요한 증거 자료로 황제에게 올려졌다. 3월 건륭제는 신하들을 소집한 자리에서 《견마생시초》의 시구들을 일일이 열거하면서 조목조목 트집을 잡았다.

- '한 줌 의기로 탁청濁清을 논하고 싶구나.' : "감히 흐릴 탁濁자를 국호

인 청淸 앞에 쓰다니 무슨 속셈으로 쓴 것이냐?"

- '이 세상에는 해와 달이 없거니와', '이 세상에 또다시 여름, 가을과 겨울을 내려주니.' : "대청제국은 왕조를 건립한 이래 그 국력이 한漢나라를 비롯해 당唐, 송宋, 명明보다 비교가 안 되게 막강하다. 그런데 감히 '또 다른 세상을 내린다.'고 하니 이는 국가를 모욕한 것이 아닌가?"
- '하늘의 비적들이 천지를 개벽하고', '고상한 것은 야만적인 것을 당하지 못하네.', '만나려거든 종이 뒷면을 보도록 하라.', '빛을 더하는 것이 갖옷 장인들의 일인 줄 누가 알겠는가.' : "한족과 만주족 사이를 이간질하려는 의도가 다분하다."
- '보기 드문 재난이라 큰 비가 내리는구나, 평소처럼 부처 앞에 등불을 켜놓네.' : "황제가 이재민을 구제하지 않았다고 비난하는 문장이다."
- '세상에 어찌 중기中氣가 없겠느냐', '도려盜驪31도 구경하지 않으니, '삼재(三才·천지인)가 생긴 다음에 오늘이 생겼구나.' : "말뜻이 지나칠 정도로 오만하다."

이 시집은 건륭제에 의해 당대의 금서로 지정됐다. 그런 이유로 지금까지 전해 내려오지 않는다. 따라서 진실이 무엇인지는 누구도 알 수 없다. 그러나 건륭제가 문제로 삼은 위의 몇 구절만 보면, 호중조는 그저 재능을 뽐내기 위해 글재주를 부렸을 뿐이라고 해야 한다. 기껏해야 약간의 불평을 늘어놓은 것에 불과하다는 사실도 알 수 있다. 그러나 건륭제는 그렇게 생각하지 않았다. 그래서 국법을 펼치고 국가의 풍기를 바로 세우기 위해

---

31 도려(盜驪): 중국 주나라의 목왕(穆王)이 곤륜산으로 서왕모를 찾아갈 때 몰고갔다는 8필의 명마(팔준마) 중 한 마리의 이름이다. 팔준마는 위에서 언급한 도려 외에 화류, 녹이, 적기, 백의, 유륜, 거황, 산자를 이른다.

호중조를 대역죄로 다스려 참형에 처했다. 그와 교류했던 오창에게도 사약을 내렸다. 또 이미 죽어 땅에 묻힌 오르타이도 화를 면치 못했다. 건륭제는 오르타이에게 "사사롭게 당파를 만들었다."는 죄명을 씌워 현량사賢良祠에 모신 위패를 철거하도록 하고, 다시는 제사를 지내지 못하게 했다. 한마디로 말해 신하들이 파벌을 결성하지 못하도록 경고한 것이다.

더욱 어처구니없는 사실은 건륭제가 "짐은 즉위한 이후부터 지금까지 언어와 문자로 트집을 잡아 다른 사람에게 죄를 뒤집어씌운 적이 없다. 그러나 호중조의 《견마생시초》는 쓸데없이 문장이 장황하다. 게다가 전편에 걸쳐 비방과 중상모략의 뜻이 다분하다. 그러니 이를 모범으로 삼아 일벌백계하지 않을 수 없다."고 판결문에 적고 자신의 행위를 정당화한 것이다.

부관참시하는 시인 황제

말과 문자에서 꼬투리를 잡아 사람들에게 죄를 뒤집어씌우지 않겠다던 건륭제는 그로부터 20여 년이 지난 후 다시 한 번 자신의 말과 정반대되는 행동을 한다. 이번에도 시집을 트집 잡아 참혹한 문자옥을 일으킨 것이다.

강소성 동대東臺사람인 서술기徐述夔는 젊었을 때 다른 선비들처럼 책에서 눈을 떼지 않았다. 경전을 열심히 공부한 덕분에 과거시험에 합격해 20대의 나이로 거인擧人[32]이 되었다. 당시 청나라에는 향시에 급제한 사람의 답안지를 조정으로 올려 보내 문신들로부터 심사를 받게 하는 관례가 있었다. 하지만 이 관례가 장밋빛 꿈을 그리던 이 젊은이에게 불행을 안겨주고 말았다. 조정의 많은 관리들이 서술기의 답안지에 조정을 조롱하

---

32 거인(擧人) : 향시(鄕試)에 합격한 사람들에게 주어지던 일종의 자격증이다.

는 무례한 풍자가 담겼다고 지적한 것이다. 청나라 조정은 이를 빌미로 서술기의 진사시험 응시 자격을 박탈해 버렸다.

서술기는 벼슬길이 막히자 낙담했다. 그는 집에 틀어박혀 학문에 전념할 수밖에 없었다. 실제로 그는 '일주루'라고 명명한 작은 서재에서 온종일 시를 읊고 글을 쓰면서 힘든 나날을 보냈다. 조정에 대해 불만이 많았기 때문일까? 그가 지은 시와 글에는 명나라를 그리워하고 청나라를 비하하는 내용이 적지 않았다. 이 때문에 그의 자손들은 훗날 멸문지화를 당하고 만다.

1778년 내각학사 유용劉墉**33**이 황제에게 서술기의 저서《일주루시집一柱樓詩集》에 반란을 꾀하고자 하는 내용이 많다고 제보했다. 과연 건륭제는《일주루시집》을 보고 대로했다. '내일 아침이면 날개를 활짝 펴고 단번에 청도로 가리', '글자도 모르는 맑은 바람, 어이하여 제멋대로 책장을 넘기느냐', '잔을 드니 홀연히 명明의 천자가 보이니 주전자를 한쪽에 던져버렸네' 등의 구절이 건륭제를 분노케 한 것이다.

그러나 이때는 서술기가 이미 세상을 떠난 지 15년이나 지난 뒤였다. 하지만 건륭제는 화를 참지 못했다. 우선 관을 열어 그의 시신을 도륙했다. 이어 그의 아들과 손자들까지 모두 참수했다. 그의 저작들도 모두 불태워졌다. 죽은 사람까지 엄벌에 처하고도 분이 채 풀리지 않은 건륭제는 이번에는 그의 본적지 지

서술기의 《일주루시집》을 일러바친 재상 유용.

---

33 유용(劉墉): 일반인들에게는 흔히 중국 영화나 중국 드라마 상에서 유라과(劉羅鍋·류뤄궈)로 널리 알려져 있는 청나라 시기의 재상이다.

방관들에게 화살을 돌렸다. 강소성의 포정사布政司[34] 도역陶易은 "대역죄를 일부러 눈감아줬다."는 죄로 목이 날아갔다. 이어 양주의 지부知府와 동대의 지현知縣[35] 등 지역 행정 계통의 관리들도 서술기를 엄격히 다스리지 않은 죄로 각각 귀양을 보내고 징역형에 처했다.

서술기 사건을 살펴보면 놀라운 사실 하나를 더 발견할 수 있다. '강남 출신 문인의 수장' 이던 심덕잠沈德潛이 일찍이 서술기의 전기를 썼다는 사실이다. 강소성 장주長洲가 고향인 심덕잠은 조정에서 오랫동안 근무한 원로대신이자, 황궁 문인으로 건륭제의 두터운 신임을 받았다. 문필로 덕망이 높아 건륭제가 강남 순유를 떠났을 때 심덕잠을 네 번이나 불러 만났을 정도였으니까. 그런 심덕잠이 쓴 서술기의 전기에 "서술기의 품행과 문장은 모두 본받을 만하다."고 칭찬하는 문장이 있었던 것이다.

건륭제는 이 사실을 알고 대단히 불쾌해 했다. 하지만 심덕잠 역시 10년 전에 고인이 된 터였다. 건륭제는 그럼에도 이 세상에 없는 심덕잠의 행적을 끝까지 조사하기로 마음먹었다. 그는 우선 심덕잠의 가솔들에게 군신 사이의 깊은 정분을 과시하기 위해 심덕잠의 작품들을 다시 읽고 싶으니 조속히 집에 남아 있는 시작들을 올려 보내라고 지시했다. 심덕잠이 노년에 엮은 다수의 시집이 곧 황제에게 전달됐다.

67세라는 고령의 나이에 진사에 급제한 심덕잠은 인생의 마지막 30년

---

34 포정사(布政司): 정식 명칭은 승선포정사(承宣布政使)로, 원래는 명(明)·청(淸)대 각 성(省)의 행정 사무를 감독하던 최고 지방행정관이었다. 그러나 중앙에서 임시로 파견했던 총독과 순무가 점차 지방행정관으로 고정되면서, 총독과 순무에 직속하는 종2품직으로 변형되었다. 총독과 순무, 그리고 또 다른 지방관이던 제형안찰사(提刑按察使·약칭은 '안찰사'로 정3품관)의 업무 분장을 살펴보면, 총독은 주로 군무를, 순무는 주로 민정을 담당했고, 포정사는 주로 재정과 교육을, 안찰사는 사법 업무를 담당했다.

35 지부(知府)와 지현(知縣): 청나라의 지방 행정구역은 성(省)을 가장 위에 두고, 그 밑에 부(府), 주(州), 현(縣)의 순서로 행정구역을 제정했다. 각 행정 단위의 수장(首長)으로 성에는 총독(정2품)과 순무(종2품)를, 부에는 지부(知府·종4품)를, 주에는 지주(知州·종5품)를, 현에는 지현(知縣·정7품)을 임명했다.

동안 온갖 부귀영화를 누린 인물이었다. 조정에 있을 때에는 건륭제의 두터운 신임을 받았기 때문에 늘 궁궐의 후원이던 금원禁苑까지 자유롭게 드나들었다. 또 건륭제와 더불어 음풍농월하면서 역대 시가에 대해 평가하기도 했다. 그는 '시인' 건륭의 자작시를 고쳐주기도 했고, 심지어 건륭제를 대신해 시를 지어주기도 했다.

그는 관직에서 물러나 고향에 돌아간 뒤에도 여전히 건륭제의 두터운 은혜를 입었다. 늘 관직과 작위를 하사받아 그 은덕이 자손들에게까지 미쳤다. 원래부터 공명과 관직, 녹봉에 관심이 많았던 심덕잠은 늘그막에 복이 터지자 결코 넘지 말았어야할 선을 넘고 말았다. 그는 대담하게도 자신이 과거 황제를 대신해 지었던 시는 물론 수정해 줬던 시가까지 모두 자신의 시집에 수록한 것이다.

이런 사실이 밝혀지자 자존심과 허영심이 남달리 강했던 '시인' 건륭은 큰 충격을 받을 수밖에 없었다. 건륭제는 자신의 '저작권'이 까닭없이 침범을 당한 사실을 알고 난 후, 얼굴색이 그야말로 폭풍우를 품은 먹장구름처럼 변해버렸다. 그는 심덕잠의 시집에서 〈검은 모란을 읊다〉라는 시를 찾아내 그중 "바르지 않은 색이 '붉은 색朱36'을 빼앗고, 다른 종자가 또 왕이라고 칭한다."는 구절을 트집 잡았다. 건륭제는 심덕잠이 조정을 비방하고 대역무도하다고 질책한 것이다. 그 벌로 이미 죽어 땅속에 묻힌 심덕잠의 무덤을 파헤치고 시신을 꺼냈다. 죽은 심덕잠의 목은 베어져 저잣거리에 효시되고, 하사된 모든 관직과 재산도 박탈됐다. 나중에는 무덤의 비문까지 모두 지워버렸다.

---

36 붉은색(朱): 심덕잠이 시에서 '붉은 색'이라고 칭한 한자 '주(朱)'는 전 황조(皇朝)인 명나라 황실의 성씨인 '주(朱)'와 같기 때문에, 코에 걸면 코걸이, 귀에 걸면 귀걸이식인 한자의 특성상 대역죄를 물을 수 있는 빌미를 제공했다.

청나라판 분서갱유

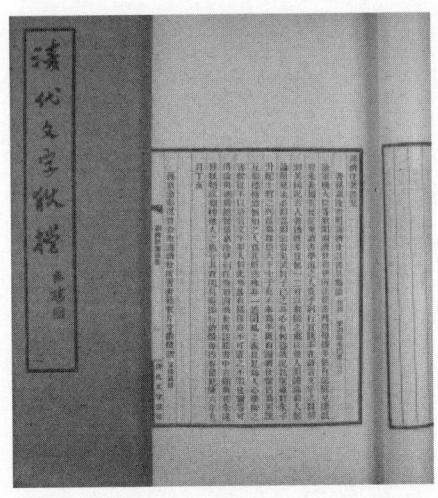

청나라 시기에 있었던 문자옥 자료를 모아 놓은 청대문자옥당.

위의 두 건의 시와 관련한 사건은 빙산의 일각에 불과했다. 북경 고궁박물원 문헌관에서 엮어낸 《청대문자옥당淸代文字獄唐檔》에 의하면, 건륭제 재위 기간 중 비교적 큰 문자옥 사건만 64건이 넘었다. 또 자잘한 문자옥은 70건이 넘었다. 그중에서 47건은 죄인이 극형에 처해졌다. 산 자는 참수 당하고 죽은 자는 부관참시했다. 일가

친족 중 15세가 넘는 남자들은 모두 연좌제에 걸려 목이 잘렸다. 없는 죄를 뒤집어씌우고 생트집을 잡아 무고한 사람을 죄인으로 몰아가는 문자옥은 유구한 역사를 가진 중국에서 고삐 풀린 말처럼 미친 듯 유행했다.

문자옥은 육체뿐만 아니라 자유로운 사상과 인권까지 짓밟는 가혹한 형벌이었다. 사상을 자유롭게 표현할 수 있는 권리를 이처럼 박탈했으니 사상을 만들어내는 동력과 사상의 원천이 사라지는 것은 당연했다. 실제로 문자옥이 유행하기 시작한 이후부터 전국 각지에서는 "폐하 만세!"를 삼창하고 황제의 은덕을 칭송하는 목소리만 울려 퍼졌다. 제국의 통치자들은 원하던 목적을 달성한 셈이었다.

청나라 통치자들은 피지배계층인 백성들이 생각이 없으면 없을수록, 아둔하면 아둔할수록 정권을 더 안정적으로 운영할 수 있다고 믿었다. 그러나 그들은 하나만 알고 둘은 몰랐다. 위정자의 공적과 은덕만 찬양하는

목소리는 사실 위정자에 대한 무관심의 표현이라는 사실을 말이다. 또 국가와 정부를 향한 열정이 클수록 비평의 목소리가 높아진다는 사실도 알지 못했다. 국가와 위정자가 백성들에게 언론 자유를 주지 않거나 언론 자유를 줄 용기를 잃는다면 '천하는 천하 사람들의 천하'라는 말은 그저 빛 좋은 개살구에 불과하다. 더구나 지식인들의 쓴소리를 두려워하면 더욱 그렇다. 언론 자유가 없으면 당연히 사상이 구속을 받는다. 그 결과 정치체제는 뒤떨어지고 경제도 퇴보한다. 군사력도 약해진다. 천하에 한 가지 목소리만 존재할 때 그 천하는 위태로워질 수밖에 없다.

결과적으로 문자옥이 두려워진 선비들은 세상일에서 관심을 떼고 고서古書만 죽어라고 파고들었다. 오죽했으면 "도중에 자리를 뜨는 것은 문자옥에 관한 소식과 논쟁을 듣는 것이 두렵기 때문이요, 글을 쓰는 목적은 의식주를 해결하기 위함이라네." 라는 글이 유행했을까.

이런 이유로 건륭제 후기부터 가경제 연간인 19세기 초까지 고증학考證學이 중국에서 대단히 성행했다. 선비들은 아주 오래전의 고서에서 문장 한 구절이나 글자 한 글자를 찾아낸 다음, 역시 오래 된 고서들을 두루 참고해 대단히 치밀하고 꼼꼼하게 구절과 글자의 음과 뜻을 점검했다. 이어 이를 논증해 상세하게 밝혀냈다.

고증학이 유행하다보니 이런 일도 있었다. 어느 날 절강순무 완원阮元의 제자 한 명이 회시會試에 참가하기 위해 북경으로 향했다. 그러다 북경의 교외인 통주通州에서 간식거리로 떡을 하나 샀는데 떡 뒷면에 무슨 글자 같은 게 눈에 들어왔다. 장난기가 발동한 그 제자는 그것을 종이에 탁본해 스승인 완원에게 부치면서 이렇게 말했다.

"고서의 명문이니 스승께서 고증을 해주십시오."

이렇게 해서 떡 탁본 하나를 놓고 절강성의 이름난 선비 여러 명이 한 자리에 모였다. 당연히 난상토론이 벌어지는 촌극이 벌어졌다. 난상토론이 벌어져도 최종적으로 결론은 내려야 하는 법. 결국 학술적으로 한 수 위인 절강성 순무 완원이 결론을 내려야 했다. 완원은 제자가 보내준 탁본이《선화국보宣和國譜》라는 책에 등장했다고 자신 있는 어조로 말했다. 그 말을 들은 제자는 어이가 없었다. 웃지도 울지도 못할 일이었다. 이처럼 현실과 동떨어진 글장난이 중국에서는 중요한 학문으로 취급됐다. 나중에는 후세의 높은 평가도 받았다. 정말 놀라운 일이 아닐 수 없다.

선비들의 또 다른 출로는 과거시험에 급제해 벼슬을 하는 것이었다. 이를 위해 그들은 사서오경四書五經을 공부해야 했다. 한마디로 필독서였다. 그러나 과거시험의 답안에 써야하는 팔고문八股文37과 같은 제도는 선비들을 고리타분하게 만들었다. '성인을 위해 글을 짓는' 팔고문의 전통은 마치 단단한 족쇄처럼 사람들의 사상을 속박했다.

이런 풍조는 1780년대 이후 청나라 각지에서는 민중 봉기가 발발할 때까지 지속 됐다. 그 시기 제국의 통치자들은 더 이상 문자를 빌미로 죄를 뒤집어씌울 여유가 없었다. 따라서 이때부터 문자옥에 관한 기록도 점점 줄어들었다. 그러나 통치자들의 본성은 조금도 바뀌지 않았다. 그들은 여전히 인성을 무시하거나 인권을 유린했다. 국가 전체에 공포 분위기가 팽배해 졌다.

---

37 팔고문(八股文): 중국 명·청대(明淸代)에 과거를 볼 때 쓰이던 특별한 형식의 글짓기로, 8개의 제목 밑에 700글자 미만으로 특정한 방식에 따라 서술하는 형식이었다. 응시자의 경륜이나 적합성 등과는 아무 관련이 없었고, 내용보다 형식이 더 중시된다는 점 때문에 자주 비판을 받았다.

근대화에 박차를 가하는 서방세계

같은 시기 서방 각국은 청나라와 완전히 다른 길을 걷고 있었다. 서방세계는 과학, 사상, 정치 제도 등 제반 분야에서 한 단계 더 높은 이성理性의 시대에 이미 진입해 있었다. 건륭제가 여섯 번째로 강남을 순시하면서 남방의 아름다운 봄 경치에 한껏 취해 있던 1789년 4월 30일, 바다 건너 미국에서는 마운트 버논 농장의 주인 조지 워싱턴이 국민의 추대로 뉴욕에서 미국 초대 대통령에 취임했다. 남은 세월 동안 그는 미국의 다른 '건국의 아버지'들과 함께 민주 법치 정부를 구축하기 위해 혼신의 노력을 아끼지 않았다.

1789년 6월 17일 유라시아 대륙의 다른 한쪽 끝에 있는 프랑스에서는 농민, 도시 서민과 상공업자를 포함한 제3계급이 루이 16세의 증세 정책에 반대해 국민의회를 설립했다. 7월 14일 혁명군은 바스티유 감옥을 점령했다. 마침내 프랑스 대혁명이 일어난 것이다. 8월 26일 국민의회를 구성한 프랑스 인민 대표들은 인권에 관한 무시, 또는 멸시가 공공의 불행과 정부 부패의 모든 원인이라는 것에 주목했다. 아울러 인간에게 자연적이고 양도 불가능하면서도 신성한 권리를 밝히는 결의를 했다. 이날 발표한 것이 〈인간 및 시민의 권리 선언(인권 선언)〉이다. 인권 선언은 1789년 8월 26일 프랑스 제헌 의회가 채택한, 프랑스 자산계급 혁명의 강령을 담은 문헌으로 봉건 전제 제도를 반대하는 혁명에서 아주 중요한 역할을 했다.

아래에 '프랑스 인권 선언'의 몇 단락을 발췌했으므로 중국의 절대 황권皇權과 한 번 비교를 해봐도 좋겠다.

제1조 인간은 태어나서부터 자유와 평등의 권리를 가진다. 사회적 차별

은 공동 이익을 위해서만 있을 수 있다.

제2조 모든 정치적 결사의 목적은 인간의 자연적이고 소멸될 수 없는 권리를 보전함에 있다. 그 권리라는 것은 자유, 재산, 안전, 그리고 압제에 대한 저항 등이다.

제3조 모든 주권의 근원은 본질적으로 국민에게 있다.

제5조 법은 사회에 유해한 행위가 아니면 금지할 권리를 갖지 아니한다. 법에 의해 금지되지 않은 행위는 어떤 것이라도 방해를 받아서는 안 된다. 또 누구도 법이 명하지 않는 것을 행하도록 강요받아서는 안 된다.

제6조 …법은 보호를 부여하는 경우에도, 처벌을 가하는 경우에도 모든 사람에게 동일한 것이어야 한다. 모든 시민은 법 앞에 평등하다….

제7조 법에 의해 규정된 경우, 그리고 법이 정하는 형식에 의하지 아니하고는 그 누구도 소추, 체포 또는 구금될 수 없다….

제8조 법은 엄격하게 그리고 명백히 필요한 형벌만을 설정해야 한다. 누구도 범죄 이전에 제정 및 공포되고, 또 합법적으로 적용된 법률에 의하지 아니하고는 처벌될 수 없다.

제9조 모든 사람은 유죄 선고를 받기 전에는 무죄로 추정돼야 한다….

제10조 누구도 법에 의해 확립된 질서를 교란하지 않는 한 종교적 견해를 포함한 자신의 의견이나 발표로 인해 간섭을 받게 해서는 안 된다.

제11조 사상 및 의견의 자유로운 전달은 인간의 가장 소중한 권리 중 하나다. 따라서 모든 시민은 언론, 저술과 출판 자유를 가진다….

드러나지 않는
불온한
움직임

　　　　　　　1771년 그 해 호부에서 건륭제에게
보고한 호부의 은 보유량은 7,894만 냥에 달했다. 청나라의 재정제도는
매년 재정 잔고를 모두 호부에 보내 은으로 보유하는 것이 관례였다. 따
라서 은 7,894만 냥은 건륭 36년 대청제국 중앙정부의 재정 보유고였다.
요즘으로 치면 외환보유고라고 할 수 있다. 지금까지 확인된 자료에 의하
면 이 액수는 청나라 300년 역사상 최고 기록이다. 은 보유량이 이토록 어
마어마했으니 당시 청나라의 재정 상태는 그야말로 최고 수준이었다.

　　그러나 건륭제를 비롯한 그 누구도 눈치 채지 못한 복병이 도사리고 있
었다. 18세기 100년 동안을 통틀어 청나라 본토의 은 산출량은 기껏 해봐
야 5,000만 냥을 초과하지 않았다. 하지만 대량의 은이 해외로부터 계속
유입되고 있었다. 은 유입량은 건륭제 중후기에 이르러서는 더 빨리, 더
많이 늘어났다.

청나라 시대의 물가상승률을 엿볼 수 있었던 절강성 해녕의 어린대석당 공사.

중국 내 은 유입량은 1760년대의 10년 동안 300만 냥이 넘게 들어왔다. 하지만 이 수치는 급격히 늘어나 1770년대에는 750만 냥이, 1780년대에는 무려 1,600만 냥을 넘는 은이 중국으로 들어왔다. 중국 내에 은 보유량이 급증하면서 물가 상승이 시작했다. 그것도 지속적이고 폭도 컸다. 오늘날 사람들이 입에 즐겨 올리는 인플레이션이 바로 이 시기에 발생한 것이다.

인플레이션의 가장 뚜렷한 징후는 당시 청나라의 물가를 보면 알 수 있었다. 그중에서도 쌀 가격은 꾸준히 올랐다. 18세기 초에는 은 한 냥으로 쌀 200근을 살 수 있었지만, 18세기 말에 이르러서는 쌀 70근도 살 수 없었다. 또 땅값도 천정부지로 치솟았다. 강남 지역의 옥답 가격은 강희제 연간에 1무畝**38**당 4~5냥에 거래되었지만 건륭제 후기에는 1무당 30냥을 웃돌았다. 또한 공사 기간이 비교적 긴 치수 공사의 경우, 공사 자재 가격의 폭등으로 애초에 계획했던 예산과 실제 들어간 돈이 매우 큰 차이를 보였다. 가령 절강성 해녕의 방파제인 어린대석당魚鱗大石塘을 보수하는데 실제 들어간 비용은 초기에 계획했던 예산보다 무려 200만 냥이나 더 들어갔다.

긴박하게 대두된 청나라의 개혁론

물가 폭등으로 중앙정부와 지방정부는 심각한 재정 위기에 빠졌다. 원래부터 청나라 정부는 황권을 안정적으로 유지시키고, 광대한 영토를 다스리기 위해 무엇보다도 국방비 지출을 최우선시 했다. 이런 상황에서 물가가 상승하니 중앙과 지방의 군비 지출도 갈수록 증가할 수밖에 없었다. 급기야 이런 풍조가 계속되자 1770년대 이후 중앙정부의 재정 지출에서 군비가 차지하는 비중은 무려 75퍼센트를 초과했고, 지방정부의 군비 지출 비중도 무려 60퍼센트에 육박했다. 국방비가 예산의 대부분을 차지하는 만큼 다른 종목의 지출은 갈수록 줄어들었다. 지출 구조가 점점 불합리해지면서 사회 발전에도 왜곡 현상이 나타나기 시작했다.

상황이 이렇다 보니 대청제국의 재정제도 개혁이 무엇보다 시급한 문제로 대두됐다. 하지만 청나라 역사에서 재정제도 개혁이라는 것은 있을 수 없는 일이었다. 강희제, 옹정제 이래의 조세 정책은 "국민이 부자가 돼

---

38 무(畝): 무(畝)는 땅의 면적을 나타내는 단위로, 1무는 1단(段)의 10분의 1이다. 당시 청나라의 1무는 약 30평이었다.

야 한다."는 정신을 기반으로 했다. 그래서 토지세를 증액하지 않는 것이 기본 원칙이었다. 따라서 백성들의 조세 부담이 일정하게 경감된 것은 사실이었다. 더 나아가 '탄정입지攤丁入地 39', '모이귀공耗羨歸公 40' 등의 정책이 실시되면서 경제의 안정적인 발전과 번영, 관리들의 청렴결백한 근무 등 긍정적인 효과가 나타난 것도 사실이었다. 이런 이유 때문에 건륭제는 조부와 부친 때부터 실시해온 재정제도의 우월성을 믿어 의심치 않았던 것이다.

그러나 한 번 오른 물가는 건륭제의 사정 따위는 아랑곳하지 않았다. 마치 진부하고 경직된 청나라 재정제도를 비웃기라도 하듯 물가는 날이면 날마다 미친 듯 폭등했다. 이 결과 1770~1780년대에 이르러 청나라의 재력은 거의 바닥을 드러냈다. 관리들의 부패로 인한 민생 위기도 자연스럽게 뒤따랐다. 그러나 건륭제를 위시한 청나라 조정은 여전히 전통적인 재정제도에 대한 미련을 버리지 못했다. 근본적인 세제개혁은 손도 못 대고 그저 사태 호전에 전혀 도움도 안 되는 임시변통의 대책만을 실시하곤 했다.

한번 터지기 시작한 재정 문제는 또 다른 문제점을 잉태하게 마련이다. 국가 재정이 바닥을 드러내자 청나라 조정에서는 물가 상승에 비례해 관리들의 녹봉을 올려줄 돈이 부족했다. 게다가 쥐꼬리보다 나을 게 없는 특별 수당으로는 관리들의 공무와 일상의 소비를 만족시키기 어려웠다.

---

39 탄정입지: 탄정입지는 인두세의 개념이던 '정은(丁銀)'을 토지세에 부과해 한꺼번에 은으로 징수하던 세제(稅制)였다.

40 모이귀공: 옹정제 2년부터 실시된 세제(稅制)로, 은(銀)을 제련할 때의 손실과 운송할 때 들어가는 운임을 납세자들이 부담토록한 일종의 '부가세' 같은 개념이다. 모이귀공 제도를 실시한 이유는 이 세제 실시 이전에 임의로 지방관이 징수했던 부가세를 공적인 징수로 전환해, 성(省)의 창고인 번고(藩庫)에 넣고, 그 수입으로 지방 관리들의 청렴을 유지시키기 위해 지급했던 '양렴은(養廉銀)'이라는 특별수당을 운용하기 위해서였다.

이렇게 되자 황제는 작게는 뇌물 수수에서부터 크게는 공금 횡령에 이르기까지, 정부 관리들의 부정부패를 눈감아줄 수밖에 없었다. 당시 "발각되지 않은 것은 모르는 척 넘어가고, 발각된 것은 어쩔 수 없이 추궁했다."는 말이 떠돌 정도였다.

그 결과 황제와 신료, 중앙정부와 지방정부, 상급기관과 지방관 사이에 횡령과 수뢰 행위를 알면서도 서로 모르는 척, 아무 일도 아닌 척 유야무야 넘어가는 이상한 기풍이 형성됐다. 관리들의 부정부패는 나라를 망치는 근원이라는 사실은 역사를 보면 잘 알 수 있다. 그러나 청나라의 대소 관리들은 서로 앞 다퉈 자신들의 무덤을 파기에 혈안이 돼 있었다. 심지어 황제 폐하가 몸소 뇌물 수수의 모범을 보여주기도 했다.

건륭제는 기발한 제도를 만들어냈다. 그것이 이른바 '의죄은議罪銀'이라는 벌금 제도였다. 처벌 대상은 각 성의 총독, 순무 등 고위관리들이었다. 벌금 명목은 아주 다양했다. 주로 제 기한에 일을 끝내지 못하거나 직무를 소홀히 했거나 하는 자질구레한 과실이 모두 해당됐다. 벌금 액수는 적게는 2~3만 냥, 많게는 수십만 냥에 달했다. 이렇게 납부한 은은 모두 자금성 내무부에 있는 황제의 개인 금고에 들어갔다.

말이 '의죄' 지 누가 감히 황제가 죄를 판단할 때까지 기다리겠는가? 이런 연유로 각 성의 총독과 순무들은 황제의 환심을 사고 아첨을 떨기 위해 경쟁적으로 자청해 벌금을 납부하는 희한한 일까지 벌어졌다.

하남순무 필원畢沅은 중요한 범인 검거에 늑장을 부린 죄로 스스로 의죄은 3만 냥을 바쳤고, 섬감총독 늑이금勒爾錦은 밀수업자들의 감언이설을 맹목적으로 믿은 죄로 의죄은 4만 냥, 절강순무 복숭福崧은 스스로 여러 죄를 고백하며 의죄은 28만 냥을 자진 납부했다. 또 하남순무 하유성何裕城은 황제의 회답이 찍힌 상주문을 더럽혔다는 죄목으로 은 3만 냥을 냈지만,

의죄은 제도를 만들어낸 건륭제마저도 어이가 없었던지 우물쭈물하다 1만 냥만 받아낸 웃지 못할 일도 있었다. 이런 사례들은 너무 많아 일일이 열거할 수조차 없을 정도였다.

당시 전국 각지의 총독과 순무들에게 연봉 외에 지급되던 일종의 특별 수당인 '양렴은養廉銀'은 액수가 서로 달랐다. 양강兩江총독이 1년에 은 3만 냥으로 가장 많았고, 그 다음은 운귀雲貴총독과 섬감陝甘총독으로 1년에 2만 냥씩 받았다. 또한 각 성을 담당하던 순무와 포정사의 연봉은 은 130냥에 지나지 않았고, 총독의 연봉도 고작 155냥에 불과했다. 여기에 추가로 받는 '양렴은'까지 합쳐봐야 기껏 한 해에 2만 냥 정도였다. 따라서 이런 연봉으로는 수만 냥에 달하는 의죄은을 납부하기에는 턱없이 부족한 액수였다.

그렇다면 이들은 어떻게 자신의 1년간 총수입보다도 많았던 의죄은을 황제에게 거리낌 없이 바칠 수 있었을까? 이 책을 읽는 모든 독자가 생각하다시피, 그들은 자신들에게 주어진 권력을 최대한 이용해 황제에게 바치는 돈보다 더 많은 돈을 긁어모으는 불법과 탈법을 저지르고 있었던 것이다.

횡령과 비리를 저지르는 최측근들

이런 상황에서 그 유명한 '부패의 화신'이 등장하게 된다. 1770년대 이후 건륭제는 중국 전설상의 미남이었던 반안潘安이나 송옥宋玉을 뺨치는 용모를 가졌던 만주팔기 출신 화신을 각별히 총애하기 시작했다. 청나라를 세운 팔기 가문의 자제인 화신은 이때부터 조정의 사무를 주관하면서 막강한 권력을 휘두른다. 애초부터 머리가 뛰어나 어릴 때부터 만주어,

중국어, 몽골어, 티베트어 등 4개 국어에 능통했던 화신은 뛰어난 머리와 탐욕스러움으로 동서고금을 통틀어 둘째가라면 서러울 정도의 재산을 긁어 모으게 된다.

화신을 비롯한 청나라의 대소관리들은 비리를 저지르면서 다음과 같은 사실에 유의했다. 가장 중요한 것은 상부의 관리에게 뇌물을 먹이지 않을 경우 관직을 잃는 것은 둘째 치고 자칫하면 옥살이를 할 수 있다는 사실이었다. 또 상부에 뇌물을 주기 위해서는 반드시 자신이 뇌물을 받거나 횡령을 해야 한다는 사실도 잊지 않았다. 이뿐만 아니었다. 뇌물 수수와 횡령의 혐의를 들키지 않기 위해서는 다시 상부에 더 많은 뇌물을 먹

젊은 시절의 화신. 중국사에서도 손꼽히는 탐관오리의 전형이다.

여 믿음직한 배경을 찾아두는 것도 중요하다는 사실을 이들은 잘 알고 있었다. 이처럼 건륭제 치세 말기에는 부정부패의 여러 고리가 긴밀하게 연결되면서 횡령과 뇌물 수수의 기풍이 청나라 방방곡곡에 활활 타올랐다. 이 결과 충격적인 횡령 사건들이 심심찮게 발생했다.

예컨대 감숙성의 포정사 왕단망王亶望은 부임한 지 얼마 지나지 않아 황제의 윤허를 받고 우선 '연감捐監제도41'를 회복시켰다. 그리고는 제멋대로 연감제도를 변형시켰다. 식량 대신 은으로 환산해 은 일정량을 납부하는 자에게 '감생' 자격을 팔았다. 덕분에 감숙성의 한량들은 은 55냥을 납

---

41 연감(捐監)제도: 중국에서 식량 부족 문제를 해결하기 위해 부자들이 식량을 관(官)에 기증하고 태학과 국자감에 입학할 수 있는 자격인 '감생(監生)' 을 얻도록 허용한 제도다.

부하면 감생 자격을 얻을 수 있었다. 그는 또 조정에 거짓 보고도 올렸다. 가뭄이 예년보다 심각하기 때문에 징수한 '감량監糧'을 모두 이재민 구제에 사용할 수밖에 없었다고 말하는 식이었다.

그러나 사실 이 돈들은 총독에서부터 주, 현의 관리에 이르기까지 모두들 나눠 가졌다. 더구나 하급 관리들은 더 많은 이익을 얻기 위해 앞을 다퉈 왕단망에게 뇌물을 가져다 바쳤다. 이렇게 해서 감숙성의 대소 관리들 중 절반 이상이 '감량으로 이재민을 구제'하는 횡령의 행렬에 가담했다. 이러한 부패가 무려 6~7년이나 지속됐다. 횡령 금액은 무려 700~800만 냥에 달했다. 1781년 왕단망이 절강성 순무로 승진한 이후에야 이러한 사실이 백일하에 드러났다. 크게 놀란 건륭제는 왕단망과 공범 50여 명을 즉각 참수했다. 또 이 사건과 관계된 나머지 인물 50여 명은 변방으로 유배시켰다.

그러나 정작 더 큰 횡령을 저지르는 범죄자는 황제와 가장 가까운 곳에 있었다. 사실 왕단망이 부임한 감숙성은 청나라에서도 경제가 낙후한 몇몇 안 되는 성 중 하나였다. 건륭제 중후기까지 매년 징수하는 지정은地丁銀이 30만 냥도 채 되지 않는 무척 가난한 성이었다. 그러나 감숙성은 대청제국의 지리적 요충지였다. 북쪽으로는 큰 사막, 서쪽으로는 고원을 통제할 수 있어 전략적으로 중요한 곳이었다. 그래서 예부터 군대를 주둔시키는 요새로 매년 군비 지출만 300만 냥에 달했다. 이는 감숙성 전체 지정은 수입의 10배에 달하는 어마어마한 액수였다. 따라서 감숙성은 예부터 '협향協餉' **42**을 조달받는 중점 성이었다. 당시 상대적으로 부유했던 산서, 하남, 산동 등 3개 성이 감숙성에 이 협향을 제공하는 중요한 임무를 맡았

---

42 협향(協餉): 청나라 때 각 성의 경비 조달 제도로서, 부족한 군비를 인근 성에서 모아 부족한 성에 넘겨주는 제도였다.

다. 감숙성과 비슷한 처지로 다른 성의 협향을 받았던 성으로는 운남, 귀주, 사천, 섬서 등의 성도 있었다.

200년 전의 '협향' 제도는 지금의 '이전 지출Transfer payment' 제도와 매우 비슷한 제도라고 할 수 있었다. 그러나 사실 그 당시에는 지리적 제약과 운송 수단의 낙후화로 인해 협향을 보내는 일도 그다지 쉽지 않았다. 당연히 정부 관리들은 '협향' 운송 문제 때문에 적잖게 골머리를 앓았다. 교통수단이 지금처럼 발달하지 않았던 당시에는 산동성의 은을 감숙성 병사들에게 공급하는 일도, 중국 동부 강서성의 은을 서남에 위치한 운남, 귀주, 사천 병사들에게 공급하는 일도 말처럼 쉽지 않았다. 게다가 합리적이고 효과적인 회계 감사 제도가 없었기 때문에 중앙정부는 각 지방의 재정 상황을 정확하게 파악할 수도 없었다. 따라서 부유한 지방에서는 어떻게 하든 돈을 적게 내려고 갖은 애를 썼고, 반면 가난한 성에서는 어떻게든 더 많은 지원을 받으려고 기를 썼다. 그래서 허위 보고와 거짓 보고는 지방 관리들의 '필수 과목'이 됐다.

사태가 이 지경에 이르자 호부户部에서는 지방정부가 모든 지출 계획을 전부 조정에 상정해 허가받은 후 지출할 수 있도록 하는 규정을 강제로 만들었다. 이 조치는 언뜻 보면 중앙정부의 감독과 관리를 강화한 것처럼 보인다. 하지만 이 조치는 또 다른 문제들을 낳았다. 이를테면 지방정부와 중앙정부 간의 공문 왕래가 지나치게 빈번해져서 업무 부담이 가중됐고, 그에 따라 업무 능률도 자연스레 떨어졌다. 또한 자질구레한 일을 결재 받는데도 몇 년이 걸렸다. 그런가 하면 정작 중요한 일은 제때에 결재를 받지 못하는 경우가 비일비재했다.

이 결과 천태만상의 잡다한 결재 서류가 무더기로 쌓였다. 이를테면 인부 약간 명을 파견해 다리를 지키는데 은 48냥이 필요하다는 내용의 서류도 있었고 선원의 노임 105냥을 지급해야 한다는 내용을 기록한 문서도 있었다. 과부에게 주는 보조금 12냥을 지급하도록 결재해달라는 문서는 더 이상 말할 필요도 없이 많았다.

아첨에 익숙해진 건륭제

이렇듯 자질구레하고 번잡한 공문서는 황제가 굳이 결재할 필요가 없는 일이었다. 게다가 1770년대 이후부터 건륭제는 더 이상 즉위 초기처럼 열심히 직무를 수행하려고 하지 않았다. 결재 서류에도 대충 '이미 읽었음', '알겠음', '관련 부서에 전달할 것' 등 단답형의 문구만 적기 일쑤였다. 강희제, 옹정제 때처럼 개성이 풍부한 결재 문구는 거의 보기 힘들었다. 신하들은 단조로운 결재 문구를 통해 황제의 열정, 친밀함, 불만, 분노 등 그 어떤 것도 느낄 수 없게 됐다.

황제 폐하는 완전히 무감각해졌다. 적어도 제국의 여러 문제에 대한 감각이 상당히 둔감해졌다. 그리고 신료들은 황제의 기분에 맞춰 기회만 있으면 아첨을 일삼았다. 상황이 이러니 국가의 재정제도가 심각한 위기에 빠졌을 때에도 황제와 그 추종자들은 조금도 동요하거나 걱정하지 않았다.

건륭제가 황제 자리에 오른 그 해, 언관言官 손가감은 건륭에게 올린 상주서에 이렇게 썼다.

"풍문에만 집착하면 아첨하는 말만 즐겨 듣고 충언을 싫어한다. 눈에 보이는 것만 믿으면 순종하는 사람만 좋아하고 강직한 사람을 싫어한다. 자신이 원하는 것만 마음속으로 생각하면 자신의 생각대로만 하려고 하고 자신과 다른 생각을 받아들이려 하지 않는다. 이 세 가지 나쁜 습관이 생기면 평생 최대 약점이 된다. 즉 소인만 좋아하고 군자를 싫어하는 것이다."

　세상만사는 흥할 때가 있고 쇠할 때가 있다. 편안할 때 위험을 잊지 말아야 한다. 눈앞의 근심을 대수롭지 않게 여기고 장래의 일을 미리 생각하지 않다가 문제가 한꺼번에 곪아 터진다면 그때는 후회해도 소용없다. 손가감은 위대한 예언가임에 틀림없었다. 수십 년이 지난 다음 손가감의 예언은 건륭제에 의해 하나도 빠짐없이 모두 이뤄졌다.

거만한 중국을
노리는
영국

　　　　　　　　　　　1793년 초여름, 대청제국의 이번원理
藩院**43**에 광동성에서 보고서가 날아들었다. 영국 사절단이 청나라 황제의
80세 생신을 축하하기 위해 북경으로 가고자 하니 허가해달라는 내용이
었다. 이번원 관리들은 뜻밖의 보고서를 받고 난감한 처지에 빠졌다. 늘
무표정한 그들의 오만한 얼굴에는 서양인들을 비웃는 듯한 기색이 떠올
랐다. 원래 건륭제는 중국 풍습에 따라 3년 전에 벌써 80세 생신 잔치를 성
대하게 벌였던 것이다. 과연 영국인들은 3년 전에 온 세상 사람들이 천자
의 생신을 떠들썩하게 경축했다는 사실을 몰랐을까?

　　사실 총명한 영국인들은 예의범절을 모르는 게 아니었다. 다른 속셈이

43　이번원(理藩院): 청나라 때 내외 몽골, 신강, 청해, 티베트, 흑룡강 지역 등 청나라가 복속시킨 지역을
　　다스리는 번부(藩部)를 관할하던 행정기구로서 내외 여러 이민족과의 교섭과 조공, 봉은 등의 업무를
　　맡았다.

건륭제 생일을 축하하기 위해 방문한 영국 사절단. 부사 조지 스탠턴의 아들은 중국어를 구사해 건륭제의 귀여움을 받았다.

있었다. 서방 각국은 거대한 동방의 제국 중국에 대해 오래전부터 큰 관심을 가지고 있었다. 국제무역의 선구자로 불리는 영국도 예외가 아니었다. 200년 역사를 자랑하는 영국 동인도회사가 이번 무역전쟁의 선봉장으로 나섰다. 그러나 유구한 역사를 지닌 청나라의 문호는 그렇게 쉽사리 열리지 않았다. 동인도회사는 중국 진출 과정에서 전례 없는 난관에 부닥쳤다. 오만한 청나라 정부는 영국인들이 제한된 경로를 통해서만 중국산 물건을 구매하도록 승인했다. 또 외국산 공산품에 대해서는 아예 관심도 가지지 않았다. 평등 무역을 당연한 도리로 여기는 영국인들로서는 주는 것만 있고 받는 것이 없는 일방적인 무역 행태에 만족할 리 없었다.

중국 전역을 노리는 외국 상인들

1750년대 말 영국 동인도회사는 홍인휘洪仁輝라는 중국 이름을 가진 영국 상인을 청나라에 파견했다. 그를 통해 청나라 정부와 무역 협상을 하도록 한 것이다. 홍인휘는 적재량 70톤짜리인 '석세스호'를 타고 중국으로 출발한다. 그는 연도의 관리들에게 뇌물을 먹이면서 광주廣州에서 영파寧波, 천진天津을 거쳐 북경에 도착했다. 이어 청나라의 중추 역할을 하는 각 관아를 찾아다니며 무역을 제한하는 광주 관리들의 행태와 부정부패 등의 비리에 대해 열변을 토했다. 결국 그 얘기들은 황제의 귀에 들어갔다.

영명한 건륭제는 즉시 중앙정부 감찰관을 파견해 사실을 조사하게 했다. 홍인휘는 득의양양했다. 그러나 순진한 이 영국 상인이 꿈에도 생각하지 못한 것이 하나 있었다. 건륭제는 눈 깜짝할 사이에 앞서 했던 결정을 번복할 수 있는 무소불위의 황제라는 사실이었다. 홍인휘는 강남에서 산수와 풍경을 감상하다가 갑자기 체포되어 감옥에 수감됐다. 죄명은 청나라 정부의 항해 금지령을 위반한 것, 상소를 할 때 청나라 정부에서 규정한 절차를 따르지 않은 것, 허가를 받지 않고 중국어를 배운 것 등 이루 헤아릴 수 없을 만큼 많았다.

양광兩廣총독 이시요李侍堯는 기민하게 이 절호의 기회를 이용해 대외 무역을 대거 정리하기로 결정했다. 조정에 '오랑캐 방비 조항'을 올려 심사 및 비준을 요청한 것이다. 그 내용은 다음과 같았다.

(1) 외국 상인은 광주에서 겨울을 나지 못한다. 5~10월을 무역 허가 기간으로 정하고 이 기간이 지나면 즉시 본국 또는 마카오로 돌아가야 한다.

(2) 외국 상인은 광주 무역 기간에 무역 사무소인 상관商館에만 머물러 있어야 한다. 또 '8'이 들어간 날에만 공원에 갈 수 있다.

(3) 반드시 정부가 지정한 행상行商과만 무역을 해야 한다.

(4) 외국 상인은 물가를 탐문하지 못한다. 가마도 타지 못한다. 중국인 하인을 고용하지 못하고 외국인 여자 역시 데려오지 못한다. 또 중국의 도서를 구매하지 못한다.

(5) 외국 상선이 정박한 곳에 군사를 파견해 감시한다.

외국 상인들은 입을 딱 벌리고 할 말을 잃었다. 영국 동인도회사는 바로 얼마 전 동남아에서 네덜란드, 스페인, 포르투갈 상인들과 치열한 무역 전쟁을 치른 후였다. 비록 최종 승자가 됐으나 큰 대가를 치렀다. 따라서 청나라와의 무역을 확대하는 것이 동인도회사가 생존해나갈 수 있는 유일한 길이라고 해도 과언이 아니었다. 더구나 중국과의 차 무역은 동인도회사의 생명줄이나 다름없었다.

당시 영국과 네덜란드 상류층에서는 아침에 일어나면 '기상 차', 오전 11시에는 '아침 차', 점심에는 '점심 차', 저녁에는 '저녁 차'를 마시는 것이 생활습관으로 굳어져 있었다. 유행을 즐기는 상류층 귀부인들은 다과 모임에 참가하기 위해 가사를 내팽개치기 일쑤였다. 이로 인해 많은 가정이 불화를 겪었다. 이 밖에 중국산 비단과 도자기도 유럽에서 인기가 높았다. 외국 상인들의 무역 적자가 늘어갈 수밖에 없었다. 그러자 외국 상인들은 무역 적자 폭을 줄이기 위해 중국 남부 지역에 인도산 아편을 수출하기 시작했다. 이처럼 추악한 상거래 행위는 청나라의 강력한 반발을 초래했다. 양측 간의 긴장이 점점 더 고조됐다.

영국 정부 산하 국영기업인 동인도회사가 위기에 처하자 영국 국왕 조지 3세는 친히 해결책을 제시했다. 동인도회사에서 직접 중국 황제를 타 깃으로 마케팅을 도모하라는 지시였다. 청나라 황제의 환심을 사서 황제 의 '금언'을 빌려 중국과의 통상무역을 성사시키려는 의도였다. 그래서 영국인들이 고심 끝에 생각해낸 것이 뒤늦게 황제의 탄신을 축하한다는 황당무계한 구실이었다. 바로 이 과정을 거쳐 영국인이 중국 황제 앞에서 어떤 예를 행하느냐를 둘러싼 외교적 활극이 드디어 막을 올렸다.

이 특별한 외교 사절단은 1792년 여름 영국 본토에서 구성됐다. 영국 정 계에서 이름만 대면 알 만한 인물인 매카트니 경이 동인도회사에 초빙돼 이 사절단의 단장을 맡았다. 북아일랜드 귀족 가문 태생인 매카트니는 러시아 영국 공사, 카리브해의 도서국가인 그라나다 총독, 인도 동부의 마드라스 총독 등의 요직을 역임하면서 풍부한 외교 경험과 정치 경험을 쌓쌓은 인물 이었다. 그래서인지 그는 본인의 탁월한 마케팅 능력을 추호도 의심하지 않 았다. 매카트니는 사절단 단장을 수락하면서 동인도회사에 1만 5,000파운 드의 성공 보수를 요구했다.

1792년 9월 25일 매카트니는 영국 황실 해군의 전용 전함을 타고 포츠머 스 항구를 떠났다. 과학자, 예술가, 경호원, 하인 및 중국어 교사 등 수백 명 이 매카트니를 수행했다. 이 밖에 상선 '힌두스탄호'와 보급선인 '울프 호'도 충분한 보급품과 영국의 산업화 수준을 보여줄 수 있는 귀중한 예물 들을 가득 싣고 함께 출발했다. 준비한 예물의 가치만도 1만 3,000파운드 에 달했다. 이듬해 6월 매카트니 선단은 망망대해에서 9개월 동안 갖은 고 생을 겪은 끝에 중국 남부의 항구도시 광주廣州에 도착했다. 이들은 이곳에 잠시 머무르면서 청나라 조정의 지시를 기다렸다.

앞서 말한 대로 건륭제의 80세 탄신일은 이미 한참을 지났다. 그러나 영 국 사절단이 바다 건너 불원천리 찾아와 공손하게 축하를 하겠다는데, 청나라 조정에서는 반대할 명분이 없었다. 영국 사절단의 방문은 이미 노년기에 접어든 건륭제의 허영심을 충족시키기에도 충분했다. 얼마 지나지 않아 "매카트니 사절단은 북경에 와서 황제 폐하를 알현하라."는 칙령이 광주에 전해졌다. 가뜩이나 무덥고 습한 광주 기후에 지친 영국인들은 이 소식을 듣고 기뻐 환성을 내질렀다. 그들은 북경에 가서 황제를 만나기만 하면 중국에 온 목적의 절반은 성사된 것이나 다름없다고 생각했다. 매카트니 선단은 신속히 닻을 올려 배를 출발시켰다. 이어 청나라 조정에서 지정한 노선을 따라 북상해 천진天津에 이른 다음 대고구大沽口 부두에 상륙했다.

청나라 관리들은 사전 통보도 없이 제멋대로 '영국 공사'라고 쓴 깃발을 사절단이 탄 배에 꽂았다. 그들은 영국인들이 가져온 진상품에 대해 지대한 관심을 보이면서 하나하나 자세히 살펴봤다. 또 거만한 태도로 이국 타향에서 찾아온 다른 인종의 사람들을 거리낌 없이 훑어봤다. 그런 다음 영국 오랑캐들의 헤어스타일이 참으로 괴이하다며 손가락질을 하기도 했다. 이 밖에 오랑캐들의 몸에서 짙은 향수 냄새가 난다고 코를 막으면서 곱지 않은 말로 비웃었다.

영국 사절단의 리더였던 조지 스탠턴은 자신의 일기장에 중국 사람에 대한 첫 인상을 다음과 같이 기록했다.

'중국인을 굳이 유럽인과 비교한다면 그들은 군주 제도 아래의 프랑스 신사와 매우 비슷하다. 행동거지가 소탈하고 손님을 환대한다. 그러나 중국인들은 내심 자기 스스로를 고결하다고 여기면서 만족해한다. 또 우월감이 대단히 강한 민족 같아 보였다.'

이 글만 보면 영국인들은 청나라 관리들한테 썩 괜찮은 인상을 받은 듯했다. 그러나 황제의 명을 받들고 영국 사절단을 영접하러 천진에 간 흠차 대신欽差大臣44 징서徵瑞와 직례(直隸·현재의 하복성)총독 양긍당梁肯堂은 영국인들을 아주 곱지 않은 시선으로 봤다. 오랑캐들의 솔직하다 못해 다소 경솔해 보이는 행동이 이 두 대신의 심기를 불편하게 했던 것이다.

이를테면 이런 일이 있었다. 흠차대신이 황제의 명을 받아 영국 사절단에게 만찬을 베풀었을 때였다. 이때 무례한 영국인들은 머리를 조아려 황제의 성은에 감사를 표하는 예를 하지 않았다. 그저 제멋대로 먹고 마시기만 했다. 대신들의 눈으로 볼 때 황제의 성은을 무시하는 것은 있을 수 없는 무례한 행동이었다. 이 행위에 대한 갑론을박은 곧 열하熱河45에서 여름휴가를 즐기고 있는 건륭제 귀에 전해졌다. 황제 이하 정부 관리들은 이 사실을 중요하게 생각했다.

당시 조정을 대표해 영국 사절단 접대 임무를 맡았던 화신和珅도 열하에 머물고 있었다. 그는 이 소식을 듣자 즉시 영국인들에게 '외국인 공사는 천조상국의 황제 폐하를 알현할 때 반드시 무릎을 꿇고 엎드려 절을 해야 한다.' 는 공식 각서를 보내 황제의 성은에 감사해야 한다고 강조했다.

그러나 매카트니는 이 요구를 일언지하에 거절해 버렸다. 그가 거절한 이유는 간단했다. 국가 간 사절들이 평등하게 왕래하는데 이런 예의범절은 체면을 손상시키고 인간의 존엄성을 잃게 한다는 것이었다. 협상 끝에 양측은 각각 한 걸음씩 양보해 타협안을 이끌어냈다. 즉 영국인들이 황제를 알현할 때, 한쪽 무릎을 꿇고 고개를 숙이는 예법이나 허리를 숙여 경례하는 예법을 허용한다는 것이었다.

---

44 흠차대신(欽差大臣): 특정한 중요 사건을 처리하기 위해 황제가 파견하던 임시 전권(全權)대신으로, 3품(品) 이상을 흠차대신, 4품 이하는 흠차관원이라고 불렀다. 현재로 치면 특임대사라고 할 수 있다.

45 열하(熱河): 현재 중국의 하북성 청더(承德)시를 말한다. 북경에서 동북쪽으로 약 250킬로미터 떨어져 있고, 열하(熱河)라는 한자에서 알 수 있듯이 온천이 솟아나고 서늘한 기후와 수려한 풍경으로 예부터 피서(避暑)로 유명한 곳이다. 1703년 열하에 피서산장(避暑山莊)을 축조한 강희제는 여름 동안 이 별궁에서 정무를 맡았고 이후 청나라 제2의 수도 역할을 했다. 피서산장은 달리 열하행궁(熱河行宮)으로도 불렸고, 우리나라 사람들에게는 기행문학의 정수인 박지원의 열하일기로 잘 알려진 곳이다.

중국의 현실을 엿본 매카트니

건륭제 탄신일인 9월 14일, 매카트니는 포츠머스 항구를 출발한 지 꼭 1년 만에 드디어 열하행궁熱河行宮에서 그토록 만나고 싶던 건륭제를 대면할 수 있었다. 건륭제의 열성적인 환대는 영국인들을 감동시키기에 충분했다. 그러나 영국인들은 자신들의 소명을 잊지 않았다. 매카트니는 청나라에서 산해진미를 마음껏 만끽한 다음 즉시 본론을 끄집어냈다. 영국인들이 원하는 것은 새로운 무역항 개방, 영국과 광주 간 무역 제한 취소, 북경에 상주 외교관 파견, 관세 부과규칙 발표, 영국 상인의 중국 내 하천 운수 세금 감면 등 일련의 문제와 관련해 양국 간 합의를 이끌어내는 것이었다.

그러나 청나라 정부는 영국 사절단의 모든 요구를 한마디로 거절해버렸다. 건륭제는 영국 국왕에게 보낸 칙서에 그 이유에 대해 상세하게 설명을 했다.

"국왕께서 귀국 사람들을 천조天朝에 파견해 '귀국과의 무역을 주관하게 해주십사' 간청한 일에 대해서는 천조의 법에 부합되지 않기 때문에 허락할 수 없습니다. 더 이상 논할 필요도 없습니다. 원래는 지금껏 서양 각국에서 천조로 오고자 하는 사람들에게는 북경으로 오는 것을 허락했습니다. 그러나 한 번 오고 난 뒤에는 청의 복식을 따르고 청의 관직을 맡도록 해 영원히 본국으로 돌아가지 못하게 했습니다. 이는 변함없는 천조의 법입니다.

귀국에서는 사람을 보내 북경에서 행복하게 살기를 바라지만 여기는 언어도 통하지 않고 복식관습도 맞지 않습니다. 마땅히 안배할 자리가 없습니다. … 하물며 서양에는 귀국뿐만 아니라 다른 나라들도 많습니다.

건륭제가 매카트니 일행을 만났던 열하행궁 전경. 우리에게는 열하일기로 친숙한 곳이다

다른 나라들도 모두 국왕처럼 북경에 사람을 파견하려고 한다면 그 요구를 어찌 다 들어줄 수 있겠습니까? 따라서 이 일은 천부당만부당한 것입니다. 귀국의 요청을 위해 천조의 100년 법도를 바꿀 수는 없습니다. 국왕께서 무역을 위해 이런 제안을 한 것이라면 걱정할 필요가 없습니다. … 천조는 귀국 상인들의 진심을 헤아려 귀국의 통상무역에 대해 각별하게 신경 쓰고 있습니다. … 그러니 군이 북경에 사람을 파견하겠다는 실현 불가능한 요구를 고집할 필요가 있겠습니까? 더구나 마카오에서 1만 리나 떨어진 북경에 사람을 파견한들 마카오에 무슨 도움이 되겠습니까?

천조는 천하를 돌아봤습니다만 중요한 것은 통치를 바로 세우고 정사를 온전하게 돌보는 것입니다. 다른 것은 아무리 진귀한 보배라고 해도 그다지 중요하지 않습니다. 국왕은 이번에 여러 가지 진귀한 물건을 바쳤습니다. 멀리서부터 힘들게 가져온 그 정성을 헤아려 특별히 조정의 관련 아문衙門에 명령을 내려 그 진상품을 받아두기로 하겠습니다.

사실 천조의 덕망과 명성이 천하에 널리 알려진 이후 만국의 왕들이 여러 가지 귀중한 물품들을 상납하기 때문에 천조에는 없는 것이 없습니다. 귀국의 사절들이 보는 것과 같습니다. 따라서 더 필요한 것이 없습니다. 귀국의 물품과 교환할 필요는 더욱 없습니다. 귀국의 이익에도 별 도움이 되지 않습니다. 귀국 공사들을 속히 귀국하도록 조치하십시오. 그리고 국왕께서는 짐의 뜻을 받들어 앞으로 더 충성하기 바랍니다. 영원한 복속만이 귀국의 번영을 담보하고 함께 평화를 누릴 수 있는 길입니다."

영국 외무부 장관은 영국 사절단이 중국으로 떠나기 전 매카트니에게 각별히 당부 한 바 있었다. 청나라 정부와 협상할 때 가급적 타협하거나 양보하고 유연한 태도를 보이면서도 지엽적인 문제로 중요한 이익을 잃지 않도록 조심하라는 것이었다. 그러나 양국 간 협상은 시작도 하기 전에 끝나버렸다. 융통성은 말할 것도 없고 타협이나 중요한 이익 따위를 논할 기회조차 없었다. 매카트니가 낙심한 것은 두말할 필요도 없었다.

하지만 전혀 수확이 없었던 것은 아니었다. 매카트니는 건륭제로부터 대량의 귀중한 물품을 하사받은 것 외에도 전혀 뜻하지 않은 천재일우의 기회를 얻었다. 청나라 정부가 영국 사절단에 육로를 통해 광주에 이른 다음 영국으로 귀국하라는 명령을 내렸던 것이다. 매카트니는 뛸 듯이 기뻐했다.

사실 건륭제는 견문이 좁은 영국인들을 불쌍히 여겨 그들에게 청나라의 부유한 면모를 보면서 견문을 넓히라는 뜻으로 그런 지시를 내린 것이었다. 다른 한편으로는 이 기회를 빌려 하룻강아지 범 무서운 줄 모르는 오랑캐들을 위협하려는 속내도 있었다. 그러나 매카트니는 절대로 호락

호락한 사람이 아니었다. 그는 다년간 세계 각지를 다니면서 본 것도 많고 들은 것도 많은 정치인이었다. 관찰 능력이 남달리 예리한 그는 이번 기회를 잘 활용할 수 있었다.

영국 사절단은 지나가는 곳마다 중국 병사들이 심심찮게 자신들의 군사력을 과시하는 모습을 볼 수 있었다. 그러나 매카트니의 눈에는 옷자락과 소매가 헐렁한 군복, 군기가 해이된 훈련병들, 유럽에서는 이미 아이들 장난감이 되어버린 칼, 창, 활, 화살 등과 같은 재래식 무기밖에 보이지 않았다. 성격이 시원시원한 매카트니는 참지를 못했다. 바로 수행한 청나라 관리에게 바른 말을 하고야 말았다. 그러나 우물 안 개구리인 청나라 관리들은 영국 사절단 의장대의 정연하고도 질서 있는 모습과 무서운 위력을 지닌 화승총을 보고도 하찮게 여길 뿐이었다.

천조상국은 예의에 밝고 손님을 환대하는 나라였다. 게다가 황제가 특별히 망극한 성은을 베풀었다. 영국 사절단 접대비용을 하루 5,000냥으로 정한 것이다. 그러나 매카트니는 매일 상에 오르는 음식만 보고도 불편한 진실을 너무나 잘 알 수 있었다. 눈에 보이는 수준으로 음식을 제공하는 데는 그렇게 많은 돈이 필요치 않다는 사실을 말이다. 영국인들은 수행 관리로부터 다른 사실도 알아냈다. 어느 한 해 광주에 큰 홍수가 나서 정부에서 5만 냥의 구제금을 내려 보냈다. 그러나 정작 이재민들의 손에 들어간 돈은 겨우 몇 천 냥에 불과했다. 정말 씁쓸한 얘기였다.

매카트니는 영국 의사들이 중국에 들어와 활약하면 맹인들의 시력을 되찾아줄 수 있다고 장담했다. 또 수술을 통해 장애인들의 건강을 회복시켜줄 수도 있다고 배포 있게 말했다. 그러나 청나라 관리들은 그 말을 믿지 않았다. 심지어 오랑캐들이 허풍을 떤다고 업신여겼다. 화타華陀는 중국에만 실존했던 전설적인 명의인데, 너희 같은 오랑캐 국가에 화타가 있을 리 없다는 지론이었다. 그러나 그들은 매카트니가 주머니에서 성냥을 꺼내 담뱃불을 붙이자 깜짝 놀랐다. 불씨를 몸에 지니고도 화상을 입지 않은 것을 매우 신기하게 생각했다.

매카트니는 육로를 따라 남하하면서 청나라가 부유하다는 것도 강대하다는 것도 전혀 느끼지 못했다. 반면 그는 건륭제가 보지 못했고, 또 보려고도 하지 않았던 중국 농촌의 낙후된 모습은 고스란히 볼 수 있었다. 그가 본 것은 수천 년 동안 전혀 변화가 없는 낙후한 경작 방식, 완전 거지꼴의 농민들, 작고 낡아빠진 민가, 실의에 빠진 망연한 눈빛의 사람들이었다.

매카트니는 우연하게 광주에서 누군가가 손으로 베껴 쓴 〈대청제국 율령律令〉이라는 책을 얻었다. 그것을 연구한 결과, 그는 영국인 홍인휘가 옥에 갇혔던 이유를 알 수 있었다. 또 중국 법률은 유럽의 법률과 완전히 다르기 때문에 중국에서 법의 도움을 받으려고 하면 오히려 사태를 더욱 악화시킬 뿐이라는 사실도 깨달았다. 매카트니는 그동안 보고 들은 모든 것을 일기장에 기록했다.

"청나라는 낡아빠진 일류 전함에 비유할 수 있다. 과거 150여 년 동안 이 전함은 침몰하지 않고 그 커다란 몸체로 여전한 위용을 뽐내고 있었다. 그럴 수 있었던 가장 큰 이유는 능력 있고 경각심이 강한 일부 군관들이 지탱해주고 있었기 때문이다. 그러나 일단 갑판 위에서 지휘를 맡을 뛰어난 인재가 사라진다면 이 커다란 전함은 점차 통제 불능에 빠져 결국 산산조각이 날 것이다."

또 청나라 정부의 정책을 비판하는 내용을 일기장에 남기기도 했다.

"청나라의 정책은 특유의 자부심을 바탕으로 해 만들어진 것이다. 청나라는 다른 모든 국가들 위에 군림하려고 하나 좁은 안목 때문에 불가능하다. 인류의 정신은 비약하려는 본성을 가지고 있고, 또 끊임없이 어려움을 극복하면서 한 단계씩 발전해 마지막으로는 정점에 이른다. 따라서 인류 지식의 진보를 가로막으려는 모든 시도는 사마귀가 앞다리로 수레를 막으려 하는 것처럼 실패할 수밖에 없다."

매카트니는 영국으로 돌아간 다음 동인도회사로부터 2만 파운드의 사례금을 받았다. 애초에 약속했던 것보다 5,000파운드나 더 많은 액수였다. 그도 그럴 만했다. 동인도회사와 영국 정부는 매카트니의 보고를 듣고 중국이 영국의 진출을 막을 수 없다는 결론을 내린 것이다. 그들은 더불어 영국의 중국 진출은 결국 시간문제라는 확신을 가지게 됐다.

탐관 화신의
등장과
말로

때는 매카트니 사절단이 중국을 떠난 지 3년이 되는 1796년이었다. 그러나 대청제국에서는 이때 건륭 61년과 가경 원년元年이라는 두 가지 연호가 병존하는 기이한 현상이 나타났다. 이처럼 복잡한 연호 표기법이 나타난 것은 청나라 황실에서 벌어진 선양禪讓**46**이라는 해프닝이 있었기 때문이다. 그 해 정월 초하루에 건륭제는 태화전太和殿의 옥좌에서 물러나고, 건륭제의 뒤를 이어 저 멀리 까마득한 서열의 열다섯 번째 황자 아이신기오로 웅염이 새로운 황제로 등극했다. 건륭제의 뒤를 이어 황위에 오른 그가 바로 가경제(嘉慶帝 · 제7대 황제, 재위 1796~1820)였다.

새로운 황제의 등극 소식은 당연히 온 천하에 알려졌다. 지방정부와 세상사에 약간 밝은 일반 서민들은 1796년부터 가경 원년이라는 새로운 연

---

46 선양(禪讓): 황제나 왕이 살아있으면서 다른 사람에게 왕위를 물려주는 것을 말한다.

건륭제가 붕어하기 전까지 이름만 황제였던 가경제.

호를 사용하기 시작했다. 그러나 자금성 안에서는 상황이 달랐다. 건륭제는 퇴위 후에도 여전히 태상황太上皇의 신분으로 만조백관의 조하朝賀를 받았다. 또 새로운 연호를 즉시 사용한 것도 아니었다. 과거의 연호를 그대로 썼다. 즉 황실에서는 서기 1796년을 건륭 61년으로 표기했던 것이다.

건륭제가 황위를 가경제에게 선양한 것은 결코 나이가 많거나 정력이 모자라서가 아니었다. 건륭제는 조상의 선례를 따르기 위해 선양을 한 것이었다. 건륭제가 모범으로 삼았던 그의 할아버지 강희제는 61년간 황제의 옥좌를 지켰다. 그러니 원래 겸허하고 효심이 많았던 건륭제는 조부 강희제보다 더 오래 황위에 머물러 있을 수 없었다. 급기야 재위 60년 만에 황위를 선양하는 해프닝을 벌였다.

건륭이 선양을 한 것은 단지 황제의 자리일 뿐이었다. 더 정확하게 말하면 황제의 명의만 넘겨준 데 그쳤다고 할 수 있었다. 다시 말해 건륭제는 황위에서 물러나 태상황이 된 이후에도 여전히 실권을 놓지 않았던 것이다. 어쩌면 처음부터 아예 그런 생각을 하지 않았는지도 모른다. 이런 과정을 거쳐 이미 나이 80세가 넘어선 건륭제가 다시 정치를 펼치는, 이른바 노인 정치의 기이한 모습이 다시 한 번 청나라에서 펼쳐진 것이다.

새 황제의 일거수일투족은 태상황의 눈을 벗어나지 못했다. 건륭제가 구축한 관료 시스템은 마치 거대한 마법의 그물처럼 강력한 위력을 발휘하면서 새 황제의 주위를 물샐틈없이 둘러쌌다. 잠시라도 딴 짓을 하는 것은 불가능했다. 가경제는 군기처에서 상주문을 읽다가 가끔 한두 줄의 '지시 사항'을 메모할 때가 있었다. 그러나 그때마다 태상황의 질책을 받아야 했다. "너는 조서를 내리기 전에 짐에게 먼저 알려야 한다는 것을 잊었느냐? 경거망동하지 말거라."는 말을 늘 들어야 했다.

한번은 가경제가 청나라 군대의 군기를 확인하고자 열병식을 거행하라는 분부를 내리자 태상황이 즉각 반대했다. 그는 "비록 아군이 사천 동부와 북부의 비적들을 깡그리 섬멸하기는 했으나 건예영(健銳營 · 정예군)과 화기영(火器營 · 화기부대)이 아직 철수하지 않은 상태다. 따라서 올해 열병식은 잠시 보류하기로 한다."는 등 태상왕의 지나친 간섭이 잦았다.

황제의 총애를 받는 실세 근위병

태상황을 위해 거대한 권력 네트워크를 구축한 사람은 바로 조정과 재야에서 막강한 권력을 휘두르던 화신이었다. 건륭제가 예순여섯 살이 되던 해, 우연한 기회에 당시 스물대여섯 살밖에 안 된 화신을 만나 첫눈에 반했다. 당시 화신은 공신이나 외척에게 수여되는 세습 직위인 경거도위輕車都尉로 자금성 안에서 근무하는 평범한 청년 근위병 중 한 사람이었다.

전하는 바에 따르면 화신에게 건륭제가 빠져든 이유는 특별했다. 화신의 이마에 붉은색 작은 반점이 있었기 때문이었다. 이 반점은 건륭제가 무척 사랑했던 한 여인의 이마에 있던 반점과 꼭 닮아 있었다. 그러나 건륭제와 이 여인의 사랑은 이루어지지 않았고, 끝내는 여인이 죽는 비극으로 끝났다. 사랑했던 여인을 떠나보낸 건륭제로서는 붉은 반점에 대한 향수가 없을 수 없었다.

그런데 우연히 만난 청년 근위병 화신의 이마에 붉은 반점이 있었다. 건륭제는 자연스럽게 본인이 사랑했던 여인을 떠올렸다. 건륭제가 화신을 총애한 것은 이처럼 운명적이었다. 화신은 건륭제를 만난 이후부터 관운이 활짝 트였다. 그해 윤10월 화신은 건청문乾淸門 시위侍衛로 승진했다. 이듬해 3월에는 군기대신軍機大臣으로, 4월에는 총관내무부대신總管內務府大臣에 임명됐다. 겨우 6개월 사이에 무려 수십여 계단을 승진해 청나라 최고 권력층에 올랐다. 이때 화신의 나이는 고작 27세에 지나지 않았다.

이마에 붉은 반점이 있고 건륭제가 무척 사랑했던 그 여인의 이름은 향비香妃[47]였다. 향비는 원래 신강 출신의 위구르인이었으나, 서북전쟁에서 승리한 청나라 조혜 장군이 건륭제에게 보내 후궁으로 봉해진 여인이었다. 건륭제의 사랑을 독차지했던 향비지만 끝내 건륭제에게 마음을 열지 않은 채로 죽어 건륭제의 마음을 아프게 했던 비운의 여인이었다.

향비가 죽었을 때 건륭제는 며칠간 식음을 전폐하며 그녀의 죽음을 슬

---

47 향비(香妃): 신강(新疆) 카슈가르 지역의 유력한 종교·정치 지도자였던 아팍 호자의 손녀로, 이름은 이파르한으로 알려져 있다. 서북전쟁에서 패하자 정혼자(또는 배우자)가 있던 상태에서 강제로 건륭제에게 보내져 후궁으로 봉해졌다고 전해진다. 정식 후궁 명칭은 '용비(容妃)'지만, 몸에서 신비한 향기가 나서 향비(香妃)라는 이름으로 더 유명하다. 용모 또한 무척 아름다워 건륭제가 그녀의 마음을 사로잡으려 신강의 음식은 물론, 그녀에게만 특별히 위구르 전통 복장을 허락하는 등 극진하게 대했지만, 끝내 건륭제를 받아들이지 않고 정절을 지켰다고 전해진다. 그녀의 최후에 대해서는 고향을 그리워하다 향수병을 얻어 죽었다는 '병사설'과 정절을 지키려 항상 칼을 지니고 있었기 때문에 황제의 안전을 염려한 황태후가 자살을 명해서 죽었다는 '자살설', 황제의 안전을 염려한 황태후가 환관을 시켜 직접 살해했다는 '살해설'의 세 가지 견해가 있다. 현재 중국 학계에서는 향비의 실존 여부에 대해 의견이 분분하다.

퍼하고 애도했었다.

그런데 놀랍게도 화신은 죽은 향비를 꼭 빼닮은 용모를 가지고 있었다. 죽음으로 이별했기 때문에 더 애틋했던 것일까? 이후 화신은 건륭의 엄청난 총애를 받았다. 처음에 화신은 이마의 붉은 반점 덕을 입어 운 좋게 발탁되고 승진했다. 그러나 나중에는 자신의 비범한 재능에 힘입어 탄탄대로의 벼슬길을 달렸다.

몸에서 신비한 향이 나 건륭제의 사랑을 받았던 위구르인 출신의 향비.

화신은 만주어, 중국어, 몽골어, 티베트어 등 다양한 언어에 정통했다. 이 한 가지 재능만으로도 그는 조정에서 충분히 두각을 나타낼 수 있었다.

일례로 티베트어를 사용하던 사천성 북부 지역의 토호들을 평정한 전쟁만 봐도 그렇다. 여러 가지 언어에 정통한 건륭제는 서로 다른 민족에게 서로 다른 언어로 명령을 내렸다. 변방 지역 관리들이 황제에게 올리는 상주서도 다양한 언어로 작성된 것이었다. 이 과정에서 여러 가지 언어로 문서를 작성하고 번역하는 부서가 필요하게 됐고, 그 자리는 자연스럽게 화신이 담당했다. 화신은 이처럼 언어 분야에서 천부적 재능을 발휘해 황제의 두터운 신임을 얻었다.

1780년 31세의 화신은 형부시랑刑部侍郎 커닝아喀寧阿와 함께 멀리 운남성으로 떠났다. 두 사람은 짧은 두 달 동안 운남에서 대학사 겸 운귀雲貴총독인 이시요李侍堯 횡령 사건을 철저하게 조사해 처리했다. 건륭제는 이 일로 화신의 능력을 한층 더 높이 평가하게 됐다. 1787년 화신은 대만臺灣에서 일어난 임상문林爽文의 반란을 평정할 때에도 두각을 나타냈다. 이 공로로 그는 20명의 흠정공신 중 한 명으로 뽑혀 자광각紫光閣**48**에 초상화를 걸게 되는 영광도 안았다. 이때 건륭제는 직접 친필로 화신의 초상화에 '화신은 국가의 뼈대가 틀림없다'는 최고의 찬사를 적었다.

매카트니가 중국을 방문했던 1793년 무렵의 화신은 군軍, 정政, 외교外交까지 모든 실권을 장악하고 있었다. 이른바 '일인지하만인지상一人之下萬人之上'의 권력을 휘두르고 있었다. 많은 중국인이 암암리에 화신을 일컬어 '두 번째 황제'로 부른다는 사실이 영국인들의 귀에까지 전해질 정도였다.

총명하고 능력 있는 사람이 무한한 권력을 쥐게 되면 쉽게 타락한다. 화신도 예외는 아니었다. 특히 '잔머리를 굴리는' 식의 권모술수로 같은 편을 농락하고 반대파를 배척하는 것은 원래부터 청나라 관리들의 상투적인 수법이었다. 머리가 좋은 화신은 그러한 수법을 구사하는데 더욱 교묘하고 치밀했다.

남보다 더 큰 권력을 장악한 화신은 욕심도 남보다 더 많았다. 그래서 국가에 더 큰 피해를 끼쳤다. 화신이 횡령, 수뢰한 재물이 얼마나 많았는지는 중국 역사에서 둘째가라면 서러울 명나라 때의 탐관오리인 엄숭嚴嵩이 비교가 되지 않았던 사실을 봐도 잘 알 수 있다. 그는 재물과 여색을 유난히 밝힌 건륭제조차도 도저히 상대가 안 될 정도였다.

각종 문헌을 보면 화신은 슬기롭고 총명한 사람으로 기록돼 있다. 또

---

48 자광각(紫光閣): 건륭제 때 자금성 서쪽의 중남해에 세운 누각으로 공신(功臣)들의 초상화와 전리품들을 모아두었다. 이곳에 초상화와 전리품이 걸리는 신하는 가문 대대로 최고의 영광이다.

이해심도 많은 사람으로 그려지고 있다. 그러나 실제로는 별로 그렇지 않았던 것으로 보인다. 그는 정계에서 거만하게 제멋대로 날뛴 것은 말할 것도 없고 사람을 대할 때에도 안하무인격으로 굴었다. 심지어 황족 앞에서도 방약무인하게 굴었다. 하지만 그는 별로 영리한 사람은 아닌 듯했다. 이는 훗날 가경제가 된 황자 옹염을 대했던 태도를 봐도 잘 알 수 있다. 옹염은 황태자로 내정된 다음 자주 건륭제를 도와 조정의 사무를 돌봤다. 당연히 화신의 하늘을 찌를 듯한 오만은 옹염의 미움을 사기에 충분했다.

1796년 건륭제가 옹염에게 왕위를 선양한 다음에도 화신의 권세는 줄어들 줄 몰랐다. 총명한 사람이라면 이때쯤에는 큰 위험이 눈앞에 닥쳐왔다는 사실을 직감해야 마땅했다. 그러나 그는 정치 안목이 형편없었던 듯, 가경제 즉위 후에도 여전히 자신이 구축한 관료시스템을 이용해 예전과 같이 태상황太上皇을 움직여 조정을 쥐락펴락 했다. 다른 한편으로는 새 황제의 일거수일투족을 엄밀히 감시하면서 꼼짝도 할 수 없게 만들었다. 만주 황족의 눈에는 아무리 권세가 혁혁한 사람일지라도 황족이 아니면 역시 '지위가 약간 높은 노비'에 불과할 뿐이었다. 그런데도 일개 노비가 주제도 모르고 함부로 날뛰다니 말이 되는 소리인가. 가경제는 옛 원한에 새 원한이 겹쳐 화신을 눈엣가시처럼 미워하기 시작했다. 심지어 200여 년이 지난 지금도 남아 있는 기록을 통해 당시 가경제의 걷잡을 수 없는 분노와 살기를 가늠해 볼 수 있을 정도다.

탐관의 죽음과 건륭성세의 종말

1799년 설이 지난 다음 황궁에서는 태상황인 건륭제의 병세가 위급하다는 비보가 흘러나왔다. 건륭제는 90세를 바라보는 나이였다. 따라서 사람들은 태상황의 병환 소식에 별로 놀라지도 않았고 당황하지도 않았다. 새 황제 역시 이미 즉위한 상황인 데다 조정 고위층의 세대교체도 순조롭게 끝난 뒤였으므로 그럴 필요도 없었다. 화신과 그를 주축으로 하는 관료 계층도 전혀 놀라거나 당황해하지 않았다. 정월 초사흘에 양심전養心殿에서 건륭제가 붕어崩御했다. 건륭제의 관은 곧바로 건청궁乾清宮에 옮겨졌고, 가경제는 화신과 그를 따르는 무리들에게 건청궁에 주야로 머물면서 태상황의 관을 지키되 절대 자리를 뜨는 일이 없도록 하라고 어명을 내렸다.

가경제는 다른 한편으로 건청궁 밖에서 신하들을 소집해 화신의 죄상을 폭로한 다음 모든 관직을 삭탈하고 화신의 가산을 모두 압수했다. 몰수당한 화신의 재산은 당시 청나라 18년 동안의 세금 총소득과 맞먹을 정도였다.**49** 이 돈은 가경제의 비자금 격인 내탕금으로 사용됐는데, 그 액수가 엄청나서 오죽하면 민간에서는 "화신이 넘어지니, 가경제가 배부르네."라는 말이 유행했을 정도였다고 한다. 닷새 후 화신은 옥에 수감됐고, 또 열흘이 지난 다음에는 가경제의 명령에 따라 옥중에서 목숨을 끊었다. 태상황 건륭제가 세상을 뜬 지 겨우 보름이 지난 후 벌어진 일이었다. 건륭이 세상을 뜬 이후, 청나라의 태평성대는 막을 내리고 내리막길을 걷는다.

건륭제가 죽은 1799년은 영국 경제학자 T. R. 맬서스의 《인구론》이 발표된 지 1년이 되는 해였다. 맬서스는 이 책에서 인구 성장은 빠르고 쉬워, 억제되지 않는다면 인구는 기하급수적으로 증가하는데 비해 식품은 산술급수적으로 증가해 인류가 먹고 살기 힘들 것이라고 전망했다. 그는

---

49 화신의 부(富): 가경제가 몰수한 화신의 재산은 은 9억 냥이 넘는 것으로 알려져 있다. 2001년 《월스트리트저널 아시아(WSJA)》판에서 '중국 역사상 최고의 부자 10명'을 선정해 발표한 적이 있었는데, 1위는 명나라 정덕제 때의 환관이자 간신이었던 유근(劉瑾), 2위는 건륭제의 극진한 사랑을 받으며 뇌물을 챙겼던 화신, 3위는 국민당 정부 시절 재정부장을 지냈던 쑹쯔원(宋子文)이 차지했다. 즉 5,000여 년이 넘는 중국의 유구한 역사 속에 수십억 명이 넘는 중국인들이 명멸해 갔지만, 화신보다 재산이 많았던 사람은 단 한 명밖에 없었다는 것이다.

또 이 이론을 토대로 빈곤과 죄악이 필연적으로 발생할 것이고 인구문제는 최종적으로 인류의 '우울한 과학'이 될 것이라고 예측했다.

후세 사람들은 맬서스의 이론에 대해 의견이 서로 엇갈려 일치된 결론을 내리지 못했다. 그러나 분명한 점은 이 책이 출판된 당시 대청제국의 인구는 이미 3억 명을 초과해 인구문제가 큰 문제점으로 대두돼 있었다. 이 무렵 인구문제로 몸살을 앓는 대청제국에서는 설상가상으로 민중 봉기가 도처에서 기승을 부렸다. 민란의 주요 원인은 정치 부패였지만 가뜩이나 부족해진 식량문제가 청나라 백성들을 우울하게 한 것은 확실한 일이었다.

건륭제가 세상을 떠난 지 10개월 후, 태평양 건너 미국의 초대 대통령 조지 워싱턴도 세상을 떴다. 그러나 조지 워싱턴이 두 손으로 구축한 삼권분립의 권력 체제는 신흥 연방국가인 미국의 탄탄한 미래를 보장하게 된다. 이후 미국은 고작 몇 십 년도 지나지 않아 다른 서구 열강들과 함께 중국을 괴롭히는 행렬에 가담했다. 또 그해 11월 9일에는 나폴레옹이 쿠데타를 성공시켜 프랑스 제1제정이 시작됐다. 프랑스는 한동안의 격동기를 거친 다음 드디어 새로운 세기에 진입했다. '자유, 민주, 평등, 법치'는 프랑스인들에게 희망의 등불이었다.

이 시기의 세상은 격변을 일으키고 있었다. 이 시기까지만 하더라도 대청제국은 서방세계에 비해 열세에 몰리지 않았다. 오히려 국력만 비교하면 청나라는 유럽 각국이 갖고 있지 않던 많은 장점과 우위를 확보하고 있었다. 분명한 점은 적어도 이때까지는 세계 어느 국가도 청나라를 무너뜨릴 절대적인 실력을 갖추지 못했다는 사실이었다. 그러나 이후 불과 수십여 년도 지나지 않아 양 진영은 완전히 다른 결과에 맞닥뜨렸다.

이 무렵 서방세계에서는 산업혁명의 성공과 더불어 현대 문명이 이미 서막을 열었다. 과학기술의 발전은 거스를 수 없는 시류가 됐다. 이에 반해 청나라에서는 프랑스처럼 민주와 법치를 적극적으로 추구하지도 않았다. 또 영국인들처럼 산업혁명의 서막을 열지도 않았다. 그렇다고 미국인들처럼 삼권분립의 정치제도를 구축할 시도도 하지 않았다. 다만 경직되고 딱딱하면서 융통성이라고는 눈곱만큼도 없는 농업시스템과 황권체제를 끝까지 고수할 뿐이었다. 이처럼 중국과 서방세계의 완전히 다른 역사적 흐름은 훗날 양 진영이 맞이할 종속관계를 형성한 커다란 원인이었다.

제2장　대륙 곳곳에서 치솟는 봉화

1800~1860년의 중국

추 악한 아편 무역은 청나라에 무시무시한 재앙을 가져다줬다. 그러나
아편 무역은 청나라 경제를 쇠락하게 만든 유일한 원인이 아니었
다. 청나라 경제를 쇠퇴시킨 원흉은 다름 아닌 정치 부패였다. 정치 부패는 역
사가 유구한 농업 집권 제도에서 발원한 것이었다고 할 수 있었다.

청나라 관리들은 현대 국제법에 대해 아는 바가 전혀 없었다. 그들은 당연
히 국제법의 아버지라 불리는 후고 그로티우스가 누군지 몰랐다. 《전쟁과 평화
의 법》을 읽어본 적도 없었다. 국가 간 무력 충돌과 관련한 전쟁의 합법성과
정당한 이유가 있는지는 더욱 몰랐다. 또 주권 및 법권을 모르는 것은 말할 것
도 없고 패전국 정부와 조세, 조약 체결 등 문제를 협상할 때 어떤 규칙과 이
론을 따라야 하는지도 몰랐다. 따라서 중국을 침략한 다른 국가들이 제멋대로
전쟁과 평화에 관한 국제법을 왜곡하도록 내버려둘 수밖에 없었다. 한마디로
말해 칼자루를 쥔 상대에게 속절없이 당할 수밖에 없었다.

중국의 전국 곳곳에서 전란이 발발하고 국가 전체가 점점 심연으로 빠져들
어 가던 19세기 상반기 유럽에서는 산업기술 혁명이 한창이었다. 증기기관이
광범위하게 응용됐고 기계 동력이 자연 에너지를 완전히 대체한 이후로 새로
운 기술혁명이 바야흐로 싹트기 시작했다.

백련교의 봉기

3년이 넘도록 이름뿐인 황제로 있던 가경제는 건륭제가 붕어하자마자 신속하고 과감하게 희대의 탐관오리 화신을 제거했다. 그렇게 화신을 제거하고 나니 가경제의 마음속에 몇 년 동안 속에 쌓여있던 울분이 싹 사라졌다. 대청제국의 관리와 백성들은 황제의 신속하고 단호한 일처리에 박수를 보냈다. 그러면서 새로 집권한 가경제가 이 일을 계기로 부정부패를 완전히 척결하고 대청제국의 당당한 풍모를 다시 과시하기를 열망했다.

그러나 수십 년 동안 성행한 부정부패로 인해 청나라 정치는 이미 골병이 들어있었다. 따라서 화신 한 사람을 제거했다고 해서 모든 문제가 해결된 것은 아니었다. 유구한 역사를 지닌 청나라는 오랫동안 자만심에 젖어 있었고, 절대 황권에 의해 사상까지 속박 당했다. 그랬으니 시대의 흐름에 따라 변화하도록 추동하는 내재적 원동력을 잃지 않을 수 없었다.

'무한한 강산'이라는 말은 이미 옛말이 됐다고 해도 과언이 아니었다. 청나라 정세는 갈수록 혼란스럽고 무질서하게 변해갔다. 그런 와중에도 새로운 세기인 19세기는 어김없이 다가왔다. 대청제국에 심각한 재난을 가져다준 세기였다.

화신을 처단해 다년간 쌓인 화를 풀었던 그해 봄, 40세에 접어든 황제는 자금성 주변의 아름다운 봄 경치를 만끽할 마음의 여유가 없었다. 청나라 정세가 갈수록 심각해졌기 때문이었다. 무엇보다 전국 각지에서 일어난 민중 봉기가 막강한 기세로 퍼지고 있었다. 그중에서도 사천성과 호북성을 중심으로 한 백련교白蓮敎[1]의 봉기가 가장 치열했다.

초기의 백련교는 아미타불을 암송하면서 염불과 계율을 중시했다. 신도들에게 살생하지 않기, 도둑질하지 않기, 음란하지 않기, 헛되이 말하지 않기를 가르쳤다. 여기에다 술을 마시지 말고 조상을 잘 모시도록 하는 교리를 덧붙여 중국 전통문화에 부합되어 더 널리 전파하고 발전시킬 수 있는 여력을 얻었다. 백련교는 반승반속半僧半俗의 비밀단체로 교리가 간단한 데다 경전도 비교적 읽기 쉽게 돼 있어, 하층의 백성들이 쉽게 받아들일 수 있었다. 백련교가 원元과 명明, 양대에 걸쳐 교인들을 규합해 반란을 여러 번 일으킨 것은 그래서 그다지 신기한 일이 아니었다.

---

1 백련교(白蓮敎): 백련교는 정토종의 일종인 '백련종(白蓮宗)'에서 기원하며 남송 때의 승려였던 모자원 (茅子元)이 창건했다. 교리는 크게 창세주인 '무생노모(無生老母)'가 구세주(救世主)인 미륵불을 이 세상으로 보내, 자신의 흩어져 있는 자식들(백련교도)을 거두어 일종의 천국인 '진공가향(眞空家鄕)'에 귀의시켜 평화로운 천년왕국이 인간세계에 실현될 것이라고 가르쳤다. 당·송 이래 정부에서는 국가에 해가 될 수 있다는 판단에서 이들을 탄압해 비밀 종교 결사 형태로 유지되어 왔다. 백련교는 중국 역사에 크게 두 번 영향을 미쳤는데, 첫 번째는 원을 멸망시키고 명을 건국하는데 결정적인 영향을 미친 '홍건적의 난'과, 두 번째로 청의 급격한 쇠퇴를 가져온 18세기 말의 '백련교 봉기'를 들 수 있다. 백련교는 후일 의화단 사건을 일으킨 '의화단'의 모태가 되기도 하였다.

잇따르는 민란과 봉기

청나라 건국 이후에도 마찬가지였다. 정치 부패로 인해 백성들이 도탄에 빠질 때마다 정부에 대항해 반란을 일으켰다. 건륭제 후기에 백련교가 호북, 사천, 섬서성에서 빠른 속도로 퍼지자, 조정에서는 우두머리들을 전부 잡아들이라는 명령을 내렸다. 이에 따라 1790년대까지 백련교의 각 지방 두령들은 극소수만 운 좋게 도망쳤을 뿐 나머지는 전부 체포됐다. 그러나 지방정부의 대소 관리들은 이런 상황을 자신들의 재물을 모으는 기회로 악용했

책에 인쇄된 백련교의 창세주 무생노모. 백련교도들은 무생노모가 구세주인 미륵불을 보내 지상에 천년왕국을 실현할 것이라고 믿었다.

다. 백련교 두령들을 잡아들인다는 구실로 중 · 하층 백성들의 재물을 아무 거리낌 없이 갈취했던 것이다. 이런 행위는 마침내 더 큰 규모의 반란을 야기하고야 말았다.

가경제가 허울뿐인 황제로 등극한 지 며칠 지나지 않은 1796년 정월 초이레, 호북성 형주荊州에서 섭걸인攝傑人, 장정모張正謨 등이 백련교 교도들을 규합해 봉기를 일으켰다. 봉기군은 상당한 민심을 얻었기 때문에 가는 곳마다 백성들로부터 머무를 집, 입을 옷, 무기, 노새와 말, 심지어는 가축

의 사료까지 지원받았다. 게릴라전에 능한 봉기군은 사천, 섬서, 하남, 호북 일대의 높은 산과 숲을 지나다니며 합쳤다 갈라졌다, 동에 번쩍 서에 번쩍 하는 식으로 대청제국의 정규군과 공방전을 벌였다. 당시 백련교의 봉기가 얼마나 위세 등등했던지 사천성의 백련교 봉기군 두령 왕삼괴는 가경제 앞에 끌려가 '대접'을 받는 '영광'까지 누릴 수 있었다.

1798년 겨울, 가경제는 사천총독 늑보勒保에게 명령을 내려 관군에 사로잡힌 왕삼괴를 북경으로 끌어오도록 한 뒤에 직접 문초를 했다. 왕삼괴는 반란의 이유를 묻는 황제에게 솔직하게 "관리들의 횡포가 심해 백성들이 반항할 수밖에 없었다."고 호소했다. 왕삼괴는 이어서 구체적인 증거들을 일일이 열거해가며 관리들의 횡포를 불었다. 덧붙여 사천성 지방 관리들 가운데 남충南充현의 현령인 유청천劉靑天을 제외하고는 청렴한 자가 단 한 명도 없다고 고변했다.

가경제는 사천 관리들의 비리와 전횡에 크게 진노한 나머지 이듬해 화신을 처단할 때까지도 여전히 분이 풀리지 않아 조정의 관리들에게 계속이 일에 대해 언급했다. 그러나 실권이 없는 허울뿐인 황제의 입장에서는 오로지 진노하는 것 외에는 다른 뾰족한 대책을 마련할 수 없었다.

건륭제 사후 가경제가 친히 정사를 돌보기 시작하면서부터, 봉기군들을 상대로 한 대청제국의 정치 전략과 군사 전략을 크게 변했다. 보루를 구축하고 성벽 안을 굳건하게 지키는 것이 가장 기본적인 전략이었고, 봉기군이 해치거나 이용하지 못하도록 주민과 곡식 등을 옮기는 전략도 사용했다. 이어서 봉기군을 어르기도 하고, 또 토벌도 병행하는 등의 화전和戰 양면 정책을 실시하기도 했다.

1년이 지난 후부터 청나라 정부의 새로운 정책은 점차 효과를 발휘했다. 봉기군은 점차 수세에 몰렸다. 식량과 병력 공급원이 갈수록 줄어들고 군사 행동을 방해하는 걸림돌이 지속적으로 늘어났다. 급기야 1804년 9월 마지막 남은 봉기군 두령 구문윤苟文潤이 변절자에게 살해당하면서 장장 9년 동안 지속돼왔던 백련교의 봉기는 진압되었다.

백련교의 봉기는 청나라 최초의 장기적인 내란이었다. 청나라 정부는 백련교 봉기 진압에 은 2억 냥을 소모했다. 당시 청나라 정부의 5년간 재정 수입과 맞먹는 액수였다. 더 두려운 것은 이 무렵 청나라의 정치 부패와 군대의 부실한 전투력이 더 이상 묵과할 수 없을 지경에 이르렀다는 사실이었다.

방대한 대청제국은 갖은 혼란과 곤경 속에서 힘겹게 19세기로 진입했다.

화신의 죽음은 일벌백계의 효과를 얻지 못했다. 관리들은 재물을 향한 더러운 행보를 멈추지 않았다. 횡령과 뇌물 수수는 공공연히 관리들의 승진과 치부를 위한 정상적인 경로가 되고 말았다. 오히려 백련교의 두령인 왕삼괴로부터 청렴하다고 인정을 받았던 남충南充현의 현령 유청천은 다른 관리들로부터 배척을 받기까지 했다. 따라서 기존의 내란이 일단락되면 새로운 내란이 다시 발발하는 악순환이 이어졌다.

사천성과 호북성을 중심으로 벌어졌던 백련교 봉기가 진압된 지 9년이 지난 1813년, 이번에는 백련교의 지파인 천리교天理敎가 북방 지역에서 봉기를 일으켰다. 이 봉기가 특별한 것은 황제를 직접 공격 대상으로 삼은 사실이었다.

이번 봉기의 지도자는 하남성 활滑현의 이문성李文成과 북경 남쪽 교외 황촌黃村의 임청林淸이었다. 이들은 "천리교 입회비인 근기전根基錢 100문文을 납부하는 사람은 모두 땅 100무를 얻을 수 있다."는 색다른 교리를 내세워 북경, 직례, 하남, 산동, 섬서 성 등지에서 신도들을 널리 모집했다. 수많은 농민, 유랑자, 하인, 마부, 빈털터리 팔기군과 심지어 황실의 환관까지 경쟁적으로 천리교에 가입했다.

조직이 일정 규모를 갖추자 이문성과 임청은 9월 15일에 하남과 북경 두 곳에서 동시에 거사를 일으키기로 했다. 이들은 대담하게도 북경에서 직접 황궁을 공격해 황제를 살해할 계획까지 세웠다. 그러나 하남 쪽에서 거사 직전에 비밀이 누설됐다. 이문성은 계획을 앞당겨 실행하기로 했다. 그의 부하들은 '대명천순 이진주大明天順 李眞主'라는 기치를 내세우고 하남성 활현을 점거했다. 기세가 엄청났지만 결국 정부군에게 진압당하고 말았다. '이진주' 이문성은 분신자살하고, 동조했던 봉기군 2만 명이 살해당했다.

북경에서는 "밀가루 가격이 낮아지려면 임청이 왕위에 올라야 하리."라는 민요의 주인공인 임청이 100명의 신도들을 이끌고, 천리교에 입교한 환관의 인도 아래 자금성의 동화문과 서화문에서 공격을 개시해 궁성에까지 침입했다. 그러나 융종문隆宗門 밖에서 황실 금위군의 반격에 전멸했다. 임청은 자신의 집에서 체포됐다. 호기심이 동한 가경제는 무엇 때문에 자신을 죽이려 했는지 궁금해 직접 임청을 문초했지만 임청은 한마디도 대답하지 않았다.

임청의 난은 비록 규모는 작았으나 그 넘치는 기백으로 인해 후세대들에게 대단히 큰 영향을 끼쳤다. 사서에는 황제를 직접 타깃으로 삼은 임청의 난과 그의 평생 사적이 아주 상세하게 기록돼 있다. 더 놀라운 것은 이후 청나라에서 일어난 봉기군 대부분이 임청의 천리교를 본보기로 삼아 군중을 끌어들이고 경비를 조달했다는 사실이다.

그 사이에도 또 여러 건의 민중 봉기가 일어났다. 그중에서 소수민족인 회족回族과 묘족苗族의 봉기 같은 것은 기세가 상당한 것이었다. 아무튼 임청의 난이 평정된 후에도 청나라에서는 암흑 정치와 관리들의 비리와 전횡으로 인해 도탄 속에 빠진 백성들이 끊임없이 반기를 들었다. 갈수록 거세지는 민란의 불길은 관리들의 횡포로 인한 백성의 반란으로 간단하게 해석할 수 없는 것이었다. 만주족 순수 혈통의 팔기군과 황실의 환관들까지 봉기군 행렬에 가담한 것을 보면서 가경제는 "지금까지 없었던 일들이 청나라 때 발생하는구나."라며 탄식을 금치 못했다.

이때 대청제국의 황제는 더 깊이 생각했어야 했다. 무엇 때문에 민란은 진압하면 할수록 더 거세지고, 무엇 때문에 돈 100문으로 땅 100무를 얻을 수 있다는 황당무계한 이야기가 봉기군들의 교리가 될 수 있었는지에 대한 해답을 연구할 필요가 있었다. 또 무엇 때문에 조그마한 공격에도 견디지 못하는 미약한 난민들이 걸핏하면 정부를 공격 목표로 삼았는지, 무엇 때문에 정규 훈련도 받아본 적 없는 봉기군들이 눈 깜짝할 사이에 궁궐에까지 침입할 수 있었는지에 대해서도 철저하게 분석해야 했다. 그리고 무엇 때문에 50년 전의 '태평성대'가 그토록 허망하게 사라졌는지에 대해 분석할 필요가 있었다.

아편 무역과
유럽의
산업혁명

새로운 세기인 1800년 초, 청나라 정부의 급선무는 도처에서 치솟는 민중 봉기를 평정하는 것이었다. 청나라 정부가 이 급선무를 먼저 처리하도록 충분한 시간을 주기 위해서였을까? 서방 각국들은 매카트니가 영국 사절단을 거느리고 중국을 떠난 후 20여 년 동안 청나라 정부를 단 한 번도 귀찮게 굴지 않았다.

지금 와서 생각해 보면 이 역사적 공백은 절호의 기회였다. 역사는 청나라를 위해 개혁의 시간을 제공했던 것이다. 그 이전까지는 청나라의 모든 리더들이 '태평성대'의 자아도취에 한껏 빠져 있었다. 그러다 보니 개혁할 생각이 전혀 없었다. 또 그 이후에는 서구 열강들이 대청제국에 개혁할 시간을 주지 않았다. 때문에 이 역사적 공백은 진짜 훌륭한 기회의 시간이었다. 그러나 애석하게도 황제를 위시해 정부 관리에서 일반 백성에 이르기까지, 그 누구도 이 역사적인 공백을 알아채지 못했다. 따라서 무가치한 몸부림 속에서 천재일우의 기회를 놓치고 말았다.

　서방 각국들이 이 기간에 갑자기 동방 진출의 발걸음을 늦춘 이유는 청 나라 황제와 정부 관리들이 생각하던 것처럼 대청제국의 부유함과 강대 함에 겁을 집어먹었기 때문이 아니었다. 또 대청제국에 내란을 평정하도 록 충분한 시간을 주기 위한 것도 아니었다. 가장 중요한 원인은 이 무렵 유럽 각국이 골칫거리에 직면했기 때문이었다.

　쿠데타를 통해 정권을 잡은 나폴레옹은 이 기간에 프랑스 경제와 군사 력을 신속히 발전시켰다. 더불어 민심도 얻었다. 1804년 5월, 나폴레옹은 국민 선거를 통해 프랑스제국의 황제 자리에 올랐다. 유럽의 다른 국가들 은 나폴레옹의 끊임없는 팽창욕에 대항하기 위해 여러 차례 반프랑스동 맹을 결성했다. 전쟁의 화염은 곧 유럽 대륙 전체를 휩쓸었다. 1815년 6월 18일, 영국의 웰링턴 장군은 반프랑스 연합군을 이끌고 벨기에의 워털루 에서 프랑스 대군을 격파했다. 사로잡힌 나폴레옹은 대서양에 있는 세인 트헬레나 섬에 유배돼 쓸쓸하게 생을 마감하고 말았다.

　그러나 이 전쟁은 서방세계의 현대화를 향한 거센 흐름을 막지 못했다. 나폴레옹은 프랑스 황제로 즉위하기 2개월 전인 1804년 3월에 세계 역사 상 최초의 민법전인 '프랑스 민법전'을 발표했다. 총 2,281조로 이루어진 프랑스 민법전은 프랑스 제2헌법으로 불리면서 법치국가의 기틀을 마련 해 장장 200여 년 동안 세계 역사에 크나큰 영향을 미쳤다. 다수의 현대 국가들이 이 법전을 모토로 법치 국가 건설을 추진했다는 사실이 무엇보 다 이를 잘 증명한다.

　1807년 8월 17일, 미국의 기술자 로버트 풀턴이 발명한 외륜기선 '클러 먼트Clermont호'는 허드슨 강에서 짙은 연기를 내뿜으면서 힘차게 앞으로 달렸다. 이때부터 바다는 더 이상 아득히 멀고 넓은 영역이 아니었다.

1814년 7월 영국인 조지 스티븐슨은 최초로 실용적인 증기기관차를 발명
했다. 무게가 5톤인 이 기관차는 30톤에 달하는 무개화차 8량을 이끌고
탄광의 레일 위를 힘차게 달렸다. 서방 각국은 이제 더 이상 세계 진출의
발걸음을 늦출 이유가 없었다. 말할 것도 없이 그들이 여전히 마음에 두
고 있었던 나라는 바로 동방의 '거인' 대청제국이었다.

아편으로 무너져가는 제국

가경제를 방문한 영국사절단장 윌리엄 애머스트 경.
황제를 친견하는 예법문제로 곤욕을 치렀다.

유럽 각국이 힘을 합쳐 나폴레
옹을 물리친 그 이듬해인 1816년,
윌리엄 애머스트[2]를 필두로 하는
영국 사절단이 황급히 중국을 방문
했다. 그들의 목적은 매카트니 사
절단과 마찬가지로 외교 경로를 통
해 대청제국에서 무역 특권을 얻어
내는 것이었다. 북경에 도착한 애
머스트는 매카트니처럼 세 번 무릎
을 꿇고 아홉 번 머리를 조아리는
삼궤구고三跪九叩의 예 때문에 한바
탕 곤욕을 치렀다. 양측은 반복적인 협상을 시도했으나 합의점을 찾지 못
했다. 애머스트는 청나라 정부가 요구하는 삼궤구고의 예를 거부하겠다
는 입장을 버리지 않았다.

---

2 윌리엄 애머스트(William Pitt Amherst) : 영국의 정치가이자 외교관. 1823년에는 인도 총독을 지내며
   제차 버마전쟁을 일으켜 벵골지방의 지배권을 확보했다. 그 공로로 영국 정부로부터 상금 100만 파
   운드와 백작(伯爵)위를 받았다.

그러자 가경제는 영국 측의 모든 요구를 단호히 거절해버렸다. 게다가 가경제는 건륭제처럼 영국인들을 지극히 환대하지도 않았다. 그는 일국의 황제 체면을 살려주지 않은 애머스트 사절단과 그들이 가져온 공물을 모두 본국으로 돌려 보냈다. 영국 귀족이 굴욕적인 북경 행을 마치고 본토로 돌아온 다음, 영국인들은 청나라에 대한 새로운 대외 무역정책을 검토하기 시작했다. 정상적인 외교 루트를 통해서는 무역 통로를 개척하기 어려운 상황이었으므로 다른 방법을 찾을 수밖에 없었던 것이다.

놀랍게도 영국인들이 생각해낸 방법은 자국 상인들의 대중국 아편 무역을 모른 체하는 것이었다. 원래 중국에서는 양귀비에서 추출한 아편을 약으로 사용했다. 그러던 어느 순간부터 사람들은 아편에 불을 붙여 연기를 빨면 황홀경을 맛볼 수 있다는 걸 알게 됐다. 하지만 쾌락에는 대가가 따르는 법, 아편은 중독성이 강해 일단 맛을 들이면 끊기가 어려워 폐인을 양산한다. 따라서 청나라 정부는 강희제와 옹정제 양대에 걸쳐 아편의 재배, 가공, 운송, 판매를 엄격하게 금지했다. 나중에는 아편 흡연 자체를 금지했다.

18세기부터 인도를 침략한 영국인들은 인도의 아열대 기후와 비옥한

토지가 양귀비 재배에 아주 적합하다는 사실을 알게 된다. 영국인들이 아편을 대량으로 생산하기 시작한 것은 너무나 당연한 일이었다. 이어 청나라와의 통상 무역이 여러 장애물에 부딪치자, 그들

청나라를 병들게 했던 아편방. 거리마다 서민을 대상으로 하는 아편방이 즐비했다.

은 쉽게 돈이 되는 아편을 수출하기 시작했다. 이를 본 다른 나라의 상인들도 영국 상인들처럼 중국에 아편을 수출했다. 그러자 가경제는 1800년과 1813년에 조서를 내려 아편의 수입, 재배, 흡연을 모두 엄금한다는 조치를 취했다. 그러자 아편 무역은 지하로 숨어들고 무역량도 줄어들었다.

애머스트가 낙담한 채 청나라를 떠난 뒤부터 아편 무역은 다시 무섭게 늘어나기 시작했다. 아편을 가득 실은 서양 선박들이 줄줄이 광동성 광주항으로 들어섰다. 당연하게도 청나라의 아편 수입량은 해마다 놀라운 속도로 증가했다. 1834년 영국 의회는 동인도회사의 아시아 무역 독점권을 취소했다. 이는 다른 기업들도 자유롭게 아시아 무역에 참여할 수 있게 됐다는 사실을 의미했다. 이렇게 해서 헤아릴 수 없이 많은 기업들이 벌떼처럼 대중국 아편 무역에 가담하게 됐다.

통관기록에 따르면 당시 중국으로 들어온 아편의 양은 1816년에 5,106상자(360톤)였고, 이 수입량은 1823년 7,082상자(490톤)로 완만하게 증가했으나, 이후부터 급증해 1828년에는 1만 3,131상자(920톤), 1832년에는 2만 3,570상자(1,650톤)를 기록하고 급기야 1837년에는 3만 4,300상자(2,400톤)에 달했다. 1837년의 아편 수입량은 1816년과 비교해 볼 때 단 20여 년 사이에 6배가 넘게 늘어난 것이었다.

후세 학자들의 연구에 따르면 1820년대에 중국에 수입된 아편은 아편 흡연자 100만 명에게 충분히 공급하고도 남을 양이었다. 바꿔 말하면 1830년대에 중국의 아편 흡연자가 수백만 명에 달했다는 얘기가 된다. 하는 일 없이 빈둥거리는 팔기八旗의 자제, 바쁜 일상의 와중에서 쾌락을 탐하는 상인들, 인격이 분열된 환관들, 집에 틀어박혀 좀처럼 외출하지 않는 귀부인들이 먼저 아편을 피웠다. 여기에 관아의 일부 관리, 과거시험에 참가한 선비들도 아편에 중독됐다.

군인들 중에는 손에 무기와 함께 아편 담뱃대를 들고 행군하는 사람도 있었다. 이들은 행군 도중에 정신을 못 차리고 하품만 늘어지게 하다가도 아편을 한 모금 흡입하면 다시 정신을 차리곤 했다. 나중에는 육체노동에 종사하는 노동자와 농민들 중에서도 대량의 아편 중독자가 나타났다. 중국의 아편 중독자들은 몽롱하게 피어오르는 아편 연기 속에서 비몽사몽에 빠져들었다. 이들은 날마다 마치 세속을 초탈한 신선처럼 모든 근심걱정을 잊은 채 황홀한 기분을 만끽했다.

중국에 아편이 범람하게 된 직접적인 원인은 이처럼 서구 열강의 경제 침탈에 의한 것이었다. 그렇다면 중국 내에서 아편 중독자들이 급증한 근본 원인은 어디에 있었을까? 그건 바로 정치의 부패였다. 벼슬길이 막힌 선비부터 승진 희망이 보이지 않는 관리에 이르기까지, 공허하게 유랑하는 무직자에서 입에 풀칠이라도 하기 위해 아득바득 사는 서민에 이르기까지, 너도나도 아편에 의존했다. 한마디로 말해 중국인들은 국가와 개인의 장래가 모두 절망적인 상태에서 공허한 영혼을 달래는 유일한 낙으로 아편을 선택했던 것이다. '외인外因은 내인內因을 거쳐 작용한다.' 는 말이 있다. 따지고 보면 대중국 아편 무역은 대청제국 내부가 붕괴되면서 초래된 것이었다.

서방 각국은 아편 무역을 통해 중국에서 경제적 이득을 취하는 데 성공했다. 그동안 청나라의 주요 수출품이었던 차와 비단, 도자기 수출량은 아편의 수입량을 당해내지 못했다. 따라서 부족분은 은으로 아편을 수입해야 했는데, 당시 중국에서 외국으로 빠져나가는 은의 유출량이 아편의 수입량을 단적으로 보여준다. 1820년대에는 해마다 약 200만~300만 냥의 은이 외국으로 유출됐지만, 1830년대에 들어서면서 이 액수는 매년 1,000만 냥을 웃돌았다. 청나라 정부는 상황을 반전시키기 위해 외국 화폐 사용 금지, 외국 소비품 수입 금지, 은 수출 금지 등 일련의 정책을 여러 차례 내놨다. 하지만 대량의 은 유출을 막기에는 역부족이었다.

1820년, 대청제국에 아편이 범람한 가운데 가경제가 붕어하고 도광제(道光帝 · 제8대 황제, 재위 1820~1850)가 새로운 황제로 즉위했다. 새 황제도 전국에 만연된 아편 중독에 대해서는 속수무책이었다. 이 기간의 각종 자료를 보면 청나라 경제는 이때부터 더욱 급속히 쇠퇴하기 시작했다. 거액의 무역 적자도 나타나기 시작했다.

경제 쇠퇴의 주범은 부정부패

이성적으로 분석하면 아편 무역이 청나라에 무시무시한 재앙을 가져다준 것은 사실이었다. 그러나 아편 무역이 청나라 경제를 쇠락하게 만든 유일한 원인은 아니었다. 청나라 경제와 국운의 쇠퇴를 이끈 원흉은 다름 아닌 청제국의 정치 부정부패였다. 그런데 이 부패는 유구한 역사를 가진 농업 집권 제도를 기반으로 하는 강력한 황권 제도와 중앙집권 제도에서 기인한 것이었다. 이 근원이 제거되지 않은 한 부정부패의 기풍이 사라질 리 만무했다.

'관리들의 횡포'로 인해 청제국 각지에서 빈번하게 발발한 민란도 따지고 보면 정치의 부정부패가 주원인이었다. 빈번하게 일어난 민란은 국가의 경제시스템을 파괴하고, 청나라의 강점이었던 생산력에도 심각한 악영향을 미쳤다. 이런 이유로 그동안 각광을 받았던 청나라 상품은 국제시장에서 점차 경쟁력을 잃어 갔고, 심지어 동남아시아 일대에서는 청나라 상품을 대체하는 물건을 생산하기도 했다.

또 다른 이유는 인구의 급증과 제한된 토지로 인해 농업 생산성이 급속히 하락한 것과 청나라 고위층이 '중농억상'의 전통 관념을 고수한 것도 매우 중요한 원인이었다. 덧붙여 무역항을 개방하면 무슨 맹수나 괴물이 들어오는 것처럼 두려워하며 외국의 정상적인 통상 요구를 거부했으니, 외국의 선진 문물과 선진 시스템이 청나라로 유입되지 못한 것은 당연한 일이었다.

사실 청나라의 대외 무역 적자에서 당시 아편 무역이 차지하는 비율은 5분의 1 정도에 불과했다. 따라서 아편 무역이 청나라 경제의 급속한 쇠퇴를 이끈 유일한 원인이 아님을 알 수 있다. 하지만 당시 청나라 경제가 쇠퇴일로를 걷는 가운데 때마침 아편 무역이 성행해 청나라의 멸망을 부채질했다는 사실은 자명하다.

당시 청나라 통치자들은 대청제국의 어수선함 속에서 홀연히 한줄기 햇볕을 얻은 듯한 기분이었을지 모른다. 그들은 아편 무역이 '만악의 근원'이라고 굳게 믿었다. 또 이 만악의 근원인 아편만 뿌리 뽑으면 청나라의 미래는 강건성세 시기처럼 다시 밝아질 것이라고 굳게 믿었다. 그러나 그들은 나무만 보고 숲을 보지 못했다. 진정 청나라를 혼란과 쇠락으로 끌고 가는 것은 아편이 아니라 부정부패를 비롯한 청나라 내부의 여러 가지 복잡한 문제였음을 말이다.

영국과의
전쟁

1820년대에 들어서면서 아편과 관련된 논란은 갈수록 뜨거워졌다. 중앙과 지방의 많은 관리는 연달아 황제에게 아편 무역에 대한 자신의 의견을 피력했고 일부 관리들은 아예 아편 무역의 합법화를 주장하기도 했다. 아편 무역을 합법화하면 안정적인 재정 수입원이 될 수 있다는 게 이유였다. 게다가 아편 밀무역으로 인한 부정부패를 근절할 수 있기 때문에 오히려 국가 경제에 득이 될 수도 있다고 주장했다. 한술 더 떠서 아편의 대대적인 재배를 통해 값싸고 질 좋은 국산 아편으로 수입 아편을 대체하자고 주장하는 관리도 있었다.

이에 반해 아편 흡연을 금지해야 한다고 주장하는 관리들은 국산이나 외국산 아편을 막론하고 모두 국가와 백성에게 막대한 피해를 입히고 있으므로 아편문제는 논쟁할 필요조차 없다고 말했다. 또 아편의 범람을 방임하면 몇 년 후에는 무기를 들고 적과 싸울 병사, 군대를 먹여 살릴 세금을 낼 사람도 모조리 없어질 것이라고 강조했다.

1830년 황제 도광제는 드디어 〈중국에서의 아편 판매 조사 및 금지 규정〉을 발표했다. 이 소식을 듣고 전국의 아편파들은 환호성을 질렀다. 그러나 사실 이번에 출범시킨 정관도 특별한 게 없었다. 정관을 출범시키는 것과 집행하는 것은 전혀 별개 문제였던 것이다. 이는 쇠락한 왕조들의 공통적인 특징이기도 했다. 업무 효율이 매우 낮은 청나라 정부는 아편 금지냐 합법화냐의 기로에서 이처럼 계속 망설이면서 확실한 결정을 과감하게 내리지 못하고 있었다.

1834년 영국 정부는 윌리엄 네이피어William John Napier를 중국 주재 무역 감독관으로 파견했다. 광주에 도착한 네이피어는 직접 광동성과 광서성을 관할하는 양광兩廣총독을 만나 양국 무역 문제에 대해 협상할 것을 요구했다. 그러나 당시 양광총독이었던 노곤盧坤은 "천조의 관리는 지금껏 외국 오랑캐와 서신 거래를 하지 않았다."는 이유를 대면서 네이피어의 요청을 받아들이지 않았다. 네이피어는 중국 관리들이 외국인과의 정상적이고 합리적인 왕래조차도 원치 않는 사실을 도저히 이해할 수 없었다.

이 일이 있기 전 한 영국인 부녀가 광주에서 양행洋行3 상인의 가마를 탔다가 청나라 관리의 호된 경고를 받기도 했다. 이 일로 청나라와 영국은 광주 시내가 발칵 뒤집힐 정도로 크게 다퉜다. 또, 한 영국 상인의 부인이 광주 영국 상관을 방문했다가 금지령을 위반했다는 이유로 출입을 제지당했다. 네이피어는 정상적인 외교 루트를 통해 자국민들의 이익을 보호하기 어렵다는 사실을 깨달았다. 아편 무역의 합법화를 이끌어낼 수 없다는 사

---

3 양행(洋行): 광주(廣州)에서 외국과의 교역을 공식적으로 허가받은 상인조합인 공행(公行)을 민간에서 부르던 이름이다.

4 호문(虎門): 광동성 동관시에 있는 행정구역의 이름이다. 현재 이곳에 아편박물관이 있다.

실은 더 말할 나위가 없었다. 그래서 그는 무력을 동원하기로 결정을 내렸다. 곧 수하에게 명령을 내려 호문虎門4에 있는 영국 군함 두 척을 상해의 황포항으로 진격하도록 했다. 그러나 당시 네이피어가 돌연사를 했기에 망정이지 그렇지 않았다면 양국 간 무력 충돌은 피할 수 없었을 것이다.

1836년 영국 정부는 찰스 엘리엇Charles Elliot을 광주에 파견하고, 새로 무역 감독관으로 임명된 그에게 "중국에 있는 영국인 상인과 선원을 보호하라."는 명확한 직무를 맡겼다. 영국인들은 마지막 승부수를 띄웠다. 어떠한 대가를 치르더라도 영국인들의 합법 무역과 불법 무역을 포함한 모든 무역을 추진하기로 결심한 것이다. 우유부단한 청나라 정부와 영국인들은 이렇게 해서 대치하게 됐다. 그러나 이 와중에도 외국산 아편은 바다를 통해 끊임없이 중국에 유입됐다.

1838년에 이르자 청나라에 수입되는 아편의 양은 4만 상자로, 무게로 환산하면 약 3,000톤에 달했다. 그러자 아편 금지파의 목소리가 점차 주류가 돼 갔다. 조정과 민간에서는 청나라 경제의 급속한 쇠퇴, 재원 고갈, 국고 손실의 모든 원인이 아편 때문이라는 쪽으로도 의견이 모아졌다. 이로써 아편 무역을 반드시 금지해야 한다는 당위성이 확보됐다. 황제도 더 이상 머뭇거릴 수 없었다.

아편전쟁의 서막과 임칙서

1839년 경치가 아름다운 어느 날 봄이었다. 흠차대신欽差大臣 임칙서林則徐는 금연 업무 주관자의 신분으로 광주로 향했다. 재난의 시기에 중임을 맡은 유학자인 그는 중국 역사에 등장하는 수많은 영웅들과 마찬가지로 한꺼번에 큰 성과를 내려는 마음이 절박했다.

아편전쟁의 단초를 제공했던 흠차대신 임칙서 동상.

남부 도시에 봄기운이 한창일 뿐 아니라 주강珠江 양안의 경치가 시와 그림처럼 아름다운데도 흠차대신 임칙서는 곁눈질 한번 주지 않은 채 걸음만 재촉할 뿐이었다.

그는 황제에 의해 흠차대신에 임명되기 전 호북성과 호남성을 관할하던 호광湖廣총독으로 재임하고 있었다. 그는 청나라의 다른 한족 관리들과 마찬가지로 과거에 급제해서 벼슬길에 오른 사람이었다. 또 이후 한 단계씩 승진해 관직이 국경 지역을 관할하던 봉강대리封疆大吏에까지 이르렀다.

그도 당시 중국 특색이 짙은 관료 사회에 몸담고 있었다. 따라서 세속적인 정치 문화에 물들지 않을 수 없었다. 비록 사상이 진보적이고 재능이 뛰어나다고는 하지만 그것은 그저 다른 관리들과 비교했을 때의 얘기였다. 때문에 임칙서가 내놓은 금연 조치도 전통적이고도 소박하면서 간단한 것이었다.

아편은 적어도 100년 전부터 청나라에 재앙을 가져다줬다. 이 100여 년 동안 청나라 정부는 아편 금지령을 내리거나 이를 풀기를 반복했을 뿐,

기본적으로 아편 무역을 합법화한 적은 없었다. 그렇게 정부에서 여러 차례 금지령을 내렸음에도 불구하고 아편은 오랫동안 유행했다. 그런 것을 보면 그 뿌리가 얼마나 깊은지 충분히 짐작하고도 남는다. 아편 문제는 국가의 정치, 경제, 문화, 도덕과 깊이 관련된 종합적인 고질병이었다. 100년 동안이나 지속돼온 난치병을 단번에 처리한다는 것은 솔직히 누구라도 가능한 일이 아니었다. 도광제도 임칙서도 모두 불가능한 일이었다. 게다가 단순하고 난폭한 수단을 사용하면 더욱 거센 반발만 불러일으킬 뿐이었다.

당시의 양광총독 등정정鄧廷楨은 관저에서 먼 길을 온 흠차대신 임칙서를 반갑게 맞이했다. 등정정은 환갑을 넘은 나이로 2품관이었다. 임칙서처럼 처음부터 아편 금지를 극력 주장해온 사람이었다. 똑같은 사명감을 가진 두 유학자는 곧 의기투합했다. 얼마 지나지 않아 두 사람은 공통의 목표를 향해 계획을 세우기 시작했다. 의논 끝에 은혜와 위엄을 병행하는 수단을 사용 한다는 결정이 내려졌다. 드디어 아편과의 전쟁이 시작된 것이다.

둘은 우선 "흡연은 국가와 민족, 나아가 개인에게 모두 해로운 행동이기 때문에 스스로 아편을 끊고 정부의 금연 활동에 협조해 달라."는 내용의 공지를 붙였다. 동시에 아편 흡연자들에게 금연을 권고했다. 또 아편 무역에 종사하는 외국 상인들에게도 중국에 막대한 피해를 주는 아편 무역을 포기하고 다른 합법적인 무역에 종사하도록 호소를 하기도 했다. 임칙서는 이어 영국의 빅토리아 여왕에게 편지를 보내 협조를 요청했다.

"아편의 위해성을 분명히 알고 있는 영국 상인들이 중국에 아편을 파는 것은 실로 마땅하지 않은 일입니다. 만약 다른 나라 상인들이 영국에 아편을 팔고 영국인들을 부추겨서 아편을 사서 피우게 한다면 여왕께서도 크게 분노하시리라 믿습니다."

임칙서와 그의 동료들은 잘 알고 있었다. 타이르고 호소하는 방법은 불법분자들의 도덕적 책임감을 불러일으키기 위한 시도일 뿐, 단시일에 아편을 뿌리 뽑을 수는 없다는 사실을 말이다. 따라서 그들은 인의仁義로 교화하는 한편, 정부 명의로 외국 상인들에게 장문의 포고문을 보냈다. "행상과 외국 무역업자들은 반드시 사흘 안에 아편을 전부 내놓아야 한다. 또 이후부터 다시는 아편을 판매하지 않겠다는 서약서도 써야 한다. 그렇게 하지 않는다면 법에 의해 배와 아편을 전부 몰수할 것이다."

그런 다음 임칙서와 그의 동료들은 흡연자들에게 2개월 안에 수중의 아편과 아편 담뱃대를 전부 관아에 가져다 바칠 것을 권고했다. 또 국가의 녹봉을 받는 생원들에게는 흡연 사실이 발각되면 엄벌을 면치 못할 것이라는 메시지를 보냈다. 그러나 외국 상인들은 아편을 내놓는 것을 거부했다. 그러자 임칙서는 그들 중 우두머리를 체포하고 광주의 모든 공행公行에 공문을 보내 외국인과의 무역을 철저하게 단속하라고 명령했다. 이어 외국인들의 상관을 포위하기도 했다.

5월 중순에 이르러 임칙서의 강경책은 효과를 보게 된다. 흡연자들은 아편 수만 근과 담뱃대 7만 개를 내놓았다. 외국인들도 수중의 아편을 전부 바친 다음 광주를 떠나 마카오로 물러갔다. 임칙서는 몰수한 아편을 석회로 녹여 바다에 흘러버리거나 태워 없애버렸다. 호문虎門 바닷가에서는 곧 아편을 태우는 불길이 활활 타올랐다.

당시 임칙서는 "국가를 위한다면 살고 죽는 것이 무슨 상관인가. 어찌화를 피하고 복을 좇겠는가." 라며 단호한 의지를 시로 남겼다. 이 시는 170여 년이나 지난 지금도 여전히 호문에서 눈부신 빛을 발하고 있다. 오늘날 사람들이 이곳에 서기만 하면 당시 역사를 돌이켜보면서 찬탄, 유감, 탄식 등 복잡한 감정에 휘말리기 때문이다.

영국 상인들은 호문에서 아편을 소각하든 말든 개의치 않았다. 그들에 겐 전혀 손해가 아니었기 때문이었다. 영국 상인들은 엘리엇을 통해 중국 인들에게 아편을 팔았다. 그런데 엘리엇은 영국 정부의 무역 대변인이었 다. 따라서 당시 민상법에 의하면 영국 정부는 아편 무역업자들의 손실을 보상해줘야 했다. 영국의 이와 같은 제도는 흠차대신을 포함한 청나라 관 리들이 듣지도 보지도 못한 것이었다. 거액의 배상금 지불은 영국 정부에 적잖은 부담이었다. 사태는 걷잡을 수 없이 악화되기 시작했다.

사태가 이런데도 마카오로 물러간 영국 상인들은 은밀히 아편을 밀매 했다. 그러자 진노한 임칙서는 아예 영국인들을 전부 마카오에서 추방시 켜 버렸다. 발붙일 곳을 잃은 영국인들은 부득불 거의 불모지대나 다름없 는 홍콩에 잠시 머물 수밖에 없었다. 그러나 얼마 후 홍콩 구룡九龍에서 영 국인 선원 몇 명이 술에 취해 현지 주민을 살해한 사건이 발생했다. 홍콩 에서도 더 이상 머물 수 없게 된 영국인들은 남중국해에 정박한 그들의 상선으로 철수했다. 무역 감독관 엘리엇도 다른 영국인들과 함께 좁고 더 운 선실에서 탄식만 연발했다.

영국인들은 본국에 자신들의 처지를 호소하는 것을 잊지 않았다. 당연 히 광주에서 당한 사건에 대해서는 한껏 과장해 말했다. 이전까지 영국 외교부 장관 파머스턴Henry John Temple Palmerston은 중국 법을 지키지 않는 영국 아편 무역상들을 눈곱만치도 동정하지 않았다. 그는 엘리엇에게 보 낸 편지에서도 이 같은 강경한 입장을 견지했다. 영국 정부는 부도덕한 상인들의 편을 들지 않았기에 평화적으로 영국 상인과 중국 정부와의 분 쟁을 해결하라고 지시한 것이었다. 하지만 영국 상인들이 보낸 지나치게 과장된 보고서를 받고 난 후 파머스턴의 태도는 180도로 바뀌었다. 그는 중국 정부에 보낸 편지에서 영국 정부의 강경한 태도를 표명했다.

"영국 관리와 백성들은 광주와 마카오에서 거주하면서 중국 정부의 우호적인 태도와 호의를 추호도 의심해본 적이 없었습니다. 그런데 중국 관리들이 영국인들에게 폭력을 행사하다니, 참으로 놀라운 일입니다. 우리 여왕 폐하께서는 아편 판매를 허용하지 않지만 영국 국민들이 해외에서 모욕을 당하거나 차별 대우를 받는 것도 원하지 않습니다. 게다가 폭력은 더욱더 용서할 수 없습니다."

전쟁을 비준한 영국의회

영국 의회는 곧바로 청나라와의 전쟁을 위한 표결에 나섰고, 이 표결에서 겨우 몇 표 차이로 청나라의 운명이 결정됐다.[5] 영국이 청나라와의 전쟁을 의결한 것이다. 1840년 초, 인도 정부가 영국을 대표해 대청제국에 선전포고를 했다. 6월에 군함 16척에 4,000명의 병사로 이뤄진 영국군 부대가 광주만으로 진격했다. 임칙서와 그의 동료들은 영국의 무력 도발을 미리 예상했던 터였다. 따라서 사전에 군함과 무기들을 정비한 채 치밀하게 광주 방어 시스템을 구축했다. 하지만 영국군 함대 사령관은 신속히 청나라 정부의 항복을 받아내기 위해 적의 요충지를 곧바로 공격하는 전술을 택한다.

영국의 전략은 소부대는 광주의 청나라군을 상대하고 대부대는 직접 청나라 심장부를 공격하는 속전속결의 전략이었다. 영국인들은 군함 4척

---

5 아편전쟁의 가결: 1840년 4월 10일, 영국 하원에서 대중국 전쟁의 찬반을 묻는 표결에 들어갔다. 표결 결과 찬성 271표, 반대 262표로 불과 9표 차이로 영국군의 전쟁이 가결되었다. 영국과 청나라의 이 전쟁은 아편이 충돌 원인이었기 때문에 흔히 '아편전쟁(Opium Wars)'으로 불린다.

청나라 해군과 영국 함대가 광동의 천비 해상에서 격전을 치르는 장면.

으로 주강珠江의 출해구出海口를 봉쇄한 다음, 대부대를 인솔해 곧장 북상했다. 이어 절강성의 정해定海를 함락시켜 영국군의 보급기지로 만든 다음, 다시 군함 두 척으로 장강 출해구를 봉쇄했다. 다음 순서는 뻔했다. 거침없이 천진의 대고大沽 부근 백하白河 어귀까지 진격하는 것이었다.

영국군 바로 지척에 있던 도광제와 정부 관리들은 영국 오랑캐의 무모한 도발에 심히 불쾌해했다. 그러나 서양 오랑캐들의 사나운 기세에 눌려 영국인과 화의하는 방안을 선택할 수 밖에 없었다. 우선 임칙서가 합당한 조치를 취하지 못했다는 죄명으로 관직을 박탈당했다. 이어 직례총독 기선琦善이 조정의 명을 받들어 영국인과 정전 협상에 나섰다. 날짜가 꽤 지났는데도 협상은 타결되지 않았다. 그러자 영국 함대는 광주로 철수해 버렸다. 11월에 기선도 광주에 도착해 다시 협상에 나섰다. 그러나 협상은 또 길어졌고 질질 끄는 중국의 마라톤식 협상에 영국인들은 금방 짜증을 냈다.

1841년 1월 영국군은 광동성의 호문虎門과 천비穿鼻, 두 요충지를 신속하게 점령했다. 영국의 무력 위협 앞에서 궁지에 몰린 청나라 협상 대표 기선은 어쩔 수 없이 영국인들의 모든 요구 조건을 들어주기로 합의했다. "홍콩을 영국에 할양하되 세금은 청나라에서 징수한다. 영국 상인들에게 파기한 아편의 손해 배상으로 은 600만 냥을 지불한다. 영국인과 청나라 정부의 직접적인 교섭을 허용한다. 열흘 안에 다시 광주를 개항한다." 등의 내용을 담은 합의였다.

합의문은 양국 정부에 전해졌다. 그러나 양국에서 모두 부결됐다. 양국 정부가 부결시킨 원인은 완전히 상반됐다. 청나라 정부는 중국이 너무 많이 양보했다고 생각했다. 도광제는 기선이 나라를 욕되게 했다고 호되게 질책을 했다. 이에 반해 영국 정부에서는 기대했던 것보다 수확이 별로 없다는 의견이 많았다. 양국 정부는 즉시 협상 대표를 다른 사람으로 교체했다.

1841년 가을 전란이 다시 발발했다. 영국군은 광주에서 얻은 은 600만 냥의 배상금에 만족하지 않고 계속 북상했다. 얼마 지나지 않아 파죽지세로 하문, 정해와 영파를 함락시키고 인도에서 증파한 증원 부대와 합친 다음 계속 북상해 상해를 점령했다. 잇따라 장강을 거슬러 올라가 진강鎭江까지 점령해 버렸다. 이 때문에 당장 장강과 대운하의 교통이 차단됐다.

1842년 가을, 궁지에 몰린 청나라 군대는 총인원이 100명도 안 되는 영국군에게 무릎을 꿇고 말았다. 영국 군함이 남경에 진격해 청나라 내륙 하천에서 공격 태세를 취하자 대경실색한 관리들은 황급히 백기를 내들었다. 8월 29일 청나라 흠차대신 기영耆英과 영국 원정군 총사령관이자, 영국의 대중국 전권사신 겸 상무감독인 헨리 포팅거Henry Pottinger는 장강에 정박 중이던 영국 군함 '콘 월리스호' 갑판에서 후대의 중국인들에게 뼈아픈 아픔으로 각인된 '남경조약南京條約6' 을 체결했다.

'남경조약' 과 그 이후에 체결한 '선후장정善後章程', '오구통상장정五口通商章程', '호문조약虎門條約' 등 세 가지 후속 조약은 청나라의 완전한 패전 조약이었다. 비록 조약에 현대적 의미가 있는 조항이 간혹 언급되기는 했으나 대부분 조항은 중국인들에게 굴욕을 주기에 충분한 것이었다. 청나라의 경제, 정치와 사회 관념에 지대한 피해를 조성하고 훗날 중국 역사에도 악영향을 끼친 이 불평등조약은 손쉽게 도광제의 비준을 받았다.

이런 불평등조약이 순조롭게 체결된 데에는 그럴 만한 이유가 있었다. 청나라 정부가 영국인들의 무력 위협을 못 이겨 화친을 결정한 것도 하나의 원인이었지만, 더 중요한 원인은 청나라 관리들이 국제 사안에 대해 전혀 '문외한' 이었다는 사실이었다. 또 청나라 황제가 주권과 국토를 잃는 지엽적인 손실로 국운의 쇠망을 막으려 한 것도 나름의 이유였다. 영토 할양과 배상금 지불은 패전국 입장에서는 어쩔 수 없는 일이었다. 또 광주를 비롯한 5개항을 개항한 것도 당시 영국의 힘에 눌려 어쩔 수 없이 선택한 굴욕이었다.

도광제와 청나라 협상 대표는 영국인들이 원하는 것이 경제적인 이익일 뿐이라고 판단했다. 따라서 무역에 대한 요구 조건만 들어준다면, 영국인들은 차마 다른 요구를 꺼내지 못할 것이라고 생각했다. 그래서 그들은 5개 개항장의 모든 주권마저 영국인들에게 양도했던 것이다.

이렇게 되자 영국인들은 청나라 땅에 영국군을 주둔시킨 다음 조계지租界地를 만들었다. 청나라 주권의 제약을 받지 않게 된 것이다. 이 밖에 영국

---

6 남경조약(南京條約): 흠차대신 기영과 원정군 총사령관 헨리 포팅거가 체결한 남경조약은 크게 '홍콩을 영국에 할양하며, 광주·하문·복주·영파·상해 등 5항(港)을 개항하며, 전쟁배상금 1,200만 달러와 몰수당한 아편 보상금 600만 달러를 영국에 지불하며, 수출입 상품에 대한 관세를 제한한다.' 등 모두 13개 조(條)로 이루어져 있다.

1842년 8월 29일 청나라 정부는 영국 군함에서 영국 측과 굴욕적인 '남경조약'을 체결했다.

은 치외법권도 향유했다. 이때부터 영국인들은 5대 개항장에서 마치 자기 나라에서처럼 마음껏 자유를 누렸다. 영국인들이 개항장의 '주인'이 된 다음부터 원래 주인인 중국인들은 그들을 통제할 능력을 잃었다. 나라가 주권을 잃은 채 그토록 큰 치욕을 당한 것은 드문 일이었다.

똑똑한 영국인들은 '남경조약'의 후속 조약에서 향후 청나라가 다른 국가에 어떤 유리한 대우를 부여할 경우 영국에도 똑같은 대우를 할 것을 요구했다. 국제 외교 형세에 대해 문외한인 청나라 정부 관리들은 별다른 이견이 있을 까닭이 없었다. 청나라 정부가 훗날 '최혜국 대우'로 불린 이 혜택을 영국에 부여한 이유는 외부의 각종 압력을 어느 정도 완화시키기 위해서라고 할 수 있었다. 그러나 이때부터 청나라는 외교 주도권을 완전히 잃었다. 효과적인 외교정책을 제정할 수 없었을 뿐만 아니라 어떤 국가에 맞서기 위해 다른 국가와 동맹을 맺는 것도 불가능했다. 이에 반해 서구 열강들은 걸핏하면 '이익 균점'을 구실로 삼아 동맹을 결성해 거리낌 없이 중국을 공격했다.

불평등조약을 체결하는 과정에서 한 가지 이상한 점은 '남경조약'과 후속 조약이 분명히 아편 무역이 빌미가 돼 체결된 것인데도, 전쟁 전에 파기한 아편의 손해 배상으로 은 600만 냥을 배상한다는 조항 외에 아편 문제에 대해서는 일언반구도 언급되지 않았다는 사실이었다. 한번은 사석에서 영국 대표 포팅거가 아편 무역의 합법화 문제에 대해 언급하자 청나라 협상 대표 기영은 황제로부터 이 문제 처리에 대한 권한을 부여받지 못했다고 대답했다. 그러자 포팅거도 영국 정부는 아편 문제에 대해 청나라 정부를 핍박할 의사가 전혀 없다고 말했다.

영국인들은 돈을 벌기 위해 아편 전쟁을 치렀기 때문에 뒤가 켕기는 것이 당연했다. 따라서 영국 정부가 자신들의 행태를 문서로 기록하려고 하지 않았던 것은 두말할 필요도 없었다. 아편을 모든 악의 근원이라고 생각했던 청나라 관리들은 더 한심했다. 영국인들이 아편 문제를 거론하지 않는 것만 해도 대단히 고맙게 여겼다. 마치 누가 '아편'이라는 두 글자만 언급해도 큰 재난이 다시 닥쳐올 것처럼 두려워하는 듯했다. 어리석은 청나라 관리들은 이렇게 해서 당당하게 영국인들과 논쟁할 기회조차 놓치고 말았다.

청나라 황제와 정부 관리들은 '남경조약'과 그 후속 조약의 굴욕적인 조항들에 대해서는 별다른 이견이 없었다. 그러나 '양국 간 평등한 관계 유지', '양국 관리의 대등한 위치에서의 협상', '공문서에 영국 오랑캐라는 단어 금지' 등의 조항에 대해서는 상당히 불만스러웠다. 청나라 관리들은 '영국 오랑캐'들이 '천조상국'의 정무에 참견하는 것은 예의에 어긋나는 일이라고 보았다. 한마디로 말해 청나라 황제와 만족 및 한족 관리들이 분노한 것은 오랑캐들 때문에 천조의 체면이 말이 아니게 구겨졌다는 것이었다. 반면 오랑캐들과의 전쟁에서 왜 패했는지에 대해서는 깊이 생각하려고 하지도 않았다.

현대식 무기의 영국 VS 재래식 무기의 청나라

전쟁 과정에서 수천 명으로 편성된 영국의 함대는 청나라의 영해와 내륙 하천을 마치 무인지경처럼 제멋대로 누비면서 다녔다. '네메시스호'를 위시한 이들 10여 척의 철제 군함은 속도가 빠르고 험준한 해역에서도 뛰어난 작전능력을 가지고 있는 것이 큰 장점이었다.

이에 반해 청나라에서 긴 해안선을 따라 구축한 방어선은 허수아비와 다를 바 없었다. 동남 연해의 도시와 마을들은 영국 오랑캐들의 수백 문 대포 아래에서 그저 두려움에 떨 뿐이었다. 최신식 무기를 장착한 영국군들 앞에서 큰 칼과 긴 창을 든 청나라 병사들은 마치 미개한 시대를 갓 지나온 어릿광대 같았다.

그나마 청나라군이 소량으로 가지고 있던 화기는 200여 년 전에 출간된 책을 보고 따라 만든 것이었다. 대청제국 개국 초기 용맹스럽고 전투에 능했던 팔기군은 마치 바람에 쓰러질 것처럼 비리비리해졌다. 심지어 영파寧波에서는 청나라 병사 2만 명이 야밤에 영국군을 기습했다가 겨우 영국군 1,000여 명의 매복에 걸려 깨끗하게 전멸당하는 수모까지 당했다.

청나라군의 무기력한 모습은 이것뿐만이 아니었다. 광주에 파견된 증원부대 지휘관인 양방楊芳은 막강한 위력을 자랑하는 영국군의 대포를 사악한 요술로 단정했다. 그래서 이것을 물리친답시고, 광주 내의 돼지 피, 개 피, 분변 따위를 전부 거둬들여 성벽 위에 쌓아놓았다. 또 군사훈련이라고는 한 번도 받아본 적이 없는 청나라 관료들은 영파의 영국군을 향해 반격을 시작하기 전, 지휘부에 모여 김칫국부터 마셨다. 그들은 영파를 수복한 이후 황제에게 전할 승전보 초안을 작성하고 승리를 경축하는 거대한 현수막부터 높이 걸었다. 일단 천조의 대군이 도착하면 영국인들이 걸음아 날 살려라 하고 도망갈 것이라고 생각한 것이다. 청나라 관료들의 이처럼 무지몽매하고 황당한 생각은 그야말로 우습기도 하고 한심하기도 했다.

사실 아편전쟁 패전의 원인 중에서 청나라 군대의 무능과 부패는 그저 겉으로 드러난 특징이었다. 보다 본질적인 원인은 황권 정치의 부정부패에 있었다. 청나라 정부는 전쟁 경비의 조달을 위해 금고를 여러 개 만들었다. 다양한 경로를 통해 들어온 자금을 따로따로 관리하기 위해서였다. 그런데 장부상의 액수와 실제 금고에 든 액수 사이에 정확히 맞아 떨어진 금고가 하나도 없었다. 국난이 눈앞에 닥쳤는데도 일부 청나라 관리들은 여전히 자신의 배를 불리고 욕심 채우기에 급급했던 것이다. 가뜩이나 관리들의 부정부패와 축재로 인해 난치병을 앓고 있는 청나라 정부의 재정을 더욱 고갈시키는 반역행위였다.

그래도 자존심은 살아 있었는지 청나라 정부는 호언장담을 일삼았다. 황제는 부끄러운 줄도 모르고 위급함이나 패전 소식을 알리는 상주서에 '손바닥만한 소국'이라거나 '상대가 안 됨' 따위의 말을 적고는 했다. 청나라 황제로서는 사실 이 '손바닥만한 국가'인 영국이 산업혁명 이후 이미 세계 최강국으로 떠오른 상태라는 사실을 알 까닭이 없었다. 굳이 양국의 국력을 비교해본다면 이제는 당연히 대청제국이 대영제국의 상대가 되지 않았다.

흠차대신 겸 양강兩江총독인 유겸裕謙은 화동華東 지역7에서 전쟁을 지휘하면서 스스로 담력을 키우기 위해 흰소리를 했다. 그는 황제에게 올리는

---

7 화동(華東) 지역: 중국의 '6대 지리구' 구분법에 의하면, 현재 중국의 화동 지역은 산동성(山東省), 안휘성(安徽省), 강소성(江蘇省), 강서성(江西省), 절강성(浙江省), 복건성(福建省)과 상해시(上海市)를 포함하는 지역이다. 중화인민공화국 정부는 대만(臺灣)까지 화동지역에 포함시키지만, 대만은 현재 중화민국의 영토다.

상주서에 "오랑캐들의 힘줄을 뽑아 말고삐를 만들 것입니다."라고 허풍을 떨었으나, 결과는 청나라 군대의 전멸이었다. 패장인 유겸은 자살을 선택할 수밖에 없었다. 아편전쟁 때 유겸처럼 명예와 절조를 지키기 위해 스스로 목숨을 끊은 장군은 적지 않았다. 그러나 죽을 때 이들의 얼굴은 절망으로 뒤덮여 있었다. 전쟁에 대한 절망, 국가에 대한 절망 그리고 미래에 대한 절망이었다. 수많은 사람들의 끊임없는 절망 속에서 대제국 청나라는 패배만 반복할 뿐이었다.

오늘날까지도 중국이 아편전쟁을 계기로 쇠퇴일로를 걷기 시작했다고 믿는 사람이 적지 않다. 그러나 사실 '남경조약'은 중국의 쇠퇴에 따른 결과일 뿐, 원인이 아니었다. 군사적으로 몇 번 패배하는 것은 솔직히 큰 일이 아니다. 국가 간의 경쟁에서 두려운 것은 군사력을 꾸준히 뒷받침해줄 경제적 보장이 불가능해지는 것이다. 이보다 더 두려운 것은 경제의 쇠락을 초래한 원인, 다시 말해 정치의 부정부패다. 그러나 가장 두려운 것은 정치와 법률 제도가 뒤떨어지고 통치자들이 분수를 모르고 잘난 체 하는 것이고 이 경우 국민의 사상은 경직되고 창의력은 사라져 국가가 정체되고, 오히려 후퇴한다. 아편전쟁 때의 청나라가 딱 이러했다.

1750년 이래 서방 국가들은 좋은 때를 만나 국력을 키웠다. 그들이 성장하고 있을 때 대청제국은 시대의 흐름에 역행하면서, '문자옥'으로 현자와 지사들의 자유사상과 강국 건설에 대한 열망을 무참하게 짓밟아 버렸다. 또 관리들의 축재와 부정부패로 제국의 혼란을 부채질했다. 잇따른 민란은 농상업의 시스템을 붕괴시켰고 지배계층은 우물 안 개구리처럼 대청제국이 발전은커녕 오히려 퇴보하고 있다는 것을 한 번도 의심해 본 적이 없었다. 이런 여러 가지 원인들이 복합된 1840년의 아편전쟁은 청나라의 폐쇄적, 독재적 정치 제도에 대한 일종의 업보라고 할 수 있었다.

불타는
원명원

                 청나라가 영국과 '남경조약' 및 그 후
속 조약들을 체결했다는 소식은 다른 국가에도 신속히 전해졌다. 각국 상
무부와 외교부는 청나라와 영국이 맺은 조약을 세밀하게 연구했다. 그리
고는 청나라를 위협해 큰 이익을 얻을 수 있는 묘책을 고안해냈다.

   이 무렵 신대륙 미국은 이미 독립 초기의 곤경에서 벗어나 대륙 확장의
최고조에 진입한 상태였다. 독립 초기 13개의 주로 구성됐던 미연방은 이
시기 일약 26개의 주를 거느린 대국으로 탈바꿈했다. 그토록 원하던 자유
를 만끽하게 된 미국인들은 이번에는 외부 세계에 대한 높은 관심을 드러
냈다. '남경조약'을 체결한 다음해에 미 의회는 10대 대통령 존 타일러의
제안을 받아들여 중국에 특사를 파견하기로 결정했다. 특사의 중국 방문
경비로 4만 달러라는 거액도 조달했다.

   1844년 2월 매사추세츠 태생 상원의원 칼렙 쿠싱Caleb Cushing은 미 대통

령 전권대사 자격으로 군함 3척을 거느리고 마카오로 떠났다. 매사추세츠에는 대외 무역을 통해 떼돈을 벌려고 혈안이 된 부호들이 대단히 많이 살고 있었다. 따라서 미국 정부가 쿠싱 상원 의원을 중국 방문 특사로 선임한 목적은 말하지 않아도 짐작할 수 있었다. 쿠싱은 마카오에 도착하자마자 양광총독 정채程采를 만나 황제에게 "미국과 '영원한 우호조약'을 체결하겠다."는 내용의 국서를 써줄 것을 요구했다.

이 요구가 거절당하자 쿠싱은 즉각 군함을 내세워 위협을 가한다. 그러자 황제는 황급히 영리하고 능력 있는 기영을 광동성으로 보내 미국의 쿠싱과 협상을 타결하도록 했다. 7월 3일 중·미 양국은 마카오 교외의 망하촌望厦村에서 '중미오구무역장정中美五口貿易章程**8**'을 체결했다. 중국에서는 '망하조약望厦條約', 미국에서는 '쿠싱조약'으로 불리는 이 조약에 따라 미국은 영국이 '남경조약' 및 그 후속 조약을 통해 얻은 모든 특권을 향유하는 것 외에 추가로 몇 가지 특권을 더 얻어냈다. 이를테면 치외법권의 범위 확대, 무역항의 관세권 및 개항장에 교회와 병원을 세울 수 있는 권리를 추가로 보장받았다.

이 밖에 조약의 마지막 조항에 "무역 및 해상 활동과 관련한 모든 조항을 다시 개정할 수 있다. 12년 뒤 양국이 조약 개정에 대해 협상한다."는 내용을 집어넣었다. 앞으로 계속 경제적인 이득을 챙기기 위해 복선을 깔아놓은 셈이었다. 오랜 세월 자아도취에 빠져있던 청나라에는 외교에 능

---

8 중미오구무역장정(中美五口貿易章程): 미국이 청나라와 1844년에 맺은 조약으로, 1843년 영국과 청나라 사이에 맺은 호문조약을 기준으로 삼았다. 이 조약에서 미국 측이 요구한 것은 크게 4가지로, '미국 시민권자에게 치외법권 인정', '무역을 할 때 고정관세를 적용', '5대 개방 항구에서 땅을 사고 건물을 지을 수 있는 권리', '외국인이 중국어를 배울 수 있는 권리'를 요구했다. 미국은 다만 아편 무역을 불법으로 규정하고, 범법자들은 청나라 관헌에 양도하는 데 동의를 해 작게나마 청나라의 자존심은 세워줬다.

한 인재도 없었을 뿐 아니라 외교 의식도 몹시 부족했다. 따라서 줄곧 하찮게만 여겨왔던 '오랑캐' 들 앞에서 번번이 외교적인 함정에 빠질 수밖에 없었던 것이다.

청나라를 마구 유린하는 외세

영국이나 미국에만 혜택을 줄 수는 없는 노릇이었다. 프랑스도 빼놓을 수 없었다. 게다가 프랑스는 더 큰 것을 원했다. 당시 프랑스는 '7월 왕정' 시대로 산업화가 막 시작됐다. 철도가 대규모로 부설됐을 뿐 아니라 상공업도 빠르게 발전하고 있었다. 프랑스는 영국과 마찬가지로 대외무역 확장을 간절히 원했다. 그래서 '망하조약' 이 체결된 지 3개월 후 군함을 광주의 황포 해상에 파견했다.

이번에도 영리하고 유능한 기영이 나섰다. 청나라는 프랑스인들과 '황포조약9' 을 체결했다. 천성이 소탈하고 로맨틱한 프랑스인들은 조약 체결에 쓸데없는 정력을 허비하려고 하지 않았다. 그래서 직접 '망하조약' 을 본뜬 조항을 제정해 손쉽게 미국인들과 똑같은 특권을 가졌다. 다만 프랑스인들은 해외에 있는 자국 국민의 인권을 매우 중시했던 듯 영사 재판권에 대해 미국보다 더 심한 규정을 신설했다. 실제로 '황포조약' 은 영사 재판권에 대해 "청나라 영토 안에서 죄를 범한 프랑스 국민은 프랑스 법률에 의해 재판받는다. 프랑스 영사 관할 지역 밖에서 죄를 범한 경우 다른 우호국 영사의 재판을 청구한다."고 규정했다.

---

9 황포조약: 1844년 중국의 광주(廣州) 교외에서 체결된 프랑스와 청나라의 조약으로, 조약의 내용은 청나라가 미국과 맺었던 '중미오구무역장정(中美五口貿易章程)' 과 거의 비슷하다. 다만 양국 간의 양해사항으로 프랑스가 강희제(康熙帝) 이래 내려오던 청나라 안에서의 기독교 금지 조치를 해제해 줄 것을 요청했고, 청나라는 그 요청에 동의해 줬다는 점에서만 다르다.

포르투갈, 스페인, 네덜란드, 프로이센, 오스트리아—헝가리 제국, 벨기에 등 다른 국가들도 가만히 있지 않았다. 혹시라도 먹을 것이 안 남아 있을까봐 미국과 프랑스의 뒤를 따라 협박, 사기, 회유 등 그야말로 온갖 수단을 동원해 중국과 조약을 체결하려고 시도했다. 국토가 비좁은 이들의 눈에 중국은 시대에 뒤떨어진 '뚱보'에 불과했다. 따라서 기회를 틈타 앞을 다퉈 '뚱보' 중국을 갈취하였다.

영국은 청나라와 다른 국가들 간의 협상 결과에 대해 전혀 신경을 쓰지 않았다. '최혜국 대우' 원칙에 따르면 청나라가 다른 국가에 어떤 특권을 부여하면 영국에도 똑같은 특권을 부여해야 하기 때문이었다. 다른 국가들이 청나라에서 얻는 것이 많으면 많을수록 영국은 당연히 더 많은 것을 얻을 수 있었다.

청나라 관리들은 현대 국제법에 대해 아는 바가 거의 없었다. 당연히 국제법의 아버지로 불리는 후고 그로티우스가 누군지도 몰랐다. 그의 저서 《전쟁과 평화의 법》을 알 리 만무했다. 국가 간 무력 충돌과 관련해 전쟁의 합법성과 정당한 이유가 있는지는 더욱 몰랐다. 또 주권 및 법권을 모르는 것은 말할 것도 없고 패전국 정부와 조세, 조약 체결 등 문제를 협상할 때 어떤 규칙과 이론을 따라야 하는지도 몰랐다. 따라서 중국을 침략한 다른 국가들이 제멋대로 전쟁과 평화에 관한 국제법을 왜곡하도록 내버려둘 수밖에 없었다. 한마디로 말해 칼자루를 쥔 상대에게 속절없이 당할 수밖에 없는 현실이었다.

청나라 관리들이 현대 국제법에 대한 문외한이었으니 구태여 '조약을 이행'하려고 애쓰지 않았다. 사실 청나라 관료들은 처음부터 국제법 따위를 알고 싶은 생각이 눈곱만큼도 없었다. '천조상국'에는 나름의 법률과 제도가 있었다. 그것은 시간을 질질 끌면서 상대국과의 약속을 지키지 않는 것이었다. 따라서 서구 각국은 군함과 대포로 꿈에 그리던 '중국 통행증'을 획득할 수 있었지만 중국이 약속했던 무역항은 선뜻 개방되지 않았다.

청나라 국민들의 서양 오랑캐를 향한 원한은 청나라 정부를 넘어설 정도였다. 심지어 광주 안에서는 "내 손의 칼을 열심히 갈아 오랑캐들을 모조리 무찌르리."라는 구호가 심심찮게 들려왔다. 청나라 국민들의 자발적인 외세 저항운동은 1840년대부터 1850년대 초까지 10여 년 동안 끊이지 않았다. 이에 따라 복건성 복주福州와 절강성 영파寧波의 무역 성장률은 급격히 둔화됐다. 1850년에 이르러 영파의 외국 상인은 10여 명밖에 남지 않게 됐다. 복주에서는 외국인 10명 가운데 5명이 선교사일 정도였다.

하문厦門과 상해上海 주민들의 외국 상인에 대한 적대감도 다른 도시의 주민들 못지않았다. 하문 상인들은 영국, 프랑스 상인들과 거래하는 일이 거의 없었다. 상해에서도 외국 상인들은 인가가 없는 외진 시골에 겨우 발을 붙일 정도였다. 현지 주민들은 외국 상인들을 피해 다른 지역으로 이주하기 시작했다. 차 무역과 비단 무역 성장률은 거의 제로에 가까웠다. 아편전쟁 전까지 창궐하던 아편 무역도 거래가 매년 고작 2만 상자밖에 늘어나지 않았다. 신바람 나서 바다를 건너 중국을 찾아온 서양 상인들은 실망을 금치 못했다. 외국인들은 암담한 현실을 확 바꿀 수 있는 기회를 찾기에 급급하지 않을 수 없었다.

'남경조약'이 체결된 지 12년이 지난 1854년, 영국, 미국, 프랑스 3국은 '망하조약(중미오구무역장정)' 포함됐던 "12년 뒤 조약을 개정한다."는 조항을 이용해 청나라 정부와 협상을 재개하려고 시도했다. 앞서 청나라와 체결한 조약들이 제대로 이행되지 않고 있는 답답한 정체 상황을 바꾸기 위해서였다.

그런데 놀랍게도 이 시기 청나라에는 외교 사무 전담 부처가 없었다. 4년 전 황위에 오른 함풍제(咸豐帝·제9대 황제, 재위 1850~1861)는 금발에 푸른 눈을 가진 외국인들을 좋아하지 않았다. 그래서 청나라의 외교 사무를 자금성에서 1만 리 밖에 있는 양광총독에게 전부 맡겨버렸다. 따라서 광주에 있는 양광총독부가 사실상 청나라 정부의 외교부 역할을 담당했다. 3국 외교관은 1854년 가을부터 양광총독 엽명침葉名琛을 만나기 위해 부단히 애를 썼다. 그러나 새로운 황제와 마찬가지로 외국인들을 극도로 증오한 엽 총독은 이들과 대면할 생각이 추호도 없었다. 3국 외교관은 여러 번에 걸쳐 엽 총독에게 면담을 요청했지만 거절당하자, 함께 천진으로 북상해 직접 청나라 황제와의 면담을 요청했다. 하지만 양쪽을 열심히 드나들었지만 별 수확을 얻지는 못했다.

제2차 아편전쟁 발발

1856년 10월 홍콩에서 만들어 중국인이 소유하고 있던 배 '애로Arrow호'가 영국 국기를 달고 주강 입구를 지나다가, 청나라 해군 순찰대에 의해 나포됐다. 국제해사법에 대해 전혀 문외한인 해군은 중국인 소유의 선박에 외국 국기가 걸려 있는 모습을 보고 크게 분노했다. 그들이 배에 강제로 침입해 영국 국기를 바다에 던져버리고 선원을 구금한 것은 너무나 당연한 조치였다.

공교롭게도 그 해에 프랑스인 신부 마뢰馬賴**10**가 광서성 서림西林현에서 절도혐의로 현지 관리들에게 사형을 당한 사건이 있었다. 조약을 개정

---

10 마뢰(馬賴): 프랑스 출신 가톨릭 신부로 원래 이름은 오귀스트 샤드렌느(Auguste Chapdelaine)다. 1856년 광서성 서림현에서 가톨릭 선교를 하며 근방의 소수민족 3명을 가톨릭으로 개종시켰으나, 개종 과정에서 제사에 관한 견해 차이로 현지인들과 자주 다툼이 있었다. 이에 현지인들이 도둑이라는 누명을 씌워 관청에 마뢰 신부를 고발했고, 지현(知縣) 장명봉이 마뢰 신부를 마구 구타했다. 마뢰 신부가 항의하며 사람을 구타하는 것은 위법이라 하자, 화가 난 장명봉이 마뢰 신부를 참수했다. 중국에서는 이 사건을 '서림교난'이라고도 한다.

1858년, 청나라 정부는 강요에 의해 영국, 프랑스, 러시아, 미국과 각각 '천진조약'을 체결했다. 사진은 중·영 '천진조약' 체결 장면이다.

하고 싶은데 뾰족한 방법이 없어 고심하던 영국과 프랑스 양국은 마침내 전쟁을 일으킬 좋은 구실을 얻었다. 그러나 당시 영국 군대 대부분은 크림 전쟁[11]에 동원돼 있었다. 게다가 인도 병사들까지 세포이 항쟁[12]을 일으킨 상태였다. 때문에 청나라 침략 전쟁은 약간 지체되지 않으면 안 됐다.

1년 뒤인 1857년 12월, 영불연합군은 드디어 중국을 침공해 불과 며칠 사이에 광주를 함락시켰다. 한 외국 기자는 중국의 남부 도시 광주 시민들이 침략에 맞서 싸우는 장면을 이렇게 묘사했다.

"25일 토요일, '향용鄕勇' 한 무리가 광주성에서 영국군이 점령하고 있던 구시가지를 공격했다. '향용'은 향토를 스스로 지키던 민간 의용병을

---

11 크림전쟁: 1853년부터 1856년까지 러시아와 오스만투르크·영국·프랑스·프로이센·사르데냐 연합군이 크림반도와 흑해의 영유권을 둘러싸고 벌인 전쟁이다. 러시아의 남하정책이 원인이었으며 동방(東方) 전쟁이라고도 한다. 영국의 나이팅게일이 간호활동으로 유명해진 전쟁이기도 하다.

12 세포이 항쟁: 1857년 5월, 영국 동인도회사에 고용되었던 세포이 용병들을 중심으로 일어난 반영(反英)항쟁이다. 세포이 반란, 1857년 인도 항쟁, 제1차 인도 독립전쟁로도 불린다. 세포이 항쟁 이후 영국은 영국 동인도회사를 해체하고 인도를 영국 정부가 직접 다스리게 된다.

가리킨다. 이들은 정기적으로 모여 군사훈련을 했다. 청나라 국민들은 이들이 세상에서 가장 용감하고 전투력이 강하다고 믿었다. 이들은 두 갈래의 좁은 길을 따라 두 방향에서 진격해 옛 거리의 끝머리에서 만났다. 이들은 손에 쥔 장총과 긴 창을 휘두르면서 전진했다. 일부는 심심풀이로 땅재주를 넘기도 했다. 영국인이 나타날까봐 두려워하는 사람은 한 명도 없었다."

1858년 봄, 영불연합군은 1840년에 있었던 1차 아편전쟁 당시의 작전을 다시 한 번 시도했다. 그 때와 마찬가지로 군대를 북상시킨 것이다. 미국과 러시아 양국 함대도 그 뒤를 따르면서 바다에서 싸움 구경을 했다. 5월, 천진에서 북경으로 접근하는 항로에 위치한 대고포대大沽砲臺가 함락당했다. 청나라의 중요한 군사적 요충지인 대고포대가 함락되자, 군기대신 계량桂良은 허둥지둥 천진으로 달려가 각국 외교관들과 이른바 '천진

함락당한 대고포대의 비극적인 현장. 대고포대는 군사적 요충지에 위치해 있어 서구 열강들의 주된 공격 대상이었다.

조약'을 체결했다.

'천진조약'은 각국 외교 사절의 북경 상주, 기독교의 승인, 장강 중류 지역 및 기타 성에 여러 개 무역항 증설, 각국 상선의 청나라 내륙 하천에 서의 자유 항행 인정, 외국 상품의 수입 관세율 2.5퍼센트 인하, 영국과 프 랑스에 군비 600만 냥 배상 등의 사항을 '약정'했다. 중·영 조약의 내용 에는 이 밖에도 청나라가 아편 무역의 합법화를 승인해야 영국 함대가 천 진에서 철수한다는 조건도 포함됐다. 양측은 각국 정부의 비준을 받은 다 음 이듬해에 북경에서 조약 비준서를 교환하기로 약정했다.

젊은 황제 함풍제는 너무나도 가혹한 조약 내용에 화가 날 수밖에 없었 다. 서양 오랑캐의 외교 사절을 황제가 머무는 북경에 상주시킨다는 조항 은 더욱 용납할 수 없는 것이었다. 이런 함풍제의 마음을 알기라도 하는 듯, 강경파들은 황제에게 대청제국의 자존심을 거론하며, 천조상국의 위 용을 보여야 한다면서 함풍제의 마음을 흔들었다.

결국 함풍제는 대고포대에 기병과 포병을 증강 배치시키며 비밀리에 반격을 지시했다. 1859년 영국과 프랑스 공사가 양국 함대의 호위 속에 천진 해상에 나타났다. 약속한 대로 북경에 가서 조약 비준서를 교환하기 위해서였다. 그러나 영불 함대는 대고 항구에서 예상치 않은 청나라 군대 의 공격으로 큰 타격을 입었다.

몽골 태생의 청나라 장군 셍게린친僧格林沁은 새로 수리한 대고포대에 서 영국 군함 4척을 격침시키고, 6척에게 큰 타격을 입혔다. 구경하던 미 국 함대는 자국 정부의 "중립을 지키라."는 명령을 무시한 채, 구원의 손 길을 내밀어 전멸 직전의 영국인들을 도망치게 도왔다.

청나라 정부는 영국과 프랑스를 적대시했던 것에 비해, 무력시위를 벌 이지 않은 미국에는 오히려 특별 혜택을 부여했다. 특별히 미국인들이 육로로 북경에 와서 조약을 교환하도록 허락한 것이다. 물론 이때도 황제를 면담할 때 미국 공사의 삼궤구고의 예 문제로 한바탕 곤욕을 치렀지만, 중·미 양국은 순조롭게 조약 비준서를 교환했다.

이 일에 대한 군기대신 계량의 생각은 무척 단순했다. "영국인들은 조약 비준서를 교환하는데 방대한 함대를 이끌고 왔다. 때문에 중국을 적으로 생각하는 것이 확실하다. 이에 반해 미국인들은 배 한 척만 파견했다. 따라서 중국과의 평화적인 수교를 목적으로 한 것이 분명하다."는 것이었다. 어쨌거나 이때 러시아 공사도 육로로 북경에 와서 청나라 정부와 조약 비준서를 교환하게 된다.

기습공격을 받고 가만히 있을 영국이 아니었다. 1860년 영국과 프랑스는 다시 뭉쳤다. 이번에는 1859년에 동원했던 병력에 비해 훨씬 많은 전력을 가지고 나타났다. 2만 5,000명으로 구성된 영불연합군은 먼저 육로로 군사적 요충지인 대고포대를 탈취한 다음, 잇따라 천진을 점령했다. 이어 북경에서 15킬로미터 떨어진 팔리교八里橋에서 북경 방어를 맡은 셍게린친과 승보勝保의 저항군을 간단하게 물리쳤다. 사태가 여기까지 이르자 청나라 정부에서는 또다시 평화교섭을 제의했지만, 영불연합군은 평화교섭을 뿌리쳤다.

1860년 10월 상순, 연합군이 북경 근교에 진입하자, 함풍제는 후궁들을 거느리고 미리 열하로 피신했다. 10월 18일 영국군은 한바탕 북경에서 약탈을 감행한 다음, 영국 특사 엘리엇의 명령에 따라 청나라 황제의 여름철 행궁인 원명원圓明園13에 불을 지르고 약탈을 감행했다. 북경의 10월은 예부터 천고마비의 아름다운 계절로 유명했다. 그러나 원명원이 불타면서 뭉게뭉게 피어오르는 짙은 연기로 인해 그해 가을은 쓸쓸해 보였다. 전 세계 사람들은 오래 된 거구의 대국이 큰 불 속에서 고통스럽게 신음하는 목소리만 들을 수 있었다.

거리낌 없이 원명원에 불을 지른 영불연합군은 무엇 때문에 북경 전체를 깡그리 약탈하지 않았을까? 그 이유는 매우 간단했다. 그들은 북경을 완전히 파괴하면 청나라 황제가 정치 무대에서 물러날 수밖에 없다고 여겼다. 만약 황제가 없으면 누가 영국과 프랑스에 짭짤한 이익을 가져다주는 조약을 체결하겠는가? 또 누가 중국이 영국, 프랑스와 체결한 불평등조약의 이행을 보장하겠는가?

원명원이 불에 탄 그날, 도광제의 여섯 째 아들이자 함풍제의 이복동생인 공친왕恭親王 혁흔奕訢이 평화 담판 대표 자격으로 영국과 프랑스에 '천진조약'의 유효성에 대해 승인했다. 더불어 잇따라 체결한 후속조약인 '북경조약'에서는 천진 무역항구 증설, 영국과 프랑스에 군비 각 800만 냥 지불, 구룡九龍반도의 영국 할양, 영국 여왕의 대변인을 노하게 만든 일에 대한 정중한 사과 등의 사항들도 수락했다.

영국과 프랑스는 중국으로부터 원하던 모든 것을 얻었다. 이로써 대청제국은 오랫동안 걸어 잠근 문을 드디어 활짝 개방했다. 물론 핍박에 못이겨 서구 열강들과 접목하게 된 것이지만, 지나치게 크고 무거운 대청제국의 몸체는 서구 열강들과 접목한 이음새가 한 토막씩 떨어져 나갈 수밖에 없게 만들었다.

대청제국은 몸체만 컸을 뿐 영국의 상대가 되지 못했다. 아편전쟁의 라이벌인 영국의 경우, 1840년의 석탄 생산량은 3,600만 톤으로 전 세계 총

---

13 원명원: 1709년 강희제가 넷째 황자인 윤진(옹정제)에게 하사한 별장에서 기원한 청나라의 이궁(離宮)이다. 이후 옹정제와 건륭제를 거치며 대폭 증축돼 역대 황제들이 사생활을 즐기는 황제의 정원이자, 금은보화, 그림, 골동품, 서적 등을 모아놓은 보물창고의 역할도 했다. 중국 전통의 정원 배치에 서양의 바로크, 로코코 양식의 건물들이 들어섰고, 잘 가꿔진 숲과 기암괴석이 즐비해 선경(仙境)의 모습을 보였다고 전해진다. 하지만 1860년 영불연합군의 대규모 약탈과 방화로 제 모습을 잃고 말았다. 중국 정부는 당시 약 150만여 점의 유물이 원명원에서 약탈당한 것으로 보고 있다.

북경 인근의 팔리교에서 전투를 벌이는 영국과 프랑스 연합군.

생산량의 82퍼센트를 차지했고, 철 생산량은 전 세계의 63.8퍼센트를 차
지했다. 이 밖에 산업 총생산량과 산업 총생산액은 각각 전 세계의 45퍼
센트와 30퍼센트를 차지했다. '해가 지지 않는 국가'로 불리는 영국은 강
대한 군사력도 자랑했다. 군함 150여 척, 해군 9만여 명, 선원 2만 2,000명
을 보유하고 있었다. 당시 청나라의 이웃국가이자 라이벌이었던 인도는
오래전에 영국 식민지로 전락해 있었다. 그래서 1840년대에는 중·영 전
쟁에서 영국의 가장 중요한 군사 기지 역할을 할 수 있었다.

중국의 대문이 열리기 시작한 것은 도광제 때부터다. 그러나 도광제
한 사람에게 모든 책임을 뒤집어씌워서는 절대 안 된다. 마치 축구 시합
도중 실점했을 때 골키퍼에게 모든 책임을 물어서는 안 되는 것처럼 말
이다. 냉정하게 평가한다면 도광제도 사실 중국 역사에서 손꼽히는 명군
名君이었다. 그는 겸손하고 성실했으며, 배움을 게을리하지 않았다. 또 과

감하게 잘못을 고칠 줄도 알았다. 생활이 검소하고 몸소 백성들에게 모범을 보인 군주였다. 그러나 서방세계는 갈수록 강대해지고 청나라의 국력은 갈수록 몰락하는데 한 사람의 힘으로 기울어져가는 국운을 바로잡을 수는 없었다. 강대국과의 싸움은 시작되기 전부터 이미 정해져 있었다. 시국의 변화는 한 사람의 힘으로는 정말 어쩔 수 없는 것이었다.

꿈꾸는 자
깨어있는 자

                      1840년 아편전쟁이 발발한 이후부터 1860년 원명원이 불타기까지의 20년 동안 대청제국은 외부세력의 침략에 대해 마치 아무 일도 없었던 것처럼 무심하게 반응했다. 1840년에 영국이 도발한 아편전쟁은 솔직히 그 규모가 그다지 크지 않은 전쟁이었다. 아편전쟁은 후세 사람들에 의해 청나라가 강대국에서 '병든 노새'로 전락하게 된 전환점이자, 굴욕으로 점철된 중국 근현대사의 시발점이라는 평가를 받고 있다.

    그러나 아편전쟁 당시에는 청나라 황제를 비롯한 지배계층 모두가 어쩌다 우연히 청나라가 군사적으로 실패한 것에 불과하다고 생각했다. 그들은 '천조상국'의 실력에 대해 기본적으로 자신감을 잃지 않고 있었다. 또 서구 국가들을 여전히 하찮게 보고 무시하는 태도를 보였다. 따라서 바뀐 것은 아무것도 없었다. 마음속으로 그 어떤 깨달음을 얻은 것도 없었다. 마치 깊은 잠에 빠진 거인이 뒤통수를 호되게 한 대 얻어맞고도 별로 놀라지 않은 채 몸만 약간 뒤척거리다가 다시 잠에 빠져드는 것처럼 말이다.

외세보다 민중 봉기를 더 걱정한 지배층

아편전쟁이 발발한 지 얼마 지나지 않아서부터 전국 각지에서는 민중 봉기가 하늘을 찌를 듯한 기세로 끊이지 않고 발생했다. 그러자 대청제국 통치자들의 관심은 온통 '반란군'에게만 쏠렸다. 서양 오랑캐들의 문제는 아예 뒷전에 팽개쳐 놓아 버렸다. 청나라 황제의 생각에 오랑캐들이 원하는 것은 그저 돈과 재물이었다. 더 많아봤자 무역에 필요한 약간의 영토뿐이었다. 그에 반해 '난민亂民'들은 국가의 재산을 노리고 있었다. 심지어 정권 탈취를 목표로 했다. 어떤 것이 더 중요한지는 두말할 필요도 없지 않았을까? 이렇게 해서 청나라에 주어진 내부 변혁의 기회는 성질 급한 서양 오랑캐들이 더 이상 참지 못할 지경에 이를 때까지 다시 20년이나 늦춰졌다.

중화 문명의 역사는 대단히 유구하다. 중국은 일찍부터 농업 문명 시대에 진입했다. 때문에 농업 문명에 걸맞은 정치·사회 제도가 일찍 구축됐다. 또 이에 대응하는 농업 의식 형태도 일찍부터 형성됐다. 농업 문명의 가장 보편적인 사회조직 형태는 가부장제였다. 이 제도는 '가천하家天下 14' 제도로 발전했다. 2,000여 년 동안 이어진 중국의 봉건사회에서 역대 통치자들은 '가천하'가 대대손손 유지되도록 하기 위해 갖은 방법으로

---

14 가천하(家天下) 제도: 제왕이 국가를 자기 일가의 재산으로 간주해 대대로 물려주는 집권 개념으로서, 고대에 현명한 사람을 골라 국가를 다스리게 하던 공천하(公天下) 제도의 반대 개념이다.

진보적인 사상의 등장을 막았다. 또 현실에 안주하는 사상의 우수성을 선전했다. 우민愚民 정치라는 것도 이렇게 해서 생겨난 것이다.

더불어 중화 문명이 장기적으로 농업 시스템 안에서 배회하면서 "조상의 법은 바꿀 수 없다."는 농업 중심의 이데올로기가 확고하게 형성됐다. 책을 많이 읽은 지식인들조차 이런 이데올로기의 정당성에 대해서는 한 번도 의심하거나 비판한 적이 없었다. 지식인들이 그랬으니 일반 백성들이야 더 말할 게 뭐가 있겠는가. 아무튼 중국인들은 태어나서부터 죽을 때까지 유일하게 보고 듣고 배울 수 있는 것이 이 사상뿐이었다. 다른 사상을 가지고 있는 사람들은 가차없이 억압과 비난을 받았다. 진보적인 사상은 수시로 '터무니없는 주장'이라는 몰매를 맞았다.

춘추전국시대 정鄭나라 재상 자산子産이 '향교를 헐지 않았던 고사15', 진시황의 '분서갱유', 중국 전한 때의 유학자 동중서董仲舒의 '백가百家를 내쫓고 오직 유교만을 숭상'하던 사상, 송나라 때 주자학(성리학)이 백성들에게 미친 속박, 청나라 중기의 '문자옥' 등은 모두 하나같이 인간에 대한 억압, 민주에 대한 반동, 혁신에 대한 부정의 표본이라고 할 수 있었다. 사상을 속박하면 필연적으로 정치 제도가 경직될 수밖에 없다.

또 장기적으로 경직된 정치 제도는 필연적으로 보수적이고 부패한 통치자들을 배출하게 마련이다. 오랜 세월 완고하게 고수해온 전통 문명이 외부의 위협에 직면하면 수없이 많은 보수주의자들이 필사적으로 그것을 막아나서는 것은 자명한 일이다. 따라서 저 멀리에서부터 바다 건너 중국에 온 외국인들은 대청제국이 외국인들을 소홀히 대하거나 반응이 굼뜨다고

---

15 자산(子産)의 고사: 춘추 시대 사람들은 향교에 모여 당시 정사를 의논하기를 즐겨했다. 그러나 너무 정치적으로 변한 향교의 역할 때문에 사람들이 정(鄭)나라 재상 자산에게 향교를 폐지하자고 건의했으나 자산은 이에 반대했다.

뭐라고 비난할 이유가 하나도 없었다. 오래된 제국의 문화가 원래 이런 것이니까. 그 어떤 변화에 대해서도 보고도 못 본 체 하고 또 그래서 마치 아무 일도 없는 듯 무심히 지나쳐버리는 그런 문화니까 말이다.

이처럼 모든 국민이 꿈속에 있었다. 하지만 깨어 있는 자도 있었다. 비교적 일찍 깨어 있었던 사람으로는 영국인들과 세 번이나 크게 싸웠던 임칙서를 꼽을 수 있다. 청나라 고위 관리인 임칙서는 머리부터 발끝까지 철두철미하게 서양 오랑캐들을 싫어했다. 그럼에도 그는 광주에서 아편 무역을 금지하는 기간에 오랑캐들에 대한 정보를 대단히 중요하게 생각했다. 그것은 '지피지기면 백전불태' 라는 옛사람의 교훈을 따라 '오랑캐들의 정보를 얻는' 일만큼은 중시했기 때문이었다.

그러나 그가 오랑캐들의 정보를 '캐는데' 사용한 수단은 몇 가지가 되지 않았다. 이를테면 홍콩에 있는 외국 상인들의 생활상을 탐문하거나 외국의 신문을 번역해서 본다거나 하는 것이었다. 영국군 포로를 심문해서

신강위구르자치구 이리시에 위치한 임칙서 기념관. 임칙서는 아편전쟁의 희생양으로 이곳까지 귀양을 왔다.

자백을 받아내는 것도 그가 외부 정보를 입수하는 중요한 수단 중 하나였다. 그는 이렇게 입수한 서방세계 관련 정보들을 《사주지四洲志》라는 소책자로 엮어 사람들에게 읽기를 권했다. 사주지는 임칙서가 서양인들의 성격과 무기, 전술을 중심으로 해서 1834년에 펴낸 소책자였다. 임칙서는 아편전쟁의 희생양으로 관직을 삭탈당하고 멀리 신강新疆 변방의 이리伊犁로 가던 중 자신의 심혈이 응집돼 있는 이 책을 자신과 같은 뜻을 품고 있던 위원魏源에게 선물했다.

말단 관료 출신인 학자 위원이 그를 대신해 서방세계에 대해 더 상세한 연구를 계속하기를 바라는 의미에서였다. 과연 위원은 임칙서의 기대를 저버리지 않았다. 1년이 좀 지난 다음 50권 분량의 《해국도지海國圖志》를 편찬해냈다. 이어 또 10여 년의 꼼꼼한 수정을 거쳐 1852년에는 《해국도지》의 분량을 100권, 80만여 자로 늘렸다. 이 책에는 서방 각국의 지도 75점, 군함 및 대포, 화기 제조 공정도 57점이 수록돼 있다. 현대인들이 볼때 수십만 자 분량의 이 책은 오류가 많은 별 볼일 없는 도서에 불과했다. 그러나 이 책의 특징이라 할 수 있는 '서양인의 시각에서 서양인을 말하고', '오랑캐의 시각에서 오랑캐 국가를 논하는' 서술 방법은 귀와 눈이 번쩍 뜨일 만큼 참신한 연구서이다. 따라서 이 책은 현실을 완전히 외면한 동방세계가 서방세계를 이해하는데 큰 도움이 되는 '백과전서'라고 해도 과언이 아니었다.

임칙서, 위원 등과 같은 시대를 산 공자진龔自珍도 당시 지식인들 중에서는 가히 '이단아'에 해당하는 인물이었다. 현실주의자 시인이었던 그는 갈수록 심각해지는 사회 위기를 안타깝게 생각하다 결국은 고증학을 포기하고 경세제민의 길을 모색하게 됐다. 이후 그는 평생을 개혁의 연구에 몰두했다. 실제로 그는 《명량론明良論》, 《을병지제저의乙丙之際著議》등 자신이 쓴 글에서 전제 집권국가의 오랜 폐단에 대해 날카롭게 폭로하고 비평했다. 나아가 사회 동란의 근원이 빈부 격차에 있음을 지적했다. 또 과거제도를 폐지하고, 배운 것을 실제로 이용할 수 있는 통경치용通經致用의 인재를 널리 끌어 모을 것을 주장했다.

그 밖의 '별종' 지식인으로는 산서성의 환관 가문 태생의 서계여徐繼畬를 꼽을 수 있다. 그는 고위 관리로 재직하면서 세심하게 민심을 살폈다. 당연히 평생을 청렴하게 살아왔다. 또한 대청제국 관리들 중에서는 극히 보기 어려웠던 생각이 열린 관리였다. 그는 〈금아편론禁鴉片論〉이라는 글에서 아편 무역을 "영국 오랑캐들이 청나라의 원기를 빼앗아 자국을 부강하게 만들기 위한 것"이라면서 영국을 크게 비판했다. 그러나 청나라를 비판하는 것도 잊지 않았다. "정부에서 아편을 금지했기 때문에 영국 오랑캐들이 침략했다."는 논조는 '인열폐식因噎廢食 16'의 그릇된 생각이라면서 비판한 것이다.

또 아편을 뿌리 뽑기 위해서는 지위가 높은 자부터 비천한 자, 부유한 자부터 가난한 자, 조정 관리에서부터 일반 백성, 교활한 자부터 선량한 자의 순으로 단속할 것을 건의했다. 그는 더 나아가 《백세언지구지지남百世言地球之指南》,《영환지략瀛環志略》이라는 책도 써서 서방 과학기술과 민주제도를 소개했다. 이 책에서 그는 미국의 민주제도가 바로 중국인들이 자나 깨나 추구하던 '대동사회大同社會'와 같다고 주장했다. 서계여는 중국인들 중에서는 최초로 미국식 '국왕이 없는' 치국 방식에 관심을 보인 사람이기도 했다. 그러나 애석하게도 서계여의 사상과 주장은 당시 중국에서 채택하기 어려웠다. 따라서 미국식 민주정치 제도는 안타깝게도 중국

---

16 인열폐식: 목이 멜까봐 식사를 끊는다는 뜻으로 조그만 장애를 걱정해 중대한 일을 그만두는 것을 비유하는 말이다.

을 비껴가고 말았다.

목소리만 높이는 선각자들

이런 주장들에서 우리가 쉽게 알 수 있는 것이 있다. 당시 청나라 선각
자들은 무지몽매한 대다수 사람들에 비해 약간 더 깨어 있었을 뿐이라는
사실 말이다. 이들의 사상과 주장에는 많은 착오가 있었다. 심지어 황당
한 것들도 있었다. 아마 이들은 서방세계의 부강함과 민주제도가 '무릉
도원' 처럼 비현실적인 먼 나라 얘기에 불과하다고 생각했을지도 모른다.
게다가 이른바 경세치용의 선각자들 중에 청나라의 황권 제도에 대해 분
석하고 비판한 사람은 거의 없었다. 또 선비들의 타락, 관리들의 부패를
초래한 제도적인 원인에 대해서도 그다지 심각하게 인식하지 못했다. 주
목해야 할 것은 이른바 선각자로 불린 이들 모두가 청나라의 중·하급관

일본인이 묘사한 미국 군함. 페리 제독이 이끌고 일본의 개화를 이끌어냈다

리 또는 아예 벼슬을 하지 못한 사람들이었다는 사실이다. 따라서 이들의 주장은 빈부귀천의 차별이 심한 청나라에서 큰 영향력을 가질 수 없었다.

《해국도지》를 비롯한 중국의 초기 계몽 도서들은 1850년대에 바다 건너 일본에 전해졌다. 그러나 얼마 지나지 않아 일본에서 출판 금지령을 당했다. 중국 문화의 충실한 계승자인 일본은 중화민족의 문화 전통을 전부 계승한 다음 자국의 문화로 편입시켜 버렸다. 그리고 청나라와 마찬가지로 외국의 문명이 수입되는 모든 것을 강하게 거부했다. 하지만 일본의 이런 의사와는 상관없이 서방 각국들의 동방을 향한 발걸음은 거침이 없었다. 서방 각국들은 대청제국의 동남 연해를 빈번하게 드나들면서 바다 위에 조용히 누워 있는 섬나라 일본에도 큰 관심을 나타냈다. 일본과의 통상 계획도 자연스럽게 이들 서방 각국들의 의사일정에 오를 수밖에 없었다.

1844년 2월, 일본 국내에는 곧 영국 상무부 대표 모리슨이 일본을 방문해 일본 정부와 개항장 설치 및 통상 관련 교섭을 진행할 것이라는 소문이 파다하게 퍼졌다. 한 외국인의 입에서 흘러나온 이 소식에 일본 조정과 일본 국민은 큰 공포를 느꼈다. 일본인들은 영국이 4년 전에 중국의 문호를 어떻게 활짝 열어젖혔는지 이미 들은 바 있었다. 그래서 일본인들은 영국인들이 상륙할 가능성이 높은 곳에 서방 각국으로부터 수입한 대포를 걸어놓았다. 영국인 협상 대표들을 일본으로 들어오지 못하게 막으려는 심산이었다.

그러자 일본 학자 다카노 초에이高野長英와 와타나베 가잔渡邊華山이 각각 《유메모노가타리夢物語》와 《신기론愼機論》을 통해 일본 정부의 이런 대외 강경책을 비난했다. 그러나 두 사람은 곧 일본 당국에 의해 체포됐다. 에도 막부와 제한적 교역을 하고 있던 네덜란드의 국왕 빌헬름 2세도 일본 정부에 친서를 보내 일본이 이웃 나라 중국의 전철을 밟지 말고 속히 해금海禁을 해제할 것을 권유했으나 긍정적인 답변을 얻지 못했다.

몇 년 후 미국의 페리 제독은 4척의 함대를 이끌고 우라가浦賀를 경유해 에도江戶에 도착해 일본 정부에 통상을 요구했다. 며칠 후에는 4척의 러시아 함대가 나가사키에 와서 일본 정부에 미국인들과 똑같은 요구를 했다. 1854년에 이르러 일본 우라가에 정박한 미국 군함은 9척으로 늘어났다. 함대를 가나가와神奈川, 에도로 진출시킬 것이라는 미국인들의 위협 앞에서 궁지에 몰린 일본 막부는 별수 없이 전권대표를 파견해 요코하마에서 미국 대표 페리와 협상을 시작했다. 얼마 후 '미일 화친조약(美日和親條約·가나가와 화친조약)**17**'이 체결됐다.

섬나라 일본의 문호가 드디어 열린 것이다. 잇따라 네덜란드는 나가사키, 러시아는 시모노세키, 영국은 고베에서 각각 일본 막부와 비슷한 내용의 조약을 체결했다. 이후 서방 각국은 계속 무력으로 위협하면서 일본과 일련의 후속 조약을 체결했다. 일본은 1858년 5월까지 서양 상인들을 대상으로 에도, 오사카 등 2개 도시와 효고, 니가타 등 2개 항구를 개방했다. 이듬해에는 요코하마, 나가사키, 하코다테 등 세 항구를 추가로 개항했다. 이로써 사면이 바다로 둘러싸인 섬나라 일본의 대문이 활짝 열렸다. 일본의 개방과 더불어 국민의 사유도 활발해지기 시작했다.《해국도지》를 비롯한 금서들도 다시 발행됐다.

---

17 미일화친조약(美日和親條約): 1854년 3월 31일에 요코하마에서 체결된 미국과 일본의 조약으로서, 미 해군의 매슈 페리와 일본 막부(幕府)의 전권(全權) 하야시가 체결했다. 주요 내용은 시모다(下田), 하코다테(函館)의 개항 및 항구의 유보(遊步)구역 설정, 미국 선박에 대한 식량·연료·식수의 공급, 난파선 구조, 필요품 구입, 외교관의 시모다 주재, 최혜국대우(最惠國待遇) 등의 승인이었다. 일본이 페리 함대에 굴복해 맺은 불평등조약이지만 200년간 유지되던 일본의 쇄국을 열게 한 의미 있는 조약이다.

일의대수一衣帶水**18**라는 말처럼 지리상으로 가까운 중 · 일 양국은 서구 열강들의 핍박에 못 이겨 거의 비슷한 시기에 변혁의 기로에 서게 됐다. 그러나 중국과 일본에서 변화를 받아들인 태도는 훗날 완전히 다른 천양지차의 결과를 낳았다. 지나치게 소심하고 신중한 대청제국의 변혁가들은 전통적인 제도적 틀을 그대로 유지한다는 전제 아래, '서양의 기술을 배워 서양을 제압' 하는 기술 혁명을 선택했다. 이에 반해 일본인들은 '경제, 정치, 사상 전반에 걸친 철저한 변혁' 을 시도했다. 이후 1860년대에 등극한 메이지明治 천황은 큰 포부를 품은 젊고 뛰어난 인재들을 휘하에 끌어들여 메이지유신을 단행하여 위험에 빠질 뻔했던 섬나라 일본을 위기에서 구해냈다.

---

18 일의대수(一衣帶水): 옷의 띠만큼 좁은 강이라는 뜻으로, 간격이 매우 좁거나 거리가 매우 가까운 것을 비유하는 말이다.

태평천국의 꿈

화禍는 동시에 온다는 말이 있다. 이 말처럼 청나라는 외환外患이 끊이지 않았다. 그러나 외환뿐만이 아니었다. 이 와중에 대규모 내란內亂도 여러 번 발생했다. 아편 무역이 청나라의 광대한 지역, 특히 중국 동남부 지역에 큰 피해를 입힌 것은 두말할 필요가 없었다. 더구나 거액의 아편전쟁 배상금 지불에 대한 부담은 고스란히 백성들에게 전가됐다. 이에 따라 빈민층을 필두로 전국 각지에서 폭정에 반대하는 움직임이 끊임없이 발생했다.

이 시기의 여러 가지 내란 중에서도 대청제국 통치자들의 간담을 서늘하게 만든 것은 1851년에 발생한 태평천국의 난이었다. 광동성 광주에서 멀지 않은 화두현花都縣에는 다른 곳에서 이사해온 홍洪씨 가문이 있었다. 다행스럽게도 집안에 약간의 밭과 재산이 있었기 때문에 홍씨는 다섯 자녀 중 넷째인 홍화수洪火秀에게 글을 읽게 했다. 홍화수는 서당에 다니면서 이름을 인곤仁坤으로 바꿨다. 그는 수많은 다른 학생들과 마찬가지로 손에서 《사서》와 《삼경》을 놓지 않고 열심히 공부하면서 언젠가 과거에 급제해 공명과 관록을 얻을 날만 기다렸다. 그러나 젊은이의 입신출세를 향한 길은 생각처럼 순탄하지 않았다. 홍인곤은 현시縣試**19**에 손쉽게 합격한 것 말고는 1830년대에 참가한 세 번의 부시府試**20**에서 다 낙방하고 말았던 것이다.

1836년 두 번째로 부시에서 낙방하고 광주에서 유랑생활을 하던 홍인곤은 우연한 기회에 중국인 선교사 양아발梁阿發이 쓴 성경 해설서인 '권세양언勸世良言**21**' 이라는 책을 얻었다. 나이가 어릴 뿐 아니라 아는 것이 별로 없던 홍인곤으로서는 이 책의 오묘한 내용이 자신의 후반기 인생에 얼마나 큰 영향을 미칠지 당시에는 알 수 없었다. 아무튼 그는 이 책을 버리지 않고 집에 가져다 보관했다. 이어 그는 한편으로는 서당에서 학생들을 가르치면서 다른 한편으로는 다음 과거시험에 재도전하기 위해 계속 열심히 공부했다.

5년 후인 1842년에 다시 부시에 참가했다. 그러나 이번에도 행운의 여신은 그의 소원을 들어주지 않았다. 그는 10여 년 동안 어렵고 힘들게 공부했음에도 과거를 볼 수 있는 수재秀才의 자격을 얻지 못했으니 우울하고 부끄러웠다. 또 자괴감과 함께 알 수 없는 분노를 느꼈다. 그러자 그의 머릿속에 갑자기 몇 년 전에 꾸었던 이상한 꿈이 떠올랐다. 그는 집에 보관해뒀던 권세양언을 찾아내 읽어보고는 홀연히 모든 것을 깨달았다. 그

---

19 현시(縣試): 현의 장관인 지현(知縣)이 시행하는 시험으로 과거의 1단계 예비시험이다.

20 부시(府試): 현시를 통과한 사람을 대상으로 지부(知府)에서 시행하던 과거의 2단계 예비시험이다.

21 권세양언(勸世良言): 팸플릿 형식으로 된 이 책은 광주 출신의 중국 선교사 양아발이 1832년에 중국인들을 선교하기 위해 만들었다. 책 이름인 권세양언은 '세상에 권할 만한 좋은 말'을 뜻하며, 태평천국의 지도자 홍수전에게 기독교 입문과 독특한 이론 형성에 결정적인 영향을 미쳤다.

가 이상한 꿈에서 봤던 두 사람은 권세양언에서 소개한 하느님과 예수였다. 그는 자신이 바로 여호와의 아들이자, 예수의 동생이라는 사실을 깨달았다.

태평군에 가담하는 사람들

1843년 30세에 접어든 홍인곤은 이름을 홍수전洪秀全으로 고친 다음, 같이 과거시험에 낙방했던 고향 친구 풍운산馮雲山, 외사촌 형 이경방李經芳, 사촌 동생 홍인간洪仁玕 등과 손잡고 '배상제회拜上帝會'를 창립했다. 이어 광서성 동부의 계평현 자형산紫荊山 지역에서 자신들에 의해 새롭게 변질된 그리스도의 복음을 전파하기 시작했다.

광서성 동부의 산간 지역은 당시까지 미개한 상태에 있었다. 세상과 떨어진 삶을 살던 이곳 백성들은 여러 해 계속된 기근과 정부 관리들의 부정부패에 시달려 그 고생이 이루 말로 표현할 수 없었다. 이런 상황에서 때마침 등장한 배상제회는 사람의 마음을 감동시키는 교리와 홍수전의 호소력 있는 선동에 힘입어 많은 사람의 관심을 끌었다. 농민, 나무꾼, 숯쟁이 등 다양한 계층의 사람들이 앞 다퉈 예전에 들도 보도 못했던 이 종교에 가입했다. 심지어 관아의 심부름꾼, 군인, 상인, 산적들도 홍수전의 충실한 추종자가 됐다. 1850년에 이르러 배상제회의 신도는 2만 명을 넘어섰다. 홍수전은 곧 '천부天父'의 이름으로 자신을 '태평천왕 대도군전太平天王大道君全'에 봉하고 태평군太平軍을 조직하기 시작했다.

1851년 1월 11일, 홍수전은 광서성 금전촌金田村에서 반란을 일으켰다. 태평군은 대청제국 정규군이 펼쳐놓은 겹겹의 포위망을 뚫고, 그해 가을에 북상하기 시작해 곧 광서성 영안永安 지역을 점령했다. 홍수전은 이곳에서 태평천국太平天國의 건국을 선언하고 자신을 천왕天王에 봉했다. 이어 다섯 명의 부하들을 각각 동왕, 서왕, 남왕, 북왕, 익왕의 오왕五王**22**으로 삼았다. 이듬해 태평군은 광서성 전주全州를 경유해 호남湖南과 호북湖北에 진입했다.

이어 잇따른 일련의 전투에서 믿기 어려울 정도로 연속 승리를 거두면서 기세등등하게 북쪽으로 진격했다. 1853년 초 규모가 50만 명으로 늘어난 태평군은 청나라 중부 지역의 요충지인 호북성 무한武漢을 함락시킨 다음 장강을 따라 동쪽으로 진격했다. 곧 장강 중하류 지역의 주요 도시들도 일거에 태평군이 점령했다. 이어 두 달 후에는 강남 제일의 도시인 남경까지 점령했다. 3월 말 천왕 홍수전은 16명이 메는 어가에 앉아 북경으로 천도하기 전까지 명나라의 황궁이었던 고궁故宮에 위풍당당하게 입주했다. 유달리 이름 바꾸기를 즐겼던 배상제회 교주 홍수전은 남경의 이름을 '천경天京'으로 고치고 태평천국의 수도로 정했다.

배상제회 신도들로 구성돼 정규 훈련이라고는 받아본 적조차 없던 무장조직은 2년이라는 짧은 시간 동안 폭풍처럼 대륙 동남부의 각 성을 휩쓸었다. 태평군에게 있어서 동남 지역의 크고 작은 호수와 하천, 높은 산과 험한 준령들은 넓은 평지처럼 전혀 거칠 것이 없었다. 손에 큰 칼과 긴 창을 든 농민군은 마치 무인지경을 넘나드는 것처럼 이 지역을 종횡무진하면서 식은 죽 먹기 식으로 요새를 공략하고 땅을 점령했다. 두 달도 안 되는 사이에 무한에서 남경으로 곧장 진격했다. 이 과정에 거의 싸움도 하지 않고 구강九江, 안경安慶 등 요충지를 탈취했다. 대청제국의 형편없는

---

22 태평천국의 오왕(五王): 자신을 천왕(天王)에 봉한 홍수전은 동왕에 양수청(楊秀淸), 서왕에 소조귀(肖朝貴), 남왕에 풍운산(馮雲山), 북왕에 위창휘(韋昌輝), 익왕으로 석달개(石達開)를 봉했다. 또 당시 천왕은 만세(萬歲), 동왕은 구천세(九千歲), 서왕은 팔천세(八千歲), 남왕은 칠천세(七千歲), 북왕은 육천세(六千歲), 익왕은 오천세(五千歲)로도 불렸다.

국방력과 팔기군의 타락상을 여실히 입증하는 대목이라고 할 수 있다.

그러나 유감스럽게도 새로운 무장 세력인 태평군은 기세만 요란했을 뿐 사람들이 상상한 것처럼 마른 풀과 썩은 나무를 꺾듯 휘청거리는 대청제국을 손쉽게 멸망시키지는 못했다. 태평천국의 맹렬한 부상은 그저 사람들에게 오래 된 중국에 변혁의 시기가 다가왔다는 사실을 알려주는 역할만 했다. 그러나 구체적으로 어떤 변혁이 그 시대, 그 사회에 어떻게 필요한지 홍수전은 물론, 수십만 명에 달하는 그의 부하들까지 아무도 몰랐다.

중국의 전통적인 정치 체계에서 농민들은 오래전부터 참정권과 발언권을 박탈당하고, 땅을 파서 흙을 일구어 밥을 해 먹는 정체성이 불분명한 집단이었다. 농업을 중시하는 사회에서는 어울리지 않는 현상이었지만 이것이 중국 정치 문명의 특징인 것은 틀림없었다. 그렇기 때문에 중국 역사에서는 발언권을 얻기 위한 농민들의 반란이 끊이지 않았지만, 실상

태평천국을 이끌었던 홍수전을 위한 기념관. 광동성 광주에 있다.

오랜 세월 동안 침묵을 지키는 데 익숙해졌기 때문에 농민들이 창의적인 발언을 하기가 매우 어려웠던 것도 사실이다. 서방세계에서 태어난 산업 문명이 중국에 들어올 때, 중국은 세계 흐름을 따르기 위해 어떤 사회질서를 구축해야 하는가? 이 질문에 대해 중국 농민들은 해답을 제시할 수 없었고, 마찬가지로 홍수전과 태평천국도 이 문제의 해답을 알지 못했다.

홍수전은 기독교 교리에 대한 단편적인 이해에 근거해 그리스도교 사회를 건설하려고 시도했다. 그러나 그의 계획은 처음부터 실패가 예정된 것이었다. 그 이유는 분명했다. 조상 숭배의 전통 문화를 가지고 있는 중국에서 하느님을 숭배하는 기독교 사회를 건설하려면 먼저 기존의 사회구조를 철저히 무너뜨려야 하기 때문이다. 태평천국이 무지막지한 파괴력을 나타낸 이유도 모두 이 때문이었다고 할 수 있다.

그리스도는 자애와 사랑을 강조했다. 그러나 태평군 장군들은 결코 자애롭지 않았다. 그들은 전장이 아닌 일반적인 장소에서도 풀을 베듯 살육을 서슴지 않았다. 태평군은 남경을 점령한 다음 승려, 도사, 상인, 유생, 의사, 점원, 예술가들을 모두 요망스럽고 간악한 무리로 규정하고 무더기로 죽여 버렸다. 남경에 살고 있던 3만 5,000명의 만주족 서민들도 한 명도 빠짐없이 불에 태워죽이거나 물에 빠뜨려 죽였다.

태평천국이 천경天京을 수도로 정한 다음 발표한 '천조전묘제도天朝田畝制度23'는 농민 혁명가들의 낭만주의 정서를 그대로 구현했다. 천조전묘제도의 "밭 있으면 함께 갈고, 밥 있으면 함께 먹고, 옷 있으면 함께 입고, 돈 있으면 함께 쓰고, 모든 것을 공평하게 나누고, 누구나 다 배불리 먹고

---

23 천조전묘제도(天朝田畝制度): 모든 재화는 상제(上帝, 하느님)의 것이므로, 평등사상에 입각해 땅을 남녀 일률적으로 균등하게 분배한 후, 각자 땅에서 생산된 생산물은 생활에 필요한 최저 식량을 제외하고 나머지 생산물을 공동체(25가구 단위)의 소유물로 규정한 토지·사회·경제제도다. 원시공산제도와 사회주의의 일부 요소가 결합된 형태의 제도였다.

따뜻하게 입는다."는 내용을 골자로 하는 기본 방침은 언뜻 보기에는 중국의 사회 발전을 100년 앞당길 수 있는 진보적인 정책 같았다. 그러나 실제로 현실에서는 실현될 수 없는 탁상공론에 불과했다.

태평천국은 관할 지역인 강소, 안휘, 절강 등의 성에서 한동안 급진적으로 천조전묘제도를 실시한 적이 있었다. 그러나 태평천국에 대량의 식량과 물자가 필요로 하는 상황에서 이와 같은 이상적인 제도는 곧 유명무실해졌다. 이 제도에 실망을 금치 못한 현지 농민들은 막중한 조세 부담을 피하기 위해 태평천국에서 나눠준 땅을 버리기도 했다. 또 태평천국이 그 후에 제정한 '자정신편資政新編[24]'은 사실상 겉멋만 잔뜩 든 홍인간[25]의 정치쇼에 불과했다. 태평천국 후반기에 군사와 정치 형세가 매우 긴박한 상황에서 이와 같이 "국정을 돕는다."는 의미의 자정은 그 자체가 천일야화와 전혀 다를 게 없었으니까 말이다.

타락한 태평천국 지도부

태평천국이 발표해 후세 사람들에게도 회자됐던 '아편 흡연 금지', '여자들의 전족 금지', '남자들의 축첩 금지', '매춘 금지', '음주 금지', '도박 금지' 등의 법령은 당시 태평천국에 한동안 새로운 혁신의 바람을 불어넣는 것처럼 보였다. 그러나 수많은 금지령도 태평천국 고위층들의 타락을 막지 못했고, 천경天京을 수도도 정한 다음부터 이들 지도부의 타락상은 차마 눈 뜨고 보기 어려울 정도에 달했다. 이들은 더 이상 옛날처럼 검

---

24 자정신편(資政新編): 태평천국의 군사를 맡고 있던 홍인간이 지은 책으로, 기독교 교리를 바탕으로 중앙집권의 강화, 서양기술과 문물의 도입, 서구 열강과의 우호적 외교와 교역관계 증진에 의한 부(富)의 축적 등 개혁과 근대화 방안에 관한 내용을 담고 있다.

25 홍인간: 홍수전의 사촌동생으로 홍수전에 의해 '간왕(干王)'에 책봉되었고, 이후 태평천국의 군사(軍師)를 겸직하면서 태평천국 내의 군사, 외교, 내정 등의 국정 전반을 총괄한 태평천국 후기의 지도자다.

소한 생활도 하지 않았고 처첩은 그야말로 무리를 이뤘다. 특히 천왕 홍수전은 아랫사람들에게 모범을 보이기라도 하듯 수많은 미녀들 치마폭에 파묻혀 음탕한 생활을 일삼았다. 그런가 하면 매일 권세양언에서 하느님의 계시를 얻는 데에만 심취해 있었다.

홍수전은 하느님이 여러 해 전에 자신의 꿈속에 나타났던 것처럼 계속 자신에게 신비한 계시를 해주길 간절히 바랐다. 그러나 성스럽고 현명한 하느님은 천왕의 자리를 얻고 타락한 홍수전에게 크게 실망했는지 다시는 그의 꿈속에 나타나지 않았다. 대신 태평천국의 또 다른 지도자인 양수청楊秀淸에게 자주 계시를 주고 양수청의 몸을 빌려 천왕에게 명령을 내렸다.

숯쟁이 출신으로 홍수전에 의해 동왕東王에 봉해진 양수청은 천경에 진주한 다음부터 홍수전의 상투적인 수법, 다시 말해 하느님이 인간의 몸에 강림하셔서 말씀을 대신 전하는 방식으로 홍수전을 쥐락펴락 했다. 따라서 실제로는 양수청이 태평천국의 일인자 역할을 했다고 할 수 있었다. 홍수전의 정치적인 무능은 양수청의 야심을 한껏 팽창시켰다. 양수청은 더 이상 천왕보다 낮은 지위에 머무르려고 하지 않았다. 1856년 8월 양수청은 하느님의 계시를 핑계로 천왕 홍수전에게 직접 동왕부東王府로 와서 자신을 만세(萬歲 · 천왕)에 봉하도록 강요했다. 천왕 홍수전의 인내심은 드디어 한계에 이르렀다.

1856년 9월 1일의 깊은 밤, 태평천국 원로 우두머리 중 하나인 북왕北王 위창휘韋昌輝에게 천왕의 밀명이 전해졌다. 한창 전투가 치열한 강서江西 전선을 잠시 내버려두고 속히 3,000명의 정예군을 거느리고 천경天京으로 오라는 내용이었다. 다음날 새벽, 위창휘는 동왕부를 기습해 동왕 양수청과 부하 및 가솔들을 전부 죽여 버렸다. 눈이 피로 달아 오른 북왕은 천경에서 무자비한 살육을 감행했다. 수만 명의 무고한 군인과 백성들이 피바다 속에 쓰러졌다. 양수청과 똑같은 숯쟁이 출신인 그는 천왕의 명령을 고분고분 따를 인간이 아니었다. 그 역시 양수청처럼 홍수전의 천왕 지위를 노리고 있었다.

위기일발의 순간, 태평천국의 또 다른 지도자 익왕翼王 석달개石達開가 무창武昌 전선에서 천경으로 긴급 소환됐다. 강력한 후원 세력을 얻은 홍수전은 위창휘 무리를 향해 칼을 휘둘렀다. 위창휘는 달빛이 없고 바람이 세찬 어느 날 밤에 난도질을 당해 죽었다. 얼마 후 석달개도 홍수전의 끝없는 시기와 의심을 견디지 못하고 10만이 넘는 태평군을 이끌고 천경을 떠났다. 비록 영원히 충성을 다 할 것이라던 애초의 약속처럼 홍수전에게 반기를 드는 일은 없었으나, 그 후부터 영원히 태평천국과 인연을 끊고 말았다. 이로써 금전촌에서 홍수전과 함께 거병했던 원로들은 모두 사라져 버렸다.

그러나 대권을 다시 장악한 홍수전은 예전처럼 정신을 가다듬을 수 없었다. 만사에 머뭇거리고 두려워하면서 뒷걸음질치기 일쑤였다. 사람도 친분만 따져 등용했고 나중에는 한쪽 말만 곧이곧대로 들었다. 그의 정치적인 무능은 태평천국이 명확한 목표를 잃고 갈팡질팡하게 만들었다. 급기야 태평천국은 고립무원의 처지에 빠지고 말았다. 태평천국은 애초에 기대했던 찬란한 성과를 채 거두기도 전에 쇠퇴일로를 걷기 시작했다. 천경天京을 수도로 정한 지 불과 3년밖에 안 된 시점이었다.

가까스로 몇 년을 지탱해온 태평천국에 드디어 위기가 찾아왔다. 청나라 정부군이 천경을 겹겹이 포위한 것이다. 1864년 7월 성격이 불같은 정부군 사령관 증국전曾國荃은 뜨거운 땡볕 아래 포위만 하던 전략을 바꿔 호남의 정예군 한 무리를 이끌고 남경으로 쳐들어갔다. 정부군은 식은 죽

태평천국 점령 기간 사용됐던 화폐

먹기로 남경을 함락시켰다. 태평천국의 유토피아를 지향하던 꿈은 드디어 파멸되고 말았다. 50세를 갓 넘긴 홍수전은 천국의 꿈에서 막 깨어나 정신을 차린 다음 자살로 인생을 마감했다. 홍수전의 시체는 성을 붉게 태우는 불길 속에서 형체를 알아보기 힘들 정도로 타버렸다.

천왕 홍수전보다 200여 년 전에 거병擧兵한 틈왕闖王 이자성李自成도 반란군을 이끌고 북경을 공격해 황궁을 점령했다. 그런 다음 다른 것을 제쳐놓고, 오직 금은보화와 미녀 약탈에 혈안이 됐다. 천왕 홍수전과 그의 농민군 수령들도 순조롭게 남경에 쳐들어간 다음, 아직 완전히 손에 들어오지 못한 권력을 둘러싸고 자기편끼리 피 튀기는 싸움을 벌였다. 양자의 결말은 대체적으로 비슷했다. 목숨을 보전하기 위해 달아나거나 비참하게 죽음을 당한 운명은 다르지 않았다. 농민운동의 치명적인 약점이 여실히 드러나는 대목이라고 할 수 있다.

태평천국은 중국 역사와 중국 경제에 커다란 유산 두 가지를 남겼다. 하나는 중국에서 가장 부유하고 풍요로웠던 중국 동남부 지역이 장장 10여 년 동안 전장으로 전락하면서 생산 시스템이 완전히 파괴됐다는 사실이었다. 이때부터 청나라의 세원稅源이 급격히 고갈되어 대청제국의 멸망滅亡과 빈국貧國으로의 추락이 가속됐다. 또 다른 하나는 태평천국을 진압하는 과정에서 지방 무장조직의 합법화가 이뤄진 사실이었다. 이로써 한인漢人 군벌들은 나약한 팔기군을 대체하며 새로운 권력權力으로 급부상할 수 있게 됐다. 이들 한인 군벌들은 이후 중국 정치무대에서 새로운 주인공으로 활약하게 된다.

위태위태한
청나라

　　태평천국이 장강 유역에서 막강한 기세를 뽐내고 있을 때, 황하黃河에서 회하淮河**26**까지를 아우르는 황회黃淮 지역에서도 봉화가 일었다. 이 지역에서 반란을 일으킨 조직의 숫자와 참여한 인원, 그리고 투쟁의 기세와 대청제국에 끼친 피해 등은 태평천국의 난 보다 더하면 더했지 덜하지는 않았다. 이들 반란 단체 대부분이 '염捻'이라는 민간조직으로부터 시작되었기 때문에 후세의 역사학자들은 이들 반란단체를 두루뭉술하게 '염군捻軍'이라고 총칭했다.

　　'염'이라는 단어는 회북淮北 지역의 사투리로 '한 무리' 혹은 '한 동아

---

26 회하(淮河): 중국을 흐르는 강의 하나로, 장강, 황하와 함께 삼대하(三大河)로 불린다. '회수(淮水)'라고도 불렸으며, 지리적으로는 황하와 장강의 가운데 부근에 위치해 있다. 회화는 동쪽에서 서쪽 방향으로 하남성, 안휘성, 강소성을 거쳐 강소성의 홍택호(洪澤湖)로 흘러 들어간다. 회하의 중하류 부근은 평탄한 저지대를 지나고 있는 데다, 물길이 무척 복잡하기 때문에 옛날부터 치수(治水)가 어려워 물난리가 자주 일어났다. 이 때문에 '괴하(壞河)'라는 또 다른 이름도 가지고 있다.

리' 라는 뜻이다. 안휘성, 하남성 일대 농촌에서는 액을 없애고 복을 비는 '새회賽會' 라는 의식을 치를 때, 특별한 종이를 꼬아서 만든 '염자(捻子 · 심지)' 에 기름을 발라 태우고 질병과 재난을 쫓는 의식을 행한다. 중국의 다른 지역 사람들이 신이나 부처에게 빌 때 향이나 초를 태우는 것과 비슷한 이치다. 이렇게 염자로 의식을 치르던 이 지역 유민들은 때때로 무리를 지어 떠돌아다니기도 했다. 훗날 사람들은 이를 일컬어 '결념結捻' 이라고 불렀다.

이 시기 황회 지역의 일부 농촌에는 갓 태어난 여자 아기를 익사시키는 악습이 있었다. 입에 풀칠하기도 어려울 정도로 가난한 상황에서 노동력에 별다른 도움이 안 되는 여자 아기에게 어쩔 수 없이 행해진 악습이었다고 볼 수 있다. 그러나 이 악습은 이 지역 남녀의 비율을 심각한 불균형 상태로 만들었다. 이로 인해 청장년 남자 중 20퍼센트 이상이 가정을 꾸려야 할 나이에 아내를 얻지 못해, 마음을 잡지 못한 채 도처를 떠돌아다니는 특수한 그룹으로 전락했다. 이것이 바로 결념의 유래라고 보면 된다.

1790년대 이후부터 안휘성 북부, 강소성 서북부, 하남성 중동부, 산동성 서남부 지역에서는 농민들이 생계를 해결하기 위해 결념하는 것이 크게 유행했다. 그들 중에서는 떼를 지어 남의 재물을 강탈하는 사람들도 생겨났다. 이런 사람들이 많아지자 집에 있는 사람을 '민民' 이라 불렀고, 밖으로 떠도는 사람을 '염捻' 이라고 불렀다. 보통 '염' 무리 하나를 '1념一捻' 이라고 지칭했고, '1념'은 적게는 몇 명에서부터 몇 십 명, 많게는 200~300명씩 무리를 이뤘다. 흉년이나 기근 때에는 염을 이루는 무리가 훨씬 더 많아졌다.

민중 봉기를 촉발시킨 염군

예부터 황하黃河와 회하淮河는 중국에서 가장 무서운 강으로 알려져 있다. 황하와 회하의 양안兩岸 지역, 특히 중하류 지역 주민들에게 이 두 강은 이익보다 재난을 더 많이 가져다줬기 때문이다. 중국의 사서를 살펴보면 이 두 강이 범람해 제방이 무너졌다는 기록이 많이 등장한다. 물길이 바뀐 기록도 심심찮게 나온다. 문제는 매번 홍수가 터질 때마다 어김없이 잔혹한 대참사극이 연출됐다는 사실이었다. 고삐 풀린 말처럼 사납게 흐르는 누런 강물은 닿는 곳마다 재물이나 인명을 사정없이 집어삼켰다. 운 좋게 홍수를 피해 살아남은 사람들은 두려움과 절망에 사로잡힌 채 황야를 떠돌 수밖에 없었다.

1850년대 대청제국은 내우외환에 시달린 탓에 정상적인 정치가 불가능했다. 당연히 황하와 회하의 제방 수리나 보수도 소홀할 수밖에 없었다. 따라서 홍수 때문에 제방이 무너지는 재난들이 끊이지 않고 발생했다. 1850년에는 회하淮河가 강소성 북부에서 범람해 서주徐州에서 양주揚州까지 사방 수천 리의 민가와 농작물이 흔적도 없이 사라지기도 했다. 또 1851년에는 안휘성 북부 지역에 연일 폭우가 퍼부은 탓에 황하黃河가 강소성 북부의 풍豐현으로 범람했다. 1855년에는 하남성 개봉開封 동쪽의 동와상銅瓦廂 제방이 터져 황하의 물길이 북쪽으로 바뀌어 산동반도를 경유하는 새로운 물길이 생겨났다. 연이은 악재로 인해 몸 둘 곳이 없는 데다, 기근까지 겹쳐 생과 사의 갈림길에 놓인 수많은 농민들은 앞을 다퉈 염에 가입했다. 이런 식으로 새로운 '결념'은 폭발적으로 늘어났다.

염군은 1855년 이후 회하淮河 부근의 강소성, 산동성, 하남성 일부 지역을 손쉽게 성공적으로 장악했다. 원인은 다른 데 있지 않았다. 청나라에서 한동안 시행됐던 '단련團練[27]' 장려정책이 황하黃河 부근과 화북華北 지역[28]에서 생각지도 않게 실패한 것과 크게 관련이 있었다. 태평천국의 활동 지역인 남방의 각 성에서는 지방의 유지나 세도가들이 자발적으로 단련을 조직하거나 병사들을 끌어 모았다. 그러나 안휘성과 하남성, 산동성과 직례성 등의 지방 유지들은 스스로 무장조직을 만들려고 하지 않았다.

그 이유는 분명했다. 농촌에서는 동란이 매우 흔해빠진 일이었다. 때문에 굳이 거액의 재산을 가지고 있는 지방 유지나 세도가들이 어디로 튈지 모르는 무장조직이나 믿음이 가지 않는 무리들을 곁에 두려고 할 이유가 없었다. 대신 이들은 도시에서 무장단체를 조직하고 병사들을 훈련시켰지만, 공교롭게도 염군은 농촌을 근거지로 했기 때문에 신속한 확대와 번성이 가능했던 것이다. 물론 납세를 거부하는 농민 집단, 할 일 없이 빈둥거리는 농민 무리, 이단교 신자 등 마음속에 불만이 가득한 무리들이 일찍부터 이런 염군 속에 숨어 있었기 때문에 염군의 세력이 더 빨리 확산된 것도 사실이다.

염군의 발흥은 이 지역에 백련교 부흥의 희망을 불러일으켰다. 1850년대 후반에 순천군사順天軍師를 자처하던 왕정정王庭楨은 약 5,000명에 이르는 교파의 군대를 이끌고 안휘성과 하남성의 일부 마을과 장터를 누볐다. 이들은 주홍색 상의를 입고 비도飛刀를 휘두르면서 스스로 무적의 부대라고 칭했다. 그러나 이들에게도 적수가 있었다. 몇 달 후 왕정정의 반란군

---

27 단련(團練): 처음에는 정규군을 보조하기 위해 조직된 민병조직이었으나, 청나라 후기에는 전력이 약해진 정규군인 팔기(八旗)와 녹영(綠營)과 연합하거나, 단독으로 작전을 펼쳐 준(準) 정규군의 역할을 수행하기도 했다. 인근 지역의 내란에 대비하고 향촌의 치안을 유지하기 위해 지방의 지주(地主)와 지방 관리, 유력자들에 의해 조직된 무장 자위단이다. 이름만 다르고 비슷한 역할을 했던 향용(鄉勇), 연용(練勇), 민단(民團), 단장(團壯)들과 같은 개념의 조직이다.

28 화북(華北) 지역: 중국의 '6대 지리구' 구분법에 의하면, 현재 중국의 화북 지역은 북경시(北京市), 천진시(天津市), 하북성(河北省), 산서성(山西省), 내몽골 자치구(內蒙古自治區)를 포함하는 지역이다.

은 정부군에 의해 와해되고 말았다.

몇 년 후에 백련교의 또 다른 교파가 산동성 귀덕歸德에서 새로운 깃발을 들었다. 이 교파의 교주 고영청郜永清은 큰 재난이 곧 이 세상을 휩쓸 것이라면서 자신을 믿고 따르는 신도들은 재앙을 피할 수 있다고 예언했다. 그러자 하남성의 일부 비적과 안휘성의 염군들이 잇따라 이 교파에 가입했다. 고영청은 신도들을 이끌고 약 1년 동안 군사행동을 지속했다. 하지만 정부군의 맹렬한 토벌작전을 이겨내지 못하고 전멸했다.

염군이 활동하던 황회 지역에서는 이 지역의 이런 분위기에 편승해 납세 거부 운동이 더욱 거세졌다. 또 다양한 종교의 교파들이 우후죽순 격으로 생겨났다. 당연한 수순으로 도적들도 전례 없이 들끓어 염군의 깃발을 내건 채 사람을 죽이고 물건을 빼앗는 악행을 일삼았다. 심지어 어떤 무장단체들은 서로 대립 관계에 있는 정부와 염군 양다리를 걸쳐 양쪽으로부터 이익을 챙겼다.

안휘성 봉대현 출신 묘패림苗沛霖이 바로 이런 양다리 걸치기에 능한 악당이었다. 그는 회하淮河 중부 지역에 근거지를 둔 채 강력한 무장부대를 거느리고 있었다. 기본적으로는 염군의 깃발을 걸고 좀도둑질을 하는 것이 일상이었다. 하지만 때때로 다른 염군들을 진압하는 일에 앞장서 청나라 조정으로부터 상을 받기도 했다. 원칙도 없이 왔다갔다 변덕스럽기 그지없었다. 수시로 아무하고나 동맹도 체결했다. 묘패림과 같은 악당의 출현은 당시 황회黃淮 지역의 사회 정세가 얼마나 불안했는지를 짐작케 한다. 황회 지역에서 민중 봉기가 폭발적으로 급증한 원인은 초기에 청나라 정부가 늑장 대응을 했기 때문이다. 그러나 청나라의 입장에서는 같은 시기에 발발한 태평천국의 난을 진압하는 것이 우선이었다.

1858년 염군의 지도자 장낙행張樂行과 그의 우군友軍들은 포위전에 능한 태평군과 동맹을 체결했다. 태평군의 도움을 받는 것이 목적이었다. 그러나 명목상으로는 태평군의 장군이었으나, 정식으로 편입되는 것은 거부했다. 당연히 홍수전의 명령도 듣지 않았다. 이후 장낙행의 부대는 회북淮北 지역의 대도시인 회원懷遠과 홍택호洪澤湖 부근의 도시들을 잇달아 점령했다. 소금 도매상들이 강소성 북부와 안휘성 두 지역을 오가기 위해 반드시 거쳐야 할 수로를 장악한 것이다. 이 2년 사이에 그는 떼돈을 벌며 한동안 명성과 위엄도 크게 떨쳤다.

장낙행의 염군뿐만 아니라 산동성, 하남성 지역의 염군도 놀라운 속도로 세력을 확장했다. 직례성 남부에서는 도적도 들끓었다. 이 무렵에 영불연합군이 북경으로 쳐들어왔다. 잇단 내우외환에 어쩔 바를 몰라 갈팡질팡하던 청나라 정부는 급기야 1860년 말에 염군 진압을 조정의 첫 번째 의사일정에 올렸다.

일찍이 천진의 대고포대大沽砲臺에서 영국군을 크게 격파한 다

내몽골자치주 통요시에 있는 셍게린친 장군상. 염군 토벌에 큰 공을 세웠지만 결국 전사했다.

음, 북경 팔리교까지 일사천리를 달렸던 몽골 출신 장군 셍게린친은 3,500명의 기병, 2만 명의 팔기군 보병과 5,000명의 녹영군을 이끌고 산동성의 제영濟寧으로 쳐들어갔다. 회북 평원을 누비면서 염군 토벌에 총력을 기울이던 셍게린친의 대군은 1865년 5월 셍게린친이 염군의 총에 맞아 숨지기 전까지 2년 동안 큰 전공을 세웠다. 특히 염군 20만 명이 참가했다고 전해지는 안휘성 박주에서 벌어진 대전투에서 결정적인 승리를 거뒀다. 얼마 후 난세의 효웅이자, 서염군西捻軍의 대장이었던 장낙행은 체포되자마자 능지처참됐다.

태평천국 평정 과정에 큰 공을 세운 증국번과 이홍장은 셍게린친이 전사한 후에 잇따라 염군 평정 총사령관을 맡았다. 그리고 장낙행이 숨진 지 6년 뒤, 염군의 또 다른 지도자였던 동염군東捻軍의 대장이자, 태평군 출신 뇌문광이 양주에서 처형됐다. 이어 염군의 기병을 인솔했던 장종우가 도해하徒駭河에 뛰어든 다음 행방불명됐다. 이로써 온갖 재난을 다 당했던 농민들이 피워 올리고, 대청제국의 여러 지역에서 활활 타오르던 반란의 불꽃은 완전히 꺼지고 말았다. 큰 불이 휩쓸고 지나간 자리에는 비참함과 쓸쓸함만 남았을 뿐이었다.

요동치는
유럽 대륙

청나라 곳곳에서 난이 발발하고, 국가 전체가 점점 더 심연 속으로 빠져 들어가던 19세기 상반기, 유럽에서는 산업혁명의 불길이 막 피어오르고 있었다. 무엇보다 증기기관이 대단히 광범위하게 응용되고 있었다. 기계적 동력이 자연 에너지를 완전히 대체한 이후 새로운 기술혁명이 바야흐로 싹트기 시작한 것이다.

1820년 덴마크의 물리학자 겸 화학자인 외르스테드는 실험 도중 전류의 자기 작용을 발견했다. 비록 외르스테드는 자기 작용에 대해 정확한 분석을 내놓지 못했으나 그의 실험은 전기 에너지와 자기 에너지의 상호 전환을 증명했다는 점에서 대단히 중요한 의미를 가지고 있다. 또 사람들에게 전자기학 발전의 가능성을 제시했다는 사실도 보통의 의미가 있는 것이 아니었다.

2년 뒤 영국 물리학자 마이클 패러데이는 전자기 유도 현상을 발견하기 위한 실험을 시작했다. 그는 여러 차례 반복적인 시도를 거쳐 1831년에 드디어 전자기 유도 현상을 발견했다. 이는 19세기 상반기의 가장 중대한 발견 가운데 하나로 손꼽힌다. 맥스웰은 이 발견을 토대로 전자기장 이론을 창설해 빛, 전기, 자기 현상의 통일성을 제시했다. 그럼으로써 물리학의 대통합을 완성했다. 자기 유도 법칙은 현재까지도 전기공학 기술, 전자 기술, 전자기 측정 기술 등 다양한 분야에서 널리 응용되고 있다.

1840년대 서로 다른 세 지역에서 서로 다른 직종에 종사하는 세 사람은 거의 비슷한 시기에 기계에너지, 열에너지, 빛에너지, 전기에너지, 자기에너지, 화학에너지가 일정한 조건 아래에서 상호 전환될 수 있다는 사실을 증명했다. 이때 에너지의 총화總和가 일정하다는 원리도 증명했다. 이것이 바로 '에너지 보존의 법칙'이다.

아직 통일되기 전의 독일에서는 28세의 젊은 의사 마이어J. R. Mayer가 〈무기자연계의 힘에 대해〉라는 논문을 완성했다. 마이어의 논문은 '에너지 보존의 법칙' 연구 분야에서 세계 최고 권위를 자랑한다. 지금까지도 이 사실은 변하지 않았다.

이론 연구를 중시하는 독일인들과 달리 관찰과 실험을 중요하게 생각한 영국에서는 24세의 양조업자 제임스 줄이 세계 최초로 과학실험을 통해 '에너지 보존 법칙'을 확인했다. 비록 최종 실험 결과는 30여 년 후에 얻을 수 있었으나 젊은 아마추어 물리학자의 참신한 실험 방법은 전 유럽인의 집중적인 관심을 끌기에 부족하지 않았다.

제임스 줄(왼쪽), 헤르만 폰 헬름홀츠(오른쪽).

제임스 줄이 영국에서 '에너지 보존의 법칙' 세미나를 열 때, 26세였던 독일 물리학자 헤르만 폰 헬름홀츠도 베를린의 물리학회에서 자신의 논문 〈힘의 보존에 대해〉를 발표했다. 유명한 수학자, 생물학자, 심리학자인 헬름홀츠는 고립된 시스템 속의 기계 에너지 보존 원리에 대해 수학적인 증거를 제시했다. 그의 논문은 마이어나 제임스 줄보다 약간 늦게 발표됐다. 그러나 에너지 개념을 열학, 전자기학, 천문학, 생리학 분야로 확장시켜 에너지의 다양한 형태의 상호 전환 이론을 제시했다는 점에서 중요한 의미를 가졌다. 더구나 그는 세계 최초로 "영구 운동 기관은 에너지 보존의 법칙에 위배된다."는 이론을 제기해 체계성과 설득력을 가지게 됐다.

일련의 눈부신 과학적 발견 성과는 급기야 전기화電氣化를 특징으로 하는 새로운 기술혁명을 탄생시켰다. 유럽에서 산업 발전이 가장 뒤처졌던 독일은 이 기술혁명을 계기로 갑자기 부상하기 시작했다. 또 독일 경제도 유럽의 다른 국가들이 따라잡을 수 없는 무서운 속도로 발전하기 시작했다.

독일은 1835년부터 뒤늦게 철도 부설에 나섰다. 그러나 1839년에 이르러서는 총연장이 프랑스를 넘어 영국을 거의 따라잡았다. 1847년 독일 대장장이인 크루프는 포신을 강철로 대체한 대포를 만들어냈다. 이후부터 그의 공장에서 생산한 각종 무기는 양질의 무기를 대변하는 대명사가 됐다. 같은 해 독일 엔지니어 베르너 폰 지멘스는 J. G. 할스케와 함께 지멘스-할스케 회사를 설립했다. 두 사람은 전기공업 기술의 위대한 선구자가 됐다. 이후 앞으로 수십 년 동안 통일된 독일과 대서양 건너편의 미국이 함께 제2차 산업 기술 혁명을 주도하면서 새로운 산업 강국으로 부상한다.

유럽은 산업혁명에 힘입어 급속한 경제 성장을 이뤘다. 그러나 용솟음치는 파도 위를 항해하는 배는 요동을 치게 마련이다. 이 시기 유럽에서 자유경제 체제의 결함이 점점 더 많이 드러나기 시작했다. 주기적인 경제 위기가 반복적으로 나타나기 시작한 것이다. 더불어 경제 위기로 인해 초래된 정치 위기와 사회 동란도 끊이지 않았다.

1831년 11월 프랑스의 유명한 공업도시 리옹에서 각계 근로자들이 "일해도 살지 못할 바에는 차라리 싸우다 죽는 편이 낫다."는 구호를 내걸고 근무 시간 단축, 월급 인상, 근무 환경 개선 등을 요구하면서 동맹 파업에 들어갔다. 급기야 시위자들은 1년 전에 설립된 7월의 왕정 당국과 치열한 무력충돌을 벌이기도 했다. 3년 후 리옹의 노동자들은 재차 파업을 위한 시위를 벌인다. 이번에는 "공화정치를 실시하지 않으면 차라리 죽는 편이 낫다."는 구호를 내걸었다. 정부 당국에는 '노동자 결사 자유 금지법'의 폐지를 요구했다. 이때부터 노동자들의 파업은 강한 정치 색채를 띠기 시작했다.

1844년 6월 독일의 방직업 중심지인 슐레지엔에서 3,000명의 노동자들이 기계와 공장주의 저택을 때려 부수고 어음과 장부를 불태우는 사태가 발생했다. 이들은 돌멩이와 몽둥이를 든 채 군경들과 대치했다. 이후 잉골슈타트와 레헨부르크에서도 유사한 노동자 폭동이 발생했다.

'의회민주정치' 국가로 불리는 영국에서는 1842년부터 성인 남자의 절반 이상이 남자의 보통 선거권, 비밀무기명 투표, 의원의 재산에 의한 자격 제한의 철폐, 평등 선거구제 등을 주요 내용으로 하는 〈인민헌장〉을 국가 법률로 확정하는 문제에 대한 청원에 참여했다. 런던, 맨체스터, 버밍엄, 리버풀, 글라스고 등 도시 주민들은 대규모 시위를 벌였다. 이 청원운동은 때로는 고조되고 때로는 가라앉으며 무려 13년 동안이나 지속됐다. 그러다가 1848년에 일단락됐다.

독일의 철학 박사인 카를 마르크스는 위의 몇 차례에 이르는 대규모 사회운동을 관찰하면서 유럽 사회와 자유경제 제도에 잠재해 있는 위기를 발견해냈다. 그는 평생 동안 심혈을 기울여 저술에 나섰다. 그러나 이 경제학 거작 《자본론》은 완벽하게 완성되지 못했다. 그럼에도 불구하고 그는 자본주의의 위기 발생 원인에 대해 상세하게 분석하고 기존 사회 제도는 위기를 해결할 수 없다는 예언을 했다. 더불어 자유경제 제도는 궁극적으로 새로운 사회제도인 공산주의에 의해 대체될 것이라는 유명한 발언을 남겼다.

제3장 위기 속에서 변혁을 꾀하다

1861~1895년의 중국

청 나라가 쉽게 멸망하지 않고 가까스로 생명을 부지하는데 큰 역할을 한 청나라 말기의 명신들은 다음과 같은 공통점을 가지고 있었다. 우선 조정을 향한 충성심과 지조가 있었다. 또 국가의 흥망에 대한 책임감이 대단히 강했다. 민생의 고통도 자세히 헤아렸다. 부국강병의 이치에 대한 독특한 견해도 가지고 있었다. 이뿐만 아니라 이들 대부분은 과거시험에 합격한 뒤 전장에서 무공을 세웠고, 이를 계기로 조정의 중임도 떠맡았다. 어쨌거나 각자 소신에 따라 부국강병의 대업을 시도했다.

이들은 약속이나 한듯 모두 중국의 전통 가치관에 충실했다. 기존의 경제, 정치, 교육, 가정 등 사회제도를 철석같이 믿었다. 모두 전통적인 정치와 도덕 질서를 회복시키기 위해 다양한 노력을 아끼지 않았다. 또한 청나라가 다른 나라에 뒤처진 원인을 '기술' 부족의 탓으로 돌렸다. 그러나 청나라는 시대의 흐름을 잘 알지 못했다. 영국과 프랑스가 부국강병으로 면모를 일신한 이치에 대해서도 아는 게 별로 없었다. 때문에 민주와 법치 따위는 그야말로 먼 나라 얘기로 치부해버렸다.

이 시기 조정과 민간을 떠들썩하게 달군 양무운동은 목표가 아주 간단했다. 서양의 선진적인 문물을 수용해 부국강병을 이루고 더 나아가 외국인들을 제압한다는 것이었다. 한마디로 말해 양무파들이 끈질기게 추구한 것은 서양의 군함, 총, 대포와 같은 선진 무기들뿐이었다. '서양 학문'의 정수라고 할 수 있는 현대 민주 정치 사상에 대해서는 관심조차 가지지 않았다.

부흥에
힘쓰는
유생들

영국과 프랑스가 청나라에 가져다준
재앙은 한두 가지가 아니었다. 정치 부패로 인해 정부 기관은 마비 상태
에 빠져 제 기능을 완전히 잃었다고 해도 과언이 아니었다. 또 전국 각지
에서 발발한 민중 봉기는 대규모 소요사태로 번졌다. 과거에 강력한 위용
을 자랑하던 대청제국은 고난 속으로 빠져 들어갔다.

원래 넉넉하지 않았던 청나라 정부의 재정은 국외의 전쟁과 국내의 민란
을 막는 전비戰費로 거액을 지출하면서 거의 빈털터리가 돼버렸다. 천문학
적 액수의 전쟁배상금도 재정난에 시달리는 청나라 정부의 목줄을 죄어 숨
쉬기조차 어렵게 만들었다. 설상가상으로 장강 유역과 황회 지역 등 중국에
서 비옥함을 자랑하던 곳은 연이은 전란으로 생산이 중단됐고, 이로 인해
모든 산업까지 부진에 빠졌다. 이 시기 청나라는 마치 폭풍우 속에 서 있는
낡고 오래된 집처럼 손가락으로 살짝만 건드려도 넘어갈 듯 위태로웠다.

청조의 충신 증국번

청나라의 정세가 이렇게 파국으로 치닫는 위급한 상황에서 충성스러운 유생과 선비들이 선뜻 앞장을 섰다. 1852년 가을, 태평군이 광서성에서 호남성으로 쳐들어왔을 때, 42세의 증국번曾國藩은 마침 모친상으로 고향인 호남성 쌍봉雙峰에 돌아와 있었다. 농민의 아들이었던 증국번은 조정에서 한림원 서길사와 예부우시랑, 공부좌시랑, 병부좌시랑을 역임하며, 예법과 예식에 정통했기 때문에 관계官界에서는 조금 유명해질 수 있었지만 천하에 이름이 다 알려질 정도는 아니었다.

증국번은 평생 주자학을 신봉했다. 그러나 주자학에 완전히 목을 매지는 않았다. 주자학은 송나라 이후부터 중국의 도덕과 지식 체계에서 주도적 위치를 차지한 학문이었다. 그럼에도 그에 완전히 목을 매지 않았기 때문에 그는 여러 사상의 장점을 널리 취할 것을 주장할 수 있었다. 그는 의리, 고증, 경제, 사장辭章[1] 등은 하나라도 없어서는 안 된다고 인식했다. 물론 시종 주자학을 앞장세우기는 했다.

또 스스로 공맹정주孔孟程朱[2]의 대변인을 자처하면서 치학론도治學論道[3], 경국용병經國用兵[4], 살림과 교육, 대인관계, 심신 수양 등 다방면에 걸쳐 많은 글을 발표했다. 그러나 그의 문장들은 모두 중국 전통 가치관에 부합하는 진부하고 고리타분한 내용들이었다. 또 그는 중국의 전통적인 심신 수양 방법이 유교의 진리를 깨닫게 하는데 도움을 준다고 철석같이 믿었다. 그렇기 때문에 국가와 백성 모두에게 재난도 많고 어려움도 많았던 1840년

---

1 사장(辭章): 문장(文章)과 시가(詩歌)를 말한다.
2 공맹정주(孔孟程朱): 유교의 네 성인, 즉 공자, 맹자, 정자, 주자를 일컫는 말이다.
3 치학론도(治學論道): 학문을 하고 이치를 따진다는 말이다.
4 경국용병(經國用兵): 나라를 다스리고 군사를 부린다는 말이다.

대에 증국번은 판에 박힌 듯한 전통적인 심신 수양 방법을 널리 전파할 수 있었다. 나아가 길고도 심오한 반성을 통해 유교의 전통 이미지를 대중에게 각인시켰다. 다음과 같은 글을 보면 그의 사상은 대충 알 수 있다.

수신修身의 네 가지 효과는 독단적으로 결정하지 않고 수시로 자성하면 마음이 편안해진다. 또 겉모습이 진중하고 마음이 침착하면 신체가 강건해진다. 인의를 끊임없이 추구하면 심신이 즐거워진다. 사상이 건전하고 사람을 진실하게 대하면 기분이 맑고 상쾌해진다. 수신의 12계명은 공경, 정좌, 일찍 일어나기, 책 하나를 끝까지 다 읽기, 사서 읽기, 언사를 조심스럽게 하기, 수양, 보신, 날마다 모르던 바를 알아가기, 달마다 잘하는 바를 잊어버리지 않기, 글짓기, 밤에 외출하지 않기.

이렇게 해서 증국번의 주장과 사상이 담긴 《증문정공전집曾文正公全集》은 위세가 등등한 군정 요인부터 시골구석의 행상인과 심부름꾼에 이르기까지 모두 하늘처럼 받들어 따르는 교조가 됐다.

증국번의 고요함을 깨뜨린 것은 태평군의 대포 소리였다. 1853년 1월 모친상을 당해 고향에 내려와 있던 증국번에게 황제의 명령이 전달됐다. 4년 전에 즉위한 함풍제는 칭송이 자자한 신하 증국번에게 모친을 잃

청나라 충신으로 꼽히는 증국번. 태평군을 진압하는데 큰 공을 세웠다.

은 슬픔의 힘을 바꿔 국가를 위해 호남에서 단련團練을 조직하라고 명령했다. 국가의 이익을 우선시한 증국번은 천자의 명을 받들었다.

9일 후 호남성 장사長沙에 도착한 증국번은 중국 전통의 사상을 내세우면서 고향의 젊고 근실한 농민들에게 국가와 고향을 위해 목숨을 아끼지 않고 싸워야 한다고 호소했다. 그는 이금厘金[5]의 징수와 그 사용에 대해 허가받은 다음, 이 돈과 다른 기부금으로 광동에서 총과 대포를 샀다. 또 형주衡州에 전함 제조 공장을 세워 밤낮없이 배를 만들었다. 증국번의 이와 같은 노력으로 물 위를 자유자재로 달리고, 땅 위에서도 용감하게 싸울 수 있는 수륙 양면 작전 부대가 조직됐다. 훗날 '상군湘軍'으로 불린 이 부대는 1년 동안의 훈련을 거친 후 형주에서 진군나팔을 불었다. 드디어 태평군과 정면 교전을 시작한 것이다.

그러나 시작은 순탄치 않았다. 초기에는 패전의 연속이었다. 상군이 호남성 정항靖港에서 패배한 다음 충격을 받은 증국번은 투신자살을 기도했으나 다행히 구출됐다. 잇따라 강서성의 구강九江, 안휘성의 삼하三河에서도 패했다. 하지만 그는 운이 좋았다. 때마침 태평군이 천경天京에서 내분에 휩싸인 것이다. 이로 인해 태평군의 기세는 크게 악화됐다. 상군은 이 기회를 틈타 진용을 재정비했다. 병사와 군마가 신속히 늘어났고 각지에서 지원 물자도 물밀듯이 보충됐다.

이에 반해 내란을 겪은 태평천국은 죽을 쑤고 있었다. 군량미 부족과 전염병 확산 등 악재까지 들이닥쳤다. 이미 사기가 꺾인 태평천국군은 증국번의 상대가 되지 못했다. 증국번은 이렇게 해서 태평천국과의 끈질긴

---

5 이금(厘金): 이금은 19세기 중엽부터 1930년대까지 중국에서 국내 무역업을 대상으로 실시한 조세제도다. 처음에는 지방에서 군비를 마련하기 위해 실시했기 때문에 일명 '연리(捐厘)'라고도 했으며, 화물 가격의 100분의 1 정도의 세율을 적용했기 때문에 이금(厘金)이라고 했다. 1리(厘)는 1퍼센트를 말한다.

전쟁에서 대승했고, 전국적으로 명성을 크게 떨친 것은 당연하다.

증국번은 바쁜 군무 중에도 청나라의 쇠퇴 원인과 중흥을 위한 전략 등 국가 대사에 대한 생각을 한시도 멈추지 않았다. 그는 국가의 위기와 쇠퇴를 초래한 진정한 원인은 정신 체계와 도덕적 방어선의 붕괴 때문이라고 판단했다. 증국번은 "세상이 흑인지 백인지 가리지를 못한다. 아픈지 가려운지도 구별하지 못하고 있다. 지금 이런 기풍이 성행하고 있다."고 주장했다. 또 청렴결백한 풍조가 제창되지 못하고 있다고도 강조했다. 나중에는 예치禮治와 인정仁政을 행하지 않았기 때문에 민심이 흐트러지고 관리들의 책임감도 없어졌다고 주장했다.

그는 위기에 빠진 국가를 바로 세우기 위해 덕과 재능을 두루 갖춘 인재를 등용할 것을 주창했다. 백성을 괴롭히는 폭정을 금지할 것도 강조했다. 뇌물을 받아먹고 법을 어기는 자와 백성의 재물을 갈취해 사욕을 채우는 자들을 징벌에 처함으로써 천조의 인덕仁德을 널리 알릴 것도 강력하게 피력했다.

그는 강남의 여러 성에서 정무를 주관할 때에도 국가 중흥 전략에 대해 심각하게 고민했다. 결론은 농업 발전을 최우선적으로 생각하는 것이었다. 그는 민생의 근본은 '농사', 국가 경제의 근본은 '풍년'이라고 생각했다. 그래서 그는 "지금은 각 주州와 현縣에서 모두 중농重農을 급선무로 삼아야 한다."는 말도 할 수 있었다. 그는 또 교육과 인재 양성도 중요하게 생각했다. 때문에 전쟁으로 인해 무너진 학교를 재건하고, 뜻 있고 재능 있는 선비들에게 과거시험을 볼 것을 권유했다. 뇌물 공여를 통해 공명과 관직을 얻는 것은 두말할 필요도 없이 반대했다. 1860년대 이후부터는 조정을 위해 충성을 다하는 다른 충신, 유생들과 함께 "강력한 해군을 발전시켜 부국강병을 실현해야 한다."는 원칙도 설파했다.

지금까지 많은 중국인들은 증국번을 '공맹 이후의 성현'으로 추앙한다. 그러나 솔직히 말하면 증국번은 성현이 아니었다. 증국번이 지휘하던 상군湘軍은 태평군과 교전할 때, 습관적으로 포로들을 잔인하게 학살했다. 그 자신도 머리카락을 자르듯 쉽게 사람을 죽였다. 그래서 얻은 별명이 '증씨 이발사'라는 치욕스러운 별명이었다. 그가 평소에 강조하던 성현들의 자비심과는 정반대의 행동이라고 할 수 있었다.

그는 또 줄곧 '덕을 세우는 것'을 중요하게 강조했으면서도 51세 때 꽃처럼 아리따운 첩을 맞아들여 사람들을 놀라게 하기도 했다. 때마침 그때는 함풍제의 국상 때문에 결혼을 엄격히 금지하는 시기였다. 그러나 색욕이 동해 참을 수 없었던 증국번은 애첩을 꽃가마에 태워 비밀리에 신방에 들여보낸 다음 화촉을 밝혔다. 그는 또한 평생 재물을 목숨처럼 밝혔다. 아마 어린 시절의 가난이 마음속에 한이 됐기 때문이라고 생각된다. 그러나 이는 그가 평소 본보기로 삼아온 "의리를 중시하고 재물을 가볍게 여기라."는 유교 사상에 엄연히 위배되는 행동이었다. 증국번은 이처럼 제도를 위반하고 덕을 잃는 행동도 서슴지 않았다. 가히 '위선자'로 불려도 억울하지 않을 사람이었다.

그는 후세에 의해 청나라 중흥의 제일 명신으로 평가받고 있으나, 상군을 조직해 태평천국을 진압한 공로 외에는 그럴싸한 영웅적인 행동을 하지 않았다. 찾으려고 해도 찾아보기 어렵다. 심지어 염군을 토벌할 때에도 큰 공을 세우지 못했다. 천진의 프랑스 교회 공격 사건6도 제대로 처리하지 못해 비난을 받았을 정도였다. 그것에 대해서는 증국번 본인도 매우 유감스럽게 생각했을 정도였으니, 다른 사람들이야 더 말할 게 있었을까? 한마디로 말해 그는 운이 매우 좋은 사람이었다. 그는 온갖 부귀영화를 누릴 대로 다 누린 다음 더 늙어 망령이 들기 전인 1872년 따뜻한 봄날에 황천길로 떠났다. 처음부터 완벽한 실패가 예정됐던 청나라의 이른바 중흥대업이 막 막을 올린 시점이었다.

충신 증국번의 제자 이홍장

1860년 이후부터 태평군은 호북성, 호남성, 강서성에서 점차 수세에 몰리기 시작했다. 그 대신 장강 삼각주 일대의 소주, 항주, 영파 지역에서는 일진일퇴의 치열한 접전을 계속했다. 강남의 지방 토호들은 앞을 다퉈 외딴 섬이나 마찬가지인 상해로 피신을 하지 않으면 안 됐다. 이들은 매달 군비 60만 냥을 지원할 테니 상군을 보내 상해를 지켜달라고 증국번에게 요청했다. 이때부터 증국번의 문하생 이홍장李鴻章이 두각을 나타내기 시작했다

이홍장의 가문은 과거시험인 과갑科甲으로 크게 일어선 집안으로, 그 지역의 명문가였다. 때문에 그는 어렸을 때부터 큰 뜻을 품고 있었다. 부친과 형의 과거 급제와 순탄한 벼슬살이 경력이 젊은 그를 호기롭게 만든 것이다. 그가 고향인 안휘성 합비合肥에서 공부할 때 "오랜만에 봉래섬에

---

6 천진 프랑스 교회 공격 사건: '천진교안(天津教案)' 사건이라고도 한다. 1870년 천진의 중국인들 사이에 프랑스 선교사들이 세운 망해루(望海樓) 교회에서 아이들을 유괴해 학대하고, 심지어는 죽인다는 소문이 떠돌았다. 평소 선교사들에 대해 안 좋은 감정을 품고 있던 천진 시민들은 이 소문에 따라 망해루를 포위했고, 당시 프랑스 영사였던 앙리 빅토르는 군중의 해산을 요구하며 총을 빼들고 위협하다, 천진 지현(知縣) 유걸의 수행원을 쏘아 죽였다. 이 사건이 폭동으로 연결돼 당시 사건의 중심지였던 망해루 교회뿐만 아니라 영국과 미국의 교회나 영사관도 불탔고, 프랑스 영사 앙리 빅토르를 포함해 프랑스인 선교사, 러시아 교민 등 20명의 외국인이 살해되었다. 이 사건의 해결을 맡은 증국번은 잘잘못을 제대로 따지지도 않고, '천진의 사민들에게 알리는 글'이라는 포고령을 통해 무지한 천진 사람들이 서양인들과 싸웠다고 책망하면서 사건을 주동한 16명의 중국인들을 잡아들여 처형하고, 은 50만 냥의 배상금을 지불하며, 프랑스에 특사를 보내 사죄하는 것으로 사건을 마무리했다. 증국번의 이 같은 조처는 중국인들의 입장에서는 가히 굴욕적인 해결책이어서 중국 곳곳에서 증국번이 써준 현판이나 글귀를 불태우고, 증국번을 매국노라고 부르는 현상이 벌어졌다.

손님으로 갔더니, 소년의 머리에 잡화가 많이도 꽂혀 있네."라는 시를 지어 가슴속에 품은 큰 뜻을 피력하기도 했다. 그는 자신의 소원대로 20세 때 수도로 전근하는 부친을 따라 고향을 떠나면서는 '입도入都'라는 시를 지어 젊은 시절의 호기를 봇물 터지듯 쏟아냈다.

청 말기 중국의 거의 모든 내정과 외교 사무에 관여했던 이홍장.

호기와 기개로 충만한 이 젊은이는 지난 3,000년 동안이나 중국에서 생기지 않았던 대변고가 자신의 시대에 눈앞에서 펼쳐진다는 사실을 과연 알았을까? 이홍장은 첫 번째 회시에 낙방한 1845년 말, 연가자年家子7의 신분으로 중국번의 문하생이 됐다. 그 후 조정의 명을 받들어 안휘성에서 단련團練을 조직했다.

이어 여주盧州, 무위無爲, 소현巢縣, 함산含山 등지에서 태평군과 싸웠다. 그러다 나중에 "경솔한 전쟁을 한다."거나 "한림翰林이 녹림綠林8으로 변질했다."는 따위의 중상모략을 못 이겨 안휘성에서 철수했다. 이후 이홍장은 각지를 전전하다 1859년 말에 건창建昌 전선에 있는 중국번의 휘하에 다시 들어갔다. 1860년 이홍장은 상해를 지원하라는 명을 흔쾌히 받들

---

7   연가자(年家子): 같은 해 과거시험을 치른 사람 사이의 교분을 연의(年誼)라고 하며, 이렇게 연결된 학생을 연가자(年家子)라고 불렀다.

8   녹림(綠林): 도둑의 별칭으로 쓰이는 말이다. 이 말의 어원은 전한(前漢) 말에 왕망이 왕위를 찬탈해 폭정을 일삼자 생활이 어려워진 많은 사람들이 녹림산(綠林山)으로 몰려들었다. 이렇게 모인 사람들이 먹고살기 위해 녹림산을 근거지로 도둑질을 하였기 때문에 도둑의 소굴을 녹림이라고 불렀고 이후 녹림은 도둑의 별칭으로 굳어졌다.

어, 그의 고향 안휘성 회화淮河 지역에서 상군을 모방한 '회군淮軍' 무장단체를 조직했다.

1862년 설날이 지난 후 그는 9,000여 명으로 이뤄진 회군淮軍을 인솔해 상해로 진군했다. 그 해 후반에는 홍교虹橋, 북신경北新涇, 사강구四江口 등의 세 곳에서 태평군과 혈전을 벌여 성공적으로 상해를 지켜냈다. 그에게 대운이 뒤따랐는지 이후부터 회군은 이르는 곳마다 승전고를 울렸다. 얼마 후에는 강소성의 남부 지역도 쉽게 평정했다. 2년 후에는 회군의 규모가 훨씬 더 커져서 상군의 주력군과 함께 태평천국의 수도인 천경을 공격했다.

솔직히 이홍장에게 따라다녔던 "한림이 녹림으로 변질했다."는 말은 전혀 근거가 없는 말은 아니었다. 그가 전장에서 보여준 잔인성은 그의 스승인 '증국번' 보다 더하면 더했지 못하지 않았던 것이다. 예컨대 그는 소주蘇州를 공략할 때에는 회유책으로 적군을 항복시킨 다음, 귀순한 포로들을 모두 죽여 버렸다. 악의적인 기만과 무자비한 학살을 선택한 그의 행태에, 이홍장 부대를 지원했던 상승군常勝軍[9]의 총사령관 고든Charles Gordon마저 "매우 치욕스럽고 슬픈 일"이라고 탄식했을 정도였으니 더 이상의 설명은 필요가 없을 듯하다. 성품이 강직한 이 외국인은 "소주를 함락시킨 다음 발생한 일 때문에 황제로부터 그 어떠한 상도 받지 않겠다."고 맹세했다. 그러나 이홍장은 교묘한 방법으로 포로 학살 사건이 고든에게 가져다준 나쁜 영향을 해소시켰고, 최종적으로는 외국 지원군마저 별탈 없이 성공적으로 해산시켰다. 이홍장은 그야말로 외교 분야에서는 천부적인 재능을 가진 사람이었다.

9 　상승군(常勝軍): 미국인 워드가 주축이 되어 상해(上海)의 중국인 호상(豪商)과 관료들의 원조로 창설한 상해 지역의 의용군이다. 대영제국 소령인 고든이 부임하기 전까지는 거의 이름뿐인 무장단체였지만, 고든 부임 이후 재건되었으며, 이후 이홍장(李鴻章) 휘하의 회군(淮軍)을 도와 태평천국(太平天國)의 난을 진압하는데 공헌을 하였다.

중국번은 공을 세워 명성을 떨친 후 상군의 정예부대를 해산시켰다. 이에 반해 이홍장은 태평군을 진압한 후에도 여전히 회군을 유지했다. 회군은 이후 염군과의 전쟁에서 또다시 위력을 떨쳤다. 하지만 나중 서양인들과의 전투에서는 여러 차례 고배를 마셨다. 그럼에도 불구하고 그는 한창 나이 때 염군 토벌의 공로를 인정받아 대청제국 정계에 당당히 한 자리를 차지할 수 있었다.

이홍장은 스승인 중국번과 달리 건강하게 다음 세기까지 살아남았다. 이후 30여 년 동안 청나라 중흥의 대업을 이끄는 가장 빛나는 정치 스타로 떠올랐다. 그는 양무자강洋務自强, 현대식 해군 조직, 평화협상 등을 비롯해 당시 거의 모든 중대 사건에 참여했다. 그러나 정치에 지나치게 심취한 사람들은 모두 좋은 결말이 없는 법이다. 그도 이런 운명에서 벗어나지 못했다. 한 시대 정계를 주름잡기도 했으나 청나라 말기에 수없이 많은 치욕의 역사를 기록한 장본인으로 사람들의 질타를 받고 있으니까 말이다.

물론 이홍장으로서 억울한 측면이 없는 것은 아니다. 중국이 강요에 의해 외국과 굴욕적인 조약을 체결한 과정에 그는 그저 원하지 않는 꼭두각시 역할을 했을 뿐이었던 것이다. 원래 약한 나라에게는 외교라는 것이 없다. 이는 불변의 법칙이다. 따라서 그 당시 이홍장이 매국노의 역할을 감당하지 않았더라도 누군가가 반드시 그와 같은 일을 했을 것이다. 안휘성 합비合肥에는 이홍장의 옛집을 개조해 만든 이홍장 기념관이 있다. 이곳에 가면 이홍장 평생의 업적과 과실을 비교적 객관적으로 볼 수 있으므로 이홍장에 대한 판단은 독자들의 몫이다.

명신 반열에 올라서는 좌종당

태평군이 호남성 경내에서 활동할 때, 또 한 명의 호남성 출신 유생이 영웅으로 떠올랐다. 바로 불혹의 나이에 재능을 인정받은 좌종당左宗棠이라는 사람이었다. 증국번과 이홍장은 과거시험을 통해 공명을 얻었다. 그러나 이들과는 달리 좌종당은 세 번이나 회시에 응시했으나 모두 낙방했다. 인재가 재능을 인정받기 어려웠던 과거시험 제도의 폐단이 여실히 드러나는 대목이 아닐까 싶다.

그러나 좌종당은 실패했다고 해서 실의에 빠져 슬퍼할 나약한 지식인이 아니었다. 과거시험의 실패는 오히려 그에게 개방적인 사고방식을 갖게 하는 계기가 됐다. 그는 전국 각지를 누비면서 견문을 넓히고 스승을 찾았다. 그러면서 기회도 물색하기 시작했다. 그의 피나는 노력은 헛되지 않았다. 일부 상류층 인물들이 좌종당의 해박한 지식에 호감을 보인 것이다. 양강총독 도주陶澍도 그런 사람 중 한 명이었다. 도주는 좌종당을 기꺼이 사숙의 선생으로 초빙했다. 또 신강의 이리伊犁에서 죄를 사면 받고 돌아오던 임칙서도 자신이 수집한 중국 서부 지역의 민정 자료를 모두 좌종당에게 내줬다.

그러나 계급제도와 신분의 존비 및 귀천이 엄연한 봉건사회에서 과거에 급제하지 못한 사람이 출세한다는 것은 그야말로 하늘의 별 따기였다. 아무리 자신감이 있는 사람일지라도 앞길이 전혀 보이지 않는 현실에는 낙담하지 않을 수 없었다. 그러나 좌종당의 지인들은 그의 재능을 믿어 의심치 않았다. 좌종당의 아내는 실의에 빠진 남편에게 "서생은 나라에 충성하는 마음이 변치 않으니, 어부나 나무꾼이 돼도 이 생애에 후회가 없네."라는 내용의 시를 선물하면서 기운을 북돋아줬다.

하지만 하늘은 그에게 흔쾌히 기회를 줬다. 태평천국의 난이 발발한 것이다. 그는 호임익胡林翼, 곽숭도郭嵩燾 등 벗들의 권유로 드디어 큰 뜻을 펼치러 세상 밖으로 나오기로 결심한다.

1850년대에 좌종당은 장사長沙에서 호남순무의 보좌관으로 있었다. 바로 이때부터 뛰어난 재능을 보여주기 시작했다. 그는 악정 혁신, 수입원 확충 및 지출 절감, 화폐 가치 안정, 군비 조달, 치안 정돈, 외부 5개의 성에 대한 지원 등 다양하고도 효과적인 조치를 내놨다. 이로 인해 "천하에 하루라도 호남이 없으면 안 되고, 호남에 하루라도 좌종당이 없으면 안 된다."라는 칭송을 듣기에 이르렀다.

1856년 그는 호북성에서 싸우는 상군에게 군비를 지원한 공로로 증국번의 추천을 받아 조정의 명관에 임명됐다. 이어 1860년부터는 혼자 한 방면을 담당하기 시작했다. 우선 복건성

흠차대신으로 일처리를 잘했던 명신 좌종당.

福建省과 절강성浙江省의 군정을 주관하면서, 두 지역의 적을 성공적으로 물리쳤다. 그는 또 그 사이에도 신식 해병 양성 학교와 현대식 조선소를 설립하고, 복건해군福建海軍을 조직화했다. 미래를 바라보며 부국강병에 힘쓴 것이다.

1875년 5월 좌종당은 환갑을 넘긴 나이에 흠차대신의 신분으로 신강 위구르의 군무를 주관하게 됐다. 이 시기 신강 땅에는 청나라가 신경을 못 쓴 사

이에 이슬람계 정권이 우후죽순 격으로 들어선 상태였다. 우선 쿠처庫車에는 러시딩熱西丁, 호탄和田에는 파사帕夏정부가 들어서 있었고, 우루무치烏魯木齊에도 이슬람계 정권이 들어서 있었다. 또 서투르크스탄 출신의 위그르인 야쿱벡阿古柏도 신강 땅으로 들어와 위그르족을 통합하고 이슬람 정권을 세웠다. 그는 카스喀什, 잉지사英吉沙, 야르칸트莎車, 아커쑤阿克蘇, 우스烏什 등의 지역에 오스만투르크 제국의 국기를 내걸고 화폐를 발행했다. 제정 러시아도 예외가 아니었다. 무력으로 신강 위구르의 이리를 강점하고 있었다. 좌종당은 3년에 걸친 천신만고의 전쟁을 거쳐 1877년에 이리를 제외한 신강의 위구르 영토 대부분을 수복했다. 이어 몇 년 동안은 줄곧 제정 러시아와의 전쟁에 총력을 기울였다.

좌종당을 비롯해 증국번과 이홍장은 나란히 '동광중흥同光中興10'의 3대 명신으로 불린다. 세 사람은 모두 조정의 유능한 신하였다. 전장에서는 함께 생사를 넘나드는 밀접한 관계였다. 그러나 정작 공명을 얻은 다음에는 사이가 벌어졌다. 태평천국군을 격파하고 남경을 함락시킨 후가 대표적이었다. 이때 좌종당과 증국번은 태평군의 유천왕幼天王이었던 홍천귀복洪天貴福의 생사여부를 두고 치열한 실랑이를 벌였다. 그러다 급기야 조정에까지 송사가 전해졌다. 둘은 바로 의절하고 말았다.

이후 증국번은 유교적 예의를 지켜 좌종당의 재능에 대해 칭찬하는 말을 많이 했다. 하지만 좌종당은 죽을 때까지 증국번에 대해 앙앙불락했다. 또 소절(蘇浙·강소와 절강) 전장에서 서로 이웃한 좌종당과 이홍장은 사소한 일로 말다툼을 벌인 다음 줄곧 화해하지 않았다. 결국 오랫동안 대

---

10 동광중흥(同光中興): 동치제(재위 1861~1874)와 광서제(재위 1874~1908)의 재임 기간을 말한다. 이 기간에 양무운동과 변법자강운동 등을 통해 나름 청나라의 중흥을 도모하고, 청나라의 국세가 일시적으로 만회됐기에 이런 이름이 붙었다.

치상태를 유지했다. 자기편끼리 상호 모순으로 인해 발생한 내부 손실이 아닐 수 없었다. 그런데 애석하게도 청나라 정계에서는 이런 내부 손실이 수없이 많이 발생했다.

나라 전체가 위태로운 상황에 처한 청나라 말기에 국가와 백성을 걱정한 사람은 이 밖에도 더 있었다. 1850년대 후반에 군사를 이끌고 호북성 무창武昌과 강서성 구강九江 등의 요충지를 수복한 호남성 태생의 명장 호임익胡林翼이 청나라의 운명을 염려한 대표적인 유생이었다. 그는 동료들과 부국강병의 길에 대해 토론할 때마다 엄숙한 표정으로 자신의 힘이 너무 보잘것없다는 사실을 자책했다. 하지만 군사에 밝은 호임익은 1860년 영불연합군이 북경을 침략했을 때, 원기를 잃은 채 쇠퇴일로를 걷는 태평천국보다는 국운이 쇠락한 틈을 타 사납게 쳐들어온 서양인들이 국가의 최대 적이라고 지적한다. 우환에 대한 의식이 남달리 강했던 그는 그러나 시운이 따르지 않았던 듯 1860년대부터 시작된 변혁운동에서 큰 뜻을 펼치지 못하고 일찍 세상을 떠났다.

그의 최후는 너무도 허망했다. 1861년 여름, 그가 자신의 부대를 거느리고 안휘성의 안경安慶을 포위하고 있을 때였다. 그는 말을 타고 강둑에서 군정을 시찰하던 중 외국의 기선 한 척이 장강에서 물을 거슬러 쏜살같이 달려가는 것을 쳐다보고 갑자기 피를 토하고 쓰러졌다. 외국의 기선들이 중국을 활보하는 것을 보고 울분이 치밀어 올랐던 것이다. 그는 몇 달 뒤 병영에서 숨을 거뒀지만, 안타깝게도 중국인들은 이 영웅을 별로 기억하지 못하고 있다.

서방 각국은 원명원 방화사건 이후 연이어 북경에 외교사절을 파견했다. 대청제국은 십여 년이 지난 후부터 조약을 맺은 상대국에 대등한 조치를 취하기 시작했다. 당시 병부시랑 곽숭도는 황제의 명령에 따라 최초로 영국 주재 중국 대사로 파견됐다. 나중에는 프랑스 대사도 겸임했다. 유사 이래 처음으로 외교사절로 외국에 간 곽숭도는 전통 사고방식을 버리고 서양의 부국강병의 길을 진지하게 연구 분석했다. 그런 다음 '서사기정西使紀程'을 비롯한 저서를 완성했다.

그의 견해는 당시의 일반인들과 완전히 다른 독창적인 것이었다. 그는 우선 인정이 넘치고 백성들의 생활이 윤택해져야 비로소 국가가 부강해질 수 있다는 견해를 강조했다. 또 가난한 백성, 부강한 국가라는 것은 있을 수 없는 것이라고 지적했다. 더불어 발달한 광업, 기선, 기차, 나아가 선진적인 무기와 장비는 서방국가들의 부유함과 강대함의 상징이기는 하나, 근본적인 원인은 아니라고 주장했다. 근본적인 원인은 바로 개화된 정치와 교육이 입국의 근본이라고 역설한 것이다.

그러나 시대 흐름에 딱 맞는 그의 주장을 정부와 민간에서는 받아들이려고 하지 않았다. 곽숭도는 서양에서 배운 지식으로 고정관념에 젖어 있던 청나라 관료들을 개화시키려고 했지만 소원을 이루지 못했다. 그의 오랜 친구이자, 당시 청나라 정부의 고관이었던 유곤일劉坤一은 그나마 당시에는 비교적 진보적인 사람에 속했던 사람이었다. 그러나 그런 그조차 곽숭도를 만난 자리에서 "무슨 면목으로 고향에 돌아왔는가? 무슨 면목으로 세상 사람들과 후세들을 대하겠느냐."고 면박을 줬다. 아니나 다를까 곽숭도는 귀국 후 고향에서 생각지도 못했던 굴욕을 당했다. 청나라 말기 대문호였던 왕상기王湘綺가 치욕적인 언사로 곽숭도를 조롱하는 대련對聯 11을 지은 것이다.

---

11 대련(對聯): 중국에서 문짝이나 기둥 같은 곳에 걸거나 붙이는 대구(對句)를 말한다.

"같은 무리에서 특별히 뛰어나면 요순이 다스리는 세상에서도 용납되지 않으니. 사람도 섬길 줄 모르면서 어찌 귀신을 섬기겠다고 부모님이 계시는 고향에 왔는가?"

곽숭도의 선각적인 사상은 불행하게도 빛을 보지 못했다. 고정관념에 젖어 있던 관료들을 깨우려고 했던 곽숭도였지만, 혼자 힘으로는 불가능했던 것이다. 곽숭도의 이야기에서 우리는 청나라가 진흥은커녕 멸망할 수밖에 없었던 필연성을 엿볼 수 있다.

이 밖에도 1863년, 회시에 급제한 직례성 출신 유생 장지동張之洞은 후기 양무파의 대표적 인물로 꼽힌다. 그는 1880년대에 양광총독, 호광총독으로 재임 중 실업구국實業救國의 구호를 내걸었다. 또 광동성과 호북성 지역에서 양무운동을 크게 펼쳤다. 그가 설립한 민족기업, 학교 등은 그 후에도 여러 해 동안 후세에 큰 도움을 줬다. 그는 자신의 이름을 천하에 알리게 해준 저서 '권학편勸學篇'에서 "중국 학문을 근본으로 삼아 서양 학문을 배워야 한다."고 주장했다. 그러나 그의 독창적인 사상이나 식견 등은 지금도 긍정적인 평가를 받지 못하고 있다.

생기 넘치는
1860년대의
세계

이 시기 일본도 중국 못지않게 서양 문명의 충격을 크게 받았다. 서구 열강들로부터 얼마나 큰 압력을 받았는 지 일본에서는 "서양 바람은 이르는 곳마다 풀과 공기마저 쓰러뜨릴 정 도로 거셌다."는 말이 생겨날 정도였다. 그러나 일본은 대청제국보다 약 간 늦었지만 제대로 변혁을 시작했다. 중국에서는 강남기기국江南機器局**12**, 마미선정국馬尾船政局**13**에서 직접 군함을 건조한 것도 모자라 영국산 군함 을 수입하고 있을 때, 일본에는 그때까지 군함이 단 한 척도 없었다. 하지 만 1867년 일본 역사에서 가장 현명한 군주로 불리는 메이지明治 천황이

---

12 강남기기국(江南機器局): 이홍장이 총포, 탄약, 기선 등을 만들기 위해 1865년 상해에 세운 군수공장 이다. 강남제조총국이나 상해기기국이라는 이름으로도 불렸다.

13 마미선정국(馬尾船政局): 좌종당의 요청으로 청나라가 1866년 복건성 복주의 마미항(馬尾港)에 세운 일종의 해군 복합시설단지로, 군함을 건조하기 위한 조선소와 해군을 교육하기 위한 선정학당(船政學 堂) 등이 설치됐다.

즉위하면서 상황은 달라졌다.

1868년 초 메이지 천황은 과감하게 '왕정복고대호령王政復古大號令'을 발표했다. 가마쿠라 막부 이후 줄곧 일본의 권력을 장악해왔던 막부幕府를 폐지하고, 왕정복고를 위해 목숨을 걸고 싸우겠다고 선포한 것이다. 이 조치는 일명 메이지유신으로 불리는 변혁운동의 서막을 의미했고 이후 일본이 근대국가로 발전하는데 있어 결정적인 역할을 했다. 역사적 흐름을 거스르지 못한 막부는 대정봉환大政奉還14을 통해 천황의 직접 통치가 이뤄지도록 조치했고, 이로써 일본의 개혁을 가로막던 최대 걸림돌이 제거됐다. 이후 일본에서 유신을 주장하던 사람들은 마음껏 재능을 발휘할 수 있게 됐다.

메이지유신과 미국의 남북전쟁

메이지유신이 추진한 토지개혁은 서민들의 큰 관심과 호응을 얻었다. 지역의 영주 다이묘大名에게 귀속되던 기존의 토지제도는 완전히 폐지되고, 토지 매매 자유화를 핵심으로 하는 새로운 토지제도가 확립됐다. 이 조치로 일반 서민들까지 토지의 합법적인 소유자가 될 수 있었다. 따라서 메이지유신으로 실질적인 혜택을 얻은 백성들은 일본을 환골탈태시킬 변혁운동에 전례 없이 적극적으로 동참했다.

변혁은 순차적으로 차근차근 진행됐다. 국민들의 유신에 대한 인식도 점차 깊어졌다. 이때 일본의 계몽사상가 후쿠자와 유키치福澤諭吉15는 일본 국민에게 "과감하게 전통을 버리고 서양 문화를 전면적으로 받아들여라."

---

14 대정봉환(大政奉還): 1867년 11월 9일 도쿠가와 막부의 15대 쇼군 도쿠가와 요시노부가 실질적인 일본의 통치권을 메이지 천황에게 넘겨준 정치적 사건이다.

고 호소했다. 그는 우선 "서양 문명의 동방 진출은 피할 수 없는 추세"라며 "그것을 막기 위해 허망한 노력을 하기보다는 시대의 흐름에 맞춰 서양의 문명국과 진퇴를 함께하는 것 외에는 다른 선택이 없다."고도 주장했다. 후쿠자와 유키치의 이러한 급진적 개화사상은 일본 정부와 민간에 큰 반향을 불러 일으켰다.

일본은 서양 국가들의 선진적인 정치법률 제도를 신속히 받아들여 '개혁'이라는 꽃을 피우고, '근대화'라는 열매를 맺었다. 일본은 비록 뒤늦게 개혁에 눈을 떴으나 빠른 속도로 서구 현대화의 물결에 합류했다. 예부터 중국의 사대부들은 줄곧 일본인들을 무시했다. 그러나 메이지 천황 시대부터는 사상이 개화된 일본의 지식인들이 오히려 중국인들을 깔보기 시작했다. 아래 소개하는 후쿠자와 유키치의 탈아론脫亞論을 보면 당시 일본의 지식인들이 중국과 한국을 어떻게 생각했는지 조금이나마 알 수 있을 것이다.

우리 일본의 불행은 이웃에 중국과 조선이라는 두 나라가 있는 것이다. 이 두 나라 국민은 예부터 아시아 전통 방식의 정치, 교육, 풍속 아래 자라왔다. 이 배경은 우리 일본 국민과 다르지 않다. 그러나 그 인종의 유래가 다른 것일까, 아니면 같은 정치, 교육, 풍속 속에 살면서도 유전교육의 취지가 같지 않은 탓일까. 일본, 중국, 조선 3국을 비교하면 중국과 조선은 중국과 일본, 일본과 조선보다 서로 닮은 점이 아주 많다. 중국과 조선 이 두 나라는 개인이나 국가를 막론하고 모두 개선해 나아가는

---

15 후쿠자와 유키치(福澤諭吉): 일본의 개화기 계몽사상가로 일본 국민들에게는 '근대화의 아버지'로 불리며 존경받지만, 우리나라와 중국에서는 일본 제국주의와 식민지 경영의 이론적 토대가 된 '탈아론(脫亞論)'으로 인해 비판받고 있는 인물로 일본 보수 우익의 뿌리로 알려져 있다.

길에 대해서는 생각하지 않는다. … 문명이 나날이 새로워지는 시대에 교육에 대해 논하려면 유교를 빼놓을 수 없다. 학교에서는 인의예지를 가르치나 그것은 겉핥기식이다. 외견적으로 허식에만 구애될 뿐이다. 실제로는 진리와 원칙, 지식과 견문을 가르치지 않는다. 마치 도덕적인 퇴폐가 극에 달했으나 오만하게 자기반성을 하지 않는 사람처럼 말이다.

지금 와서 생각해 보면, 당시 중국의 사대부 계층이 일본인들을 무시한 기본적인 이유는 아마도 중국인 특유의 잘난 체하는 성격에서 비롯되었을 것이다. 그러다가 나중에는 그것이 하나의 관습처럼 굳어졌을 것이다. 이에 반해 당시 일본의 지식인들이 중국인들을 깔보는 내면에는 당시의 중국인으로서는 결코 알지 못했던 뚜렷한 이유가 있었다. 얼마 후 발발한 청일전쟁은 이 사실을 확실하게 입증했다.

중국의 장강 유역과 황회 지역, 그리고 청나라 곳곳에서 전란이 발발했던 1860년대, 태평양 반대편에 있는 북미 지역에도 전운이 감돌고 있었다. 공화당 출신 에이브러햄 링컨은 1860년 대선 출마 연설에서 자신이 만약 대통령에 당선된다면 노예제도를 철폐하겠다고 약속했다. 이듬해 링컨은 진짜 미국 제16대 대통령에 당선됐다. 그러나 링컨이 취임식을 가진 지 불과 1개월 만에 노예를 가진 농장주들이 선수를 쳤다. 그때까지 노예제도를 유지하고 있던 남부 11개 주가 미합중국에서 분리 독립해 미국 남부연합을 창설한 것이다. 남부군은 4월 12일에 사우스캐롤라이나의 포트 섬터Fort Sumter를 공격함으로써 남북전쟁의 포문을 열었다. 사흘 후 링컨은 대국민 연설을 하면서 남부연합 설립은 공공연한 헌법 위반 행위라는 사실을 선포했다. 또 모든 미국인에게 무기를 들고 미합중국의 통일을 위해 싸워달라고 호소했다.

북군은 내전 초기에 주州의 숫자, 인구, 산업 생산, 재정 금융 등의 제반 분야에서 절대적 우세를 차지했다. 그러나 군사적으로는 번번이 수세에 몰렸다. 특히 북군은 매너서스Manassas 전투에서 1만 5,000여 명의 사상자를 내는 참패를 당해 수도 워싱턴마저 위태로워졌다. 링컨을 비롯한 연방 정부 지도자들은 곧 사태의 심각성을 깨달았다. 미국이 특수한 성격의 국가이므로 연방 통일의 구호만으로는 명분이 서지 않는다는 사실을 알았다. 호소력이 부족하다는 것은 말할 것도 없었다. 사실 미합중국은 어느 일반 국가들과 달랐다. 먼저 아들이 생기고 나중에 아버지가 생기는 형태로 건국되었기 때문이다.

즉 먼저 북미 13개 주가 영국으로부터 독립한 후 미연방이 구성됐다. 각 주는 처음에 미연방에 자유롭게 가입했으므로 미연방에서 자유롭게 탈퇴할 수도 있다고 주장했다. 어찌 보면 당연한 일 같기도 했다. 미국인들은 연방의 권리와 주의 권리에 대한 경계선을 잘 알고 있어 혼동하지 않았다. 또 연방의 권리가 각 주의 권리보다 우선돼야 한다고도 생각하지 않았다. 링컨은 전쟁의 성격을 바꿔야 할 필요성을 느꼈다.

그렇게 해서 1862년 5월과 1863년 초에 링컨은 미국 역사에서 대단히 중요한 의미를 가지는 두 가지 법안인 '토지법'과 '노예 해방선언'을 잇따라 발표했다. 국민에게 토지 소유권과 자유를 쟁취하기 위해 싸울 것을 호소하려는 의도였다. 아니나 다를까 국민의 토지와 자유를 향한 열망은 마치 신비하고도 거대한 마력처럼 신속하게 전세를 역전시켰다.

증국번의 상군湘軍이 남경에 쳐들어가 태평천국을 평정한 그 이듬해, 미국의 남북전쟁도 막을 내렸다. 마지막 남북대결에서 패한 남부 연합군 총사령관 로버트 리 장군이 3만 명의 군사를 거느리고 북군에 투항한 것이다. 이어 남부연합도 와해됐다. 장장 4년 동안 지속된 '집안싸움'으로 인해 60만여 명의 젊은이들이 전장에서 목숨을 잃었다. 또 남부지역의 재산 3분의 2가 파괴됐다. 건국 역사가 수십 년밖에 되지 않는 미국이 얼마나 큰 피해를 입었을지는 더 이상 설명할 필요도 없다.

그러나 참혹한 내전은 미국인들에게 뜻하지 않은 풍성한 수확도 가져다줬다. 내전 종식 후 연방정부는 최고 권력을 인정받았다. 국가는 다시 통일됐고 노예제도는 영원히 철폐됐다. 더 중요한 것은 미국인들이 법률적 수단과 제도적 정비를 통해 국가의 중대 위기를 해결해야 한다는 중요한 이치를 깨달은 것이다. 중국에서는 내란이 단순히 파괴의 상징으로 인식되는데 그쳤으나, 미국에서는 전쟁으로 인해 사라졌던 자유와 법치 정신이 전후 경제 복구과정에서 커다란 역할을 했다. 신생국가 미국은 이때부터 급속하게 현대화 발전단계에 진입했다.

태평천국의 난은 미국의 남북전쟁과 거의 비슷한 시기에 종식됐다. 전쟁 지속 시간과 내전으로 인한 피해는 중국이 훨씬 컸다. 사상자 숫자만 비교해 봐도 미국의 수십 배인 2,000만 명에 달했다. 하지만 정작 중요한 것은 이 피해 수치가 아니었다. 비슷한 시기에 비슷한 내란을 겪은 두 나라는 이 내란을 치유하는 과정에서 전혀 다른 길을 걸은 것이다. 청나라 조정과 국민들이 모두 상군의 남경 함락 소식을 듣고 안도감을 느낄 때, 그들이 미처 생각지 못한 것이 있었다. 그것은 그들에게 일시적인 평화가 왔을 뿐, 근본적인 위기가 해결되지 않았다는 사실이었다.

더 안타까운 것은 이들에게 위기를 타개할 효과적인 방법이 없었다는 사실이다. 그들이 스스로 부국강병의 묘책이라고 생각하던 방법으로는 제도적 측면의 치명적인 문제점을 해결할 수 없었다. 게다가 태평천국의 난 종식 후 중앙정부는 권위를 되찾지 못했다. 심지어 권력의 중심이 중앙에서 지방으로 이전되기까지 했다. 지방에서 상군이나 회군처럼 단련

團練이나 향용鄕勇을 보유하고 있던 군벌軍閥들이 이때부터 막강한 권세를 누리기 시작한 것이다. 조정의 권력이 약해지고 지방의 권력이 강해진 이 같은 권력구조는 청나라가 멸망할 때까지 계속 이어졌다.

이즈음, 중국의 북쪽에 있는 러시아 역시 농노들의 끊임없는 반란으로 인해 급기야 변혁의 길로 들어섰다. 1861년 초 러시아의 알렉산더 2세는 '농노 해방법령'을 발표했다. 이때부터 러시아 농민들은 신체의 자유와 국민의 기본권을 얻을 수 있게 됐고, 개인재산을 소유하고 공직에도 진출할 수 있게 됐다. 또한 소송권을 향유하고 상공업 활동도 할 수 있게 됐다. 러시아 황제는 농노제 개혁에 보조를 맞추기 위해 시정市政, 사법, 군사 분야에서도 일련의 개혁을 실시했다. 사실 러시아의 1860년대 개혁

1863년 게티즈버그전투를 그린 그림. 남북전쟁 최대 격전지로 남군이 패배했다.

은 농민들의 요구를 완전히 만족시키지는 못했다. 그러나 사회경제에 큰 활력을 불어넣기에는 충분했다. 따라서 원래 중국보다 뒤처졌던 농업국 러시아도 이때부터 빠르게 발전하기 시작했다.

사회변혁은 매우 복잡하고도 방대한 프로젝트로, 이 과정에서 여러 가지 난관에 부딪치게 마련이다. 그러나 가장 중요한 조건은 반드시 자발적인 민중의 참여가 필요하다는 점이다. 이는 불멸의 진리다. 많은 민중이 직접 참여해 실질적인 사회적, 경제적 이익을 얻을 수 있어야 사회변혁에 끊임없는 원동력을 제공할 수 있는 것이다. 이는 미국, 러시아 등의 사례가 청나라에 전해준 교훈이었다. 그러나 훗날 청나라에서도 불타오르기 시작한 여러 가지 변혁 운동은 결코 자발적인 민중의 참여를 허용하지 않았다. 백성들에게 실질적인 이익을 주지 못한 것은 두말할 필요도 없이, 자칭 영웅호걸들이 혼자 북치고 장구치는 정치쇼였다. 이러한 근본적인 인식의 차이가 이후 청나라의 근대화 길을 가로막고 청나라 경제의 몰락을 불러온 요인이었다.

부분만
추구한
양무운동

　　　　　　　　　　　　1860년 영국과 프랑스 연합군은 북경

으로 진군해 원명원에 불을 지른 다음, 서방의 다른 국가들과 동맹을 맺

어 북경에 외교사절을 상주시키겠다며 청나라 정부를 압박했다. 또 이러

한 요구사항을 '북경조약16'에 포함시켰다. 이는 가혹했던 북경조약의

모든 조항 중에서도 청나라 지배층의 반감을 가장 크게 산 조항이었다.

함풍제는 울분에 못 이겨 아예 귀머거리인 척 벙어리인 척 정사를 나 몰

라라 했다. 나중에는 열하에 있는 행궁으로 자리를 옮겨 매일 술과 여자

에 파묻혀 지냈다. 이에 따라 황제의 이복동생인 공친왕 혁흔 17과 다른

16　북경조약(北京條約): 애로호 사건으로 발발한 제2차 아편전쟁을 수습하기 위해 체결된 '천진조약'을
　　　보충·수정한 후속 조약으로, 1860년 10월 북경에서 영국·프랑스·러시아 등 3개국과 청나라가 개
　　　별적으로 체결한 조약이다. 주요 내용은 외교사절의 북경 상주를 확인하고, 배상금 지불, 천진 개항
　　　등을 인정하며, 영국에는 구룡반도를 넘겨주고, 프랑스에는 몰수했던 가톨릭 재산을 돌려주며, 조약
　　　을 주선한 러시아에는 연해주 지방을 넘겨주는 내용이 담겨 있다.

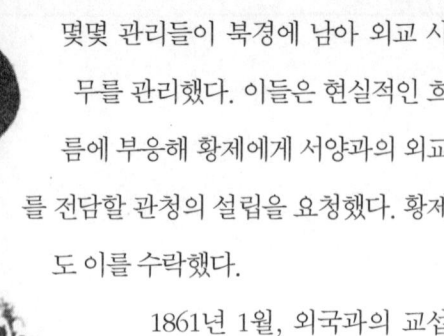

몇몇 관리들이 북경에 남아 외교 사무를 관리했다. 이들은 현실적인 흐름에 부응해 황제에게 서양과의 외교를 전담할 관청의 설립을 요청했다. 황제도 이를 수락했다.

1861년 1월, 외국과의 교섭과 대외 관계를 담당한 '총리각국사무아문總理各國事務衙門'이 자금성 동쪽의 작고 비좁은 개인 주택에 설립됐다. 지금의 시점에서 보면 이 신설 기구는 당시 청나라의 모든

공친왕 혁흔. 제왕으로서의 재능은 함풍제보다 더 뛰어나 지금도 많은 중국인들의 아쉬움을 사고 있다.

군사와 정무를 처리했던 군기처만큼이나 중요한 기관이었다. 그러나 당시에는 그 중요성을 인정받지 못했기 때문에 작고 비좁은 사택에서 업무를 처리했고, 당연히 조정의 다른 부서들 틈에서 큰 주목을 받지 못했다. 또 당시에는 직무라고 해봤자 각국의 북경 주재 외교관을 접대하고 불평등 조약과 관련한 각종 외교 사무를 관리하는 정도에 불과했다. 그러나 총리각국사무아문이 이렇듯 초라한 대접을 받았음에도 불구하고, 외교의 중요성을 간파했던 공친왕 혁흔은 황족의 신분으로 스스로 자원해 총리각국사무아문의 최고 장관으로서 청나라의 외교를 진두지휘했다.

---

17 공친왕(恭親王) 혁흔: 선대 황제인 도광제의 여섯째 아들로 공식 칭호는 공충친왕(恭忠親王)이다. 훗날 함풍제가 되는 이복형 살친왕(薩親王) 혁저에 비해 영명하고 뛰어나 차기 황제로 유력했으나, 혁저의 눈물 작전으로 도광제가 혁저를 낙점해 황제위에 오르지 못했다. 동치제 시절 청나라 종친을 대표해 청나라의 개혁을 주도했지만 신분상 한계가 있었다. 아직도 많은 중국인들은 공친왕이 황제로 즉위했더라면, 확실한 개혁 정책으로 인해 청나라가 수치를 당하지 않았을 것이라고 아쉬워한다.

함풍제 사망과 서태후 등장

1861년 가을, 함풍제는 열하의 행궁에서 병사했다. 당시 차기 황위 계승자였던 아이신기오로 재순載淳은 겨우 6세짜리 어린아이에 불과했다. 때문에 함풍제는 임종을 하루 앞두고 8명의 신하를 '고명대신18'으로 지명해 어린 황제를 보필하도록 부탁했다. 법도 원칙도 없이 순전히 함풍제 본인의 기호와 판단에 따라 대청제국의 미래를 안배한 이 같은 행동은 황실 내부의 치열한 권력 투쟁을 유발하기에 딱 맞았다.

당시 멀리 북경에 있던 혁흔은 자신의 이름이 고명대신에 들어있지 않다는 사실을 알고는 크게 실망했다. 당연히 패기만만했던 이 젊은 공친왕이 가만히 앉아 있지 않았다. 자금성에 남아서 자신을 중심으로 한 권력 네트워크를 이미 구축해놓은 혁흔은 급기야 동태후와 서태후19를 설득해 새 황제가 북경에서 즉위할 때 쿠데타를 단행했다. 선대 황제가 지명했던 8명의 고명대신은 한 사람도 빠져나가지 못하고 모두 참수를 당하거나 유배를 당했다. 혁흔은 새 황제인 동치제(同治帝 · 제10대 황제, 재위 1861~1874)에 의해 의정왕議政王에 봉해졌다. 그리고 의정왕이 청나라 정부의 중추 기구인 군기처를 총괄하게 됐다.

젊은 의정왕 혁흔은 북경에서 각국 대표들과 평화 담판을 하면서 온갖 수모를 다 당했다. 자존심에 큰 상처를 입은 그는 반드시 부국강병을 이

---

18 고명대신(顧命大臣): 세상을 떠나는 황제가 차기 황제의 후견인으로 지명한 대신을 말한다.

19 동태후(東太后)와 서태후(西太后): 자금성의 후삼궁(後三宮) 지역에는 황제가 거처하는 건청궁(乾淸宮)을 사이에 두고 황후와 비빈들의 거처인 동육궁(東六宮)과 서육궁(西六宮)이 있다. 이 중 어느 곳에 거처를 삼느냐에 따라 동태후와 서태후로 불렸다. 본문의 동태후는 청나라 제9대 황제인 함풍제의 두 번째 황후인 효정현황후 니오후루(鈕祜祿)씨이며, 흔히 동태후나 자안태후(慈安太后)라고 불렸다. 우리나라에서도 유명한 서태후는 함풍제의 세 번째 황후인 효흠현황후 예허나라(葉赫那拉)씨로 흔히 서태후나 자희태후(慈禧太后)로 불렸다.

뤄야 한다는 큰 결심을 할 수밖에 없었다. 이 무렵 청나라 정부의 관리들도 대부분 생각이 많이 바뀌어 있었다. 서방 각국들의 위세에 큰 충격을 받은 이들은 더 이상 아편전쟁 때처럼 가만히 앉아 있지 않았다. 모두 옷소매를 걷어붙이고 나서서 서양의 장점과 문물을 흡수하기 위해 열심이었다.

이 무렵 대권을 장악한 혁흔에 의해 총리각국사무아문은 대청제국의 가장 중요한 중추적인 기구로 부상했다. 1862년 청나라 정부는 총리각국사무아문 동쪽에 '경사동문관京師同文館'을 설립했다. 시험을 통해 선발된 만주족 자제들이 곧 이곳에서 외국어와 번역 공부를 하기 시작했다. 얼마 지나지 않아 다른 개항장에도 유사한 기능을 가진 외국어 학당들이 설립됐다. 2년 후 경사동문관에서는 미국 법학자 헨리 휘튼Henry Wheaton의 '만국공법萬國公法' 강의가 시작됐다. 당시 의정왕 혁흔과 그의 참모들은 청나라의 법률이 완전무결하기 때문에 외국인의 법률을 본보기로 삼을 필요가 없다고 떠벌였으나, 얼마 후 만국공법의 국제법을 활용해 해사분쟁을 성공적으로 처리해 상대국으로부터 백은 1,500냥의 배상금을 받아내는 쾌거를 이룬다. 중국 외교사상 대단히 중요한 순간이었다.

같은 해 총리각국사무아문은 태평군에게 동남부 연해 지역을 빼앗기지 않기 위해 1,300만 냥을 주고 영국에서 함대를 구입했다. 이때 영국에서 들여올 함대에 꽂기 위해 황색 바탕에 삼각형 모양을 한 깃발 한가운데 하늘로 비상하는 청룡을 그려 넣은 중국 최초의 국기이자, 청나라의 국기인 '삼각황룡기[20]' 를 만들었다.

---

20 삼각황룡기(三角黃龍旗): 이홍장이 건의하고 자희태후가 재가를 한 후, 1862년 10월 17일에 대청제국 국기로 반포된 중국 최초 국기다. 이후 1881년 대신 장음환이 사각형의 황룡기를 국기로 삼자고 주청을 해 사각형으로 바뀌었으며, 이후 청나라가 멸망할 때까지 계속 국기로 사용됐다.

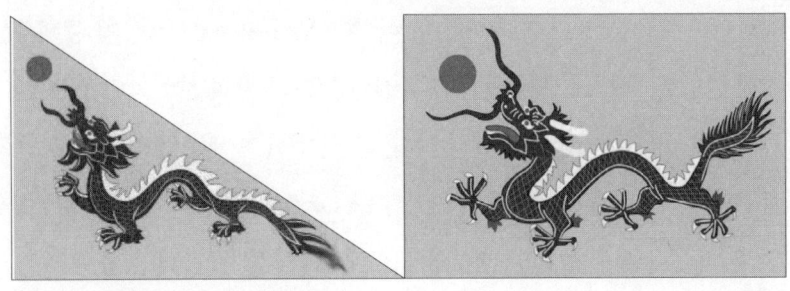

1862년에 최초 사용된 삼각황룡기, 1888년에 교체된 사각황룡기.

청나라가 영국에서 들여온 현대식 함대는 기선 7척과 보급선 1척으로 이루어졌으며, 목적지인 상해에 도착하자마자 문제에 봉착했다. 영국인들이 함대의 선장 모두가 외국인이라는 이유로 함대 지휘권을 요구한 것이다. 당연히 혁흔은 중국 함대의 지휘권을 외국인에게 넘겨줄 수 없다는 입장이었다. 그러나 당시 청나라에는 외국 기선을 다룰 줄 아는 기술자가 없었기 때문에 결국 혁흔은 함대를 반품하는 것으로 일을 마무리 지었다. 아마 청나라와 외국 간 최초의 무기거래였을 것으로 추정되는 이 거래는 이런 촌극으로 성사되지 못했다.

이 시기에는 총리아문의 진두지휘 아래 전국 각지에서 양무운동[21]이 활기차게 전개됐다. 이홍장을 위시한 지방 관리들은 동남부 지역의 각 대도시에 현대식 무기를 제조하는 기기국機器局과 전함을 제조하는 선정국船政局을 설립했다. 또 해안 방어를 내륙의 변방 방어보다 우선하는 이론에 따라 긴 해안선을 따라 여러 곳에 포대를 설치했다. 더불어 거액을 들여 수입한 외국산 군함과 중국 본토에서 생산한 군함을 묶어 '북양수사北洋水師[22]', 즉 북양해군을 편성했다.

군수 산업을 크게 발전시키는 동시에 전보, 철도, 광산개발 등 민족 산

---

21 양무운동(洋務運動): 19세기 후반에 중국 청나라에서 일어난 근대화 운동으로, 공친왕 혁흔, 증국번, 이홍장, 좌종당 등이 중심이 되어 서양의 문물을 수용해 부국강병을 이루려 한 개혁의 움직임이다.

업의 발전도 적극적으로 지원했다. 이렇다 보니 모든 모든 산업 중에서 방위 산업이 가장 우선시됐다. 다른 산업은 그저 방위 산업의 수요를 만족시키기 위해 생겨날 수밖에 없었다. 좀 더 지난 후에는 해외 유학생 양성 계획도 마련됐다. 청나라 정부는 12~14세 어린이들을 연이어 미국으로 유학을 보냈다. 그러나 정부의 의지에 따라 유학생들의 학습 범위는 여전히 군사 이론과 군수산업 기술에서 벗어나지 못해 한계가 있었다. 어린 유학생들은 이국땅에서 갖은 고생을 하며 공부했다. 그리고 상급학교에 진학해 공부를 더 하려고 준비할 때, 청나라 정부는 이들을 강제로 귀국시켜버렸다. 유학생들이 양복을 입고 땋은 머리를 잘라 서양식 헤어스타일로 한 것이 미풍양속을 해치는 행위라고 생각했기 때문이다. 당시 이들 어린이 유학생 외에도 외국 유학을 다녀온 젊은 장교들도 적지 않았다. 육군에 흥미가 있는 사람들은 독일, 해군 관련 학문을 배우고자 하는 사람들은 영국으로 공부하러 떠났다.

이쯤에서 알 수 있지만 조정과 민간에서 떠들썩하게 시작된 양무운동의 목표는 정말 간단했다. 서양의 선진적인 과학기술을 수용해 군사력을 증강시키고 더 나아가 외국인을 제압하는 것이었다. 양무파가 끈질기게 추구한 것은 서양의 군함, 총, 대포와 같은 선진 무기뿐이었다. 당시 서양 세계를 떠받치고 있던 두 개의 축에 대해서는 알려고도 하지 않았다. 즉 서양 학문의 정수라고 할 수 있는 현대 정치, 민주 사상에 대해서는 관심조차 가지지 않았고, 산업혁명 이후 서양 세계를 떠받치고 있던 자본주의 경제 체계에 대해서 알려고 하지 않았다.

---

22 북양수사(北洋水師): 북양대신 이홍장(李鴻章)이 주도해 만든 함대로서 중국 역사에서 첫 번째 근대 해군이다. 1888년 산동성 위해(威海)의 유공도에서 창설되었으며, 독일에서 건조한 철갑선 '정원함 (定遠艦)'과 '진원함(鎭遠艦)'을 주력으로 당시 '동양 최강'의 함대라는 평가를 들었다.

1872년 청나라 정부는 1차로 30명의 어린이를 미국으로 유학을 보냈다. 이 중 24명이 광동 태생이었다.

그러므로 이 시기 청나라는 근본적으로 바뀐 것이 아무것도 없었다. 삼 궤구고의 예, 과거시험을 통해 인재를 뽑는 제도, 개화되지 않은 딱딱한 사상, 아직도 원시 수준을 벗어나지 못한 농업 중심의 경제 체제, 상공업에 대한 천시 등은 모두 예전과 똑같았다.

중요한 것은 선진 무기가 부국강병의 근원이 절대로 아니라는 사실이었다. 서방 각국들을 강대해지게 만든 것은 효율적이고 선진적인 정치제도와 법률제도, 나아가 현대 문명을 탄생시킨 사상과 탄탄한 경제체계였다. 이 모든 것이 갖춰진 후에야 비로소 강대한 군사력도 생겨났다. 대청 제국은 변혁을 원했다. 그러나 근본을 버리고 지엽적인 것만 추구했기 때문에 사소한 목표조차 달성하지 못했다.

국가를
경영하는
여인

전설에 따르면 청나라 황실 가문인 아이신기오로愛新覺羅 가문의 선조 누르하치努爾哈赤는 동북東北 지역[23]에서 궐기한 다음, 가장 먼저 자신의 동포인 여진족 정벌에 나섰다고 한다. 그러나 예허나라葉赫那拉라는 한 부족이 누르하치에게 항복하지 않고 끝까지 완강하게 저항했다. 화가 난 누르하치는 극히 잔인한 수단을 동원해 이 부락을 강제로 굴복시켰다. 예허나라 부족의 족장은 죽음을 앞두고 "다 죽고 아녀자 한 명이 남더라도 반드시 예허나라의 철천지원수를 갚으라."는 비분강개한 유언을 남겼다고 한다.

이 이야기는 중국의 전통극이나 소설책에 등장하는 매우 오래된 전설

---

23 동북(東北) 지역: 중국의 '6대 지리구' 구분법에 의하면, 현재 중국의 동북 지역은 과거 만주(滿州)로 불렸던 지역으로, 행정구역상으로는 요녕성(遼寧省), 길림성(吉林省), 흑룡강성(黑龍江省)의 3개 성(省)이 포함되는 지역이다.

이다. 그런데 200여 년 후 '난아蘭兒'라는 아명을 가진 예허나라 가문의 여자가 아이신기오로 왕국에서 무소불위의 권력을 휘두르는 상황이 벌어졌다. 전설을 믿는 사람들은 이 여자가 바로 그 옛날 부족장의 유언을 받든 '복수의 화신'이라고 확신했다.

함풍제는 태평천국군이 봉기하기 한 해 전인 1850년에 황제로 즉위했다. 이 시기 나라난아那拉蘭兒라는 이름을 가진 여인이 궁녀로 뽑혀 황실에 들어온 다음 황

대청제국의 제10대 황제인 동치제. 서태후가 수렴청정을 했다.

제의 의귀인懿貴人에 책봉됐다. 5년 후 그녀는 함풍제와의 사이에 아들 하나를 낳았다. 어릴 때부터 몸이 병약했던 함풍제는 자식 생산 능력도 약했던지 자식을 많이 두지 못했다. 따라서 함풍제가 젊은 나이에 요절한 다음, 겨우 6세밖에 되지 않은 황자 재순載淳이 청나라 10대 황제인 동치제로 등극했다.

귀한 자식을 둔 덕분에 나라난아는 성모황태후聖母皇太后로 추앙받았다. 당시 나라난아 외에 또 한 명의 황태후가 있었는데 그녀는 자금성의 동육궁에 산다고 해서 동태후로 불렸고, 나라난아는 자금성의 서육궁에 살았다고 해서 서태후로 불렸다. 성모황태후 또는 자희태후라고도 불리었던 그녀가 바로 지금도 자자한 악명을 자랑하고 있는 서태후다.

동치제가 황제로 등극했을 때 서태후의 나이는 겨우 27세였다. 아들이

황제고 자신이 태후이니 온갖 부귀영화를 누린 것은 두말할 필요도 없었다. 그러나 여자에게 있어서 꽃다운 나이에 남편을 잃는 것은 몹시 불행한 일이다. 게다가 황실의 여자는 영원히 재가할 수도 없었으니 그보다 더 불행한 일은 없었을 것이다. 그녀에게 남은 것은 평생 과부로 살다가 쓸쓸하게 늙어 가는 길뿐이었다. 그러나 야망이 컸던 서태후는 이렇게 쓸쓸하게 생을 마감하려고 하지 않았다. 그녀는 정치에 큰 관심을 나타내며, 그때까지 당唐의 측천무후則天武后24를 제외하고는 여자들에게 허용되지 않았던 국가를 경영하는 길에 들어선다.

대청제국을 주무르는 서태후

서태후의 첫 번째 정치쇼는 피비린내 나는 살육을 동반할 수밖에 없었다. 서태후는 시동생 공친왕 혁흔과 손잡고 황권을 인수인계하는 어수선한 틈을 타서 일거에 8명의 고명대신을 제거했다. 이렇게 해서 그녀는 간단하게 대청제국의 최고 권력을 장악해 버렸다. 이때부터 청나라에는 수렴청정이 시작됐다. 서태후는 동태후와 함께 황제의 옥좌 뒤에 주렴이나 산수화를 그려 넣은 발을 쳐놓고 그 뒤에 앉았다. 그리고 황제와 함께 조정 대신들의 보고를 듣고 국가의 운명을 좌지우지하는 명령도 내렸다. 그다지 정치에 관심이 없었던 동태후 덕택에 서태후는 이때부터 막강한 권력을 행사하게 된다.

몇 년이 지나 조정의 정무를 어느 정도 파악하자, 서태후는 자신의 권

---

24 측천무후(則天武后): 당 고종의 황후였으나 황태자였던 자신의 아들들을 차례로 죽이거나 귀양을 보내고, 중국 역사상 최초이자 유일무이한 여황제(재위 624~705년)에 올랐다. 중국에서는 그녀를 무측천이라고도 부르며, 잔인하고 음탕했던 요녀(妖女)라는 평가부터 민생을 잘 보살펴서 나라를 훌륭히 다스린 여걸(女傑)이라는 평가까지 그녀에 대한 평가가 다양하다.

력을 위협할 수 있는 장애물들을 하나씩 제거하기 시작했다. 공친왕 혁흔도 예외가 될 수 없었다. 이윽고 성인이 된 동치제가 관례에 따라 친히 정무를 처리하기 시작했다. 그러나 이미 10년 동안 수렴청정을 하며 권력의 맛을 본 서태후는 쉽게 대권을 내놓으려 하지 않았다. 하지만 서태후는 운이 좋은 사람이었다. 동치제가 친정을 시작한 지 얼마 안 돼 천연두天然痘에 걸려 세상을 떠난 것이다[25]. 어머니로서는 사랑하는 아들을 잃었으나, 권력자로서는 수렴청정의 기회를 다시 얻게 됐으니 그나마 행운이었다.

동치제가 세상을 떠난 이후 그녀는 황실의 법도를 어기고 겨우 세 살밖에 되지 않은 동치제의 사촌동생인 아이신기오로 재첨載湉을 황위에 앉혔다. 그가 바로 광서제(光緖帝 · 제11대 황제, 재위 1874~1908)다. 광서제 즉위 후에도 서태후는 여전히 주렴 뒤에서 황제를 대신해 정사를 돌봤다. 몇 해가 흘러 광서제가 친히 정무를 돌볼 만한 나이가 됐다. 그러나 광서제는 실권을 가지지 못했으므로 아무런 힘도 쓰지 못했다. 여전히 서태후가 수렴청정을 하도록 내버려둘 수밖에 없었다.

서태후가 청나라 말기에 펼친 활약상은 지금 봐도 일대 사건이었다. 그녀는 국가 최고 권력을 틀어쥔 50년 동안에 양무운동, 변법자강운동, 예비 입헌 등 세 차례의 대변혁을 주도해 전국을 격동의 도가니로 몰아넣었다. 비록 세 차례의 변법운동이 모두 실패로 돌아가고 이 기간에 사건 사고도 많이 발생했다. 그러나 서태후는 중국에서 전통적으로 인정하는 이른바 생각이 트인 정치가의 표본이었다. 그녀는 처음부터 시종일관 양무파의 자강운동을 지지했다. 또 광서제를 부추겨 다양한 유신 정책도 힘차게 출범시켰다.

---

25 동치제의 사인(死因): 일설에는 서태후의 위세에 눌린 동치제가 향락을 쫓다가 성병인 매독(梅毒)에 걸려 죽었다는 의견도 있다.

그러나 유신파가 자신의 권력과 목숨을 노리는 것을 간파한 다음에는 이들을 향해 무자비하게 칼을 휘둘렀다. 입헌 정치는 황권 정치와는 완전히 상반되는 개념으로 입헌 정치를 하면 황권이 사라질 수밖에 없었다. 황권을 움켜쥔 그녀의 입장에서는 입헌제를 차일피일 미룬 것도 당연한 일이었다.

물론 서태후는 청나라 말기에 크고 작은 잘못을 많이 저질렀다. 심지어 피비린내 나는 참사를 주도하기도 했다. 그러나 서태후 한 사람에게 청나라 멸망의 책임을 모두 뒤집어씌우는 것은 올바르지 않다.

예허나라 가문의 후예인 서태후는 복수를 부탁한 조상의 유언을 잊었는지, 아니면 아예 모르고 있었는지 아이신기오로 가문을 위해 충성을 다했다. 그렇게 할 수밖에 없었던 것은 황권을 유지하는 것이 곧 자신의 권력을 유지하는 길이었기 때문이다. 그녀는 변혁에는 동조했으면서도 변혁의 속도가 빨라지고, 변혁의 내용이 황권을 위협하게 되자 고도의 경계심을 드러내기도 했다. 그녀가 가장 신뢰하는 최측근도 늘 서태후의 의심과 시기의 대상이 돼야 했다.

그녀는 심지어 수중의 권력을 유지하기 위해 러시아 황제 예카테리나 2세와 영국 여왕 엘리자베스와 같은 방법을 쓰기도 했다. 자신의 말에 고분고분 순종하지 않는 자는 정계에 영원히 발붙이지 못하도록 추방한 것이다. 또 필요할 때에는 잔인한 살육도 서슴지 않았다. 표면적으로는 황권을 지키기 위해서라지만 실제로는 자신의 권력을 지키기 위해서였다. 따라서 여러 번의 변혁 시도는 모두 물거품으로 끝나고 말았다. 한마디로 말해 변혁에 대한 의욕이 조금도 없었던 것이다. 마지막에 달라진 것은 거의 없었으니 말이다.

사치와 허영의 화신 서태후

위기가 도처에 도사리고 있던 청나라 말기, 청나라를 세운 팔기 자제들은 타락할 대로 타락해 있었다. 도저히 중책을 맡길 수 없는 지경이었다. 그러나 서태후의 남다른 담력과 식견, 그리고 뛰어난 정치적 수완과 더불어 사람의 능력을 파악해 적재적소에 임용하는 능력은 이런 상황에서도 빛을 발했다. 그래서 증국번, 이홍장 등의 출중한 재능을 가진 한족 관리들도 모두 서태후의 명령에 고분고분 따랐다. 이렇게 발탁된 관리들의 끊임없는 노력으로 대청제국은 위태롭지만 쓰러지지 않고 버틸 수 있었다. 물론 그녀가 인재를 임용할 때 완벽하게 공정성을 유지했다고는 말하기 어렵다. 그래도 이홍장을 비롯한 한족 관리들을 조정 중신으로 대거 발탁하고, 자신의 심복인 중신 영록榮祿26을 섬서성의 서안西安으로 보내 20년이나 지방관으로 근무하게 한 것을 보면 그나마 현명한 리더라고 할 수 있었다.

서태후는 천성적으로 다재다능하고 이해타산에 뛰어난 여인이었다. 게다가 힘들고 어려운 정치생활을 계속하면서 머리가 더 영리해지고 성격도 민감해졌다. 그럼에도 불구하고 오래 된 대청제국이 핍박을 받고 세계의 흐름에 합류하게 됐을 때는, 그녀 특유의 고집과 우둔함을 고스란히 드러냈다. 비록 서양 문명을 완전히 거부하거나 피하지는 않았으나 서양의 선진적인 과학기술 성과를 향유하는 것도 그다지 달가워하지 않았다.

---

26 영록(榮祿): 만주팔기 중 정백기 사람으로 과얼자(瓜尔佳)씨다. 청나라 조정에서 공부시랑, 공부상서, 서안장군, 직례총독, 북양대신, 내무부대신, 병부상서, 총리아문대신 등의 요직을 지내며, 함풍제, 동치제, 광서제의 세 황제를 모셨다. 청나라의 마지막 황제인 푸이의 외할아버지이기도 하다. 떠도는 소문과 일부 소설에는 영록이 서태후의 애인이었다는 말이 있을 정도로 서태후와 가까웠고 그녀에게 충성을 바쳤던 신하였다.

청나라의 몰락을 재촉했던 자희태후. 서태후라는 이름으로 더 유명하다.

각양 각색의 외국 상품은 황궁의 깊숙한 곳까지 들어왔다. 그러나 오랫동안 폐쇄 상태로 있던 국가여서 그다지 잘 알지 못하는 새로운 현대 문명을 선뜻 받아들이기보다는 거부했다. 사실 그게 당연한 일이었다. 서태후는 노년에 사람들이 자신을 노불야老佛爺27라고 부르는 것을 좋아했다. 그녀는 언젠가 이런 말을 하기도 했다.

"사람들이 자주 나에게 영국의 빅토리아 여왕에 대해 언급하곤 한다. 사실 영국과 세계 각국 간의 관계는 중국과 세계 각국 간의 관계의 절반만큼도 복잡하지 않다. 영국이 세계 최강대국이 된 것은 빅토리아 여왕 한 사람의 공로가 아니다. 영국에는 현명하고 유능한 인재가 매우 많다. 국가의 모든 사무는 파력문(巴力門·의회)28에서 결정하고 여왕은 결의안에 서명만 하면 된다. 그런데 우리나라 정무는 모두 나 한 사람이 처리해야 한다. 군기대신이 있으나 일상적인 사무만 처리할 뿐이다. 게다가 황제는 아무것도 할 줄 모른다."

한마디로 자신이 더 뛰어나다는 말이다. 그러나 서태후는 생각이나 해

---

27 노불야(老佛爺): '살아있는 관세음보살'이라는 뜻으로 서태후가 특히 좋아하던 별칭이었다.
28 파력문(巴力門): 파력문은 '의회'라는 뜻을 지닌 영어 단어 'Parliament(팔러먼트)'를 중국어로 음역한 것이다.

봤을까? 무엇 때문에 중국에는 영국의 국회와 같은 파력문이 없었는지를 말이다. 또 만약 중국에 파력문이 있다고 했더라도 국가 사무에 대해 최종 결정권을 행사할 수 있었을지도 말이다.

서태후는 일반인의 상상을 뛰어넘는 사치와 허영을 즐겼다. 이로 인해 당시의 사람들과 후세의 사람들 모두에게 비난을 받고 있다. 서태후의 사치는 가히 중국 역사상 그 유래를 찾을 수 없을 정도였다. 찢어지게 가난했던 어린 시절을 보상받기 위해서였는지는 몰라도 서태후는 맛있는 음식과 화려한 옷, 그리고 반짝이는 보석을 무척이나 좋아했다.

그녀의 매끼 식사에는 최소 100가지 이상의 산해진미가 올라 끼니당 최소 은 200냥[29] 이상이 들어갔고, 옷은 3,000여 상자나 돼서 하루에도 몇 번씩 옷을 갈아입고 다녔다. 또한 보석을 무척 좋아해서 옷과 장신구는 비취와 진주로 장식을 했고, 심지어 손톱 보호대까지 비취로 만들어 끼우고 다녔다. 기록에 따르면 서태후는 하루 생활비로 은 4만 냥을 썼다는 기록도 있다. 당시 청나라 말기 6품 관리의 연봉이 45냥이었다고 하니, 서태후가 하루 동안 쓴 생활비는 중급 관리 1,000여 명의 연봉 수준이었다.

또한 그녀의 사치와 허영은 때와 장소를 가리지 않았다. 1900년에 의화단 운동의 여파로 영국과 미국, 러시아, 일본 등의 8개국 연합군이 중국 북경까지 쳐들어오자, 서태후와 황실의 인물들은 섬서성 서안으로 몸을 피했다. 그런데 그곳에서도 서태후의 사치와 탐욕은 여전했다. 서태후 일행이 물 쓰듯 돈을 쓰자 경비를 대기 위해 주변의 각 성에서는 예산을 갹출해 서안으로 보냈고, 진상품들은 길을 바꿔 서안으로 운반되었다. 기록에 의하면 1901년 2월 초 환궁할 때까지, 단 몇 달 동안 서태후 일행을 위해 서안

---

29 은 1냥(兩): 중국의 경제학자들은 청나라 말기 은 1냥의 가치를 지금의 200위안(元) 정도로 추정한다. 2012년 10월 기준으로 1위안은 한화 약 180원이다.

으로 운반된 물자가 은 500만 냥과 양식 100만 섬이었다고 하니 가히 씀씀이를 짐작할 수 있다.

그러나 서태후의 가장 극단적인 예산 낭비는 1894년에 벌인 그녀의 환갑잔치일 것이다. 그녀의 환갑이 다가오자 청나라 조정의 몇몇 대신이 환갑잔치를 간소화하고 절약한 비용을 군비로 사용할 것을 제안했다. 하지만 노불야는 일언지하에 거절하고, 자신의 환갑잔치와 자신의 처소인 이화원 재건 공사에 무려 은 1,000만 냥을 쏟아 부었다. 이 금액은 당시 청나라 국가예산의 6분의 1에 달하는 어마어마한 금액이다.

예산 전용만 해도 욕을 먹을 터인데, 그녀는 이화원을 재건하면서 전함을 만들어야 할 북양해군의 국방 예산까지 끌어다 썼다. 그녀가 끌어다 쓴 해군 예산은 은 30만 냥으로, 이 돈은 당시 중국 해군 예산의 절반에 달하는 수치였다. 그녀는 청나라 국토가 심하게 파괴되고 국가 존립 자체가 위태로워졌던 칠순 때도 여전히 큰 잔치를 벌여 자신의 생일을 축하했다. 당시 학자이자 혁명가였던 장빙린章炳麟·장병린은 다음과 같은 시를 지어 서태후의 무절제한 사치를 꼬집었다.

오늘은 남원, 내일은 북해, 그렇다면 장안에는 언제 도착할까?
백성들의 피를 쥐어 짜내고 자신은 호화로운 생활을 즐기는구나.
나이 50에는 유구(琉球·오키나와)를 내주고, 60에는 대만을 떼어주더니,
이제는 동북의 3성**30**까지 내주니 한심하도다,

---

30 동북3성(東北三省): 현재 중국의 요녕성(遼寧省), 길림성(吉林省), 흑룡강성(黑龍江省)의 3개 성(省)을 아우르는 표현이다. 장빙린이 이 시를 지을 당시의 3성은 성경성(盛京省)이 요녕성이라는 이름을 얻기 전이므로 성경성, 길림성, 흑룡강성이다.

조정 관리들이라는 무리가 제멋대로 국토를 내주고도 만수무강을 바라는구나.

서태후는 경극京劇을 무척 좋아했다. 청나라 정세가 극도의 위기에 몰려 있을 때에도 경극 관람을 빼놓지 않았다. 그녀가 경극을 지나치게 좋아하다보니 그녀 주변에 경극 같은 이야기가 펼쳐졌는지도 모른다.

새로운 세기인 20세기에 접어든 1900년, 청나라와 서구 열강들 사이에는 갈등이 다시 첨예화됐다. 그러자 마치 경극 속의 이야기처럼 하층민과 농민들이 소박한 애국심으로 무장하고, "칼과 총도 두렵지 않다.", "청나라를 도와 서양을 물리치자."라는 등의 구호를 내걸고 자발적으로 무장부대를 조직했다. 그러나 이 같은 민초들의 노력은 이미 쓰러지기 시작한 거대한 대청제국을 다시 일으켜 세우기에는 역부족이었다. 이 시기에 의화단義和團, 홍등조紅燈照[31] 등의 민간 결사조직이 나타나 마치 슬픈 경극처럼 비장한 이야기를 엮어가기 시작했다.

---

31 홍등조(紅燈照): 의화단 운동 때 주로 10대 여자들로 조직됐던 단체다. 홍색의 옷을 입고 홍등을 들어 이런 이름이 붙었고, 통일된 조직은 없었지만 기율이 엄격했다고 한다.

속 다르고
곁 다른
북극곰 러시아

대청제국과 국경선을 맞대고 있는 러시아는 오래전부터 세계 최대 국토를 보유하고 있었다. 러시아의 전신이랄 수 있는 14세기의 모스크바대공국을 시작으로 끊임없이 대외 확장을 통해 영토를 늘린 결과였다. 건국 초기 좁은 땅에서 살면서부터 토지에 대해 지나친 집착을 나타냈기 때문일까, 아니면 끊임없이 영토를 늘리는 기쁨을 누려본 탓일까? 러시아인들의 토지에 대한 애착은 다른 국가를 훨씬 능가했다. 이런 토지 중심의 문화는 러시아 이웃들에는 큰 불행이 아닐 수 없었다. 그중 가장 불행한 국가가 바로 중국이었다.

러시아인은 탁월한 외교 능력도 가지고 있었다. 그들이 청나라를 대할 때는 간단하면서도 실용적인 외교 수단을 사용했다. 자신들의 국력이 강할 때는 무력도발을, 약할 때는 화친을 도모하는 이중적인 전략을 사용했던 것이다. 그러나 러시아의 더 묘한 전술은 외교석상에서는 상대국에 항

흑룡강을 사이에 두고 애혼과 마주보고 있던 블라고베셴스크의 모습(1900년대). 애혼조약으로 소유권이 러시아로 완전히 넘어갔다.

상 온화하고 우아한 느낌을 준다는 사실이었다. 러시아인들은 영국인이나 프랑스인, 훗날의 일본인들처럼 흉악한 몰골로 상대국에 위협을 가하지 않았다. 나아가 미국인들처럼 직설적으로 무리한 요구를 하지도 않았다. 대신 유연하고 완곡한 수단으로 목적을 달성했다. 이러한 전술은 때로는 강도처럼 난폭한 짓을 일삼는 다른 국가들보다 더 많은 것을 얻을 때도 있었다. 러시아의 자비롭고도 선한 이미지 때문에 상대국은 속고도 이를 몰랐다. 오히려 고맙게 생각하는 경우가 허다했다.

중국을 좀먹어 가는 러시아

앞에서 언급한 것처럼 러시아는 겉과 속이 달랐다. 19세기 중반부터 러시아는 내우외환을 겪고 있는 청나라를 갈취해 한몫 톡톡히 벌 수 있는 기회를 포착하고 서서히 행동을 개시했다. 1850년대는 러시아가 농노제 개혁을 하기 전이었다. 따라서 전국 각지에서 농노들의 반란이 빈발하고 소요 사태가 끊이지 않았다. 그러나 열악한 내부 사정은 이 북극곰이 외부의 사냥물을 찾는데 전혀 지장을 주지 않았다.

1858년 청나라는 대내외적으로 곤경에 빠졌다. 태평천국의 난이 강남 모든 지역에 파급된 데다, 설상가상으로 영불연합군이 천진天津의 대고大沽를 공격했다. 러시아는 어수선한 이 기회를 노렸다. 러시아는 원래 청나라와 1689년에 맺은 네르친스크조약[32]으로 인해 중국의 흑룡강 지역으로 진출할 수 없었다. 그러나 청나라가 내우외환에 시달리며 이 지역에 신경을 쓰지 못하자, 바로 흑룡강과 극동 지역으로의 진출을 시도했다.

1858년 5월 동시베리아총독이던 무라비요프 아무르스키Muravyov-Amursk가 군함을 거느리고 흑룡강의 요충지인 애혼璦琿에 나타난 것이다. 당시 흑룡강을 수비하던 청나라 장군 혁산奕山은 10여 년 전에 광주에서 영국군에게 혼쭐이 났던 기억이 떠올랐다. 그래서 러시아의 군함 앞에서도 쩔쩔 맸다.

결국 혁산은 러시아인들이 미리 준비해온 '애혼조약璦琿條約'에 서명을 하고 말았다. 세 가지 조항으로 구성된 '애혼조약'은 러시아인의 토지 중심의 문화적 특징을 잘 보여준다. 애혼조약을 간단하게 설명하면 외흥안령(外興安嶺·스타노보이산맥) 남쪽과 흑룡강 북쪽의 땅을 러시아에 할양하고, 오소리강烏蘇里江 동쪽의 영토는 청나라와 러시아 양국이 공동 관할하기로 결정했다. 이에 따라 청나라와 러시아 선박은 흑룡강과 오소리강, 송화강에서 공동으로 항해를 할 수 있게 됐다.

혁산 장군이 무엇 때문에 청제국의 국익을 팔아먹는 조약을 선선히 체결했는지는 현재로서는 알 수 없다. 그는 목이 달아나는 것도, 천추의 죄

---

32 네르친스크조약: 1689년 청나라와 러시아가 네르친스크에서 맺은 국경 확정 조약으로, 5개의 조항으로 되어있지만 가장 큰 내용은 아르군강·케르비치강 두 강과 외흥안령산맥을 잇는 선을 청나라와 러시아의 국경선으로 확정한 것이다.

인이 되는 것도 두렵지 않았던 것일까? 러시아인들의 욕심은 만만치 않았다. 달랑 조약 하나를 체결하고 중국의 국토 64만 제곱킬로미터(한반도 면적의 약 3배)를 빼앗을 생각을 했으니 말이다.

혁산 장군이 체결한 '애혼조약'은 당연히 청나라 정부의 승인을 받지 못했다. 그러나 러시아인들은 조급해하지 않았다. 얼마 후 러시아는 중국에 외교 사절단을 파견했다. 외교 수단으로 청나라 정부를 협박해 '애혼조약'을 승인하게 하려는 의도였다. 외교 사절단의 출발을 앞두고 러시아 정부는 청러 국경지대인 시베리아 캬흐타에서 성대한 환송회를 거행했다. 반드시 목적을 달성하고 돌아오라는 강한 의지의 표현이었다.

러시아 외교 사절단은 과연 러시아 황제인 차르Tsar의 기대를 저버리지 않았다. 영불연합군이 아직도 천진의 대고에서 청나라 군대와 신경전을 벌이고 있을 때, 그들은 한발 앞서 청나라 정부와 천진조약을 체결한 뒤, 순조롭게 북경으로 가서 조약 비준서를 교환했다. 이 밖에 영불연합군이 북경에 처들어온 후에는 러시아 공사가 중간에서 중재를 한답시고 거드름을 피우기도 했다. 또 사후에는 중재자의 공로를 빌미로 청나라 정부에게 거액의 사례비를 요구했다. 이후 청나라와 러시아 사이에 맺어진 '북경조약'은 '애혼조약'의 유효성을 승인했을 뿐만 아니라 오소리강 동쪽 34만 제곱킬로미터의 중국 땅을 러시아에 할양한다고 규정했다.

러시아인들은 2년도 채 안 되는 사이에 세치 혀를 놀려 청나라의 국토 100만 제곱킬로미터(한반도 면적의 약 4.5배)를 먹어치웠다. 이 결과 만주족 조상들이 여러 차례 피를 흘려 수복했던 야크싸(雅克薩·알바진), 쿠예(庫頁·사할린), 외흥안령(外興安嶺·스타노보이산맥), 그 밖에 북부 지역의 천연 항구였던 해삼위(海參崴·블라디보스토크) 등 넓은 땅이 러시아 영토에 편입됐다. 물론 위의 지명들은 오늘날 중국인들의 가슴 아픈 기억 속에만 남아 있다. 러시아는 중국 땅을 빼앗은 후 중국인들의 흔적을 완전히 없애기 위해 황급히 자기 식으로 이들 지명을 바꿔버렸기 때문이다.

몇 년 후 청·러 양국은 '천진조약'과 '북경조약'에 따라 청나라 서북 국경 지역의 국경선을 다시 정하게 됐다. 조약의 내용에 따르면 산맥과 하천, 중국 측 초병의 위치에 따라 양국 간 새로운 국경선을 획정해야 마땅했다. 그러나 양국 간의 담판을 앞두고 러시아 정부는 기동성이 뛰어난 기병대를 파견해 1,000여 킬로미터에 달하는 국경선을 따라 청나라 초병들을 내지 깊숙이 쫓아버렸다. 이어 쫓겨난 청나라 초병들의 위치를 기준으로 국경을 획정해야 한다고 억지를 부렸다. 중국 측 대표로 나간 만주족 귀족 명의明誼는 벙어리 냉가슴 앓듯 '타청조약塔城條約33'에 서명을 할 수밖에 없었다. 이렇게 해서 중국은 또다시 러시아의 요구를 이기지 못하고, 신강 서북쪽의 발하슈Balkhas호수 동쪽 약 50만 제곱킬로미터(한반도의 약 2.3배)의 땅도 영원히 잃어 버리고 말았다.

1870년대 들어 또다시 신강의 정세가 혼란해지자 러시아인들은 다시 신이 났다. 1871년 러시아는 청나라 정부가 신강의 정세를 안정시키지 못한다는 핑계로 신강 이리伊犁 지역을 강점하고 대신 관리해준다는 명분으로 주권을 행사했다. 1875년 흠차대신 좌종당이 남부 신강 지역을 수복한 다음, 청나라 정부는 멍청하고 어수룩한 관리인 숭후崇厚를 전권공사全權公使로 러시아의 수도 상트페테르부르크에 파견했다. 몇 년 전부터 러시아인들이 지배하고 있는 이리를 되찾기 위해서였다.

그러나 어수룩한 만주 귀족 숭후는 잔머리 굴리기에 능한 러시아인들

---

33 타청(塔城)조약: 1864년 신강의 타청에서 청나라와 러시아가 맺은 조약으로, 중국의 서북 지역 국경을 획정한 조약이다. 중국에서는 '중러감분서북계약기(中俄勘分西北界約記)'라고도 불리며, 가장 큰 내용은 발하슈 동쪽의 땅 50만 제곱킬로미터를 러시아에 할양한다는 내용이다. 이 땅은 현재 카자흐스탄의 알마티주와 시기스카작스탄주를 이루고 있다.

의 꼼수에 재차 걸려들었다. 숭후가 임의로 체결한 '리바디아Livadia조약 **34**'은 이리 지역을 중국에 반환하고, 이리의 남쪽과 서쪽 지역의 수십만 제곱킬로미터에 달하는 넓은 땅을 러시아에 할양한다고 규정했다. 청나라 정부는 자국에 매우 불리한 이 조약을 승인하지 않고, 나라의 주권을 팔아먹은 숭후를 사형에 처했다.

얼마 후 증국번의 아들인 증기택曾紀澤이 중국 대표로 러시아에 가서 조약 개정을 요구했다. 청나라는 이때 러시아와 '이리조약伊犁條約**35**'을 체결해 이리를 되찾고 약간의 영토 이익도 얻었지만, 대신 호르고스Horgos강 서쪽의 2만 제곱킬로미터에 달하는 국토를 러시아에 넘겨줬다. 2년 후 청러 서북 변경을 확정짓기 위한 담판에서 중국은 또다시 자이산Zaisan호수 지역의 약 3만 제곱킬로미터의 땅을 러시아에 넘겼다.

이렇게 해서 러시아는 약 60만 제곱킬로미터에 달하는 중국 서북 지역의 땅을 손쉽게 넣었다. 러시아의 세력 범위는 신강과 몽골 지역까지 자연스럽게 확장됐다. 원래 대청제국이 영향력을 행사하던 중앙아시아의 많은 지역이 이 시기에 슬그머니 러시아의 영향권으로 넘어간 것이다.

이 시기 대청제국의 중원에서는 수십 년 동안 지속됐던 자강운동이 19세기 말 프랑스와 새로 부상한 일본과의 전쟁으로 완전히 실패로 돌아가고 말았다. 대륙의 중원에서 복잡하게 뒤엉켜 종잡을 수 없는 형세가 계

---

34 리바디아(Livadia)조약: 1879년에 청나라와 러시아가 맺은 조약으로 중국에서는 1차 이리조약이라고도 부른다. 이리(伊犁)를 반환받되, 대신 신강 지역의 넓은 땅을 러시아에 할양한다는 내용을 담고 있어 중국에서 비준이 되지 않았다.

35 이리조약(伊犁條約): 1881년 영국과 프랑스의 중재로 청나라와 러시아가 맺은 조약으로, 달리 '페테르부르크조약'이라고도 부른다. 조약의 내용은 러시아가 이리 지방의 대부분을 중국에 반환하고, 청나라에서는 이리 지역의 일부와 자이산 호수 북쪽 지방을 러시아에 넘겨주며, 배상금 90만 루블을 지불하는 조건이었다. 중국이 할양한 이 땅도 현재 카자흐스탄의 알마티주와 시기스카작스탄주의 일부를 이루고 있다.

속되는 와중에 러시아는 물 만난 고기처럼 탁월한 외교적 재능과 감언이설로 어부지리를 얻었다. 오죽했으면 중국을 침략한 다른 열강들도 러시아의 탐욕과 교활함에 혀를 내둘렀을까?

피로 물든
마미 항구

         1876년 9월 9일 버마(미얀마)의 왕은 관례대로 청나라에 사절을 파견해 조공을 바쳤다. 버마 왕이 청나라 황제에게 바친 것은 상주서 한 통과 코끼리 다섯 마리, 잎사귀 모양의 금엽金葉과 은엽銀葉 각각 1만 상자였다. 당시 〈뉴욕타임스〉에는 버마의 왕이 청나라 황제에게 올린 상주서 번역본이 실렸는데, 그 내용을 간추려 보면 청나라 황제의 안녕을 빌며, 청제국의 은혜를 잊지 않겠다는 내용이었다.

         당시 인도차이나반도에 있는 대청제국의 번속국들은 이미 서방 열강들의 손아귀에 들어간 상태였다. 베트남은 오래전부터 프랑스의 지배를 받고 있었고, 버마 역시 영국의 손에 들어갔다. 따라서 청나라 황제에게 보낸 버마 왕의 상주문은 외국의 압력에서 벗어나고자 궁여지책으로 과거의 종주국인 중국에 도움을 청한 것이다.

         청나라는 1840년과 1860년, 두 번의 전쟁에서 대패하면서 체면이 완전히 구겨진 상태였지만, 그럼에도 영국, 프랑스를 비롯한 서구 열강들은 아직도 무언가 거대한 힘이 중국에 남아 있을 거라고 생각하며 중국에 조심스러워웠다. 게다가 1860년대 이후 양무 자강운동이 활발하게 전개되면서, 청나라는 과거의 역경을 딛고 강국으로 거듭난 것 같은 상황을 연출했다. 이런 여러 상황 때문에 그때까지도 번속국의 지배층들은 여전히 청나라가 세상에서 가장 강력하고, 자신들을 보호해줄 수 있는 힘을 가지고 있다고 생각했다.

영국과 프랑스는 이들 번속국이 청나라에 계속 조공을 바친다는 사실에 불안감을 느꼈다. 이들의 국토를 점유했으나 이들의 정신은 통제할 수 없었기 때문이다. 이러한 상황에서 서구 열강들은 청나라와 번속국의 관계를 끊게 하는 가장 좋은 방법을 생각해냈다. 그 유일무이한 방법은 종주국인 청나라의 체통과 위신을 완전히 추락시키는 것이었다.

베트남을 먹어치우는 프랑스

프랑스가 가장 먼저 행동을 개시했다. 프랑스는 1870년대부터 베트남의 남부와 북부에서 끊임없는 무력도발을 일으키면서 베트남의 항복을 강요했다. 당시 베트남을 지배했던 응우옌 왕조阮王朝는 부패한 데다, 청나라 정부를 능가할 정도로 무지몽매했다. 이런 베트남의 패배는 당연했다. 계속 승리를 거둔 프랑스는 끊임없이 불평등 조약을 체결하며 베트남을 압박했다. 그러나 베트남 정부는 단 한 번도 조약을 진지하게 이행하려고 하지 않았다. 베트남에는 몇 가지 믿는 구석이 있었던 것이다.

첫 번째는 흑기군黑旗軍이었다. 중국과 베트남의 변경 지대인 광동성의 흠주欽州에는 청나라 출신의 유영복劉永福이 지휘하던 흑기군이 오랫동안

둥지를 틀고 있었다. 흑기군은 천지회 계통의 불법 무장단체였기 때문에, 청나라 정규군에 쫓겨 베트남 북부의 험지인 라오까이성 지역으로 본거지를 옮겨야 했다. 흑기군은 이 지역에 머물면서 베트남 북부의 반란을 평정하고, 비적들을 소탕하는 등 친베트남 정책을 펼쳤고, 심지어는 베트남을 침략한 프랑스 군대와도 소규모 전투를 벌여 그중 몇 번의 전투에서는 승리를 거두기도 했다.

베트남 내에서 흑기군이 이렇게 뛰어난 활약을 펼쳤으니, 응우옌 왕조는 크게 기뻐하며 유영복에게 '삼선정제독三宣正提督'이라는 관직과 '일등의용남작一等義勇男爵'의 작위를 하사하며, 당연히 프랑스를 막아줄 것으로 기대했다. 그러나 군사가 채 3,000명도 안 되는 민간 무장조직인 흑기군에게 최신식 무기로 무장한 프랑스 정규군을 막아달라고 기대하는 건 어불성설이었다.

베트남이 믿고 있던 두 번째 구석은 두말할 것도 없이 중국이었다. 베트남을 비롯한 번속국들은 그때까지 대청제국의 위세를 등에 업고 있었기 때문에, 외세 앞에서도 당당할 수 있었다. 베트남은 예부터 중국의 이웃이자 속국이었다. 천조상국으로 자처하는 대청제국은 당연히 이웃인 베트남에 대해 강한 보호의식을 가지고 있었다. 번속국을 보호하는 것은 천조상국 청나라의 당연한 책임이라고 여겼기 때문에 단 한 번도 그 책임을 회피하지 않았다.

하지만 구체적으로 어떻게 베트남을 어떻게 도와야 할 것인지에 대해서는 청나라 정부 안에서도 의견이 엇갈렸다. 좌종당, 증기택, 장지동을 위시한 주전파主戰派들은 '이에는 이, 눈에는 눈'으로 무력을 동원해 베트남을 침략하려는 프랑스를 응징해야 한다고 목소리를 올렸다. 그러나 청나라의 외교, 군사 실권을 장악한 이홍장은 외교 수단으로 분쟁을 해결해

중국의 제후국을 자처했던 베트남 응우웬 왕조의 후에 궁궐. 작은 자금성으로 불렸다.

야 한다고 주장했다. 이와 같은 상황에서 청나라 정부는 결국 이도 저도 아닌 어중간한 결정을 내렸다. 우선 베트남에 지원병을 파견하기로 했다. 그러나 막상 전장으로 떠나는 지원 부대에게는 절대로 먼저 프랑스군을 공격해서는 안 된다는 명령이 떨어졌다. 외교적으로는 프랑스의 베트남 침략행위를 강력하게 규탄하면서도, 청나라와 프랑스 양국의 담판 내지는 제3국의 조정을 통해 타협안을 이끌어내려고 한 것이다. 이런 청나라의 노력을 보며 베트남의 응우웬 왕조는 청나라에 고마움을 느꼈다.

베트남의 반복적인 조약 지연작전을 눈치 챈 프랑스군은 더 이상 참지 않았다. 1883년 말부터 1884년 초까지 베트남에 대한 프랑스의 공격은 한층 더 강화됐다. 베트남 정부군은 빠르게 무너졌고, 응우웬 왕조의 수도인 후에Hue도 곧 프랑스군의 손에 들어갔다. 베트남 정부는 황급히 북경에 사절을 파견해 지원군을 보내 줄 것을 요청했다. 청나라 정부의 대응도 상당히 빨랐다. 청나라 원정군은 빠른 속도로 베트남 북부의 오지로 진격했다. 그러나 프랑스군 역시 평소보다 더 맹렬하게 공격을 퍼부었다. 청나라의 지원 군대는 하노이 일대에서 연달아 참패했고, 베트남과 청나라 두 정부가 큰 기대를 걸었던 흑기군도 무너져 여기저기로 뿔뿔이 흩어졌다. 패전 소식이 날아오자 청나라 정부 내부에서는 주화파主和派가 목소리를 높이기 시작했다.

1884년 5월 11일 이홍장과 프랑스 대표인 프랑시스 포르니에르F. Fournier는 천진에서 5개조로 된 '청불 간명조약簡明條約36'을 체결했다. 조약의 가장 큰 내용은 청나라가 프랑스의 베트남 보호권을 승인하는 것이었다. 또 프랑스와 베트남이 이미 확정했거나 혹은 아직 확정하지 않은 모든 조약에 청나라가 간섭하지 않는다는 것도 명기했다. 또한 베트남에 주둔하고 있던 청나라 군대를 즉시 철수시키는 대신, 프랑스는 중국의 변경을 침범하지 않는다는 각서도 포함됐다. 중국과 베트남의 변경을 개방한다는 내용은 마지막에 들어갔다.

그러나 프랑스는 '청불 간명조약'이 중국과 베트남의 번속 관계를 완전히 청산하지 않았고, 프랑스의 목적에도 부합하지 않는다며 베트남 북부의 지정학적 요충지인 랑선성省 북려北黎 지역에 주둔하고 있던 청나라 부대를 기습 공격하는 이른바 '북려北黎 충돌' 사건을 일으켰다. 그러나 오히려 현지에 주둔해 있던 청나라 군대의 반격에 의해 큰 타격을 입었다. 그리고는 적반하장 격으로 청나라 정부에 손해배상을 요구하면서 중국 본토 항구를 공격할 것이라고 엄포를 놓았다. '북려 충돌'이 있은 후

---

36 청불 간명조약(簡明條約): 청불 간명조약은 천진에서 체결됐기 때문에 '천진간명조약'이라고도 한다.

대화를 통해 사태를 해결하려던 청나라 정부는 타협을 모색하던 자세를 버리고 프랑스의 무리한 요구를 모두 거절해버렸다. 광서제는 이어 이홍장에게 동남부 연해에서 적극적으로 해상훈련을 하라고 지시했다.

7월 중순 프랑스 해군 중장 쿠르베Anatole Courbet 제독이 프랑스 극동함대를 이끌고 유람을 구실로 복건성 복주福州의 군항인 마미馬尾항으로 들어왔다. 그런데 어찌 된 일인지 복건성의 관리들은 쿠르베를 쫓아내기는커녕 오히려 성대한 환영식을 열어줬다. 화친을 위해서였는지 아니면 다른 열강들의 중재를 기다리기 위해서였는지는 그 누구도 모른다. 분명한 것은 당시 민절閩浙총독과 복건의 선정船政대신은 군항에 주둔해 있는 복건해군에게 프랑스 함대에 절대 먼저 포격해서는 안 된다고 명령했다는 사실이다.

마미항은 복주福州의 민강閩江 하류에 있었다. 18년 전 전국 각지에서 양무운동이 거세게 전개될 때 당시 민절총독 좌종당은 마미 항구에 복주선정국 산하의 조선소를 설립하고 마미 연안에 포대를 구축했다. 또 1870년대에는 복건성의 선정대신이자, 임칙서의 생질 겸 사위인 심보정도 자신이 심혈을 기울여 운영하던 복건해군의 본거지를 마미항에 두었다. 이런 이유로 쿠르베의 극동 함대가 마미에 쳐들어왔을 때에는 이미 복건해군도 각종 함선 30척을 보유한 대청제국 최고 군사력을 갖춘 위풍당당한 해군부대였다. 그러나 이렇게 막강한 전투력을 갖춘 복건해군이었지만 국가의 정치·외교적 제약으로 손발이 묶여 군항 안에서는 꼼짝도 할 수 없었던 신세였다.

8월 23일 청나라와 프랑스의 평화협상은 물 건너갔다. 이날 오후 1시가 조금 지나자 프랑스 함대가 갑자기 복건해군을 향해 포격을 가했다. 순식간에 벌어진 일이었다. 복건해군의 대부분 함선은 미처 닻도 올리지 못한

마미항과 복주선정국 전경. 프랑스의 기습공격으로 벌어진 마미해전으로 대부분이 파괴되었다.

무방비 상태에서 줄줄이 격침됐다. 양국 간 해전은 30분 만에 끝났다. 복건해군은 군함 11척, 수송선 19척과 800명의 장병을 잃었다. 프랑스 극동함대는 이것도 모자라 20년의 역사를 가진 복주선정국을 향해 미친 듯이 포화를 퍼부었다. 마미에서 바다 입구에 이르는 구간의 포대와 수많은 민가들도 화를 면치 못하고 모조리 파괴돼 버렸다.

그래도 복건해군의 함선 양무揚武호의 반응은 나름 빨랐다. 함미포에서 발사된 포탄이 프랑스 함대 기함의 함교를 명중시켜 5명을 숨지게 한 것이다. 짧은 시간 안에 벌어진 참혹한 해전에서 중국이 거둔 유일한 성과였다. 당시 양무호의 함포 사격을 담당했던 사람은 훗날 중국에서 철도의 아버지로 불리는 첨천우詹天佑였다. 중국의 위대한 엔지니어 한 사람이 운 좋게도 프랑스 함대의 포탄 세례 속에서 구사일생으로 살아남은 것이다. 첨천우는 과거에 미국 유학을 떠났던 어린 학생 중 한 사람이기도 했다. 중국이 일방적으로 당한 이 해전에 첨천우의 유학생 동기 7명이 참전했고 그중 4명이 목숨을 잃었다.

황혼 무렵 붉게 물든 마미 항구는 말 그대로 피비린내 나는 도살장을 방불케 했다. 강과 바다가 잇닿은 수면도 선혈로 붉게 물들었다. 당시의 참혹한 장면은 100년이 지난 지금도 모든 중국인의 마음을 아프게 자극한다.

프랑스 극동함대는 마미에서 대승을 거둔 다음 함대를 두 갈래로 나눠 대만의 군사요충지 기륭基隆과 담수淡水를 공격했다. 그러나 회군淮軍 출신 명장 류명전劉銘傳의 완강한 저항에 부딪쳐 목적을 달성하지 못했다. 그러자 프랑스 극동함대는 아예 대만 해협을 봉쇄하고, 계속 중국 동부의 연해 지역에서 소란을 피웠다. 이듬해 초, 극동함대는 복건을 지원하러 온 남양南洋해군의 함대와 진강鎭江에서 맞붙었다. 결과적으로 프랑스 극동함대 군함 두 척이 침몰하고 쿠르베 사령관도 얼마 후 팽호澎湖에서 황천객이 되고 말았다. 쿠르베의 죽음에 대해 프랑스 측은 병사한 것이라고 주장했지만, 중국 측은 남양해군의 포탄에 맞아 중상을 입고 숨진 것이라고 발표했다.

육지에서는 광서군무를 담당하는 노장 풍자재馮子材가 중국과 베트남 변경의 군사 요충지인 진남관鎭南關에서 프랑스 지상 부대를 대파하고 진남관을 되찾았다. 승세를 몰아 베트남 북부의 완원과 랑선 등의 요충지를 수복했다. 이 소식이 파리에 전해진 다음날, 프랑스의 페리 내각은 무너지고 말았다.

1년 넘게 시끌벅적하게 지속된 전쟁은 청·불 양국에 무수한 사상자를 내게 만들었고 양국 모두에 아무런 이익도 가져다주지 못했다. 그러자 프랑스의 새 정부와 청나라 정부는 거의 동시에 정전停戰을 희망했다. 양국은 1년 전에 체결한 '간명조약'의 유효성을 승인하고, 청나라는 베트남에 주둔한 자국 군대를 철수시키고 프랑스는 대만 해협에 대한 봉쇄를 풀었다. 이어 1885년 6월에 '청불회정월남조약中法會訂越南條約37'이 천진에서 체결됐다. 이 조약으로 청나라는 결국 베트남을 프랑스에 넘겨주고 만 것이다. 훗날 혹자는 이를 두고 "프랑스는 이기지 못했는데 이겼고, 중국은 패하지 않았는데 패했다."고 평가했다. 뜻은 간단했다. 청나라 정부는 전쟁에서 승기를 잡았는데도 오히려 화의를 청해서 너무나 안일한 대처를 했다는 점이다.

　그러나 청불전쟁의 과정이나 결과보다 더 깊이 숙고해야 할 사실이 하나 있다. 그것은 마미해전에서의 참패로 인해 청나라가 애써 구축한 해군 기지가 풍비박산이 났다는 사실이다. 자강운동을 통해 강병을 이루려고 했던 청나라의 염원이 박살난 것이다. 설상가상으로 청불전쟁을 통해 더욱더 심각하게 받아들여야 할 문제점도 생겨났다. 그것은 청나라가 청불전쟁 기간 중에 군비로 사용할 예산이 부족해 외국 은행으로부터 군비를 충당했다는 사실이다. 즉 이때부터 대청제국은 큰 전쟁을 치를 경제적 능력을 거의 잃어버렸다고 해도 과언이 아니었다.

---

37 청불회정월남조약(中法會訂越南條約): 1885년 6월 천진에서 청나라와 프랑스가 체결한 조약이다. 청불신약(清佛新約), 2차 천진조약, 월남조약이라고도 불린다. 이 조약의 주요 내용은 프랑스가 베트남의 보호국임을 중국이 인정하고, 중국과 베트남의 국경 두 곳에 통상 장소를 정하며, 프랑스 화물은 베트남과 광서의 국경지대에서 관세율을 감하고, 이후 이 지역에서 중국이 철도를 건설할 때는 프랑스와 협상하도록 하는 것이었다.

대륙 깊숙이
진격하는
일본군

                    마미해전의 참패로 청나라 복건해군
은 거의 괴멸했다. 그러자 청나라 정부는 북양해군北洋海軍을 집중적으로
육성하기 시작했다. 1874년 청나라 정부는 해군을 육성하기 위해 매년 은
400만 냥을 조달하기로 결정했다. 그러나 그 액수는 점점 줄어들어 실제
로 군함 구매에 사용된 은은 매년 100만 냥밖에 되지 않았다. 비록 최초
예산 액수에는 훨씬 못 미쳤으나 우여곡절 끝에 북양, 남양, 복건 등 해군
함대들이 속속 창설됐다. 1885년 총리각국사무아문은 '해군아문海軍衙門'
이라는 새로운 기구를 설치하고, 수도 방위의 책임을 맡은 북양해군을 중
점적으로 지원하기 시작한다.

    1888년 말 산동성 위해威海의 유공도劉公島에서 아시아 최대 규모를 갖
춘 현대식 해군 함대인 북양해군이 정식으로 창설됐다. 북양함대의 함장
과 고위 장군들은 복주선정학당福州船政學堂을 졸업한 다음, 영국 해군 학

북양해군의 진원호. 당시 중국의 해군력은 세계 최고 수준이었다

교에서 교육을 받은 사람들로 구성됐다. 중견 장교들도 대부분이 과거에 미국 유학을 갔다가 귀국 조치를 당한 학생들이었다. 이들은 복건수사학당福建水師學堂에서 공부를 마친 후 현역 복무를 시작했다. 북양함대 장교들은 현대식 교육을 받았고 영어에 정통했으므로, 내부 지휘명령은 전부 영어로 내렸다. 한마디로 북양해군은 엘리트 군인들의 집합소였다.

이 무렵 북양해군을 주축으로 하는 대청제국의 해군은 세계 6위 내지 8위의 실력을 갖춘 상태였다. 비록 실전 경험은 없었으나, 대청제국 동부 연안에 위풍당당하게 늘어서 있는 늠름한 모습과 철갑선의 몸체에서 뿜어져 나오는 눈부신 광채만으로도 외국 세력들의 간담을 서늘케 하기에 충분했다. 함선의 수, 적재량, 함선에 배치한 대구경 화포, 두꺼운 갑판 등은 보고 듣는 사람들을 두렵게 하기도 했다.

그러나 일본인들은 그렇게 생각하지 않았다. 예부터 중국인들에게 '동쪽 오랑캐 섬나라' 로 멸시를 받던 일본은 후쿠자와 유키치가 탈아입구脫亞入歐 문명론을 제안하고, 메이지 천황이 일본의 환골탈태를 추진하는 일련의 변혁을 진행한 후 천지개벽의 변화를 맞았다. 섬나라 일본은 단시일에 뜻밖의 강국이 되자 제 주제를 모르고 미친 듯이 사냥감을 찾기 시작했다. 그러다 일본과 바다를 사이에 두고 있는 가장 가까운 곳, 바로 한반도의 조선朝鮮으로 탐욕의 눈길을 돌렸다.

중국은 조선의 가장 오래된 종주국으로 중국과 조선은 마치 이와 입술처럼 밀접한 순망치한의 관계에 있었다. 따라서 중국의 역대 정권은 조선을 보호하기 위해 언제나 있는 힘을 다했다. 그러나 이 무렵 조선은 심각한 위기에 처해 있었다. 조선 조정의 부패와 무능함은 청나라 관리들조차 혀를 내두를 정도로 심각해 19세기 조선에서는 내란이 끊이지 않았다. 오래전부터 호시탐탐 기회만 노리고 있던 일본은 1875년 운요호雲揚號를 이용해 강화도에서 전쟁을 도발하고, 이 일을 빌미로 결국 1876년 강화도조약으로 조선의 문을 활짝 열어젖혔다.

이런 일본의 움직임을 보고 청나라 정부가 수수방관할 리 없었다. 1882년 임오군란38이 발발하자마자, 청나라는 즉시 원정군을 파견해 한반도에서 조선의 종주권을 놓고 일본과 청나라가 힘을 겨루는 상황이 연출됐다. 이때 조선으로 건너간 원정군 중에 위안스카이袁世凱·원세개가 있었다. 몇 해 후 이홍장의 추천으로 조선 원정군 방어 사령관으로 승진한 위안스카이는 사실 뛰어난 재능과 지략을 갖춘 인물이었다. 단점이라면 여자를 너무나 밝힌다는 것이었다. 그는 조선에서 여자들에게 집적거린 것39을

---

38 임오군란(壬午軍亂): 1882년 옛 훈련도감 소속의 구식 군인들이 일으킨 병란이다. 군란의 원인은 강화도조약 이후, 일본의 도움으로 조직된 신식군대 별기군과의 차별 대우와 봉급미의 연체, 불량미 지급 등의 여러 가지 불만이 쌓인 데서 시작되었다.

39 조선 여인과 위안스카이: 위안스카이는 모두 10명의 처첩(妻妾) 사이에서 총 32명의 자녀가 있었다. 그중 조선에서 첩으로 들인 김씨, 이씨, 오씨로 알려진 3명의 조선 여인들 사이에서는 총 7남 8녀의 자녀를 뒀다. 이 중 김씨 부인은 당시 세도가였던 안동 김씨 가문의 여인이었으며, 이씨와 오씨는 이런 김씨를 모시던 몸종 출신의 부인으로 알려져 있다. 위안스카이는 자신의 아들 17명 중에서도 특히 김씨 소생의 둘째아들 커원(克文·극문)과 이씨 소생의 다섯째아들 커취안(克權·극권)을 편애했던 것으로 전해지고 있다.

빼면 꽤 큰 공을 세웠다. 그가 조선과 일본 간 군사, 정치, 외교 문제를 합리적으로 처리한 덕분에 일본인들은 벙어리 냉가슴 앓듯 본국으로 물러갈 수밖에 없었다.

그러나 잇단 청일 간의 회담에서 청나라 정부는 스스로 몸을 낮춰 굽실거렸다. 청일 양국은 앞으로 조선에 군대를 파병할 경우에 미리 상대국에 알릴 것을 약정했다. 이 약정은 위안스카이가 이전까지 노력한 것을 모두 물거품으로 만들었다. 이는 향후 청일 양국이 청일전쟁을 일으키는 도화선으로 작용했다.

1894년 초여름 동학군이 일으킨 동학혁명이 한반도 남부 지역으로 확산됐다. 초여름의 한반도는 뜨겁게 달궈졌고 조선 정부는 허둥지둥 청나라 정부에 도움을 요청했다. 청나라는 종주국의 의무를 이행하기 위해 조선에 군대를 파견해 동학 농민운동을 진압하기로 결정했다. 6월 4일 북양해군의 순양함 치원致遠호와 양위揚威호, 그리고 1,500명의 회군淮軍 장병들로 구성된 청나라 원정군이 조선으로 신속하게 떠났다. 그러면서 청나라 정부는 9년 전인 1885년에 청일 양국이 천진에서 체결한 천진조약40에 따라 원정군 파병 인원과 출발 일자를 솔직하게 일본 정부에 통보했다.

한반도에서 힘 겨루는 청나라와 일본

사실 일본은 줄곧 한반도의 정세를 면밀히 주시하고 있었다. 그래서 청

---

40 천진조약(天津條約): 임오군란과 갑신정변으로 조선에서 청일 양국이 대치하는 상황을 해소하기 위해 이홍장과 이토 히로부미가 1885년에 천진에서 맺은 조약이다. 내용은 크게 세 가지로, 청과 일본은 조선에서 동시에 군대를 철수하며, 양국 서로 조선에 훈련 교관을 보내지 않고, 훗날 조선에 변란이나 중요한 사건이 일어나 청나라나 일본 어느 한쪽이 파병할 경우 그 사실을 상대방에게 알리고, 그 사변이 진정되면 즉시 철군하는 것을 내용으로 담고 있다.

나라 정부의 공식 통보가 있기 전부터 이미 한반도의 내란 소식과 청나라 정부의 출병 소식을 파악하고 있었다. 일본 열도는 기쁨의 도가니에 빠졌다. 꿈에도 그리던 절호의 기회가 드디어 10년 만에 찾아왔기 때문이다. 청나라 정부의 공식 통보가 도착하기 전날 밤, 일본에서는 참모총장, 참모차장, 육군대신, 해군대신 등 고위 장군들로 이뤄진 임시 본부가 비밀리 조직됐다. 400명의 장병들로 구성된 해군 육전대(陸戰隊·해병대)는 순양함 야에八重호를 타고 쏜살같이 한반도로 달려갔다.

청나라 파견군이 동학군을 평정하는 데는 시간이 그다지 오래 걸리지 않았다. 그러나 일본 거류민 보호를 핑계로 한반도로 들어온 일본인들은 아예 한반도에 눌러앉아 돌아갈 생각을 하지 않았다. 드디어 본색을 드러낸 것이다. 조선 주재 일본 공사는 본국 외무대신으로부터 수단과 방법을 가리지 말고 청일 간 군사 충돌을 유발하라는 명령을 받았다. 이틀 후 청나라 총리각국사무아문은 일본 정부로부터 "일본은 한반도에 남아 조선 정부를 개혁할 것이다. 청나라 정부가 이를 수락하지 않으면 모든 후폭풍을 책임져야 한다."는 뻔뻔한 내용의 외교 각서를 받았다.

"왜놈들이 어찌 감히 천조에 도전한다는 말인가!"

광서제는 펄쩍 뛰며 흥분했다. 입에서는 침이 튀어나오고 있었다. 침방울은 꿇어 엎드려 보고하던 총리대신의 관모 위로 떨어졌다. 공기 좋고 경치가 수려한 이화원에서 휴식을 즐기던 서태후도 일본 정부의 외교 각서를 본 뒤 노여운 표정을 지으면서 호통을 연발했다.

일본은 더 이상 예전의 예의 바르고 공손하던 일본이 아니었다. 심지어 과거에 찬사를 보내던 중화민족을 일컬어 '열등한 지나인支那人'이라고까지 비하했다. 우월감 하나만은 남에게 뒤지지 않던 중국인들은 어쩔 수 없는 상황에서 서양인들의 온갖 수모는 묵묵히 참고 견딜 수 있었다. 그러나 동양 오랑캐의 모욕은 참을 수 없었다. 영국인도 아니고, 프랑스인도 아니고 한갓 '왜놈'들이 제 주제를 모르고 감히 중국에게 도발을 하다니, 청나라의 지배층은 폭발 직전이었다.

이런 와중에도 두뇌가 명석하고 세상의 흐름을 알고 있었던 몇몇 대청제국의 관리들은 청일 간의 전쟁을 막기 위해 다양한 노력을 펼쳤다. 이홍장은 천진에서 영국 공사와 러시아 공사 등과 긴급 회견을 하면서 이들이 일본인들을 설득해 전쟁을 중지하고 강화하도록 할 것을 부탁했다. 그러나 각국 공사들은 이홍장의 요청을 완곡하게 거절했다. 서방 열강들은 옆에서 싸움을 구경하다가 어부지리를 얻으려는 속셈이었다.

한반도의 정세는 더 이상 지체할 수 없을 정도로 악화됐다. 청나라 정부는 신속히 조선에 군사를 증파했다. 북양함대는 증원 부대 수송선을 호위하고 서해에서 적의 공격을 경계하는 임무를 맡았다.

7월 25일 북양함대의 전함 제원濟遠호와 광을廣乙호가 수송선 고승高昇호와 조강操江호를 호송해 한반도의 아산만 풍도 앞바다에 이르렀다. 아침 8시, 바다의 시계는 그다지 좋지 않았다. 함대는 천천히 항해했다. 요란한 모터 소리가 고요한 해면에서 유난히 더 크게 울려 퍼졌다. 이때 갑자기 쿵! 하는 굉음이 울렸다. 제원호 오른쪽 부근에서 커다란 물줄기가 솟구쳤다. 맨 먼저 갑판 위에 뛰어오른 청나라 해군이 멀리서 옅은 안개를 뚫고 다가오는 일장기를 보고 깜짝 놀라 외쳤다.

"일본군이다!"

일본 전함 요시노吉野호, 나니와浪速호, 아키츠시마秋津洲호가 중국 함선들을 공격했다. 광을호와 제원호는 황급히 전투 준비에 돌입했지만 바로 큰 타격을 입고 말았다. 한 척은 폭파되고, 다른 한 척은 퇴각했다. 제원호의 함장 방백겸方伯謙은 해전이 끝난 다음 "목숨을 부지하기 위해 전장에서 도망쳤다."는 죄명으로 청나라 정부에 의해 사형을 당했다. 이 때문인지 중국의 영화나 드라마에 등장하는 그의 모습은 백기를 들고 항복하는 비굴한 모습이다. 하지만 실제로 방백겸은 아산 앞 바다에서 그 누구보다도 용감하게 싸웠다고 한다.

고승호와 조강호는 영국 상선을 빌린 것으로 당시 영국 국기를 걸고 배에 무기나 장비도 많지 않았다. 궁지에 몰린 고승호는 끝까지 집요하게 쫓아온 일본 전함에 의해 격침을 당했다. 배에 있던 1,000여 명의 청나라 장병 중 목숨을 건진 이는 그야말로 극소수였다. 나머지는 모두 물고기 밥이 되고 말았다. 일본군은 물에 빠진 청나라 해군들을 향해서도 맹렬한 포화를 퍼부었다. 조강호는 많은 무기와 탄약, 그리고 20만 냥에 달하는 군비를 싣고 있었기 때문에 격침은 피할 수 있었지만, 대신 전리품으로 일본 사세보佐世保 항으로 끌려가는 수난을 당했다. 서해 해전에서 기습

일본 해군의 기함 마쓰시마호. 황해해전에서 일본 해군을 지휘했다.

작전으로 큰 승리를 거둔 일본 해군의 야심은 한껏 팽창했다. 이번에는 아시아 1위 해군인 북양함대를 정조준하기 시작했다.

풍도해전 이후 청일 양국이 동시에 선전포고를 하면서 지상전이 불붙었다. 일본군이 한반도 남부에 주둔한 청나라 군대를 맹렬하게 공격하자, 청나라 군대는 힘 한번 제대로

못 쓰고 패배를 거듭하다가 평양까지 퇴각했다. 비슷한 병력을 보유한 양측은 이곳에서 치열한 공방전을 벌였다. 그러나 애초부터 일본군에게 겁을 먹었던 청군의 총지휘관 엽지초葉志超는 청군의 전황이 좀 더 유리한 상황에서 퇴각을 명령했다. 결국 청나라 부대가 북양해군의 호위 아래 요녕遼寧의 단동丹東 부근 압록강 하구인 대동구大東溝까지 철수했을 때 평양은 이미 일본군의 손에 떨어진 지 사흘이 지난 시점이었다.

호송 임무를 무사히 마친 북양함대는 즉시 귀항 길에 올랐다. 그러나 얼마 지나지 않아 대동구 부근의 황해에서 일본의 연합함대와 딱 마주쳤다. 전함 12척, 소형 포함 2척, 어뢰정 4척으로 혼합 편성된 북양함대는 함선 수나 종류가 거의 똑같은 일본 함대를 먼저 공격했다. 황해해전이 벌어진 시점은 아산 앞 바다에서 있었던 풍도해전이 끝난 지 겨우 한 달이 지난 시점이었다. 풍도해전에서 서로 맞붙었던 제원호와 요시노호도 각자 자신의 함대에 합류해 있었다.

복수심에 불타던 북양해군과 사기가 하늘을 찌를 듯한 일본 해군이 서로 뒤엉켜 맞붙기 시작했다. 그러나 일본군은 북양함대에 대해 철저하고도 세밀한 연구를 한 것이 틀림없었다. 일본 쾌속정은 먼저 북양함대에서 화력이 가장 약한 군함 두 척을 바싹 뒤쫓아 격침시켰다. 북양해군은 순식간에 군함 두 척을 잃고 사기가 크게 저하되고 말았다. 엎친 데 덮친 격으로, 전투가 시작된 지 얼마 지나지 않아 북양해군을 지휘하던 기함旗艦 정원호에 일본군의 포탄이 작렬했다. 기함이 포탄에 맞자 북양해군의 지휘 통제 시스템이 멈춰 버렸다. 북양함대 사령관 등세창鄧世昌은 허리에 중상을 입고도 여전히 갑판에 앉아 전투를 지휘했으나, 그의 명령은 다른 함정까지 전달되지 못해 북양함대의 군함들은 고군분투할 수밖에 없었다.

북양함대 총사령관 정여창. 청나라가 패배하자 음독자살했다.

오후부터 시작된 전투는 황혼 무렵까지 이어졌다. 전투가 시작된 지 5시간 째, 일본의 기함 마쓰시마호의 탄약 창고에 북양해군의 포탄이 명중했다. 이 한방으로 일본군은 전투력을 완전히 상실했다. 일본 함대 사령관은 전군에 퇴각명령을 내렸다. 비록 일본군이 먼저 퇴각했으나 북양함대는 더 큰 손실을 입었다. 전함 5척이 침몰하고 4척이 크게 파손됐다. 북양함대의 사상자는 1,000명을 넘었다. 막강한 군사력을 갖춘 북양해군은 이 해전에서 큰 타격을 입었으나 전멸할 정도로 치명적인 것은 아니었다. 그러나 후일 청나라 군대가 지상 전투에서 일본군에 완패하면서 북양함대도 함께 몰살당하는 더 커다란 비운에서는 벗어나질 못했다.

일본에 패배한 청나라

일본군 지상 부대는 패전해 후퇴하는 청나라 군대를 집요하게 추격했다. 그해 가을인 10월, 청군 패잔병들이 청나라 본토까지 퇴각해 겨우 한숨을 돌리려고 했을 때였다. 일본의 대군은 부교를 이용해 압록강을 건너 청나라 안으로 진입했다. 한 달 후에는 요동반도의 최남단까지 추격해왔다. 일본군은 곧 이어 대포 100문을 앞세우고 중국 동북부의 가장 중요한 항구도시인 요녕遼寧의 여순旅順을 함락시켰다. 이 과정에서 부녀자와 어린이를 포함해 수많은 민간인들이 일본군에게 학살을 당한 '여순학살' 사건이 발생했다. 나흘간 벌어진 이 학살 현장에서 살아난 시민은 겨우 손에 꼽을 정도였다고 하니, 당시 일본군의 잔인함은 이루 말할 수 없을 정도였다.

40여 년 전 청나라 정부는 태평군과 각종 내란에 대처하기 위해 전국 각지에 단련團練이나 향용鄕勇 같은 민간 무장단체를 조직하도록 적극 장려한 바 있었다. 그런데 그렇게 장려했던 것이 청일전쟁을 치르는 과정에서는 오히려 심각한 부작용으로 작용했다. 청일전쟁에 동원된 청나라 육군의 숫자는 일본군보다 훨씬 더 많았다. 그만큼 파벌도 복잡하고 가지각색의 부대가 모였다. 겉보기에는 지휘 통제 체계가 그럴듯하게 갖춰진 것 같았으나, 실제로는 혼란 속에서 각자 제멋대로 행동한 것이다.

이처럼 전국 각지의 단련들을 모아 만들어낸 오합지졸 부대는 전쟁 기간 중에 각자 딴 생각을 하거나 딴 주장을 펼치면서 개별적으로 행동했다. 따라서 일본군이 쳐들어왔을 때, 각자 도망을 치거나 항복하지 않으면 제 갈 길로 가버렸다. 한때 전국적으로 명성과 위엄을 크게 떨쳤던 상군湘軍과 회군淮軍도 청일전쟁을 치르는 과정에서는 다른 부대와 다를 바 없었다.

이듬해인 1895년 1월, 3만 명으로 구성된 일본 육군이 뛰어난 기동작전을 앞세워, 북양해군의 함대사령부가 있는 중국 산동반도의 위해威海에 상륙해 해안 방어시설을 신속하게 점령했다. 대청제국이 심혈을 기울여 구축한 해안 방어시설은 너무도 손쉽게 일본군의 손에 들어가, 거꾸로 아군의 함대를 공격하는 시설로 이용됐다. 이와 함께 일본 연합함대도 바다에서 유공도를 포위하고 북양함대를 공격했다.

북양해군의 최고 사령부는 곧 혼란에 빠졌다. 기동 능력을 상실한 군함들은 전부 군항 안에 갇혀 앉아서 죽기를 기다렸다. 함선에 있던 북양군의 해군은 너나 할 것 없이 배를 버리고 뭍에 올랐다. 해안 방어부대 병사들은 일본군의 맹렬한 포화를 피하기 위해 앞을 다퉈 전함으로 도망쳤다. 북양함대 총사령관 정여창丁汝昌은 비분과 절망 속에서 "아군의 군함을 모두 폭파시켜라."는 명령을 내린 뒤 음독자살했다. 그러나 그의 명령은 제대로 전달되지 않았다. 중국 군함 10척이 일본 함대에 나포됐다. 결국 이렇게 해서 북양함대는 전멸하고 말았다. 북양함대의 종말을 추모라도 하듯 이날 산동반도에는 광풍이 휘몰아치고 폭우가 쏟아졌다.

위해威海에서의 패전 소식은 곧 북경에 전해졌다. 대청제국의 관리들은 어찌할 바를 모르고 쩔쩔맸다. 황성 안팎에서는 탄식 소리가 그치지 않았다. 환갑잔치를 코앞에 둔 서태후와 아직 젊은 광서제는 통곡했다. 옆에 있던 사람들도 따라서 눈물을 흘렸다. 계절은 봄이었으나 봄의 정취를 조금도 느낄 수 없었다. 반면 승전 소식이 전해진 도쿄는 축제의 분위기에 휩싸였다. 적어도 40만 명의 인파가 우에노上野 공원에 모여 경축 대회를 열었다. 시민들은 모두 몰려나와 거리와 골목들을 누비면서 밤새워 흥청거렸다. 일본 국민 누구나 즐거움을 표하지 않는 사람이 없었다.

위해해전을 끝으로 종결된 청일전쟁은 일본을 강국의 반열에 올려놓았다. 이에 반해 청일전쟁의 참패로 인해 청나라에서 30여 년 동안 진행된 변혁과 자강의 노력은 모두 물거품이 되고 말았다. 30여 년의 시간 동안 변혁의 목표를 달성하기는커녕, 오히려 청나라에는 온갖 굴욕과 재난이 끊이지 않았다. 이홍장은 훗날 청일전쟁의 대미를 장식했던 위해해전에 대해 "청나라와 일본이라는 나라 대 나라의 전쟁이 아니라, 북양해군 대 일본의 전쟁이었다."고 애써 평가 절하하며 외면했다.

흔히 말하는 서양 문명은 전 인류의 공동 노력을 통해 이룩한 현대 문

위해해전을 묘사한 그림. 위해해전의 패전은 청나라에 커다란 타격을 줬다.

명의 성과로 당시 세계의 진보적인 흐름을 의미한다. 다만 그것이 서양에서 생겨났기 때문에 서양 문명이라고 불릴 뿐이다. 이 진보적인 문명에 동서양의 구분이 있을까? 일본인은 그 이치를 빨리 깨달았기 때문에 서구화를 지향하며 '탈아입구脫亞入歐41' 문명관을 확립할 수 있었다. 그러나 중국인들은 인위적으로 동양 문명과 서양 문명을 구분 지으며, "중국 학문을 근본으로 삼아 서양 학문을 배워야 한다."고 주장했다. 한마디로 말해 중화문명을 중심으로 삼고 서양의 학문을 거부하거나 배척했으며, 어쩔 수 없이 받아들여야할 때도 선택적으로 받아들였다.

41 탈아입구(脫亞入歐): '아시아를 벗어나 서구 사회를 지향한다.'는 뜻으로, 일본의 계몽사상가인 후쿠자와 유키치가 '탈아론'에서 언급한 말이다. 개화기 이후 일본이 단시일에 강국으로 일어설 수 있도록 한 이론적 토대이며, 훗날 일본 제국주의와 식민지 경영의 기반이 된 개념이기도 하다.

객관적으로 보면 19세기 후반부터 중국은 일본보다 훨씬 더 열심히 서양 문물을 수용했다. 그러나 시종일관 중국의 전통 문화와 사상을 지킨다는 전제 아래 선택적으로 서양 문명을 받아들였다. 이러다보니 부분적인 과학기술과 현대 군사기술 정도만 수용했을 뿐, 서양 학문의 정수라고 할 수 있는 현대 정치, 민주 사상 등의 사상적 토대와 서양을 움직이는 또 하나의 힘이랄 수 있는 경제 제도에 대해서는 관심조차 가지지 않았다. 게다가 약간이라도 봉건 왕권 제도에 저촉되는 부분이 있으면 불에 덴 것처럼 황급히 손을 멈췄다. 그랬으니 오래된 중화제국에서 서양 문명이 꽃을 피우고 열매를 맺는 것은 처음부터 불가능한 일이나 마찬가지였다.

제4장 생존과 멸망

1896~1911년의 중국

청일전쟁에서 패한 청나라는 한마디로 말해 커다란 충격을 받았다. 서구 열강에 국력이 밀리는 것은 이미 알았다고 하더라도 일본에까지 밀리는 상황은 상상도 못해봤기 때문이다. 뜻있는 많은 이들이 대청제국의 미래를 걱정하며 사회 전반의 변혁을 시도했다.

그러나 중국 역사에서 사회 변혁 시도는 대부분 실패로 끝났다. 간혹 성과를 얻을 때도 있었으나 그 성과는 지극히 일시적이었고 일부분에 한정됐다. 그러나 이 같은 변혁 시도는 후손들에게 적지 않은 경험과 교훈도 남겼다.

1905년 땋은 머리를 길게 늘어뜨린 청나라 시찰단 두 팀이 외국인들의 호기심 어린 시선을 받으면서 유럽, 미국, 일본 등 10여 개 국가를 방문했다. 이어 1906년 여름이 가을로 바뀌는 계절에 두 팀은 6개월 동안의 외국 순방을 마치고 잇따라 귀국했다. 청나라 정부는 이들이 제출한 시찰 보고서를 토대로 예비 입헌의 방침을 선포했다. 국내 혁명을 억제하고 대청제국의 강산을 보전하려는 의도였다.

그러나 역사는 청나라 정부의 뜻대로만 흘러가지 않았다. 우발적인 사건이 연이어 벌어지면서 청나라는 결국 역사의 뒤안길을 걷게 된다.

만신창이가 된
중화의
나라

젊은 황제 광서제는 추풍낙엽처럼 떨어진 청나라의 국운을 보고 패전 장군 이홍장을 세 번이나 자금성에 불러들여야 했다. 황제가 세 황제를 섬긴 원로대신 이홍장과 무릎을 맞대고 진지하게 논의한 것은 청일전쟁 패전의 원인과 곧 직면하게 될 평화협상에 관한 것들이었다. 물론 그가 이홍장을 부른 직접적인 이유는 따로 있었다. 일본 정부가 일본과의 평화협상에 임할 중국 대표로 이홍장을 지목했기 때문이었다. 패자가 강화講和를 요청하면 어떤 결과가 나올지는 불을 보듯 뻔하다. 승자로부터 온갖 모욕을 받아야 하는 것은 기본이고, 중국 역사에 천고의 죄인으로 남아야 하는 것도 감수해야 한다.

그러나 '제왕의 오랜 걱정거리를 풀어드리는 것' 이 신하의 책임이 아니겠는가? 유교의 충의 사상에 철저한 이홍장은 조금도 주저하지 않고 용감하게 평화협상의 사명을 짊어지고자 했다. 그러나 어떻게 하면 황제

1895년 4월 17일 청나라와 일본은 '시모노세키조약'을 체결했다. 당시 중국 측의 대표는 이홍장, 일본 측의 대표는 이토 히로부미였다.

폐하의 기대를 저버리지 않고 맡은 바 사명을 잘 완수할 것인지에 대해서는 전혀 확신할 수 없었다.

　청나라와 일본 간의 '시모노세키조약下關條約[1]'은 금방 체결됐다. 그러나 이홍장의 탁월한 외교적 재능도 대청제국의 막대한 손실을 줄이는 데는 별반 도움이 되지 못했다. 시모노세키조약을 통해 대만과 팽호제도[2]는 일본의 손에 들어갔다. 이후 이곳들은 반세기 동안 일본의 통치를 받

1　시모노세키조약(下關條約): 1895년 4월 17일, 미국의 중재로 청일전쟁을 마무리하기 위해 청나라 대표 이홍장과 일본 대표 이토 히로부미가 일본의 시모노세키에서 체결한 조약이다. 중국에서는 하관조약(下關條約), 마관조약(馬關條約)이라고도 부른다. 내용은 청나라가 조선이 자주독립국임을 인정하고, 요동반도와 대만, 팽호제도 등을 일본에 할양하며, 전쟁배상금으로 일본에 2억 냥을 지불하는 것이 골자다. 이 밖에 호북성 사시, 사천성 중경, 강소성 소주, 절강성 항주를 일본에 개항하고, 일본 선박이 장강과 그 부속 하천을 자유로이 다닐 수 있는 권리와 일본인의 중국 내 거주와 영업, 무역의 자유를 승인하는 것도 포함되어 있다.

다가 2차 세계대전 종식 후 중국의 품으로 돌아왔다. 시모노세키조약은 이 밖에 청나라 정부가 일본에 배상금 2억 냥을 지불해야 한다고 규정했다. 2억 냥이면 가히 천문학적 액수였다. 여기에 전쟁 기간에 약탈한 것까지 합치면 일본이 전쟁을 통해 얻은 직접적인 경제적 이익은 엔화로 5억 엔에 달했다. 이는 당시 일본의 6년 재정 수입과 맞먹는 액수였다. 이에 반해 일본이 전쟁을 벌이는데 지출한 비용은 고작 1억 5천만 엔에 불과했다. 일본은 청일전쟁 배상금으로 시모노세키下關 부근에 방대한 철강 산업단지를 조성해 근대화에 박차를 가했다.

일본은 이 밖에 청일전쟁 기간에 자신들이 점령한 요동반도에도 군침을 흘렸으나, 러시아가 극동에서의 자국 이익을 위해 전쟁을 빌미로 위협하는 바람에 포기하고 말았다. 어이없는 것은 러시아와 독일, 프랑스 3국이 중간에서 일본과 청나라의 사이를 조정한답시고 설치는 바람에 중국이 자신들의 영토인 요동반도를 되찾는데 은 3천만 냥을 따로 지불했다는 사실이었다.

급격히 침몰하는 중국호

청나라 정부는 '시모노세키조약'으로 인한 경제적 손실을 정확하게 계산할 여유가 없었다. 거액의 전쟁배상금을 조달하는 일이 급선무였다. 청불전쟁, 청일전쟁 등 연이은 전쟁으로 재정이 바닥난 청나라의 유일한 방법은 외국으로부터 차관을 들여오는 것이었다. 당시 청나라에 차관을 제공하려는 국가들과 금융기관은 무척 많았다. 청나라가 돈을 빌려달라고

---

2 팽호제도(澎湖諸島): 중국 본토 복건성과 대만섬 사이의, 대만해협에 있는 열도다. 크고 작은 90개의 섬들로 이루어져 있고 대만을 기준으로는 서남쪽 약 45킬로미터 아래쪽에 위치해 있다.

운만 떼면 다 빌려줄 기세였다. 그러나 이들은 결코 국제주의 정신이나 인도주의 정신 때문에 청나라에 돈을 빌려주려는 것이 아니었다. 이들이 노리고 있던 것은 청나라에 차관을 제공하는 대신, 청나라가 담보로 내놓을 관세, 광산개발권, 철도 및 교량건설권 등과 관련된 경제적 이권을 노리고 있었던 것이다.

대청제국의 해관海關3 총세무사는 1860년대부터 북아일랜드 출신 영국인 로버트 하트Robert Hart가 맡고 있었다. 발군의 재테크 능력을 갖추고 있던 로버트 하트는 청나라의 세관 총세무사로 있는 동안 다양한 재원을 발굴해 청나라의 현대식 교육과 산업을 발전시키는데 큰 힘을 보탰다. 또 청일전쟁이 발발한 이후에는 관세 수입을 담보로 차관을 들여오고, 자신도 여러 번 청나라 정부를 대표해 차관 협상에 참가해 유리한 조건을 관철시키려고 노력했다. 그러나 해관의 관세를 담보로 외국 은행에 돈을 빌렸기 때문에 청나라 세관은 외국 은행에 의해 좌지우지되는 신세는 면할 수 없었다.

청나라 정부는 거액의 차관을 얻기 위해, 전국 각지의 광산개발권과 철도, 교량건설권도 담보로 내놓았다. 이 기회를 틈타 프랑스는 운남성과 양광 지역, 영국은 산서성과 하남성 지역, 독일은 산동성 지역, 러시아는 동북 3성 지역의 광산개발권과 철도부설권을 얻어냈다. 이런 상황은 20세기가 들어설 때까지 계속됐다. 이 때문에 20세기에 이르러서는 중국 각지에서

---

3 해관(海關): 청나라가 외국과의 무역을 위해 개항 항구에 설치한 세관(稅關)으로, 청나라 말기에는 전국에 수십여 곳의 해관이 있었다. 1854년부터 해관 관리에 실효성을 높이기 위해 상해해관에 외국인을 참여시키는 '외인세무사제도(外人稅務司制度)'가 시행됐고, 1858년 천진조약이 맺어진 이후부터는 다른 개항장에도 이 영향이 미쳐 결국 청나라의 전 해관이 외국인 총세무사(總稅務司)의 관리감독 아래 운영됐다. 청나라가 외국으로부터 차관을 들여올 때 제공하는 담보가 주로 해관세(海關稅)였기 때문에, 청나라 조정에 해관의 최고책임자인 총세무사가 미치는 영향은 매우 컸다.

악기를 연주하며 교주만 점령을 자축하는 독일군(1897년).

철도와 광산 주권을 되찾기 위한 혁명운동이 발발해, 안 그래도 가뜩이나 위태로웠던 청나라 정부의 목을 조르게 된다.

청일전쟁의 패배는 대청제국의 마지막 베일마저 벗겨버리고 말았다. 서구 열강들은 대청제국의 실체와 가지고 있던 국력을 완전히 알아버렸으니, 더 이상 청나라를 두려워하지 않았다. 심지어 이 좋은 기회를 이용해 청나라로부터 더 많은 이익을 얻지 못하면 바보라는 생각까지 하게 됐다. 서구 열강들의 약탈 방식은 구실도 다양했을 뿐만 아니라 방법도 다양했다. 손쉬운 약탈 양식은 서로 모방까지 했다.

우선 '나라 안의 또 다른 나라'로 불리는 조계지租界地4를 설정했다. 외

4 조계지(租界地): 개항 도시의 외국인 거주지로, 외국인이 행정권이나 경찰권 등의 치외법권을 가지고 생활하던 조차지(租借地)를 말한다. 조계지에서의 영토권은 빌려 준 나라에 있지만, 통치권은 빌린 나라에 있기 때문에 사실상 나라 안의 또 다른 나라라고 할 수 있다. 크게 여러 나라의 외국인이 생활하던 공공 조계와 한 국가의 외국인만 생활하던 단독 조계로 나눌 수 있다.

국인들은 자국의 조계지에서 마음대로 주권을 행사할 수 있었다. 그리고 명목상으로는 중국의 땅을 빌린 것으로 돼 있었으나, 사실상 조차지租借地를 마음대로 점유했다. 게다가 빌린 기간은 보통 99년으로 대단히 길었고 중국 군대는 조차지에 방어 시설도 두지 못했다. 심지어 조차지 부근에 진입하는 것조차 허용되지 않았고, 중국인들은 외국인 조계지 안에서 주권도 행사할 수 없었다.

각국은 세력 범위에 따라 조계지를 확정했고, 각자 세력 범위 안에서는 철도, 광산, 통신 건설권을 마음대로 독점했다. 한마디로 말해 중국은 제국주의 열강들에 조계지, 조차지 등을 내주면서 식민지나 다름없는 처지로 전락했다. 중국의 역사학자들은 이 상태를 일컬어 반식민지 사회라고 표현하고 있다.

서구 열강들의 침략 행위는 갈수록 더 노골화됐다. 독일은 자국 선교사 피살 사건5을 구실로 군함을 파견해 지금의 산동성 교주만 일대를 점령했다. 이어 강제로 청도靑島를 조차한 다음, 산동성 전체를 자신들의 세력 범위에 넣었다.

러시아는 독일의 뒤를 바짝 따랐다. 군함을 여순旅順에 파견해 대련大連과 함께 요동반도 일대를 강제로 조차하고, 동북 지역을 자신들의 세력 범위로 끌어들였다. 3년 전 일본은 여순과 대련을 거의 다 삼켰다가 삼국간섭6으로 뱉어낸 적이 있었다. 당시 러시아는 군함까지 동원해 일본의 고베神戶에서 무력시위를 벌이며, 일본이 요동반도를 포기하도록 압박했

---

5 독일 선교사 피살 사건: 1897년 11월, 산동성 조주부 거야현에서 독일인 선교사 2명이 기독교를 포교하다, 반기독교 비밀결사단체인 대도회(大刀會)와 일반 군중에 의해 피살된 교안사건(教案事件)을 말한다. 교안사건이란 중국 내에서 기독교를 포교하는 과정에서 선교사와 토착사회와의 갈등으로 벌어지는 반기독교 사건을 일컫는 말로, 이 사건을 달리 '거야교안(鉅野教案) 사건'이라고도 부른다.

6 삼국간섭(三國干涉): 시모노세키조약(下關條約)에서 인정된 일본의 요동반도 할양을 러시아, 프랑스, 독일 등 3국이 반대하며 일본에게 압력을 행사해 요동반도를 포기하게 한 사건이다.

다. 청나라 정부는 이 일로 러시아를 은인처럼 생각했지만, 사실 러시아는 이미 다른 속셈을 갖고 있었던 것이다. 청나라 정부는 은 3,000만 냥만 날리고 다시 요동반도를 빼앗긴 것이다.

다시 중국에서 열강들의 이권 챙기기를 살펴보자. 프랑스는 광주만灣을 조차한 다음, 광동성과 광서성, 그리고 운남성을 자국의 세력 범위에 넣었다. 또 청나라 정부에 이 3개의 성省을 다른 나라가 조차하지 못하도록 경고했다. 영국은 장강 유역 일대를 우선 세력 범위에 넣었다. 이어서 그것으로도 성이 차지 않아 북부의 산동성 위해威海를 조차하고, 남부에서는 홍콩의 조계지 면적을 늘렸다. 또 구룡九龍반도까지 조차하는 데 성공했다. 일본도 이에 뒤질세라 청나라 정부에 압력을 넣어 복건성을 자신들의 세력 범위에 넣었다.

미국은 필리핀과 전쟁을 치르느라 다른 열강들보다 한 발짝 늦었다. 하지만 미국 국무장관 존 헤이John Milton Hay는 다른 열강들과 한바탕 신경전을 벌인 다음, 저 유명한 '문호개방정책7' 을 선언했다. 겉으로는 중국의 영토적, 행정적 권리 보전을 위한 외교 선언이라고 했으나, 실상 청나라에 눈곱만큼도 실질적인 이익은 가져다주지 못했다. 청나라에 도움이 된 부분을 굳이 찾는다면, 중국과 교역하는 열강 사이의 기회균등 원칙을 보장해 각국 간의 이익 충돌을 없앰으로써, 청나라에 울지도 웃지도 못할 평화를 가져다 준 것이라고 할 수 있었다. 반면 미국은 이 선언을 통해 큰 이익을 얻었다. 기회균등 원칙에 따라 다른 국가와 똑같은 이익을 얻게

---

7 문호개방정책(門戶開放政策, Open Door Policy): 특정한 지역에서 모든 나라, 모든 국민에게 평등한 상업 및 공업 활동의 기회가 부여져야 한다는 주장이다. 기회균등과 같은 뜻으로 쓰이며, 국제 정책에서 통용되는 원리 중 하나다. 특히 표면적으로는 중국의 영토 보전을 앞세우고 있지만, 실제로는 청나라에서의 이권 다툼에서 뒤진 미국의 입장을 만회하기 위하여 이 정책을 내세웠다. 후일 미국과 일본의 태평양전쟁을 불러온 원인 중 한가지다.

된 것이다.

　과거 세상의 중심으로 자처하던 대청제국은 이때에 이르러서는 완전히 도살장의 돼지 신세를 면치 못하고 있었다. 돼지를 잡으려고 칼을 든 사람, 저울을 든 사람, 돼지고기를 파는 사람, 가격을 흥정하는 사람, 이 시장을 관리하는 사람 등 서구 열강들이 중국을 분할하는 현장은 그야말로 도축시장 못지않게 시끌벅적했다.

　30여 년 후, 중국의 위대한 시인 원이뒤聞一多·문일다는 '칠자지가七子之歌'라는 슬픈 시를 지어 나라를 잃고 땅을 잃은 설움을 노래했다. 그의 시에 등장하는 칠자七子는 당시 열강들에 빼앗겼던 중국의 일곱 자식, 다시 말해 홍콩, 마카오, 대만, 구룡반도, 위해, 광주만과 여대(여순과 대련)를 가리킨다. 원이뒤 시인은 의인법으로 빼앗긴 일곱 지역을 어머니를 멀리 떠난 일곱 자식에 비유하며 외국에서 한없는 수모를 당하고 있는 자식들이 어머니 품을 간절히 그리는 강렬한 감정으로 표현해 청나라 민중을 울렸다.

유신운동에 뛰어드는 선비들

국토가 갈기갈기 찢겨져나간 상황에서 사회 변혁이 또다시 청나라 조정의 목표로 떠올랐다. 19세기의 마지막 몇 년을 앞두고 다양한 개혁 방안이 청나라 정부에 상정됐다. 전국에서도 변혁의 목소리가 높아지고 있었다. 이 와중에 몇몇 인물들은 기상천외한 주장을 펼치기도 했다.

어떤 사람은 일본인 이토 히로부미伊藤博文를 중국 총리로 초빙할 것을 주장했다. 메이지유신 때 큰 활약을 펼친 이토 히로부미가 일본의 유신 경험을 그대로 중국에 도입할 수 있다고 믿었기 때문이다. 또 어떤 사람은 '시모노세키조약'을 파기해야 한다고 주장했다. '시모노세키조약'을 파기하고, 중국이 일본에게 지불해야 할 각종 배상금을 러시아와 다른 열강들에 나눠준다고 약속함으로써, 서구 열강과 일본 간의 전쟁을 유발해야 한다는 생각이었다.

광서제(가운데)와 캉유웨이(오른쪽), 량치차오(왼쪽).

심지어 중국 생활을 25년이나 해온 자칭 중국통인 영국인 티머시 리처드Timothy Richard는 이홍장에게 보낸 전보문에서 중국 정부의 위기를 타개할 묘책을 이미 마련했다고 장담했다. 그러나 그가 제시한 '청영동맹밀약'의 초안을 읽어 본 청나라 정부 관리들은 실소를 금치 못했다. 청나라가 아무리 궁지에 몰려 있다한들 자국의 운명을 영국에 맡길 리 없었다. 물론 영국 공사도 리처드가 제안한 청영동맹에 대해 전혀 생각도 하지 않았다. 영국은 중국과 동맹을 체결해봤자, 별 의미도 별 이익도 없다고 생각했다. 무엇보다도 중국으로부터 이익을 얻기 위해서 굳이 동맹이라는 복잡한 방식을 취할 필요가 없다고 생각했다.

조정의 일부 진보적인 관리들 사이에서도 새로운 변혁의 구체적인 추진 방법에 대해서는 의견이 엇갈렸다. 내정세국의 최고 권력자인 서태후는 이미 몇 년 전부터 친정親政을 시작한 광서제에게 경험을 쌓을 기회를 한 번 주기로 결정했다. 서태후 본인에게도 뾰족한 방법이 없었으므로 광서제에게 책임을 전가한 것이었다. 서태후는 이미 회갑을 넘긴 나이였기 때문에 새로운 변혁에 대해 주저하는 것은 어쩌면 당연했다.

다행히 광서제는 젊고 상당히 영민한 사람이었다. 날카로움도 갖고 있었다. 그는 항상 신하들에게 "짐은 중국과 백성들을 구할 수만 있다면 권력을 잃어도 무방하다."고 말했다. 광서제는 일본의 메이지유신을 다룬 캉유웨이康有爲·강유위의 《일본변정고日本變政考》를 항상 옆구리에 끼고 다니며 애독했다. 젊은 황제는 이 책을 읽을 때마다 탄식을 금치 못했다. 광서제는 결국 최종적으로 광동 출신의 학자이자, 개혁가였던 캉유웨이의 개혁 방안을 채택했다. 광서제는 그때까지 초야에 묻혀 이름이 없던 캉유웨이를 친히 접견하고, 캉유웨이와 그를 따르는 젊은 인재들을 널리 등용했다. 중국 역사상 유례가 없는 유신운동이 드디어 막을 올린 것이다.

캉유웨이의 등장과 유신운동

1898년 6월 11일 광서제는 유신운동의 시작을 알리는 《명정국시조[8]》를 발표했다. 천간지지 기년법으로 1898년은 무술년이었기 때문에, 이 유신운동은 '무술변법'이나 '변법자강운동'으로 불리고 있다.

캉유웨이와 그의 젊은 동료들은 초여름의 북경에서 두꺼운 관복 밑으로 땀이 줄줄 흐를 정도로 매우 분주하게 움직였다. 103일이라는 짧은 기간에 캉유웨이를 비롯한 서생들이 기초, 제안하고 광서제가 발표한 유지諭旨와 명령은 200여 편에 달했다. 후세 사람들은 이 많은 문서를 정리, 요약하는데 적지 않은 힘을 들였다. 당시 유신운동의 주요 내용을 요약하면 다음과 같다.

---

8 명정국시조(明定國是詔): 광서제가 청나라 국민들에게 변법자강의 취지를 설명하고, 국내외에 변법자강에 대한 자신의 의지를 표명한 선언이다. 간략하면, 현재 청나라는 위기 상황이며, 청나라의 모든 국민은 노력해서 근본을 기르고, 서양 학문을 통해 실력을 길러야 하며, 경사대학당에서 인재를 배출해 시국의 어려움을 타파하자는 내용을 담고 있다.

* 정치 분야: 언로를 활짝 열고, 백성과 관리들의 상소를 누구도 막지 못한다. 한직과 중복 기구를 통폐합하고 인원을 감축한다. 만주족의 생계 도모를 허가한다.

* 경제 분야: 농공상국을 설립해 실업을 지원하고, 과학 및 발명을 장려한다. 철로광무총국을 설립해 민영 철도기업과 광산개발을 장려한다. 역참을 줄이고 우체국을 설립한다. 국가은행을 설립하고 정부예산 및 결산을 편성한다.

* 문화교육 분야: 팔고문을 폐지하고 대신 책론策論[9]으로 시험을 본다. 각 성의 서원과 과다한 사당을 학당으로 바꾸고, 지방정부와 개인의 학당 설립을 장려한다. 경사대학당[10]을 설립한다. 각급 학당에서는 일률적으로 중국 전통 학문과 서양 학문을 함께 가르친다. 학회와 신문사를 자유롭게 설립할 수 있다. 번역국을 설립해 외국 신간 서적을 번역한다. 출국 유람, 출국 유학을 허락한다.

* 군사 분야: 녹영을 축소하고 남아도는 인원을 줄인다. 군사훈련 방법을 개혁한다. 해군을 증설하고, 보갑제[11]를 실시한다.

그러나 반포된 유신의 내용 중에는 이미 전국적으로 실행되고 있던 제도도 적지 않았다. 각양각색의 공업 및 광업기업은 양무운동 때 이미 전국 방방곡곡에서 설립돼 운영되고 있었고, 외국어 교육기관인 동문관노

---

9 책론(策論): 과거시험에서 경서의 뜻(經義)이나 정사(政事)에 관련해 묻던 시험인 책문(策問)에 답하는 것은 '대책(對策)', 이것을 논하는 것은 '의론(議論)'이었다. 이 둘을 합해 '책론(策論)'이라고 불렀다.

10 경사대학당(京師大學堂): 무술변법으로 설립된 서구식 근대 교육기관으로, 원명청 세 왕조에 걸쳐 최고의 국립 교육기관으로 군림했던 국자감(國子監)을 대체했다. 현재 북경대학교의 전신(前身)이다.

11 보갑제(保甲制): 일정한 숫자의 주민들을 '갑(甲)'이라는 하나의 집단으로 만들고, 그 집단의 구성원들이 법을 위반했을 때 함께 책임지고 공동으로 처벌받도록 했던 행정·군사 제도. 연좌제를 도입했기 때문에 특히 지방에서 치안 유지에 효과가 있었다.

同文館과 해군사관학교 격인 수사학당, 선정학당 등도 이미 몇 년 전부터 북경과 지방에 설립돼 현대식 교육을 실시하고 있었다. 한마디로 말해 이 유신운동은 겉보기에는 그럴듯했으나 실상은 새로운 내용이 별로 없는 빛 좋은 개살구에 지나지 않았다.

이처럼 '무술변법'은 정치, 경제, 사상, 교육문화 등의 분야에서 준비가 급하게 진행되다보니 처음부터 실패가 예정돼 있었다. 광서제가 의욕적으로 추진하고, 청나라가 마지막 희망을 걸었던 무술변법이 실패했던 원인은 여러 가지가 있겠지만, 크게 아래의 몇 가지로 정리할 수 있다.

먼저 일본을 근대화 국가로 이끌어낸 메이지유신明治維新은 가장 먼저 막부幕府를 뒤집어엎었다. 한마디로 변혁의 걸림돌을 제거하는 것부터 시작했다. 그러나 캉유웨이는 유신운동을 시작할 때, 청나라 보수 세력의 털끝 하나도 건드리지 못했다. 아니 정확히 말하면 털끝 하나도 건드릴 생각을 못했다.

유신운동으로 인해 기존의 사회질서가 바뀌는 것은 불가피한 일이다. 이를테면 팔기의 정원을 줄일 경우, 세습 작위를 받는 팔기 자제가 큰 불만을 가질 수 있었다. 또 과거에서 팔고문을 폐지할 경우, 하루 종일 사서오경을 외우는 선비들의 강한 반발에 부딪칠 수 있다. 기존 질서에 의존해 생존하고 이익을 얻는 보수 세력은 당연히 필사적으로 유신운동을 반대할 수밖에 없었다.

캉유웨이를 위시한 유신파는 이러한 보수 세력의 반발을 당해낼 권력과 실력이 없었다. 게다가 유신파 최후의 보루였던 광서제마저도 든든한 힘이 되어주지 못했다. 광서제는 사회변혁을 향한 큰 뜻과 열정, 단호한 결단력을 가지고 있었지만, 오랜 기간 깊은 궁궐에서만 생활해 국정을 돌본 경험이 적은 데다, 가장 중요한 실권마저도 없었기 때문에 유신파의 힘이 되어주지 못한 것이다.

두 번째로, 대중적 지지를 받지 못한 점을 들 수 있다. 캉유웨이를 필두로 하는 선비들은 변법유신에 혼신의 힘을 쏟아 부었다. 하지만 이들의 노력은 소수의 사람들만 지지했을 뿐이었다. 심지어는 유신의 조력자가 되어야 할 관리들 중에서도 유신운동을 진심으로 지지하는 자가 많지 않았다. 유신의 한축이었던 관리들이 이러했으니 일반 백성은 더 말할 것도 없었다. 방대한 사회변혁 운동이 기층 민중의 인정을 받지 못한 상태라면 어떻게 성공할 수 있을까?

세 번째로, 간단하고 엉성한 방식으로 성공을 기대했다는 점도 꼽을 수 있다. 무술변법은 103일이라는 짧은 기간에 수없이 많은 품의, 조서, 조령, 지시가 폭풍우처럼 오갔다. 심지어 하루에 10여 건의 지시가 내려갈 때도 있었다. 그러나 이 많은 정책들은 경중輕重과 선후先後가 분명하지 않았다. 상호 연관성도 부족했고 구체적인 실시에 대한 규칙이나 절차도 없었다. 마치 무턱대고 조정에서 명령을 내리기만 하면 유신운동이 열매를 맺고 중국이 현대화된 강국으로 거듭나는 것처럼 단순하게 생각했다. 정부 관리들은 눈이 어지러울 정도로 많고 서생들이 쓴 미숙한 공문을 앞에 두고 어쩔 줄을 몰라 했다. 짧은 기간에 생산된 이 많은 지시 사항들을 정확하게 집행한다는 것은 애당초 불가능했던 것이다.

네 번째로, 무술변법이 서생들의 주도와 참여로 시행되었다는 것도 아쉬운 대목이다. 서생들은 그 누구보다도 열정적이었고 희생정신이 강했다. 그러나 이들은 육도삼략六韜三略에 능통한 정치가가 아니었고, 작전 계획을 능숙하게 짤 줄 아는 전략가도 아니었다. 따라서 발생 가능성이 있는 최악의 상황에 대비해 미리 생각할 줄을 몰랐다. 심지어는 정치투쟁의 가장 기본적인 수단인 권모술수에 대해서도 아는 바가 없었다. 그래서 의

기양양하던 서생들은 자신들의 유신운동이 비정한 정치현실에 부딪혀서 쓰러질 때, 속수무책으로 무너질 수밖에 없었다.

마지막으로, 유신운동의 지도자였던 캉유웨이의 거만함도 실패의 한 원인이었다. 훗날 국민혁명의 지도자가 된 쑨원孫文·손문은 무술변법 몇 해 전에 캉유웨이에게 만나기를 청한 바 있었다. 그러나 캉유웨이는 쑨원에게 먼저 제자의 예를 행하라고 했고, 자존심만큼은 누구에게도 뒤지지 않았던 쑨원은 그 자리에서 뒤도 돌아보지 않고 나와 버렸다. 무술변법이 시행되기 전에도 오만했던 캉유웨이의 성격상 맨 처음 변법을 주창하고 황제의 지지까지 받으니, 안하무인이 도를 넘어설 수밖에 없었다. 심지어 청일전쟁 패배 이후 잠시 권력에서 멀어져 있던 이홍장도 은 2,000냥을 내고, 캉유웨이의 강학회强學會에 가입하려고 했지만 거절당했을 정도였다.

캉유웨이의 이런 거만한 태도는 뜻있는 지사志士들과 변법운동의 대중적인 확산을 가로막았던 한 요인이었다. 자신들의 세력이 미미하면 자신들과 뜻이 맞는 동지를 조력자로 맞아 힘을 합해야 하는 것이 모든 전략의 첫걸음일진데 초야에 묻혀 있었던 캉유웨이는 평소의 오만에 공명심까지 덧붙여져서 조력자들을 스스로 밀어냈던 것이다.

캉유웨이의 오만은 도를 더해 나중에는 망언妄言으로도 나타났다. 그는 조정의 중신이던 영록榮祿과 대화를 하면서 "1품 대신 몇 명만 죽여 버리면 변법이 성공할 수 있다."는 이야기를 하고, 유신운동에 소요될 자금은 "티베트를 영국에 팔아 마련하면 된다."고 말했다. 이런 캉유웨이였기 때문에 유신운동의 열기가 하늘을 찌를 때, 영국 공사가 캉유웨이에 대해 다음과 같이 평가했다. "캉유웨이는 상상력이 풍부하지만 박력이 전혀 없기 때문에 난세의 지도자로 적합하지 않다. 그가 주도한 변혁은 중국의 관료 계급을 크게 감동시키지 못했으므로 예상했던 목적을 달성할 수 없을 것이다."

광서제의 100일 천하

유신이 한창 진행되던 1898년 9월 중순, 광서제는 청나라의 군주로서 지극히 평범한 두 가지 정치활동을 시행했다. 먼저 자금성에서 신건육군 **12**에 관한 업무를 보고하러 북경에 올라온 위안스카이를 만났다. 군신 사이에 짧은 대화가 오갔고, 광서제는 병권을 장악한 위안스카이에게 파격적으로 정3품 시랑侍郎 벼슬을 하사했다. 광서제는 며칠 후에 있을 중요한 외교 사무도 챙겼다. 중국을 비공식 방문하는 일본의 전임 총리 이토 히로부미를 접견하는 일이었다. 한 나라의 군주로서 지극히 평범한 이 두 가지 활동이 반쯤 은퇴해 있던 서태후의 주목을 끌었다.

서태후 주위를 둘러싼 보수 성향의 태후파 신료들은 광서제가 국가의 군권軍權을 독차지하고, 외국과 동맹을 맺어 다른 일을 도모할 것이 틀림없다고 서태후에게 고했다. 서태후는 이화원에 문안 인사를 드리러 온 광서제를 쌀쌀맞게 대했다. 서태후는 광서제가 이토 히로부미를 만나기 전에 본인이 친히 조정에 나가 정무를 재가하는 '훈정訓政'을 하기로 결단을 내렸다.

일이 틀어지고 있음을 눈치 챈 광서제는 즉시 캉유웨이를 조용히 불러 대책을 상의했다. 이어 유신운동의 중요한 참여자 중 한 명인 담사동譚嗣

---

12 신건육군(新建陸軍): 청나라가 청일전쟁에서 패배한 후, 독일 육군을 모델로 천진(天津)의 소참(小站)에서 창건한 근대적 장비와 편제를 갖춘 신식 군대를 말한다. 약칭 '신군(新軍)'이라고 부르기도 한다. 1904년까지 위안스카이의 지도아래 북양육진(北洋六鎭)이라는 이름의 신군 6개 사단이 편성됐고, 1907년 이후에는 지방의 각 성에도 편성되었다. 위안스카이가 대륙의 지배자가 될 수 있었던 근원이었고, 화중지역이나 화남의 신군 중에는 혁명사상을 지닌 병사가 많아 훗날 신해혁명의 도화선이 되기도 했다.

이 한밤중에 아직 북경에 머물러 있던 위안스카이를 찾아가 광서제의 밀조密詔를 내보이며 군사 지원을 요청했다. 그러나 잔혹하고 무정한 관료 사회에서 다년간 닳고 닳았던 위안스카이는 선뜻 대답을 하지 않고 얼버무렸다. 위안스카이는 한참을 생각하다가 북경을 떠나 천진으로 돌아가 버렸다. 이 노련한 군인은 천진에서 사태의 추이를 지켜보기로 결정한

광서제(가운데)와 자리를 함께한 담사동(오른쪽). 담사동은 무술변법의 실패로 죽음을 당했다.

것이다.

1898년 9월 21일, 이화원에서 북경으로 돌아온 서태후는 재빨리 정부의 모든 권력을 손에 넣었다. 이른바 무술정변13의 서막이 오른 것이다. 겨우 100일 남짓 지속됐던 유신운동은 갑자기 중단됐고, 광서제는 감시의 눈길 속에서 이토 히로부미와 회견을 한 다음 곧바로 연금을 당했다. 그 이후 평생 다시 자유를 얻지 못했다.

이에 앞서 위험을 느낀 캉유웨이는 단신으로 북경을 벗어났다. 캉유웨이의 제자이자 유신운동의 열성적인 참여자였던 량치차오梁啓超·양계초는

---

13 무술정변(戊戌政變): 광서제의 무술변법으로 권력을 잃은 서태후(西太后)와 청나라 조정의 보수파 관료들이 정변을 일으켜, 광서제를 유폐하고 개혁파를 축출한 후 실권을 잡은 사건이다.

화를 피하기 위해 일본 대사관으로 피했다. 캉유웨이의 친동생인 강광인康廣仁은 이날 잠에서 깨어난 후, 캉유웨이가 말없이 떠나버린 것을 알고는 인의를 저버린 형에게 한바탕 욕을 했다. 그러나 이미 때는 늦었다. 강광인과 다른 다섯 명의 유신파 선두 주자들은 서태후의 손아귀를 벗어나지 못하고 선무문 밖의 형장에서 처형을 당했다.

담사동은 무술육군자[14] 중에서 가장 마지막에 체포됐다. 당시 천진으로 돌아간 위안스카이는 사태를 관망하다, 서태후의 '훈정'을 보고는 바로 직례直隸총독이었던 영록에게 달려가 담사동이 야밤에 찾아와 군사 지원을 요청한 사실을 보고했다. 이렇게 해서 담사동도 수배자 명단에 오른 것이다. 의협심이 강한 담사동은 처음부터 도망칠 생각을 하지 않았다. 그는 중국에서 변혁의 길이 얼마나 힘들고 어려울지 절감하고 스스로 단두대에 올랐다. 그의 행보에는 자신의 죽음으로 국민의 각성을 촉구하려는 갸륵한 뜻이 담겨 있었다. 그가 늘 다음과 같이 자신의 입장을 밝힌 것은 그래서 조금도 이상하지 않다.

"외국에서는 변법을 할 때 피를 흘리지 않고 성공한 경우가 없다. 그러나 나는 중국에서 변법으로 인해 피를 흘린 사람이 있다는 말을 아직까지 듣지 못했다. 이것이 바로 이 나라가 번영하지 못한 원인이다. 만약 피를 흘린다면 이 담사동부터 시작할 것이다."

유신운동이 실패로 돌아간 이후 비교적 눈이 뜨였던 정부 관리들은 대부분 유배를 당하거나 관직을 삭탈당했다. 유배를 가거나 관직이 삭탈당하는 운명을 피한 개화파 관리들은 분위기에 눌려 발언권을 잃어버렸다. 이러한 관료 사회의 기풍은 얼마 후 발발한 의화단 운동에서 청나라 정부

---

14 무술육군자(戊戌六君子): 무술변법을 주도하다 서태후에게 죽음을 당한 담사동(譚嗣同), 강광인(康廣仁), 유광제(劉光第), 임욱(林旭), 양예(楊銳), 양심수(楊深秀) 등 6명의 개혁파 학자들을 말한다.

가 판단 착오를 범하는 중요한 요인으로 작용했다.

중국 역사에서 사회 변혁 시도는 대부분 실패로 끝났다. 간혹 성과를 얻을 때도 있었으나 그 성과는 일시적, 국지적이었다. 103일 만에 끝난 무술변법도 겉보기에는 아무런 성과 없이 허망하게 실패한 것 같지만, 후세 인들에게 적지 않은 긍정적, 부정적 교훈을 전달했다. 몇 년 후 청나라 정부는 새롭게 입헌을 추진하고 법률을 개정했다. 그러나 이러한 시도도 겉모양만 다를 뿐, 실상은 백일유신의 연장선상에서 이루어진 것이다. 백일유신은 중국 근대 계몽사상의 선례를 열었다는 점에서 보다 깊은 의미를 가지고 있다. 중국의 사상사 계보는 이때부터 새로운 변화를 시작했으니까 말이다.

불타는
북경성

　　서태후는 캉유웨이 등 유신파를 대거 등용한 광서제의 행태에 크게 분노했다. 더구나 측근인 영록으로부터 유신파가 위안스카이에게까지 모반 제의를 했다는 말을 전해들은 후에는 분노의 감정이 증오로 바뀌었다. 서태후는 앞에 꿇어앉아 전전긍긍하는 광서제에게 한바탕 독설을 퍼부었다.

　　"20년 넘게 키워줬는데도 은혜에 보답할 생각은 않고 소인배들의 농간에 놀아나 감히 나를 해칠 생각을 하다니. 분수를 모르는 한심한 녀석 같으니라고. 오늘 내가 죽고 없다면, 내일 네가 살아남을 수 있을 것 같더냐?"

　　서태후는 일개 태후의 신분으로 대청제국의 최고 권력을 40년이나 넘게 틀어쥔 여인이었다. 그런데 갑자기 서슬 퍼런 비수가 자신의 목을 겨냥하는 것을 봤으니 이만저만 놀라지 않았다. 그녀는 광서제를 폐위시킬 계획을 세웠다. 정치적 수완이 뛰어난 그녀는 아무 때나 충동적으로 행동하는 사람이 아니었다. 아직까지도 무소불위의 권력을 휘두르고 있었으나 독단적이고 전횡적인 통치시대는 이미 갔다는 것을 잘 알고 있었던 것이다.

그녀에게 황제를 폐위시키는 일은 어찌 보면 집안일이었다. 그러나 황제가 곧 나라인 '가천하家天下' 아래에서 황제를 폐위시키는 것은 일반 가정의 일보다 훨씬 더 복잡하다는 것은 너무나도 당연했다. 서태후는 각 성의 총독과 순무들에게 비밀스럽게 전보를 보냈다. 겉으로는 황제 폐위에 대한 의견을 물어본다는 형식이었다. 하지만 전보에는 이들 지방 장관이 자신의 주장을 지지해주기를 바라는 마음이 담겨 있었다. 양광총독 유곤일이 즉각 지방 총독과 순무들의 뜻을 대변해서, '군신의 의는 이미 정해진 것이며, 만일 황제를 폐위한다면 나라 안팎으로부터 비난을 피할 수 없을 것'이라는 회답을 보냈다.

예상치 못한 반대에 서태후는 크게 실망했다. 그러나 정계의 지배자 서태후를 더욱 화나게 한 것은 양코배기들까지 자신의 '집안 일'에 지대한 관심을 나타냈다는 사실이었다. 양코배기들은 젊은 광서제에게 좋은 인상을 가지고 있었던지, 수시로 연금 상태에 있는 황제의 근황을 탐문했다. 심지어 황제 폐하의 옥체가 국가 정무를 처리할 만큼 건강하신지 확인해야 한다는 이유로, 황제의 건강검진을 전담할 외국인 의사를 파견하겠다고도 말했다. 이런 양코배기들의 눈치 없는 간섭은 오히려 그녀를 독불장군으로 만들었다.

의화권에서 시작된 의화단 운동

서태후가 '훈정'을 시작한 이듬해인 1899년 3월, 청나라 정부는 전前대 황제 동치제의 친조카이자, 현現대 황제 광서제의 종질인 아이신기오로 부준15을 차기 황위 계승자인 대아가大阿哥, 즉 황태자로 옹립했다. 그러나 황태자가 성대한 초청 연회를 열고 각국 대표들을 초청했는데도 찾아와 성원해주는 사람은 한 명도 없었다. 각국 사절들은 청나라가 황제를 교체하는 정치극을 꾸미든 말든 아예 관심이 없었다. 황태자의 추종자들은 실망을 금치 못했고 그 실망은 곧 서양인들을 향한 분노로 바뀌었다. 자존심이 강한 서태후의 체면도 말이 아니게 구겨졌다. 급기야 양코배기들을 향한 분노가 강렬한 증오로 바뀌었다.

이 무렵 조정에서는 비교적 눈을 뜨고, 이성적이던 관리들은 유신운동 실패의 여파로 대부분 관직을 잃었거나 멀리 귀양을 갔다. 운 좋게 삭탈 관직이나 유배를 당하지 않은 자들도 모두 지방으로 내려가 자신의 한 몸 보전하기에 바빴다. 이런 이유로 조정에서는 수구파가 득세했다. 광서제를 폐위하고 부준을 차기 황제로 옹립하려던 계획이 서방 각국의 방해에 부딪히자, 원래 격앙돼 있던 수구파의 반 서양 정서는 절정에 이르렀다. 이렇게 비이성적인 사고가 한껏 고조된 이후부터 서태후를 비롯한 절대 다수의 조정 관리들은 정상적인 판단 능력을 잃었다. 따라서 그 이후 숨 가쁜 역사의 흐름 속에서 연이어 잘못된 의사결정을 내린 것은 어쩌면 당연할 수밖에 없었다.

청나라 중기부터 산동성 지역에는 백련교에서 파생한 '의화권'이라는

---

15 아이신기오로 부준(愛新覺羅 溥儁): 도광제의 다섯째 아들인 돈친왕(惇親王) 혁종의 손자로, 서태후가 광서제를 폐하고 수렴청정을 하기 위해 선택한 황친(皇親)이다. 1899년 4월, 서태후는 외국 공사와 여러 신하들의 반대에도 불구하고 광서제를 폐하고, 대아가 부준을 황제로 즉위시키고 연호를 보경(保慶)이라고 칭했다. 그러나 외국 공사들과 대신들의 극렬한 반대에 부딪혀, 결국 사흘 만에 광서제의 폐위는 없었던 일로 하고, 부준도 대아가로 복귀시킨다. 아무런 즉위 예식도 없이 사흘 동안 황제위에 있었기 때문에 정식 황제로 인정을 받지 못하지만, '보경제(保慶帝)'라고도 부른다. 외국 공사들이 부준의 황제 즉위를 반대했던 가장 큰 이유는 부준의 부친인 단군왕(端君王) 재의가 의화단의 영수였기 때문이다.

민간 비밀 결사단체가 사람들에게 권술拳術을 보급하며, 세력을 확장하고 있었다. 사람들 사이에서는 의화권 단원들이 특별한 법술을 연마해 맨몸으로 창과 칼을 막을 수 있다는 소문이 무성하게 퍼졌다. 의화권의 이념은 신비주의 색채가 강했기 때문에 불교, 도교의 형형색색 신들과 신선들을 숭배하며, 주문을 외우고 부적을 태우면서 신을 몸에 받아들여 담력도 키웠다.

지금 와서 보면 황당하기 그지없으나, 당시에는 의화권의 진상을 조사하러 온 조정의 관리들조차 "창과 칼로 그들의 몸을 뚫을 수 없는 것이 확실하다."며 엄지를 치켜세웠다. 이런 식으로 일개 민간조직인 의화권은 백성들의 인기를 모으면서 세력을 급속히 확장했다. 의화권은 민간 비밀결사로 가입자 대부분이 농민이었고 간혹 수공업자, 운수 노동자, 승려와 도사, 탈영병들도 있었다. 이 밖에 비록 많지는 않았으나 지식인, 중소 지주와 관리, 불량배, 무뢰한들도 끼어 있었다.

도교 공법(功法)을 수련한 의화단 단원들은 서양 대포와 총을 두려워하지 않았다.

의화권이 일반 백성들의 관심을 불러일으킨 것은 1894년 청일전쟁에서 청나라가 패배하고 외세가 물밀듯이 밀려오자, 반외세反外勢를 기치로 삼고 서양 세력에 저항하기 시작하면서부터다. 특히 1897년에 독일이 산동성을 무력으로 점령하고 기독교 포교를 강화하자, 의화권 사람들은 교회를 파괴하고 그 신도들을 살해하는 반反그리스도교 운동을 격렬하게 진행했다. 이 시기 의화권 사람들은 연이은 난리로 생활이 어려워진 농민들과 다른 민간조직들과 함께 집단을 통합해가며 급속하게 덩치를 키우기 시작했다.

사실 의화단과 기독교는 이익 충돌이 별로 없었다. 그저 사상과 문화적 차이로 말미암아 대립이 생겼을 뿐이었다. 의화권 사람들과 대부분의 중국인들은 기독교가 황제와 조상도 몰라보는 버릇없고 근본 없는 종교로, 중국 전통문화의 강상綱常16윤리와 물과 불처럼 상반된다고 비난했다. 따라서 기독교가 미풍양속을 어지럽힌다고 본 것은 당연했다. 의화권의 입장에서는 이런 종교를 믿는 사람들이 요괴와 악마로 보일 수밖에 없었던 것이다.

이 시기 중국의 저잣거리와 의화권 단원 사이에서는 상상에 기초를 둔 진짜 말도 안 되는 뜬소문들이 퍼지기 시작했다. 그 소문을 요약해 보면, 서양인들은 중국인의 눈을 파내서 약을 만들고, 부적과 주술로 산 사람의 혼을 앗아가며, 사내아이와 계집애의 생년월일을 적은 종이를 나무에 붙

여놓고 주문을 외우면 애들의 혼이 날아가서 신을 불러 오며, 주술로 여자의 자궁과 어린애의 심장과 신장, 뇌수와 간 등을 꺼낸다는 등의 말도 안 되는 흉흉한 소문이었다.

이런 무지몽매한 의화권 사람들에게 불을 지른

의화단 깃발. 의화단운동은 수구파 관리들의 선동으로 더 크게 확대됐다.

---

16 강상(綱常): 유교문화에서 사람이 늘 지키고 행하여야 할 덕목인 삼강(三綱)과 오상(五常)을 말한다.

것은 일부 수구파 지방 관리들이었다. 산동순무를 지낸 장여매張汝梅와 육현毓賢은 극단적인 배외排外주의자로 유명했다. 이들은 의화권을 일컬어 '19세기가 곧 끝날 즈음에 발견한 가장 위대한 단체'라고 칭찬해 마지않았다. 또 교회를 부수고 신도들을 죽이는 의화권의 반서양 운동을 '애국주의적인 행동'이라고 평가했다. 두 사람은 민간단체인 의화권義和拳을 단련團練으로 바꿔, 국가가 관리해 줄 것을 조정에 건의하기도 했다. 또 의화권이라는 이름도 의화단義和團으로 바꾸라고 조언하고, 의화단 단원들을 양민이라고 부르면서 도장을 설립하고 무술을 연마하는 것까지도 묵인했다. 심지어는 의화단을 정치적 목적에 사용하기 위해 '부청멸양扶淸滅洋'이라는 정치적 구호를 만들어주기까지 했다.

지방관들의 적극적인 지지와 흉흉한 소문은 예상 밖의 선전효과를 가져왔다. 기층 민중은 앞을 다퉈 도장을 차리거나 의화단에 가입한 다음 무술을 연마하기 시작했다. 의화단은 삽시간에 화북 평원을 휩쓸었다. 산동성과 직례성 일대에서는 그 세력이 더욱 창궐했다. 의화단의 투쟁 목표도 끊임없이 확대됐다. 나중에는 서양과 관련이 있는 물건이라면 하나도 놓치지 않고 타도 대상으로 삼았다. 선교사와 신도를 죽이는 것이 기본이었으니 교회를 파괴하는 것은 더 말할 나위가 없었다. 이어 서양인들이 부설한 전선, 철도, 학교 등도 모조리 파괴했다. 서양 물건들은 완전히 씨가 마를 지경이 됐다.

의화단의 무분별하고 무절제한 행동은 급기야 외국인들의 우려를 자아냈다. 각국 사절들은 청나라 정부에 연이어 항의했다. 청나라 정부가 조속히 의화단 운동을 금지시켜 외국인의 안전과 이익을 보호해야 한다는 요청도 끊임없이 제기했다. 결국 산동순무 육현 등 의화단을 지지하고 지원했던 관리들은 파면을 당했다. 각 지방 정부도 기한 안에 '의화단 비적' 들을 섬멸하라는 조정의 조서를 받았다.

그러나 파면을 당한 육현 등의 의화단 지지자들은 오히려 잘됐다고 생각하고 북경 각지를 돌아다니며 의화단 홍보를 하기 시작했다. 며칠 동안 계속 조정의 각 부서와 대소 관리들을 찾아다니면서 의화단에 대한 홍보에 열을 올렸다.

과연 그들의 과장을 보탠 홍보는 큰 효과를 봤다. 아들을 황위에 올리지 못해 안달이 났던 단군왕端君王 재의載漪와 그를 따르는 황실 무리들과 군기대신 강의剛毅, 내각 대학사 서동徐桐 등의 인물들이 가장 먼저 참가했다. 이들은 직위가 높고 명성과 위세가 관리들이었음에도 불구하고 드디어 하늘이 신병神兵을 내려 보내 대청제국의 국위를 선양할 때가 온 것이라고 생각했다. 이뿐만 아니었다. 의화단의 법술과 신비한 능력에 대한 소문은 서태후의 귀에도 들어갔다. 급기야 서태후는 의화단을 이용해 가증스러운 외국인들을 쫓아내기로 결심했다.

반격 시도하는 서태후

이때 산동의 순무 직책을 이어받은 위안스카이는 직접 의화단의 도장을 찾아 독일제 총으로 "칼과 총으로도 뚫지 못한다."는 소문의 진위를 확인했다. 수석군기대신 영록도 의화단의 근거지를 방문해 의화단의 가히 전설적인 시범을 관람했다. 이후 두 사람은 서태후를 핵심으로 하는 정부 최고 지도자들에게 "의화단은 유명무실하다. 쓸모가 없다."는 보고서를 올렸다. 그러나 이미 정상적인 판단 능력을 잃은 서태후를 위시한 정계 핵심 인물들에게는 이들의 말은 소귀에 경 읽기였다.

1900년 초여름 의화단원들이 대거 북경에 진입했다. 장친왕莊親王과 단군왕端郡王의 친왕부親王府는 의화단의 신단神壇으로 바뀌었다. 신성해야 할 명나라 때의 명재상 우겸의 묘도 의화단원들이 권법을 연습하는 도장으로 전락했다. 또 정부 관아에는 황련성모17가 모셔졌다. 평소에 기고만장하던 관리들도 그 앞에 공손하게 무릎을 꿇고 절을 했다. 대청제국의 황태자였던 부준은 흰 도복에 붉은 띠를 두른 채 의화단 총단總壇의 둘째 사형師兄을 자임했다.

의화단의 인기는 하늘을 찌를 듯했다. 대번에 북경에서 가장 인기 있는 존재가 됐다. 위로는 왕공 귀족들로부터 아래로는 천민에 이르기까지, 의화단을 모르는 사람은 거의 없었다. 시정 부랑배와 하릴없이 빈둥거리는 무뢰한들도 의화단에 가입했다. 북경 거리에는 온통 머리에 붉은 두건을 두른 사람들뿐이었다. 따라서 붉은 천 가격이 폭등하는 사태가 발생하기도 했다.

19세기가 끝나갈 무렵, 대청제국의 의화단 전사들은 하느님의 자녀들에 대해 중국식으로 '최후의 심판'을 단행했다. 우선 북경 시내의 교회와 서양식 건물이 불에 타서 사라졌다. 수천 가구의 민가와 상점도 함께 재앙을 입었다. 수많은 외국인 선교사와 외국인, 중국인 신자들이 죽임을 당했다. 일반 백성은 말할 것도 없고 부자와 귀족들까지, 예외 없이 서양과 조금이라도 연관된 사람은 모두 목숨을 잃었다. 아래의 기록 한 가지만 참고해도 당시 분위기가 어땠는지는 충분히 상상할 수 있을 것이다.

"서양 물건을 사용하는 자는 반드시 죽였다. 서양 담배, 서양 안경, 심지어 양산과 양말도 사용해서는 안 됐다. 발각된 자는 극형에 처했다. 실제로 학사學士 여섯 명이 황급히 피난하던 중, 몸에 지닌 연필 한 자루와

---

17 황련성모(黃蓮聖母): 백련교의 영향을 받아 의화단 운동 중 숭배된 성물로, 황색 연잎에 앉은 부처상 (관세음보살) 모습을 하고 있다.

서양 종이 한 장이 발견돼 여섯 명 모두 난도질을 당해 죽었다."

정부 고관들도 미쳐 날뛰는 도살자 행렬에 가담했다. 의화단의 위세를 업고 새로 산서순무에 부임한 육현은 산서에서 기세 드높게 의화단 운동을 전개했다. 산서에서만 5,700여 명의 천주교도를 살해했다. 당당한 2품 관리인 육현은 여러 차례 서양인들을 유인해 죽인 것도 모자라, 신명이 날 때에는 직접 칼로 사람을 찍어 죽이기도 했다. 황족도 예외는 아니었다. 경진(京津·북경과 천진) 의화단을 통솔한 보국공輔國公 재란載瀾은 북경에서 대대적인 살육을 감행했다. 무릇 서양 물건을 사용하는 자는 모두 서양 종교의 신도로 취급받아 죽임을 면치 못했다. 같은 황실 친족이라도 사정을 봐주지 않았다.

청나라 정규군도 기회를 틈타 '최후의 심판' 대열에 가담했다. 우선 6월에 일본 서기관 스기야마杉山彬가 북경 기차역에서 영록의 무위군[18]에 의해 죽었다. 독일 공사 케틀러Klemens Ketteler도 공무를 집행하기 위해 총리아문으로 가던 중, 단군왕 재의의 호신영虎神營에 살해당했다.

이 와중에 외국인과 중국인 기독교 신도들은 목숨을 부지하기 위해, 외국군 병력이 지키고 있던 서십고西什庫성당과 동교민항東交民巷[19]의 대사관 거리로 대거 피신했다. 6월 중순부터 동복상董福祥의 감군甘軍[20]과 영록의 무위군武衛軍은 수만 명에 달하는 의화단 단원들과 함께, 북경 거주 외국인들의 최후 보루인 이 두 곳을 교대로 공격하기 시작했다. 이 두 곳에 피신해 있던 1,000여 명의 외국인들과 3,000여 명의 중국인 기독교 신자들의 목숨이 경각에 달린 것이다.

이처럼 사태가 급박하게 흘러가자, 각국의 군대로 이뤄진 연합군 부대

---

18 무위군(武衛軍): 수석군기대신 영록이 1898년 신건육군(신군)을 전군, 좌군, 우군, 후군, 중군의 5개 편제로 바꾸고, 붙인 이름이다.

의화단 운동으로 살해당한 독일 공사 케틀러.

는 직례直隷총독과 총리각국사무아문의 동의를 얻어, 영국인 에드워드 시모어Edward H. Seymour 제독의 지휘 아래 황급히 천진을 출발해 북경으로 향했다. 그러나 하북성의 랑방廊坊에서 의화단의 완강한 저항에 부딪쳐 한 발자국도 움직일 수 없었다. 설상가상으로 탄약과 식량이 다 떨어지자 연합군은 천진의 조계지로 되돌아갈 수밖에 없었다. 그러나 마음이 급한 연합군은 쉽게 포기하지 않았다. 연합군은 6월 17일부터 청나라 정부가 앞장서서 의화단 운동을 진압해 달라며 천진의 대고포대를 맹공격했다. 만일 청나라 정부가 앞장서지 않는다면, 자신들이 직접 북경으로 쳐들어가 북경을 점령하겠다는 최후 통보도 잊지 않았다.

청나라 정부는 거의 대부분의 고위 관리들을 불러놓은 채 연속 나흘 동안 어전회의를 열었다. 의제는 전쟁과 평화 중 양자택일하는 것이었다. 이 무렵 강경론자들은 자신감이 절정에 이른 상태였다. 북경 곳곳에 의화단의 채색기가 나부끼고, 연기가 솟아오르는 것이 벌써부터 승리 분위기가 완연했다. 이 좋은 형세를 틈타 외국 놈들을 일거에 본국으로 쫓아버

---

19 동교민항(東交民巷): 원래는 쌀이 내륙 수운을 이용해 북경으로 들어오던 곳이어서 강미항(江米港)으로 불렸다. 이후 명대부터 이 지역에 외국에서 방문한 사신들이 머물 수 있는 시설이 건립되었고, 청대에 들어서도 영빈관을 세워 외국 사신들에게 거처로 제공했다. 이런 연유로 아편전쟁 이후부터 이 지역에는 영국, 러시아, 독일, 프랑스 등의 외국 대사관들과 우체국, 은행, 상점, 학교 등 외국인들을 위한 많은 시설이 들어서 있었다.

20 감군(甘軍): 감숙성 고원(固原) 출신 장군 동복상이 지휘했던 부대로, 감숙성의 회족(回族)을 주축으로 구성된 부대였다. 위안스카이의 신건육군, 섭사성의 무의군과 함께 '북양삼군' 이라 불리며, 청나라의 실세이자 서태후의 충복이었던 수석군기대신 영록(榮祿)의 지휘를 받았다.

리지 않고 또 그 어느 때를 기다린다는 말인가? 어전회의에서는 서태후의 위세를 등에 업은 강경론자들이 평화론자들을 완전히 압도했다.

1900년 6월 21일 청나라 정부는 외국 열강들에게 정식으로 선전포고를 했다. 청나라 정부가 선전포고를 한 대상에는 중국과 외교관계를 수립한 11개국이 모두 포함돼 있었다. 여기에는 6년 전에 황해해전에서 중국과 싸워 이긴 일본, 15년 전 마미해전에서 중국을 압도한 프랑스, 심지어는 60년 전에 동남 연해 해전에서 중국을 이긴 영국도 들어 있었다. 대청제국이 세계에서 가장 강력한 11개국을 한꺼번에 모조리 쳐부술 작정을 했으니, 그 기상만은 높이 살 수 있겠으나 오늘날 미국 같은 초강대국도 동시에 11개국에 선전포고를 하는 무모한 짓은 감히 하지 못할 것이다.

서태후는 어느 샌가 정신이 흐리멍덩해진 것이 분명했다. 광서제와 이부시랑 허경징許景澄, 병부상서 서용의徐用儀, 호부상서 입산立山, 내각 학사 연원聯元 등 대신들은 국가에 곧 큰 재난이 닥칠 것이라는 불길한 예감에 비통함을 금치 못했다. 그러나 자신들의 힘으로는 현실을 바꾸지 못한다는 생각에 옥좌 앞에서 통곡할 수밖에 없었다. 줄줄 흐르는 눈물 속에 쓰라리고 괴로운 감정이 얼마나 많이 배어 있었는지, 100여 년이 지난 지금 사람들도 생생하게 느낄 수 있지 않을까 싶다.

불타는 북경성과 이화원

청나라 정부와 의화단이 선전포고한 서구 열강들은 사실 19세기 말에서 20세기 초 사이에 이미 세계 초강대국으로 등극한 나라들이었다. 우선 전통적 강국인 대영제국은 1900년 즈음에 사람들이 혀를 내두를 정도로 강력했다. 3,100만 제곱킬로미터(한반도의 약 160배)가 넘는 광대한 영토와 당시 세계 인구의 4분의 1을 점유하고 있었다. 영국 황실 해군이 보유한 군함은 세계 여느 두 나라의 함대를 합친 것보다 더 많았고, 당시 전 세계적으로 가장 발달한 통신 네트워크도 구축하고 있었다. 영국은 또 세계 최대 무역국으로 세계 최대 상선 선단을 확보하고 있었다. 이 시기 영국은 세계 역사에서 유일하게 천하를 제패한 국가이자, 19세기 말부터 20세기 초까지 세계 힘의 판도를 바꿔놓은 유일한 국가였다.

도버해협을 사이에 둔 영국의 오랜 라이벌 프랑스도 여전히 강력했고, 독일도 기나긴 분단의 세월 끝에 통일을 이룩하고 철혈재상 비스마르크의 뛰어난 능력과 빌헬름2세의 '세계 정책' 등에 힘입어 비약적인 성장을 이루고 있었다. 신대륙 미국도 남북전쟁 종식 이후, 경제사회 발전 속도가 타의 추종을 불허할 정도로 빨랐다. 미국은 외부의 위협이 없는 상태에서 북미의 비옥한 농토, 풍부한 자원, 발전 가능성이 높은 철도·탄광 기술 등에서 비교우위를 확보한 데다 사회적, 지리적 제약도 받지 않았다. 미국 경제는 동서고금의 여느 국가를 모두 추월하는 빠른 속도로 성장할 수 있었다. 이 시기 미국은 그때까지도 중국으로부터 대국이라는 호칭을 듣지 못했다. 그러나 경제력 세계 1위인 미국을 대국으로 인정하지 않던 나라는 대청제국을 제외하고는 아무도 없었다.

대청제국의 이웃 일본은 경제발전 속도와 산업화 정도는 영국, 독일, 미국에 훨씬 못 미쳤다. 그러나 청일전쟁의 승리는 일본의 지리적 비교 열위와 부족한 자원을 보충해주기에 충분했다. 또 중국으로부터 받은 거액의 전쟁배상금으로 공업, 사회간접 시설과 군사 시설에도 대거 투자했다. 게다가 국민의 사기가 높아지고 기율이 잘 잡혀 있는 등 정신적인 뒷받침까지 있었다. 그러다 보니 일본은 짧은 기간에 경제 기적을 창조할 수 있었다. 새 세기가 다가올 무렵 일본은 지역적 대국으로 불려도 손색이 없을 만큼 빠르게 성장했다. 구미 열강들조차 아시아에서 중대한 행동을 개시하기 전에 먼저 일본의 눈치를 보지 않으면 안 될 정도였다.

그러나 대청제국은 열강들의 힘의 크기는 알려고도 하지 않았다. 바로 눈앞에 보이는 조그마한 승리에 도취되어 자신들의 주제도 모르고 강대국들에 도전했으니, 남은 것은 참담한 패배와 굴욕밖에 없었다.

1900년 6월 17일 천진의 대고포대가 연합군의 손에 넘어갔고, 한 달여가 지난 7월 14일 연합군의 손에 천진이 완전히 함락됐다. 7월 말경에는 각국에서 보낸 지원병들이 속속 천진으로 모여 들었다. 연합군은 천진에서 회의를 갖고, 독일 장군 알프레트 폰 발더제A. L. Waldersee를 사령관으로 삼아, 북경을 공격하기로 결정했다. 8월 4일 11개 열강 중 8개국 군사로 조직된 8국 연합군은 북경에 무력 침입을 개시했다. 대청제국 정규군과 "두려운 것이 없다."고 큰소리치던 의화단은 서양의 현대식 무기 앞에서 제대로 저항다운 저항 한 번도 못해보고 뿔뿔이 흩어졌다.

8월 14일 새벽 압도적 화력으로 무장한 연합군이 북경에 들어섰다. 의화단을 등에 업고 의기양양하게 서양 세력과 싸우라고 조종하던 서태후는 연합군이 북경에 발을 들인 다음날 새벽에 섬서성陝西省 서안西安으로 도피했다. 초라한 몰골로 급하게 도피를 할 때도, 이런 사태를 미리 예견하고 열강들과의 화의를 꾀했던 광서제를 데려가는 것은 잊지 않았다.

자금성은 8국 연합군의 총사령부로 전락했고, 북경에 입성한 연합군은 무자비한 보복을 감행했다. 의화단을 찾는다며 무고한 시민들을 끌고 가 죽였고, 자금성과 이화원에 보관된 귀중한 보물들과 문화재들은 열강들의 손아귀로 넘어갔다. 약탈, 강간, 살인, 방화 등 차마 눈뜨고 볼 수 없는 참사가 북경에서 벌어졌다. 의화단이 빠져나간 북경 시내 전체가 연합군으로 인해 또다시 짙은 공포 속에 빠져들었다.

손쉽게 북경을 점령한 8개국 연합군이 자금성에서 무력시위를 벌이고 있다.

연로한 양광총독 이홍장이 다시 매국노의 역할을 맡아야 했다. 12월 23
일, 연합군을 구성했던 8개국에 네덜란드, 벨기에, 스페인까지 참여한 11
개국은 청나라의 이홍장에게 화의를 하기 위해서 먼저 처리해야할 조건
을 담은 '화의대강和議大綱 12조[21]'를 넘겼다. 이후 약 8개월간의 조율을
마친 청나라와 11개국은 1901년 9월 7일, 북경에서 '신축조약辛丑條約[22]'

21 화의대강(和議大綱) 12조: 북경을 점령한 연합국이 청나라와 화의를 하기 전에 먼저 행해야 할 조건
   을 담은 문서다. 의화단 운동을 부추긴 정부 관리들을 처벌하고, 의화단 토벌을 주장하다가 죽거나
   파직당한 관리들의 신원회복, 의화단 운동으로 숨진 외국인들을 위한 추모시설 건립 요구 등이 담겨
   있다. 서태후는 자신이 의화단 사건의 처벌 명단 대상에서 빠져있는 것을 보고 바로 조정에 승인하
   도록 명했다.
22 신축조약(辛丑條約): 1901년 9월 7일, 영국, 독일, 일본, 미국 등 중국에 진출한 11개국의 대표와 청나
   라 정부 대표 이홍장 사이에 맺어진 총 12조의 조약으로, 달리 '북경 의정서'라고도 한다. 주요 내용
   은 1940년까지 4억 5,000만 냥의 배상금을 청나라가 물어야 하며, 천진의 대고포대를 해체하고, 북
   경에 공사관 구역을 설정하고, 중국 땅에 열강의 군대가 주둔할 수 있도록 한다. 또한 외세 배척 운
   동을 철저하게 진압해야 하며, 외교부를 설치하고, 기존에 체결된 통상조약이라도 열강이 요구하면
   수정할 수 있어야 하며, 독일과 일본에 사죄사(謝罪使)를 파견해 독일 공사와 일본 서기관의 피살 사
   건에 대해 사죄해야 하는 내용을 담고 있다.

신축조약 체결 장면(1901년 9월 7일). 청나라는 경친왕 혁광과 양광총독 이홍장을 전권대표로 삼아 11개국 공사들과 신축조약을 체결했다.

을 체결했다.

화의대강과 신축조약에 따라 의화단 사건에 주도적으로 참여했던 장친왕 재훈, 형부상서 조서교, 도찰원 좌도어사 영년, 산서순무 육현 등의 황족과 고위 관리들은 자결을 명령받거나 사형에 처해졌다. 또 황태자 부준을 폐위하고 단군왕 재의, 보국장군 재란 등과 함께 신강으로 귀양을 보냈다. 서태후도 본래 사형 대상에 포함됐으나, 협상을 거쳐 명단에서 제외됐다. 청나라 정부는 의화단 운동에서 죽은 200명의 외국 병사들을 위해 기념비를 세워주기로 약속하고, 의화단 활동이 창궐했던 45개 도시에서는 5년 동안 과거를 실시하지 않기로 했다.

이것뿐만이 아니다. 청나라는 2년 동안 무기 수입을 금지 당했고, 천진의 대고포대를 철거하고 해안에서 북경에 이르는 모든 통로에 방위 시설을 설치할 수 없게 됐다. 반대로 외국은 북경의 자국 공사관 안에 군사를 진주시킬 권한을 가지게 됐다. 이 밖에도 청나라는 1940년 11월 31일까지 연합군 측에 배상금으로 은 4억 5,000만 냥을 지불해야 했다. 이는 당시 청나라의 6년간 재정 수입과 맞먹는 액수로, 연리 4퍼센트의 이자도 지불해야 했다. 이자까지 다 합치면 총 10억 냥에 달하는 어마어마한 액수였다.

청나라 정부는 열강들의 침략에 통일된 조직도 없고 무기와 장비도 낙후한 의화단에게 그들을 쫓아내는 중임을 맡겼다. 열강들로부터 다년간 능욕을 당하면서 소박한 애국심을 키워왔던 기층 민중은 중국 전통 무예와 애국심 하나만 믿고 용감하게 열강들에 맞섰다. 그러나 의화단과 열강과의 무력 차이는 하늘과 땅 차이였다. "낙후되면 곧 얻어맞는다." 이는 19세기 말 중국인들이 얻은 뼈저린 교훈이었다. 그러나 불행하게도 청나라 정부는 실패의 교훈을 깨닫지 못했다. 그래서 대청제국 최후의 순간이 다가오고 있는데도 불구하고, '과학적이고 합리적인 공화정치의 밝은 길'을 놔두고, '미신적이고 불합리한 전제정치의 어두운 길'을 계속 걸어가는 어리석음을 고치지 못했다.

강대국으로
떠나는
유학생

청나라 정부는 1870년대부터 양무운
동의 '서양을 따라 배우는' 방침의 일환으로 해외에 유학생을 대거 파견
했다. 그러나 1차로 미국에 파견된 100여 명의 유학생들은 학업을 채 마
치지도 못하고, 단지 비단옷을 벗고 변발을 잘랐다는 이유로 청나라의 보
수파 세력에 의해 강제 귀국 조치를 당했다. 하지만 그 이후에도 수많은
젊은 학생들이 해외로 유학을 떠났다.

비교적 유명한 사례로는 1887년에 복주선정학당福州船政學堂에서 35명의
젊은 장교를 유럽에 보내 군사 기술을 익히게 한 사실을 꼽을 수 있다. 이
35명의 장교들 중에는 《천연론天演論》, 《원부原富》, 《군기권계론群己權界論》,
《법의法意》 등 서구의 사상 명작들을 중국어로 번역한 엄복嚴復을 비롯해
용맹하고 유능한 북양해군北洋海軍의 고급 장교도 다수 있었다.

19세기의 마지막 몇 년 동안은 일본 유학이 새로운 대세로 떠올랐다.

청일전쟁의 패배는 예부터 천조대국으로 자부하던 청나라 조정과 백성들에게 큰 충격을 줬다. 줄곧 소국으로 깔보던 일본을 괄목상대하게 된 계기였다. 이런 상황에서 우국우민의 애국자들은 떠오르는 강국 일본에 대해 지대한 흥미를 나타냈다. 그래서 일본으로 향하는 새로운 유학 붐이 형성됐다. 젊은 학생들은 무더기로 일본으로 건너갔다. 무술변법 이후에 일본 유학생 수는 더욱 급격히 늘었다. 20세기 첫 10년의 경우, 일본에 체류한 중국 유학생 수는 5만 명을 초과한 것으로 추산된다. 아마도 세계 역사상 최대 규모의 일본 유학 붐이 아니었을까 싶다.

오늘날 대다수의 유학생들이 그곳에서 학교를 마치고, 좋은 직장에 취직해서 더 나은 생활을 하기 위해 아등바등 애를 쓰는 것과는 달리, 당시 청나라의 유학생들은 오로지 구국구민救國救民을 위해 멀리 외국으로 건너갔다. 아시아에 위치한 청나라와 일본은 긴밀하게 연결된 이웃나라였다. 처음엔 일본도 서구 열강들과 싸울 때의 처지가 중국보다 못하면 못했지 좋지 않았다. 그러나 일본은 중국보다 훨씬 더 철저하게 사회 변혁을 이뤘다. 그래서 훨씬 더 빠르게 현대 사회로 진입했다. 현대화를 지향하는 중국인들에게 일본은 둘도 없는 본보기로 부각됐다. 민족 자존심과 역사적 사명감을 가진 중국 유학생들은 일본의 경험을 토대로 극도로 쇠락한 중국을 재기시킬 특효약을 찾으려고 노력했다.

지식인들 사이에서는 유명 작가이자, 루쉰魯迅·노신의 동생인 저우쭤런周作人·주작인이 말한 "우리가 일본으로 유학을 간 이유는 일본의 유신이 성공하고 일본이 빠르게 서양 문명을 받아들였기 때문이다."는 말이 유행할 정도였다.

괄목상대의 나라 일본으로

이와 같은 이유로 이 시기 유학생들은 일본에서 대부분 군사, 법률, 정치, 교육 분야의 학문을 선택해서 배웠다. 또 똑같은 이유로 이들 그룹 속에서 이후의 입헌, 혁명 등 사회개조 운동이 싹텄다. 보황파保皇派23 캉유웨이康有爲, 입헌정치를 주장한 량치차오梁啓超, 국민혁명을 선도한 쑨원孫文은 모두 일본을 근거지로 삼고 유학생들을 인적 자원으로 활용했다.

무술변법을 추진했던 캉유웨이. 캉유웨이와 량치차오, 쑨원은 일본에서 유학을 했다는 공통점이 있다.

중국 유학생들이 일본에서 배우고 생각한 것들은 새로운 청나라 건설을 위한 풍부한 사상 자원으로 쓰였다. 이 시기 이전까지의 중국 사회는 마치 새장과 같았다. 중국 전통 사상문화의 속박에서 벗어나지 못했기 때문에 다양한 사회개혁 시도는 모두 똑같은 결과만 초래했다. 그러나 일본은 중국과 많이 달랐다. 그들은 변혁과정에서 일본의 전통 사상문화와 달랐던 서양 학문들을 잘 흡수했다. 그것을 다시 중국 유학생들이 배워 중국에 전파하면서 중국인들은 새롭고 참신한 서양의 사상을 얻을 수 있게 된 것이다.

중국 유학생들은 유학생활 동안 배운 지식을 이용해 중국의 역사를 새롭게 정리하고 해석하면서, 새로운 사회개조 운동을 구상했다. 국가와 민족의 미래도 새롭게 설계했다. 이는 천 수백 년 전에 불교문화가 중국에 전파된 이래, 두 번째로 외래 사상문화가 대규모로 수용된 사례였다.

중국이 19세기 말부터 20세기 초까지 서구 사상문화를 대거 수용하는 과정에 유학생들은 매우 중요한 역할을 했다. 일본인들이 대량의 서양 서적들을 일본어로 번역하면, 중국 유학생들은 그것을 다시 중국어로 번역해 조국에 전파했다. 일본에서 신간 서적이 발행되기만 하면 중국인 번역가들이 소문을 듣고 번역을 시작했다. 1896~1911년에 유학생들의 번역 활동은 절정에 달했다. 1,000여 종의 도서가 중국어로 번역됐다. 그중 가장 많이 번역된 것은 일본 교과서였다. 일본 교과서가 얼마나 많이 번역됐는지 중국의 시골 한 구석에 있는 지식인들도 일본 교재를 읽을 수 있을 정도였다.

이처럼 일본에서 들어온 새로운 사상문화는 중국에 왕성하게 보급됐다. 일본 메이지 천황 시대에 배출된 자유 민권, 무정부주의, 사회주의 등 다양한 정치사상들이 중국 지식인들의 머릿속에 생생하게 새겨졌다. 또 이미 일본에 깊이 뿌리박은 유럽식 법률 문화는 100여 년 동안 지속돼온 중국의 법치 체계에 큰 영향을 미쳤다. 심지어 이 시기의 중국인들의 문학 작품에도, 이를테면 소설이나 시가에서도 일본 문화의 흔적을 엿볼 수 있었다.

더욱 놀라운 것은 이 시기에 일본어 어휘들도 중국에 대량으로 도입됐다는 사실이다. 당시 중국에서의 일본어 사용 규모와 범위는 오늘날 전 세계에 범람한 인터넷 용어보다 더하면 더했지 못하지 않았다. 이런 일본어 어휘의 범람으로 인해 중국어 문법과 중국인들의 표현 방식도 크게 바뀌었다. 심지어는 중국에서 선각자라고 자부했던 사람들도 일본어 어휘를 사용하지 않고서는 다른 사람들에게 뜻을 정확하게 전달할 글이나 말을 만들지 못할 정

---

23 보황파(保皇派): 청나라 말기 입헌제(立憲制)를 도입해도 군주제를 유지한 채, 입헌군주정치를 실시하자고 주장하던 단체다. 변법운동을 주도했던 캉유웨이, 량치차오 등의 인물들이 이끌었다.

도였다. 언젠가 청나라 말기의 명신인 장지동이 결재 서류에 '새로운 명사를 사용하지 말 것'이라는 지시사항을 달았다. 그랬더니 옆에 있던 관리가 이 '명사'라는 단어가 바로 일본에서 온 신조어라고 귀띔했을 정도였다.

어쨌거나 유학생들은 신문과 잡지가 사회 개조에 중요한 역할을 한다면서 간행물 창간에도 심혈을 기울였다. 물론 상해上海에서 발간됐던 중국 최초의 신문인 《신보申報》는 일본 유학 붐이 일기 전인 1860년대에 창간됐다. 그러나 신문과 잡지가 중국에서 읽을거리로 자리 잡기까지에는 유학생들의 기여가 컸다. 유학생들이 일본과 중국에서 창간한 100여 종의 신문과 잡지는 다양한 사회운동의 중요한 보루였다.

1898년부터 비록 많지는 않으나 여성들도 국비 유학을 떠났다. 자비로 유학을 떠난 여성은 더 많았고, 여성 유학생은 강절(江浙·강서와 절강) 출신이 대부분이었다. 처음에는 부유한 가정의 여성들이 아버지, 남자 형제 혹은 남편을 따라 출국해 공부한 경우가 대부분이었다. 그러나 나중에는 여성 혼자 유학을 떠나는 사례도 많았다. 청나라 말기에 이르러 일본에만 중국인 여성 유학생이 수백 명이나 있었다. 그러자 일본의 많은 여학교는 배움을 갈망하는 중국인 여성 유학생들을 대상으로한 속성 코스를 개설했다. 초기 중국 여성 유학생들은 의학과 사범 교육을 주로 배웠다. 이때부터 중국에서 여성해방 운동이 다른 국가 못지않게 활발하게 전개됐다.

1906년 3월, 미국의 기독교 선교사인 아더 핸더슨 스미스가 당시 미국의 시어도어 루스벨트 대통령에게, "미국이 '신축조약'으로 받은 경자배상금24을 중국에 되돌려 주자."고 건의했다. 이에 루스벨트는 실제로 지출하고 남은 나머지 돈을 중국에다 대학을 만들고, 중국 학생들이 미국으로 유학을 올 수 있도록 정치권 인사들을 설득했다. 이에 따라 1,160만 달러에 달하는 돈은 다시 중국으로 되돌아와 중국에 대학교를 설립하고, 중국유학생들의 유학을 지원하는데 사용되었다. 당시 이 돈으로 설립한 대학교가 오늘날 중국에서 북경대학과 쌍벽을 이루고 있는 명문名門 청화대학淸華大學이다. 그러자 영국, 일본, 프랑스 등도 미국을 본받아 배상금 중 일부를 중국에 반환함으로써 많은 대학이 설립되었다.

이후부터 미국과 영국으로 유학을 가는 중국 청년들이 급증했다. 이들은 미국과 영국의 선진적인 사상과 문화를 열심히 공부해 20세기 중국 정치 무대에서 크게 활약했다. 이 시기 유학 붐은 중국에 풍부한 인적 자원을 공급했고, 더 나아가 중국 사회 발전을 크게 촉진시키는 중요한 역할도 했다. 그러나 부작용도 있었다. 경자배상금 덕분에 미국 유학을 다녀온 후스胡適·호적[25]는 어떤 글에서 '유학은 나라의 치욕'이라고 지적했다. 다소 극단적인 말 같으나 세세하게 음미해보면 전혀 이치에 맞지 않는 말은 아니다. 우선 중국의 엘리트들이 유학을 갔다가 일부는 아예 그곳에 정착해 인재유출이 많이 있었다. 또 애국심 하나로 중국으로 돌아온 해외 유학파는 중국 본토에서 나고 자란 국내파 엘리트들과 사이가 좋지 않아, 서로 싸움을 벌이는 일도 있었다. 그러나 정작 청나라가 부강하고, 문화와 교육 수준이 다른 나라에 앞섰다면 학생들이 유학을 떠날 필요성이 있었을까? 후스의 말은 진짜 틀리지 않았다.

---

24 경자배상금(庚子賠償金): 청나라가 신축조약으로 지불한 전쟁배상금은 경자(庚子)년에 지불했다고 해서 '경자배상금'으로도 불린다.
25 후스(胡適): 중국의 철학자이자 시인으로, 천두슈와 함께 중국 문자혁명의 선봉장이다. 국민정부 시절에 북경대학 학장, 주미(駐美)대사 등의 요직을 지내다가, 중화인민공화국 성립 직전에 미국으로 망명해 대만으로 건너갔다.

중화민국의
아버지 쑨원

1890년대부터 중국에서는 구식 농민 봉기인 태평천국 운동과도 다르고, 캉유웨이의 유신변법과도 구별되는 새로운 사회개조 운동이 나타나기 시작했다. 이 운동의 궁극적인 목표는 '현 정권을 뒤엎는 것'이었다. 이 운동에 참여한 사람, 참여하지 않은 사람, 또 후세의 역사학자들은 하나같이 이 운동의 성격을 '혁명'이라는 단어로 표현했다. 쿠데타로도 불리는 이 단어는 이후 100여 년 동안 중국에서 널리 유행됐다.

일본은 중국 초기 혁명운동의 중요한 근거지였다. 이 근거지에는 화교와 회당의 간부들, 그리고 일본의 유학생들이 비밀리에 이 운동에 참여하고 있었다. 동남아시아, 일본, 미국 등지에서 살고 있는 화교들은 그때까지 미래가 조금도 보이지 않는 이 운동을 위해 돈과 물자를 아낌없이 지원했다. 그리고 이 혁명운동의 중심에 선 사람들은 두말할 것도 없이 해외 유학파 젊은이들이었다. 이 유학파 젊은이 중에서도 훗날 중화민국의 아버지로 불리는 광동성 출신의 쑨원孫文과 쑨원이 주도한 홍중회興中會라는 작은 단체가 혁명에서 가장 중요한 역할을 하게 된다.

천재 혁명가 쑨원과 홍중회

의학박사이자, 천재적인 혁명가였던 쑨원은 젊은 시절부터 의학에만 종사할 생각이 없었다. 그는 1894년부터 대청제국의 정객政客들을 부지런히 찾아다니기 시작했다.

그가 맨 처음 찾아간 사람은 조정의 중신 이홍장이었다. 쑨원은 이홍장을 위시한 대청제국의 권력가들이 자신의 사회 개혁 방안을 받아들이고, 자신의 정치적 이상을 실현시키는 데 도움을 주기를 바랐다. 그러나 쑨원의 개혁 방안은 가는 곳마다 퇴짜를 맞았다.

혁명적 낭만주의자인 쑨원은 다른 길을 개척하기로 결심했다. 1894년 말, 그는 과거 유학을 했던 곳이자, 광동 출신 사람들이 많이 모여 살고 있던 미국의 호놀룰루로 향했다. 이곳에서 그는 혁명 조직을 결성하고 '홍중회'라는 이름을 붙인 후 본격적인 혁명 활동을 시작했다.

이 무렵 대청제국은 일본과의 전쟁에서 막 패한 뒤여서, 국민의 생활은 궁핍해지고 국가 재정은 파탄에 이르렀다. 이에 쑨원과 그의 동지들은 무력으로 청나라 정부를 뒤엎을 계획을 세웠다. 그러나 이들이 성급하게 기획한 광주에서의 봉기 계획은 기밀이 누설돼 실패하고 말았다. 이 사건으로 쑨원의 소꿉친구인 육호동陸皓東과 홍중회의 핵심 회원들이 처형됐고, 쑨원은 우여곡절 끝에 일본으로 망명했다.

쑨원이 일본을 망명지로 택한 것은 당시 일본에는 애국심에 불타는 중국 유학생들이 많이 모여 있었고, 무엇보다도 청나라의 압력에도 불구하고 일본 정부가 중국 유학생들의 혁명운동을 단속하지 않았기 때문이었다.

쑨원이 일본에 정착한 이후 흥중회의 세력은 대폭 늘어났다. 그러나 쑨원은 광주 봉기의 실패를 거울삼아 섣불리 움직이지 않고 절호의 기회가 오기만을 기다렸다. 드디어 1900년 10월, 쑨원은 청나라 정부가 8국 연합군의 북경 침입으로 골머리를 앓는 틈을 이용해 광동성 혜주惠州에서 두 번째 반청反淸 봉기를 일으켰다. 한때 이 봉기에는 2만 명이 넘는 사람들이 가담했지만, 외부 원조가 턱없이 부족했기 때문에 이번 혁명도 실패로 끝나고 말았다.

혜주봉기는 실패했지만 꼭 의미가 없던 것만은 아니었다. 이 시기 무장 폭동을 결행했던 단체가 흥중회 하나뿐만이 아니었기 때문이다. 이른바 혁명단체로 불리는 여러 단체들이 혁명의 불길을 댕겼고, 갈수록 더 많은 비밀결사 조직들이 무장봉기에 뛰어들었다. 급기야는 청나라 정부가 설립한 신식군대 중에서도 혁명에 뛰어드는 경우가 생겨날 정도였으니, 혁명의 기운이 중국 전역으로 들불처럼 번진 것이다.

혁명군의 시도는 항상 실패로 돌아갔으나 무장 혁명의 위력은 대청제국의 관리들에게서 잘 찾아볼 수 있었다. 당시 혁명의 기세가 얼마나 드셌던지, 간이 작은 청나라 관리들은 밖에서 총소리가 한두 번 울려도 혼비백산하며 도망치기에 바빴다. 청나라 정부와 관리들은 혁명 때문에 매일매일 불안에 떨었다.

이 시기 많은 혁명단체들은 회원들이 납부한 회비와 기부금, 각지에서 모금한 돈으로 혁명 경비를 충당했다. 하지만 미국에서 공부하면서 서구의 경제를 접했던 쑨원은 이를 발전시켜 흥중회를 주식회사 형태로 만들었다. 초기 흥중회 회원들은 마치 주금株金처럼, 입회할 때 1인당 은 5위안의 기본 회비를 내고 다시 별도로 기부금도 더 내야 했다. 쑨원은 여기서 더 나아가 한꺼번에 많은 돈을 마련하기 위해서 일종의 특별 채권인 '은회銀會'를 발행했다. 홍중회에서 발행한 '혁명 채권', 다시 말해 은회의 주당 가격은 은 10위안이었다.

이 은회에 투자한 투자자들은 혁명이 성공한 다음, 주당 100위안의 원리금을 받을 수 있었다. 즉 현대적으로 해석하면 '대청제국을 무너뜨린다.'는 고도의 리스크만 감수한다면, 10배의 수익률을 올릴 수 있었던 좋은 금융 상품이었다.

그러나 수백여 년의 역사를 가진 대청제국을 그렇게 말처럼 쉽게 단번에 밀어내고 혁명을 성공시킬 수는 없는 법이었다. 쑨원은 오랫동안 홍중회에 투자한 투자자들에게 약속을 지키지 못하고 있었다. 그래서 길을 가다가 은회에 투자한 투자자들에게 빚쟁이처럼 시달리는 난처한 상황도 자주 직면해야 했다. 그러나 쑨원은 대수롭게 생각하지 않았다. 오히려

쑨원이 활동했던 홍중회. 홍중회는 훗날 혁명에서 가장 중요한 역할을 한다.

날이 갈수록 투자자들에게 더 크고 더 많은 것을 약속했다.

쑨원은 외국과 무기 거래를 할 때마다 상대방에게 항상 "당신은 장래의 중국 정부와 거래를 하는 것이다. 장래의 중국 정부는 당신에게 더 큰 이익을 가져다줄 것이다."고 말했다. 쑨원은 이런 식의 뛰어난 언변으로 많은 사람을 협력자로 끌어들였다. 그래서 20세기에 들어선 이후, 흥중회에는 각지로부터 끊임없이 혁명자금이 흘러들었다. 그러나 쑨원은 여전히 투자자들과의 약속을 제대로 이행하지 않았다. 그래서 '손대포(孫大砲 · 허풍쟁이)'라는 그다지 유쾌하지 않은 별명까지 얻었다. 그러나 오로지 혁명이라는 확실한 목적을 가지고 있었기 때문에 '손대포'는 손쉽게 사람들로부터 이해와 용서를 받을 수 있었다.

화흥회와 광복회

1903년 봄, 일본으로 유학을 떠난 지 채 1년도 안 된 황싱黃興 · 황흥은 30세의 나이로 고향인 호남성으로 돌아왔다. 무예를 숭상하던 호남성 기질을 가지고 있던 황싱은 일본에서 사범교육을 공부하면서도 군사 이론과 실무에도 많은 관심을 보였다. 그래서 그는 일본에 체류하고 있던 기간에도 매일 새벽에 신주쿠新宿 가구라자카神樂坂 거리의 무술회武術會에 가서 사격 연습을 했을 정도였다.

그해 말 황싱은 함께 일본 유학을 다녀온 진천화陳天華, 쑹자오런宋教仁 · 송교인, 장계張繼 등과 함께 생일 모임을 가졌다. 자리에 모인 사람들은 술이 얼큰하게 오른 자리에서 반청 조직을 결성하기로 결의했다. 이렇게 해서 이듬해인 1904년 2월 25일 호남성 장사長沙의 명덕학당明德學堂에서 호남성 출신 일본 유학생들을 중심으로 한 '화흥회華興會'가 결성됐다. 이

자리에서 황성은 모든 회원의 공동 추천으로 화흥회 회장을 맡았다.

그러나 수백여 명이 가입했던 이 혁명 조직의 수명은 그다지 길지 못했다. 정의감에 불타오르던 화흥회 젊은이들은 모이기만 하면 말도 안 되게 돌아가는 나라꼴을 보면서 안타까움을 금치 못했다. 그들은 틈만 나면 "중국인은 모두 일어나 생존을 도모하라. 만주 오랑캐를 쫓아버리지 않으면 나라가 곧 분열될 것이다."라고 비분강개하면서 의기를 다졌다. 황성은 곧 화흥회 산하에 동구회同仇會라는 조직을 새로 만들고, 이어 호남성 내에서 꽤 커다란 지지기반을 가지고 있던 가로회26와 합작으로 무장 폭동을 일으켰다. 그러나 기밀이 누설되는 바람에 무장폭동은 실패로 돌아갔다. 많은 사람이 죽임을 당하고, 겨우 목숨을 부지한 황성 등의 몇몇 사람은 일본으로 망명을 떠나야 했다.

같은 해 상해에서 설립된 '광복회光復會'는 화흥회보다도 민족주의적 색채가 더 강한 조직이었다. 절강성 출신 사람들이 주류를 이룬 이 조직의 유일한 목표는 200여 년 동안 강남 지역에서 갖은 악행을 저지른 만주족에게 복수를 하는 것이었다. 광복회는 한족 동포들을 위해 과거의 영광을 재현하고, 사악하고 요사한 기풍을 제거해 새로운 국가를 세운 다음 과거의 원한을 갚을 것이라는 주장을 숨기지 않았다. 광복회 회원이었던 대문호 루쉰魯迅마저도 만주족에 대한 복수와 설욕이 필요하다고 말했을 정도였다.

'한족의 광복을 꾀하고, 우리 강산을 되찾자!'라는 정치구호를 내건 광

---

26 가로회(哥老會): 처음에는 호남성 농민들끼리의 상호부조 단체의 성격을 띠었으나, 19세기 초 백련교의 난 무렵부터 반청(反淸) 무장 조직이던 천지회(天地會)와의 합종연횡을 거쳐 '반청복명(反淸復明)'을 기치로 하는 비밀결사 무장 조직으로 성격이 바뀌었다. 의화단운동, 신해혁명 등에서 많은 활약을 했으나, 청나라가 망한 후에는 목적의식을 잃고 금품을 강탈하는 등의 범죄 집단으로 변질됐고, 일부는 홍콩으로 이주해 우리나라에도 폭력조직으로 널리 알려져 있는 홍콩 삼합회(三合會)로 변신했다.

쑨원(가운데 왼쪽)과 자리를 함께한 황싱(가운데 오른쪽).

복회는 주요 지도자 대부분이 '제왕 사상'에 깊이 젖어 있었다. 즉, 그들은
혁명이라는 것이 단순하게 '황제의 교체'를 의미한다고 생각했다. 그렇
기 때문에 그들이 생각하는 혁명의 최종 단계는 '만주족 황제를 한족 황
제로 대체하는 것'이었다. 사정이 이렇다 보니 쑨원의 흥중회나 황싱의
화흥회 같은 대다수 혁명 조직들이 추구하던 혁명의 본질과 광복회가 추
구하던 혁명의 본질은 다소 차이가 있었다.

　암살단을 토대로 설립된 광복회는 다른 혁명 조직들과 마찬가지로 무
장폭동을 혁명 수단으로 삼았다. 그래서 강남의 다른 무장 조직들과 연락
해 여러 차례 봉기를 계획하기도 했다. 그러나 이들은 무장폭동보다는 지
배층의 공포심을 유발하는 암살 방식을 더 선호했다. 실제로 만주족 귀족
을 암살하려는 시도도 여러 번 있었다.

광복회 지도자 타오청장陶成章은 당나라 때 측천무후를 상대로 반란을 일으킨 낙빈왕駱賓王을 본받아 서태후를 암살하기 위해 연속 두 번이나 북경으로 향했다. 그는 또 북경에 유곽을 차려 "미인계로 만주족 귀족을 유인한 다음 술에 독약을 타서 일망타진한다."는 기상천외한 발상을 하기도 했다.

이 밖에 여자의 신분임에도 남자들에게 뒤지지 않았던 윤예지尹銳志, 윤유준尹維俊 자매는 청나라 정부 관리들을 죽이겠다는 일념으로 몸에 폭탄을 지닌 채 1년 넘게 북경에 잠복해 있기도 했었고, 안휘성 안경安慶에서는 서석린徐錫麟이 안휘순무 은명恩銘을 암살하고 장렬하게 죽음을 맞이한 사건도 있었다. 그러나 테러리즘 색채가 짙은 광복회의 활동은 결국 한 단체와 그 회원들의 미성숙한 심리를 반영하는 데 그쳤고, 무엇보다도 몇몇 정부 관리들을 암살한다고 해서 문제가 해결되는 것이 아니었기 때문에 한계가 뚜렷했다.

이 같은 혁명 취지와 혁명 수단을 가진 광복회는 그 후에 설립된 동맹회 **27**와 물과 불처럼 사이가 좋지 못했다. 광복회 일부 회원들이 개인 명의로 동맹회에 가입하는 경우도 있었으나, 대다수 광복회 회원들은 동맹회와 아예 어울리지도 않았다.

게다가 광복회의 일부 지도자급 인물들과 날이 갈수록 유명세를 떨치는 쑨원의 관계는 점점 악화됐다. 서로 비방하고 공격하는 일도 심심치 않게 생겼다. 광복회의 핵심 간부였던 이섭화李燮和는 쑨원을 늘 "속임수

---

27 동맹회(同盟會): 1905년 8월 일본 도쿄에서 반청(反淸), 반외세(反外勢)를 기치로 내걸고 애국지사, 공화주의자, 사회주의 활동가들이 혁명을 목적으로 만든 중국의 혁명단체. 정식 명칭은 '중국혁명동맹회(中國革命同盟會)'지만 약칭인 동맹회라는 명칭으로 더 널리 알려져 있다. 쑨원, 황싱, 쑹자오런, 왕징웨이 등이 이끌었던 흥중회(興中會), 화흥회(華興會) 등의 단체와 일부 광복회(光復會) 인물이 참여해서 조직되었다. 1911년 청나라가 망하고, 중화민국(中華民國)이 건국되면서 중국국민당으로 흡수 통합되었다.

로 사람을 대한다."고 비난했다. 그는 해외에 있는 강소성과 절강성 출신 화교들과 연락해 쑨원의 죄상 12조항과 처리 방법 7조항을 정리한 후 도쿄 동맹회 본부에 보내, 황싱에게 쑨원의 총리 직무를 박탈해 줄 것을 요구하기도 했다. 또 다른 핵심 간부였던 타오청장陶成章은 인도네시아의 자바섬과 싱가포르 일대에서 신문과 잡지로 광복회를 광고하며 동맹회와 교민 회원 쟁탈전을 벌였고, 얼마 후에는 경비 조달 문제로 쑨원과 분쟁이 생기자, 화교사회에 쑨원의 죄상을 3종 14항으로 조목조목 열거한 전단을 뿌리기도 했다.

이 시기까지만 해도 이런 식의 혁명을 이끄는 단체들의 시기심과 노선 차이 때문에 중국의 혁명은 멀리 떨어져 있는 것처럼 보였다. 그러나 사실 보이지 않는 곳에서 희망의 싹은 조금씩 솟아나고 있었다.

동맹회로 통합되는 혁명단체

1905년 여름 다시 요코하마에 간 쑨원은 일본 친구의 소개로 황싱을 처음으로 만났다. 가구라자카神樂阪의 봉락원鳳樂園에서 가진 회합에서 쑨원은 혁명 조직들을 하나로 통합할 것을 제안했고, 황싱도 이에 적극 찬성했다.

7월 말 반청 혁명에 힘을 보태는 것을 취지로 하는 중국인 혁명 통합 조직이 도쿄 아카사카赤坂에서 출범했다. 이 조직의 이름을 정할 때, 누군가가 '대만동지회對滿同志會'라고 하면 어떻겠느냐고 운을 뗐다. 그러자 천재적인 혁명가 쑨원은 "청나라 정권을 뒤엎고 공화 제도를 수립한다."는 혁명의 목적에 근거해 '중국혁명동맹회(中國革命同盟會, 이하 동맹회)'라고 부를 것을 제안했다.

회의에서는 쑨원이 제안한 동맹회를 이름으로 채택하고, '만족滿族 통치세력 축출, 중화中華 회복, 민국民國 창립, 토지 균등화'를 동맹회 취지로 삼았다. 동맹회 총리로 선출된 쑨원이 현장에서 즉석으로 서약서 초안을 작성했다. 동맹회 집행부 서무庶務로 당선된 황싱은 "서약서를 작성하고, 서로 간의 결의를 다지는 선서를 하자."고 제안을 했다.

이렇게 해서 회의 참가자들은 너도나도 서약서에 자신의 이름을 적었다. 서명을 마친 다음 쑨원은 이들을 다른 방에 데리고 들어가, 모두 오른손을 든 채 하늘에 대고 선서를 하도록 했다. 그러고 나서 동맹회 내부의 각종 암호와 비밀 구호를 정했다. 동맹회 회원들이 서명한 서약서는 선서 의식이 끝난 다음 특별히 제작된 철제상자에 넣어 봉인됐다.

같은 시기 변법자강운동의 실패로 여러 해 전에 해외로 망명한 캉유웨이도 보황파保皇派의 근거지를 일본에 두고 있었다. 이 때문에 량치차오梁啟超가 주필을 맡은 신문《신민총보新民叢報》는 군주입헌제를 대거 선전할 수밖에 없었다. 이는 혁명을 통해 청나라를 뒤집고, 군주제를 없애려는 동맹회의 취지와는 완전히 상반되는 것이었다. 따라서 동맹회도 뒤질세라, 원래 화흥회華興會의 기관지였던《20세기의 중국》을《민보民報》로 이름을 바꿔 동맹회의 대중매체로 삼았다. 이때 혁명 이론가 쑨원은《민보》발간사에서 처음으로 '민족, 민권, 민생'을 골자로 하는 '삼민주의三民主義' 이념을 제시해 군주 입헌파와의 치열한 논쟁을 유발했다. 이렇듯 20세기 초 중국에서 가장 유명했던 양대 사회변혁 파벌은 머나먼 이국땅 일본에서도 자신들의 주장을 펼치며 치열하게 맞서고 있었다.

동맹회 성립 이후 재정 전문가 쑨원은 또다시 어려움이 많은 모금 사업에 나섰다. 쑨원에게 있어서 혁명에 뜻을 둔 그날부터 혁명자금을 조달하는 일은 줄곧 난제 중 난제였다. 그러나 강인한 혁명가인 그는 쉽지 않은 이 일에서 결코 한 번도 뒷걸음치거나 포기하지 않았다. 쑨원은 혁명자금을 구할 수만 있다면, 지구 반대편이라도 달려갈 정도로 이 일에 최선을 다했다. 이 시기 동맹회의 또 다른 한 축인 황싱은 청나라 정권을 뒤엎으려고 온 힘을 다해 여러 차례의 무장봉기를 전개했다. 1905년 동맹회가 설립되면서부터 무창봉기28가 발발하기 전까지, 청나라 남부 지역에서는 무장봉기가 여덟 차례나 발생했다.

그러나 이 무장봉기들은 모두 나방이 불에 뛰어들 듯 실패로 돌아가고 말았다. 이 과정에서 청나라 정부군과 용감하게 싸우다가 희생된 사람도 부지기수였다. 그나마 위안이 되는 것은 쑨원을 비롯한 선구자들의 노력에 힘입어 청나라 신식 군대 내부에서도 갈수록 혁명에 동참하는 군인들이 많아졌다는 사실이었다.

---

28 무창봉기: 1911년 호북성 무창(武昌)에서 발생한 무장봉기로, 이후 신해혁명으로 이어져 청나라의 멸망을 이끌었다.

치유되지 않는
중국병

　　　　　　　서태후를 핵심으로 하는 대청제국 통
치 집단은 의화단 운동의 실패, 8국 연합군의 북경 침입 등 잇따른 악재로
완전히 풀이 죽었다. 해외로 망명한 캉유웨이, 량치차오 등 유신파들은 이
기회를 틈타 유럽, 미국, 일본의 입헌정치 제도를 대거 홍보하며, 청나라에
는 입헌군주제도가 필요하다고 주장했다. 이에 반해 쑨원을 비롯한 혁명
파는 만주족 청나라 정권을 철저하게 뒤엎어야 한다는 과격한 주장을 펼
쳤다. 캉유웨이, 량치차오의 입헌정치 주장과 쑨원의 혁명 주장은 머나먼
이국땅에서 물과 불처럼 극단적으로 대립했다.

　　이 시기 서태후를 위시한 청나라 통치 집단은 이 양대 파벌로부터 감당
할 수 없을 만큼의 커다란 압력을 느끼고 있었다. 이들은 겹겹으로 둘러
싸인 압력 속에서 쑨원이 폭력으로 황권을 전복할 때까지 가만히 앉아 당
하기보다는 캉유웨이, 량치차오 등의 유신 주장을 받아들여 '변법變法'을

다시 시행하는 것이 낫겠다는 결론을 내렸다. 나이가 적지 않은 서태후는 서안에서 북경으로 돌아온 다음, 대청제국의 생존을 위해 변법에 사활을 걸기로 결심했다. 역사는 다시 한 번 모순된 상황을 연출했다. 서태후가 몇 년 전에 강제로 폐지했던 신법新法들이 다시 그녀의 필요에 따라 실시되기 시작한 것이다.

무술변법이 탄압을 받은 지 6년이 지난 1904년 6월, 청나라 정부는 무술변법에 연루된 모든 죄인을 사면했다. 관직을 삭탈 당한 자는 복직시켜 주고 감옥에 갇혀 있거나, 연금되어 있던 자들도 모두 석방시켰다. 그러나 캉유웨이와 량치차오 두 사람은 사면 받지 못했다. 또 광서제도 마땅히 누려야 할 권력과 자유를 돌려받지 못했다. 이런 상황이다 보니 서태후의 주도 아래 전개된 이 운동, 즉 사람들로부터 '신정29' 이라고 불린 이번 변혁도 처음부터 혼란을 면치 못할 운명이었다.

때늦게 시작된 신정은 6년 전의 변법운동 못지않게 기세가 하늘을 찔렀다. 큰 뜻을 품은 인재들이 마음껏 기량을 뽐낼 기회를 얻었다. 예전부터 커다란 포부를 가지고 있던 위안스카이도 이 기회에 탁월한 재능을 드러낼 수 있게 됐다. 위안스카이는 거금을 아끼지 않고 해외 유학파를 대거 등용해 민족 산업을 발전시키고, 철도도 부설했다. 과거시험을 폐지하고 신식 학교를 세울 것도 적극 권고했다. 그는 또 지방 자치를 비롯한 행정제도 개혁도 적극 추진했다. 그가 편성한 신식 육군인 북양육진北洋六鎮

---

29 신정(新政): 혁명에 의한 국가전복의 가능성이 높아지자, 서태후가 청나라의 지배체제를 유지하기 위해 시도한 개혁 정책으로, 청나라의 마지막 개혁정책이다. 신정의 주요 내용은 군사권의 중앙집권화를 주 내용으로 하는 군사개혁, 과거제 폐지와 전국적 학제 수립을 주 내용으로 하는 교육개혁, 지방재정을 중앙으로 가져오는 재정개혁, 서양 자본주의적 기술을 도입하는 상공업 정책개혁 등의 내용을 포함하고 있다. 그러나 가장 중요한 개혁 요구사항이었던 기존의 전제 군주제는 그대로 둔 채, 오히려 중앙 지배체제를 강화하는 내용과 자본주의를 도입하는 등의 단편적으로 제도를 바꾸는 개혁이었기에 실패가 예정된 개혁정책이었다.

은 청나라에서 전투력이 가장 강한 무장 부대로 성장했다. 위안스카이는 이 시기에 원래부터 가지고 있던 뛰어난 재능과 성실한 정무 처리, 나아가 관료층까지 널리 알려진 친화력에 능수능란한 처세술까지 더해, 순식간에 이홍장에 이어 청나라 말기 정계의 핵심 인물로 부상했다.

입헌군주파와 혁명파의 권력 투쟁

청나라 정부가 유신파 인사들을 사면한 1904년 2월 초, 전부터 러시아와 만주지방에 대한 세력권을 놓고 갈등을 빚던 일본 연합함대가 여순과 대련, 그리고 대련 근처 장산도長山島에 주둔하고 있던 러시아 해군을 공격했다. 러일전쟁이 발발한 것이다. 이 당시의 청나라는 외국 군대들이 중국 영토에서 싸움을 벌이는 데도 제지할 방법이 없었다. 청나라 외무부는 고작 러시아와 일본이 정식 선전포고를 한 지 사흘째 되던 날에 "중국은 러일전쟁에서 중립을 지킨다. 아울러 요하遼河 동쪽 지역을 교전 구역으로 정한다."는 내용의 긴급성명을 발표했을 뿐이었다.

일본과 러시아 간의 전쟁은 2년 동안이나 지속됐다. 그러다 이듬해인 1905년 5월, 세상 사람들의 예상을 깨고 쓰시마해전에서 일본군이 완승을 거둠으로써 러일전쟁은 막을 내렸다. 예상 밖의 결과에 러시아 사람들이 크게 낙담한 것은 두말할 필요도 없었고 중국인들도 큰 충격을 받았다. 조정과 민간에서는 일본과 같은 소국이 어떻게 거대 국가인 러시아와 싸워 이길 수 있었는지에 대해 깊이 생각하기 시작했다. 당시 공정한 언론매체로 평가받던 《대공보大公報》는 "전제 국가와 입헌 국가가 싸우면 입헌 국가가 전제 국가를 이기는 것은 당연한 일이다."라며 일본이 러시아를 압도할 수 있었던 원동력은 입헌이라는 취지의 기사를 실었다. 이 기사는 청나라 백성 대다수의 공감을 이끌어 냈다.

청나라 지배층들은 러일전쟁의 결과와 《대공보》의 분석 기사를 읽고, 대신들을 외국에 파견해 입헌 정치를 연구하게 하려는 계획을 세웠다. 일본 정부가 1871년 외국으로 입헌 정치 시찰단을 파견한 지 34년이 지난 시점이었다. 사회 발전 속도가 번개처럼 빠르던 근대 시기에 34년은 한 국가가 다른 국가보다 족히 한 세대는 뒤떨어질 수 있는 시간이었다. 그럼에도 불구하고 외국 시찰단을 파견한다는 소식은 수많은 중국인들을 흥분시키기에 충분했다.

1905년 7월 16일, 서태후는 진국공鎭國公 재택載澤, 호부시랑 대홍자戴鴻慈, 병부시랑 서세창徐世昌, 호남순무 단방端方 등을 불러 동서양 각국에 가서 입헌정치제도를 살펴보고 오라는 지시를 내렸다. 그리고 며칠 후에는 상부우승商部右丞 소영紹英에게도 똑같은 지시를 내린다.

이렇듯 입헌군주제 도입을 위한 사전 정지작업이 착착 진행되자 가장 기뻐한 그룹은 두말 할 나위 없이 입헌파였다. 캉유웨이와 량치차오는 즉시 해외 언론에 열정이 충만한 글을 발표했다. 이들은 대청제국이 새 생명을 얻을 수 있는 기회가 온 것이라고 믿었다. 대청제국이 새 생명을 다시 얻는다면 이들의 정치적 운명도 중대한 변화가 생길 터였다.

이에 반해 황권 전복을 자신의 소임으로 삼은 혁명파는 외국 시찰단 파견 소식을 듣고 실의에 빠졌다. 청나라 정부는 외국의 입헌 정치 경험을 바탕으로 국내에서 반드시 입헌 정치를 실시할 것이 아닌가? 그렇게 되면 진작부터 멸망을 앞두고 있던 대청제국은 새로운 활력을 부여받아 더 오랜 기간 존속할 것이 불을 보듯 뻔했다. 혁명의 열의에 불타고 있는 동맹파들에게는 기분 나쁜 소식이었다.

혁명파는 외국 시찰단의 행보를 저지하기 위한 여러 가지 방안을 모색한 끝에 암살이라는 수단을 선택한다. 외국 시찰단을 암살하는 임무는 광복회 회원에게 주어졌다. 안휘성 태생인 이 청년은 "만주족을 몽땅 죽여 세상의 시름을 내려놓겠다."는 일념으로 만주족 군부 실권자였던 철량鐵良[30]을 암살할 기회만 호시탐탐 노리고 있던 사람이었다.

암살의 과업을 맡은 이 청년은 한시라도 바삐 암살을 준비하기 시작했다.

1905년 9월 24일, 열혈 자객은 외국으로 출국하는 대신들을 노리고, 폭파 장치를 제거한 폭탄을 몸에 지니고 북경 기차역으로 향했다. 아침 9시쯤 됐을 때, 외국으로 시찰을 떠나는 대신 5명이 기차에 올랐다.

배웅하러 온 관리, 친지 및 사회 각계 명사들이 대신들과 작별인사를 하고 있었다. 하늘에 먹장구름이 짙게 낀 흐린 날씨였고 공기는 숨 막힐 듯 답답했다. 비록 여느 때보다 경계가 삼엄했으나 자객은 별로 힘들이지 않고 기차에 올랐다. 예상했던 대로 일이 술술 풀리고 있었다. 자객은 적합한 시간과 공간을 찾아 손 쓸 기회만 노리고 있었다.

바로 이때 기관차와 열차가 연결되면서 커다란 진동이 생겼다. 원래 성능이 불안정하던 폭탄은 그 진동으로 인해 예정보다 일찍 폭파되어 버렸다. 여러 명의 사상자가 발생한 가

만주족 귀족으로 군부의 실권자였던 철량. 북양군의 기병 사단 지휘관이기도 했다.

---

30 철량(鐵良): 만주족 출신 귀족으로 만주팔기 중 정백기 출신이다. 직례총독과 북양대신 등의 직책을 지냈고, 특히 군인으로서 청나라 군부에 큰 영향을 미쳤던 실권자다. 북양육진(北洋六鎭) 중 기병 진(鎭·사단)이 철량의 통솔 아래에 있었다.

운데 3명의 대신이 부상을 입었다. 자객은 거사를 치르기 전에 미리 충분한 준비를 해놓은 터였다. 그는 만일의 경우 잡혀서 기밀을 누설할 것을 대비해 미리 벙어리가 되는 약까지 먹었다. 그러나 그는 공연한 걱정을 했다. 폭탄과 가장 가까운 곳에 있었기 때문에 그 자리에서 즉사한 것이다.

며칠 후 일본에 있던 혁명가들이 희생된 한 청년 자객을 위해 다양한 추모행사를 개최했다. 이때서야 사람들은 장렬하게 최후를 마친 혁명 지사의 이름이 오월이라는 사실을 알았다. 그러나 안타깝게도 오월의 암살 기도는 청나라 정부의 외국 시찰 계획을 단순히 지연시키는 효과밖에 거두지 못했다.

그 해 말, 부상자들을 다른 사람들과 교체한 해외 시찰단이 북경 기차역에서 출발했다. 이번에는 위안스카이가 시찰단의 경호 책임을 맡았다. 시찰단원 33명, 각 성의 대표 4명, 미국 유학생 11명, 심부름꾼 2명, 잡부 4명, 이발사 1명으로 구성된 1차 시찰단은 호부시랑 대홍자와 호남순무 단방의 인솔 아래 12월 9일 미국의 태평양 우편선인 '시베리아호'를 타고 상해의 오송구吳淞口 항구를 출발했다. 이어 이듬해인 1906년 1월 14일에는 진국공 재택, 산동포정사 상기형尙其亨, 순천부승 이성택李盛鐸 등이 인솔한 제2차 시찰단이 프랑스 우편선 '크레드렝호'를 타고 태평양 망망대해에 들어섰다.

변발로 땋은 머리를 길게 늘어뜨린 청나라 시찰단 두 팀은 외국인들의 호기심어린 시선을 받으면서 반 년 동안 유럽, 미국, 일본 등 10여 개 국가를 방문했다. 입헌 정치를 실시하는 국가에서 이들이 본 것은 여당과 야당이 공공이익과 관련해 진술하게 의견을 교환하는 장면, 군주와 의회가 공존하는 선순환 체제, 국회의원들이 감정을 앞세우지 않고 오직 공리만을 위해 논쟁하는 장면 등이었다. 이 모든 것은 시찰단의 귀와 눈을 번쩍 뜨이게 했다. 뿐만 아니라 이들의 사상에도 큰 충격을 줬다.

시찰단은 또 해외의 일부 사회관리 부서와 공공기관도 참관했다. 이를 테면 정부, 우체국, 조폐국 등 행정관리와 행정서비스를 담당하는 행정부서와 교도소, 정신질환자 수용소 등의 소외계층을 위한 시설, 그리고 미술관, 박물관, 학교 등의 문화교육시설도 둘러봤다. 이 밖에도 시찰단은 서양 문명생활의 혜택도 톡톡히 누렸다. 편리한 통신수단, 선진적인 교통수단을 비롯해 처음 보는 완전한 오락시설들은 시찰단을 흥분의 도가니에 빠뜨렸다. 물론 서양식 호텔의 회전문 속에 갇히는 등 웃음거리도 적지 않았다.

1906년 초가을, 반년에 걸쳐 열강을 둘러본 해외 시찰단 두 팀이 연달아 귀국했다. 시찰단이 조정에 제출한 시찰보고서는 청나라 정부의 공식 지명수배자였던 량치차오와 군주 입헌을 옹호하는 몇몇 문인들의 도움을 받아 작성한 것이었다.

보고서는 입헌 정치의 장점을 누누이 열거한 다음, 청나라에서도 입헌 군주제를 실시해야 한다는 것을 주장했다. 내용을 살펴보면, 먼저 입헌이

청나라 외국 시찰단과 수행원들이 이탈리아 로마에서 찍은 기념 사진.

군주와 백성에게는 유익하나 관리들에게는 불리하다고 지적했다. 또 청나라가 약화된 근본 원인은 전제 통치 때문이라면서 입헌정치를 실시해야 부국강병을 이룰 수 있다고 보고했다. 그러나 이들은 또 섣불리 헌법을 발표해서는 안 된다고 강조했다. 중국의 현행 제도가 입헌 제도와 크게 다르므로 무턱대고 서양의 제도를 답습하면 나라가 더욱 혼란스러워질 것이라는 이유를 댔다. 따라서 이들은 일본을 본받아 먼저 '국시를 바르게 정하는' 조서를 발표한 다음, 입헌 연도를 예고함으로써 관리와 백성들도 미리 준비를 할 수 있도록 해야 한다고 역설했다. 서태후는 외국 시찰을 다녀온 대신들의 말과 각지에서 올라오는 관리들의 의견을 받아들여 결국 입헌군주제를 채택하기로 결심했다.

입헌군주제를 추진하는 황실

1906년 9월 1일, 서태후의 허락을 받은 광서제는 조서를 발표해 예비입헌 방침을 선포했다. 수천 글자 분량의 이 조서는 우선 "대권은 조정에서 다스리고 실무는 여론과 함께 수행한다."고 강조했다. 더불어 "입헌의 목적은 국가의 향후 태평성대를 위한 것이다."는 사실을 분명히 했다. 또 먼저 제도를 개혁하고 교육을 발전시키면서 이 두 가지 분야에서 일정한 성과를 거둔 다음 입헌정치를 실시한다고 규정했다.

이 조서가 발표된 이후, 중국의 전역에서는 입헌을 경축하는 다양한 연회가 열렸다. 사람들은 도처에 붉은 초롱을 달았다. 징도 치고 북을 두드리면서 그야말로 난리법석을 떨었다. 그중 북경의 분위기가 가장 떠들썩했다. 많은 관공서와 일부 신문사, 도서관에서 국기를 높이 걸어 경축하는가 하면, 각 학당의 사생 1만여 명이 경사대학당에 운집해 성대한 경축 행사를 거행했다.

천진, 강소, 남경, 양주, 진강, 무석無錫, 상주商州, 송강松江 등 전국 각지에서도 다양한 경축 행사가 열렸다. 전국은 기쁨으로 들끓었다. 사람들은 정부가 조서를 내렸으니 입헌군주제 개혁이 곧 성공할 것이라고 믿었다. 하지만 현실은 그렇지 않았다. 얼마 지나지 않아 거의 광기에 가까웠던 사람들의 기쁨이 사실은 아무것도 아니었음이 드러났다. 사람들을 가장 실망시킨 것은 입헌 예비 기간이 자꾸 늦춰지는 것이었다.

1908년 8월 서태후는 죽음을 앞두고 예비 입헌 기간을 9년으로 한다고 선포했다. 대청제국이 멸망한 후에도 준비기간이 6년이나 더 남아 있던 셈이다. 특히 예비 입헌의 중요한 내용 중 하나인 관제官制개혁은 격렬한 반대에 부딪혔다. 만주족 집권자들과 이번 개혁을 주도한 위안스카이와의 사이에 치열한 분쟁이 생긴 것이다. 심지어 환관들도 팔기 자제의 선동에 힘입어 밤낮으로 서태후 앞에서 소란을 떨었다. 급기야 위안스카이는 두 손을 들었다. 이로써 관제 개혁은 흐지부지 끝나고 말았다.

각 성에 설립한 자의국31은 그나마 계획했던 대로 대의기관의 성격을 갖추고 있었다. 그러나 이 자의국에 들어가려면 나이와 재산과 학력에 대한 제한이 엄격했다. 게다가 지방관들, 특히 총독이나 순무와 같은 관리들은 자신들의 손발을 속박하는 이 기관을 탐탁지 않게 여겼다. 자의국 정관도 발표되기만 했지, 실행하는 사람은 아무도 없었다. 한마디로 말해 자의국은 유명무실했다.

중앙의 1급 대의기관인 자정원資政院은 인원 구성, 논의 내용과 절차 등 모든 것을 정부로부터 통제를 받는 실권이라고는 전혀 없는 어용기관이었

---

31 자의국(諮議局): 청나라 말기에 설치된 성(省) 단위의 지방 의회를 말한다. 중앙 의회인 자정원(資政院)과 함께 헌정 준비에 임했다.

다. 설립 준비 때부터 난항을 겪더니 무창봉기가 폭발할 때까지도 박수로 결의안을 통과시키기만 했지, 손을 들어 이의를 제기하는 방법조차 모르는 상태였다. 청나라가 망할 때까지 자정원의 활동은 두세 번 형식적인 회의를 연 것이 전부였다. 정치 고문의 역할은 아예 기대할 수조차 없었다.

위의 예비 입헌 조치가 유야무야된 데 반해 입헌 정치의 기초 작업인 법률 수정 작업은 착실히 진행됐다. 청나라 정부는 1908년 8월에 중국 역사상 최초 헌법인 〈흠정헌법대강欽定憲法大綱〉을 발표했다. 이 헌법은 일본 헌법의 복사판으로 정식 헌법이라고 할 수 없었으나, 헌법 제정의 기본 원칙을 확정한 것이었던 만큼 의미는 있었다. 그러나 이 헌법은 '군상대권32'을 본문에 두고, '관리와 백성의 권리와 의무'를 부록으로 삼았다. 이와 같은 구성은 헌법의 핵심을 여전히 군주의 권력을 유지하는데 뒀다는 사실을 의미했다. '관리와 백성의 권리와 의무' 부문에서는 언론, 출판 집회, 결사, 신체의 자유 등 국민이 갖게 될 권리를 규정했으나, 동시에 "필요할 때에는 황제가 관리와 백성의 자유를 제한할 수 있다."는 추가 조항을 교묘하게 덧붙여, 완벽하게 입헌군주제를 지향한 헌법으로는 보기 어려웠다.

형법刑法부분에서도 법률 수정 작업은 계속됐다. 대청제국의 기본 형법이었던 〈대청률〉의 개정 책임을 맡은 심가본沈家本, 오정방伍廷芳 등 대신들은 일본의 법학 전문가를 초빙해 대륙법계 형법을 모델로 삼아 드디어 〈대청신형률大淸新刑律〉을 탄생시켰다.

이 대청신형률大淸新刑律은 그동안 중국 전통 법률과 민법과 형법이 분리되지 않았던 단점을 극복해 예전의 구舊 형법과 완전히 다른 모습이었다. 이 대청신형률이 더욱더 각광을 받는 이유는 여기에 범행 확정, 유죄와 무죄의

---

32 군상대권(君上大權): 황제가 가질 수 있는 최고 권리를 말한다. 흠정헌법대강에는 총 23개 조항 가운데 14개 조항이 황제가 가질 수 있는 최고 권리를 다루고 있어서, 주객이 전도된 헌법이었던 셈이다.

지방의회라고 할 수 있던 자의국. 1908년 10월 광동성 자의국 개막기념 사진이다.

한계, 처벌과 교육, 도덕적 책임 등 현대 형법의 원칙을 제대로 구현했다는 사실이었다.

청나라 민법의 시초라 할 수 있는 〈대청민률大淸民律〉초안은 '가장 보편적인 법칙'에 중점을 두고 근대의 선진적인 법학 이론과 국제적으로 통용되는 법규를 대량으로 담아냈다. 이 법률은 독일 바이에른 민법을 모델로 삼아서 총칙, 채권, 물권, 친속, 승계 등 다섯 편으로 구성됐고, 총칙, 채권, 물권 분야는 일본, 독일, 스웨덴의 민법을 참고하고, 승계와 친속 분야는 중국의 전통적 관습이 반영되어 있어서 지금도 우수한 민법 초안으로 평가받고 있다.

하지만 이러한 청나라의 법률 정비 노력은 이미 때가 너무 늦었다. 일부 법률은 발표되기도 전에, 또 일부 법률은 발표 후 실시하기도 전에 대청제국이 멸망했기 때문이다. 청나라 말기의 법률 개정 조치는 무너지는 대청제국을 일으켜 세우기에는 역부족이었다. 그러나 중국의 재래식 법률을 서양식으로 바꾸려던 이 노력은 그때부터 지금까지 향후 100년 동안의 법률 제정과 개정의 방향을 결정하게 만들었다. 이것이 없어지지 않는 청나라 말기 법률 개정 노력의 역사적 가치다.

세 살짜리 황제 푸이

청나라 마지막 황제인 선통제 푸이. 서태후의 유언으로 황위에 올랐다.

1908년 11월 광서제와 서태후가 연달아 세상을 떠났다.**33** 서태후의 유언에 따라 그 뒤를 이어 세 살밖에 안 된 광서제의 조카 푸이溥儀·부의가 황위를 계승했다. 이가 곧 청나라의 마지막 황제인 선통제(宣統帝·제12대 황제, 재위 1908~1912)다.

푸이의 아버지이자, 광서제의 동생이었던 순친왕醇親王 재풍載灃은 당연히 섭정왕이 됐다. 젊은 만주족 집권자들은 푸이의 등극을 기회로 조상 시대의 영

---

33 광서제의 사인(死因): 기록에 의하면 광서제는 원인불명의 급성질환으로 1908년 11월 14일에 사망했고, 당시 이질을 앓고 있던 서태후는 그 다음날인 11월 15일에 사망했다고 기록되어 있다. 이를 두고 많은 사람이 광서제가 독살됐다는 의혹을 꾸준히 제기해 왔다. 2008년 중국 원자력연구과 북경시 공안국 법의학감정센터, 청 서릉 문물관리처는 광서제의 유체(遺體)를 합동 조사해 광서제의 머리카락에서 치사량이 넘는 비소가 검출됐다고 밝혔다. 광서제는 그간 제기됐던 세간의 의혹대로 독살된 것이 틀림없다. 그렇다면 광서제를 독살한 범인은 누구였을까? 중국 학계에서는 자신이 죽고 난 뒤에도 광서제의 친정(親政)을 원치 않았던 서태후를 1순위에 두고, 2순위에는 서태후의 위세를 업고 광서제를 핍박했던 환관 이연영(李蓮英)과 광서제가 친정을 할 경우 변법운동 과정에서 배반을 한 것 때문에 보복이 예상되던 위안스카이를 독살의 배후로 추측하고 있다.

광을 재현하려는 야망을 다시 불태웠다. 그러나 포부만 컸지, 능력이 없었던 이들은 할 줄 아는 것은 지방의 권력을 중앙에 집중시키는 것밖에 없었다. 따라서 원래 응집력이 부족하던 청나라 말기의 지방정부와 중앙정부의 관계는 더욱 소원해졌다.

만주 귀족들은 종말이 눈앞에 다가온 것도 모르고 한족 관리들을 몰아내기 위해 갖은 애를 썼다. 이로 인해 당시 권세가 하늘을 찌르던 위안스카이도 만주 귀족들의 핍박을 받아 관직에서 물러나 고향으로 돌아가야만 했다. 공친왕 혁흔, 서태후와 같은 정계의 무법자들도 자신들의 집권기에는 한족 관리들을 대거 등용했고, 특히 서태후는 말년에 위안스카이를 누구보다도 더 믿고 의지했었다.

그러나 섭정왕 재풍은 그렇지 않았다. 도대체 얼마나 대단한 사람이기에 대청제국의 생사존망을 결정할 수 있는 조정 중신들을 제멋대로 배척한다는 말인가? 1911년에 출범한 청나라 책임 내각의 구성원은 모두 13명이었다. 이 가운데 황족 5명을 포함해 만주족 사람이 9명이었다. 반면 한족은 4명밖에 되지 않았다. 재풍의 두 아우가 각각 육군과 해군 장관을 맡고 있었으니 행정과 군사 대권은 결국 모두 황족의 손아귀에 있었다.

줄곧 보황保皇을 견지하던 입헌파도 사태가 이 지경에 이르자 청나라 정부에 완전히 실망하지 않을 수 없었다. 마침내는 입헌의 최전선에 서있던 자의국과 자정원의 의원들마저 청나라 정부에 맞서 혁명을 선택했다. 급기야 이들은 청나라 정권을 무너뜨리는 새로운 힘이 됐다.

중국을 활짝
열어젖힌
신해년

떠들썩하던 예비 입헌은 병이 깊어질
대로 깊어진 청제국에는 약발을 발휘하지 못했다. 심지어는 원래 청나라
정부의 편을 들던 입헌파마저도 새로 집권한 젊은 만주족 집권자들의 행
태에 실망한 나머지 혁명을 선택했다. 따라서 이론상으로 보면 시종일관
입헌파와 대립해 있던 혁명파는 이 기회를 틈타 크게 두각을 나타내야 마
땅했다. 그러나 현실은 달랐다. 혁명의 형세는 그다지 좋지 않았다.

기세 드높은 혁명투쟁의 장면은 적어도 1911년, 즉 음력 신해년이 될 때
까지도 나타나지 않았다. 혁명파는 폭동과 테러를 멈추지 않았으나, 사람들
을 흥분시킬 만한 결과를 얻지는 못했다. 동맹회도 남부 지역에서 몇 차례
폭동을 일으켰으나 모두 실패로 돌아갔다. 가장 가깝게 실패한 거사擧事는
바로 그 지난해, 다시 말해 1910년에 일으킨 것이었다. 그해 왕징웨이汪精
衛·왕정위는 "목이 잘리는 것도 두렵지 않다."는 큰 뜻을 지니고 섭정이던 순

친왕醇親王 재풍을 폭탄으로 암살하기 위해 북상했다. 그러나 폭탄 불발로 재풍은 털끝 하나 다치지 않았고, 왕징웨이는 잡혀서 감옥에 갇혀야 했다.

이처럼 혁명파가 빈말만 하고 약속을 지키지 못했으니 혁명 자금을 지원하는 사람은 날이 갈수록 줄어들었다. 그러나 언제 혁명이 성공할지 기약도 없었으나 혁명가들은 용기를 잃지 않았다. "국내 동지들은 목숨을, 해외 동지들은 자금을 지원하라."는 격정적인 모금 연설은 여전히 계속됐다. 새로운 폭동도 준비하고 있었다. 혁명 지도자 쑨원은 거듭된 실패로 인해 의기소침해진 동지들에게 "한 두 번의 실패에 낙심하지 말라. 혁명은 속임수에 빠지는 것도, 실패도 두려워하지 않는다. 백 번의 혁명을 일으켜 아흔아홉 번 실패하고 단 한 번만 성공해도 혁명은 승리한 것이다."는 말로 사기를 북돋았다.

권력의 축이었던 신건육군

동맹회의 조직원들은 중국 각지에 퍼져 있던 신군新軍들 속에도 대거 침투해 있었다. 동맹회에 먼저 가입한 장병들이 신군 내에서 포섭활동을 벌여 신군 내부에도 혁명 지지파가 급증했던 것이다. 동맹회는 이런 현실에 주목해 혁명의 주력군을 비밀결사 조직에서 신군으로 바꾸는 등 혁명의 노선을 즉각 수정했고, 이런 과정을 통해 훗날 신군이 무장 혁명운동 과정에서 가장 큰 역할을 하게 된 것이다.

아편전쟁, 청불전쟁, 청일전쟁 등 청나라 말기에 벌어진 전투에서 청나라 군대는 연전연패를 거듭했다. 이런 상황에서 근대식 군대의 필요성을 절감한 청나라 정부가 서양의 군사 편제를 본떠, 서양의 군사훈련 교본에 따라 훈련받는 군대를 창설했는데, 그것이 바로 신건육군(新建陸軍, 약칭 '신

軍)이었다. 위안스카이가 천진 소참에서 독일 육군을 본 뎌 편성한 북양
육진은 바로 이런 중국 근대 신군의 원조라고 할 수 있다. 1901년부터 청
나라 정부는 본격적으로 만주팔기滿洲八旗와 지방 단련團練으로 이뤄진 옛
무장조직을 대체할 새로운 군대를 편성하기로 결정했다. 이때부터 대청
제국 곳곳에서는 신군이 편성되기 시작했고, 1911년에 이르러서는 전국
각지에 분포된 신군의 규모가 총 50만 명에 달했다.

신군은 청나라가 보유했던 기존의 군대보다 개개인의 자질이 우수했다.
청나라 정부가 1905년에 과거제를 폐지하자 벼슬길에 못 오른 많은 선비들
이 붓을 내던지고 종군從軍의 길을 택해, 이들 지식인이 대거 신군의 중추가
됐다. 또 당시 신군의 모집 조건도 비교적 까다로웠기 때문에 신군에 입대
한 장병들은 모두 개인 자질이 우수한 것은 물론이고 새로운 사물과 사상
도 빨리 받아들였다. 진취적인 기상이 강했던 젊은이들이 민족주의 정서의
영향을 받았으니 하늘을 찌를 듯한 호기가 솟아날 수밖에 없었다. 혁명당
이 신군 내부에서 신속히 세력을 확장할 수 있었던 것도 그 때문이었다.

연이은 난리로 세상이 어지러웠던 만큼 청나라 중앙정부도 당연히 신
군을 장악하려고 노력했다. 이를 위해 청나라 정부는 예비 입헌 기간에
육군부陸軍部를 설립하고, 각 성의 신군을 36개의 진鎭34으로 재편한 다음
중앙에서 통제한다고 선포했다. 뒤이어 명망이 높은 신군 장군들을 승진
시키고 이어서 다른 곳으로 전출을 보냈다. 하지만 이와 같은 조치는 겉
으로는 승진을 시키는 것처럼 보이지만, 실상은 좌천을 시켜 병권兵權에
서 손을 떼게 만드는 중국의 전통적 방법이었다.

그러나 이렇게 소속 부대를 떠난 신군의 장군들은 병권을 잃을까봐 전

---

34 진(鎭): 신군의 최상급 1개 제대 편성 단위로 현대의 개념으로는 사단(師團)에 해당한다. 이 진(鎭)을
지휘하는 최고 지휘관의 직책은 '통제(統制)'였다.

전전긍긍하지 않았다. 예부터 중국 군대는 최고사령관에게만 복종하는 것이 관례인 데다, 군대의 사령관이 다른 곳으로 가도 여전히 해당 군대에 대해 타의 추종을 불허하는 영향력을 행사할 수 있었기 때문이다. 이런 현상은 대청제국 역사에서도 오랫동안 지속됐고 그 이후에도 한동안 지속될 것이 틀림없었다.

사실 중앙정부는 신군을 통제할 만한 능력이 없었고, 혁명당도 신군을 장악할 수 없던 것은 마찬가지였다. 쑨원은 처음부터 끝까지 자신의 군대를 갖지 못했다. 그렇기 때문에 서로 대치 관계에 있던 청나라 중앙정부와 혁명당은 신군 내부에서도 각기 다른 목적으로 치열한 쟁탈전을 벌였다. 그러나 결과는 처음부터 예정된 것이었다. 양측 가운데 어느 쪽도 승리하지 못했고, 결국 군대를 장악한 자에게 승리가 돌아갔다. 이것이 당시 중국 정치의 독특한 풍경이었다.

청나라 정부는 신군 내부에 혁명을 지지하는 군인들이 대거 포진해 있다는 사실을 손금 보듯 환히 알고 있었다. 그럼에도 신군에 강력한 압력을 가하지 못했다. 중국의 수천 년 역사 동안 궁지에 몰려 반란을 일으킨 사람들이 그 얼마나 많던가? 청나라 정부는 신군 내부에서 반란이 일어날까 봐, 신군 내부의 혁명파에 대해서도 전전긍긍하며 무원칙적으로 관용을 베푼 것이다. 중앙정부는 심지어 각지의 총독과 순무들에게 "역당의 명부를 얻게 되면 즉시 없애라. 질질 미루다가 연루되는 일이 없도록 하라."고 누누이 강조할 정도였다. 쥐를 잡으려다 그릇을 깨지 않을까 우려한 청나라 정부의 이 같은 태도는 신군 내부에 혁명파가 득실거리게 했다.

쑨원의 대단한 혁명계획

혁명파는 신군 내부에서 혁명을 선동하는 일에서는 적지 않은 성과를 거뒀다. 그러나 새로운 혁명 계획은 거듭 좌절됐다. 16만 위안의 거액을 모금해 주머니가 두둑해진 쑨원은 드디어 누가 '손대포'가 아니라고 할까봐 어마어마한 혁명계획을 세웠다. 먼저 동맹회 회원들로 구성된 결사대가 광주를 함락시킨다는 것이 시나리오였다. 이어 광주 신군을 주력군으로 하는 대부대가 열 갈래로 나뉘어, 호남, 강서로 진격하고 장강 유역에서 신군들이 거사를 일으켜 앞뒤로 호응하는 것이 다음 수순이었다. 마지막은 여러 갈래의 대군이 남경에서 회합한 후, 곧장 북벌을 개시해 북경으로 쳐들어간다는 것이었다.

계획이 방대한 것과 주도면밀한 것은 전혀 별개의 문제다. 황싱이 인솔한 결사대는 계획대로 4월 하순에 광주에 잠입했다. 그러나 광주에는 어느새 삼엄한 경계가 펼쳐져 있었다. 동맹회 회원이었던 온생재溫生才가 독자적으로 암살계획을 세우고 4월 상순에 비밀리에 광주에 잠입했다가 발각돼 정부 당국의 경각심을 불러일으켰던 것이다. 동맹회 내부에서 필요한 소통과 협조가 부족했기 때문에 일을 그르친 것이었지만 그럼에도 황싱은 공격을 감행했다.

계획대로라면 황싱의 결사대가 광주총독부로 돌격할 때, 대부대가 나타나서 호응해줘야 했다. 그러나 지원 부대는 그림자도 보이지 않았다. 돌격대원들은 하룻밤 내내 고군분투하다가 그중 86명이 황화강黃花崗[35]에서 장렬히 최후를 마쳤고, 황싱을 비롯한 몇몇 사람은 요행으로 살아남았다. 당시 열정만 끓어 넘치고 준비는 부족했던 젊은이들은 거사를 일으키기 전에 이미 실패를 예감했던지, 저마다 비장한 유서를 남겼다. 이들이

황화강 사건으로 체포된 사람들이 사형을 당하기 전에 찍은 사진.

피로 쓴 글들은 이후 100년 동안 읽는 사람들의 눈물을 자아내기에 충분했다.

황화강 봉기가 실패한 지 한 달도 지나지 않아 전국 각지에서는 청나라 정부에 항의하는 시위가 대대적으로 발발했다. 후세 사람들에게 '보로운동(保路運動 · 철도수호운동)'으로 불린 이번 시위는 규모가 황화강 봉기보다 100배나 더 컸다. 또 자발적 성격도 더 강했다. 물론 이 시위를 조직하고 지휘하는 지도자는 있었지만 이런 반발이 전국적으로 일어난 이유는 분명했다.

---

35 황화강(黃花崗) 사건: 1911년 4월 27일, 쑨원의 주도로 광주에서 청조에 대항해 일으켰던 실패한 봉기를 말한다. 현재 이 지역에는 황화강 사건의 희생자들이 묻힌 공원묘지가 조성되어 있다. 황화강 사건으로 죽은 사망자 숫자에 대해서는 아직도 중국 내에서 논쟁이 끊이지 않고 있지만, 이 책에서는 학계에서 고증한 희생자 숫자를 인용한다. 그러나 많은 중국인들은 동맹회 비밀 회원이자 유명한 사진가인 번달위(潘達微)가 사망자들의 유해 72구를 찾아서 묻어줬기 때문에 습관적으로 '황화강 72열사'라는 말을 자주 쓴다.

청나라 말기 서방 각국은 청나라 정부에 자금을 제공해 철도를 부설하게 해주겠다는 뜻을 여러 번 내비쳤다. 그러나 청나라 정부는 서방 각국들의 제의를 쉽게 수락하지 않았다. 이런 연유로 1896년에 중국 내 철도 총연장은 채 200킬로미터도 되지 않았다. 그러나 20세기가 다가올 무렵에 청나라 정부는 갑자기 철도에 대해 커다란 관심을 갖기 시작했다. 외국 열강들이 각자의 세력 범위에서 철도를 대거 부설한 것과 동시에 청나라 정부도 야심찬 철도 부설 계획을 내놨다. 거액의 건설 자금은 서방 각국 금융그룹들이 제공한 차관으로 충당됐다. 또 외국 엔지니어들이 기술자로 초빙됐다. 따라서 이 시기에 건설된 철도 간선은 대부분이 외국인들의 손을 빌린 것이었다.

20세기에 들어선 후부터 중국에서는 전례 없이 민족주의 정서가 고조됐다. 민족 각성을 촉구하는 운동도 여기저기에서 연이어 일어났다. 급속히 확산되는 민족주의 물결의 일환으로 전국 각지에서는 외국인들이 담보로 가져간 철도부설권을 되찾아오려는 '철도주권 회수운동'이 널리 퍼졌다. 이에 따라 중국의 거의 모든 성에는 각종 철도주권 회수운동 단체가 조직됐다. 이들 단체는 외국인들이 장악하고 있는 중국 철도를 되찾기 위해 채권을 발행하는 등 다양한 방식으로 자금을 모집했다. 이런 노력은 순수 중국인들의 자금으로 철도를 건설하게 만든 원동력이었다.

1905년 중국의 엔지니어 첨천우詹天佑가 주관한 경장京張철도의 북경~장가구張家口 구간이 정식 착공됐다. 이 철도는 지리적 환경이 가장 열악한 팔달령八達嶺을 지나가야 하는 매우 어려운 공사였다. 온갖 어려움을 극복하고 착공한 지 4년 만에 중국인이 손수 설계하고 부설한 최초의 철도인 경장철도가 개통됐다. 철도주권 회수운동에 혼신의 힘을 쏟고 있던 사람들에게는 그야말로 희소식이 아닐 수 없었다. 1910년에 이르러서는

1909년 10월 2일의 경장철도 개통식 사진. 첨천우(앞줄 오른쪽에서 세번 째)는 중국에서 철도의 아버지로 불린다.

철도주권 회수운동이 더 뚜렷한 성과를 거두기 시작했다. 중국의 순수 민간 자본으로 부설해 경영하는 철도가 대폭 증가한 것이다. 대표적인 것으로 무한武漢에서 광주廣州에 이르는 월한선粵漢線과 무한과 성도成都를 연결한 천한선川漢線을 꼽을 수 있었다.

그런데 중국 안에서의 이런 커다란 흐름을 몰랐던 것일까? 신정新政을 통해 1911년에 출범한 만주족 위주의 청나라 내각은 청나라의 재정문제를 해결하기 위해 철도를 국유화하고, 이를 담보로 서구 열강으로부터 차관借款을 들여오기로 결정했다.

이러한 내각의 움직임이 알려지자 나라 전역에서는 이 결정에 반대하는 여론이 들끓었다. 우선 신정 과정에서 정부가 약속했던 민주 절차를 무시한 채 내각이 의회와 아무런 상의도 없이 일방적으로 결정해서 통보했다는 절차상의 문제점을 지적하면서 반발했고, 이어 만주족이 독점한 내각에서 외국 자본을 끌어들이려 해 민족의 자존심을 건드렸다는 점에서 두 번째 반발이 일었고, 마지막으로 철도주권 회수운동을 통해 이미 철도 건설에 투자한 신상紳商**36**들과 백성들의 이권이 사라지는 조치였기 때문에 수많은 사람들로부터 거센 반발을 샀다.

만주족 집권자들은 철도 국유화 과정이 얼마나 복잡할지, 또 얼마나 심각한 후폭풍이 있을지 한 번도 숙고하지 않았다. 결국 1911년 5월 9일, 청나라 정부는 조서를 내려 철도 간선의 국유화를 선포하고 민간이 시행하던 모든 철도공사를 중지시켰다. 국유화가 선포되자 모든 일에 앞장서기를 즐기는 호남의 민중이 가장 먼저 들고 일어났다. 조서가 내려진 지 닷새 만에 호남성 장사長沙에서는 1만 명의 군중이 집회를 가졌다. 잇따라 장사長沙~주주株洲 구간에서 1만여 명의 철도 노동자들이 시위를 벌였다. 시위 참가자들은 상인들과 학생들에게 납세 거부와 동맹수업 거부를 호소했다.

사천성 백성들도 조서 내용을 알고는 일제히 분기탱천했다. '사천 철도주권 보호동지회'는 설립된 지 단 며칠 만에 10만 명이 넘는 회원을 확보했다. 시내에서는 20만여 명의 군중과 정부군 사이에 치열한 무력충돌이 일어났다. 청나라 정부는 사천 백성들의 반발에 신속하게 대응했다. 인근 성省에 주둔해 있던 신군을 사천성 지역으로 긴급 출동시킨 것이다. 이러한 군사의 움직임은 얼마 후 호북성 무창武昌에서 벌어진 신군의 봉기에 영향을 준 것으로 평가받고 있다.

---

36 신상(紳商): 청나라 말기에 생겨난 선비 집안 출신의 지식인 상인이다. 과거제가 폐지되면서 서생들이 호구지책으로 상업을 선택하면서 생긴 계층이었다.

당시 무한삼진武漢三鎭37에는 약 2만 명의 신군이 주둔해 있었다. 무한武漢을 활동 무대로 삼았던 혁명단체 '문학사文學社'와 '공진회共進會'는 대외적으로 "혁명단체에 가입했거나 혁명에 뜻을 가지고 있는 사람이 2만 명의 신군 가운데 3분의 1 이상을 차지한다."고 대대적으로 홍보했다. 당시 신군은 잔뜩 긴장한 채 무장봉기를 준비하고 있었으나 구체적인 계획과 시간은 결정되지 않은 상태였다. 그런데 정부의 명령에 따라 갑작스럽게 군사이동이 이뤄지면서 봉기 계획은 엉망이 됐다. 무한에 남아 있는 것보다 더 많은 혁명가들이 신군 대부대를 따라 사천으로 가야 했기 때문이었다. 따라서 봉기 계획이 바뀌고, 거사 시간도 자꾸 늦춰졌다.

신해혁명을 촉발한 무창 봉기

1911년 10월 9일, 무장봉기 지도자 중 한 사람인 손무孫武가 한구漢口의 러시아 조계지에 있는 지하실에서 폭탄을 조립하고 있었다. 그런데 한 동료가 피운 담뱃불로 인해 폭탄이 터지는 사고가 발생했다. 손무는 봉기 부대의 총참모장을 맡고 있었기 때문에 봉기 계획과 관련된 중요한 서류를 잔뜩 가지고 있었다. 다행히 부상당한 손무는 신속히 현장을 빠져나왔다.

하지만 폭발음을 듣고 달려온 러시아 경찰은 현장에서 다량의 중요한 자료를 압수하고 그것을 곧바로 청나라 정부 당국에 전달했다. 이로 인해 봉기를 계획한 다른 주동자 세 명은 체포돼 처형되고, 한 명은 도망쳤다. 봉기를 계획한 지도부가 죽거나 부상을 당해 오합지졸만 남게 되자 무장

---

37 무한삼진(武漢三鎭): 호북성의 무창(武昌), 한양(漢陽), 한구(漢口)의 세 도시는 서로 마주보며 접해 있지만, 장강(長江)과 한수(漢水)로 나눠져 있어 '무한삼진'이라는 명칭으로 함께 불렸다. 무한삼진은 현재 통합돼 중화인민공화국의 '우한(武漢)'시를 구성하고 있다.

봉기는 사실상 무산된 것이나 마찬가지였다. 그러나 이미 형성된 공포 분위기는 쉽게 사라지지 않았다. 무창 시내에서는 온갖 유언비어가 난무했다. 진위를 가리기 어려운 소문들이 무성한 가운데 "정부 당국이 혁명파를 체포하고 있다."는 소문이 들려왔다. 그러자 젊은 병사들은 안절부절 못했다.

10월 10일 저녁 무렵, 병영에서 총소리가 울려 퍼졌다. 감정을 억누르지 못한 병사들이 반란을 일으킨 것이다. 무창의 중화문中和門 안에 주둔한 제8공정영第八工程營의 수십 명 병사들이 명석한 장교의 인솔 아래 부근의 무기고를 점령한 후 주도권을 잡았다. 이 병사들의 반란은 일반인들의 상상을 초월하는 연쇄반응을 일으켰다. 마치 거대한 화약통에 불씨를 던져 넣은 것처럼 여기저기서 총소리와 폭발음이 끊이지 않았다.

사흘 후 봉기한 부대는 무한삼진을 완전히 장악했다. 그러나 즉시 중요한 문제에 봉착했다. 봉기를 일으킨 사람들은 모두 신군 부대 하급 장병들에 지나지 않았다. 계급이 가장 높은 사람이라야 대대장에 불과했다. 막 봉기에 성공한 부대는 군심軍心뿐만 아니라 민심民心을 얻기 위해서라도 지위와 명망이 높은 사람을 지도자로 내세울 필요가 있었다.

결국 신군의 봉기 당시 친구 집에 숨어있던 제21혼성협混成協[38]의 협통協統인 리위안훙黎元洪·여원홍이 혁명군의 추천으로 새로 설립된 호북군정부湖北軍政府의 도독을 맡게 됐다. 리위안훙은 평소 혁명에 반대하던 반 혁명파였지만 무한 지역의 신군들 사이에서 병사들을 아끼는 지도자라는 평가가 있어 도독으로 추대된 것이다.

우발적인 폭발 사건으로 야기된 이번 무창봉기는 다른 시대적 사건과

---

38 혼성협(混成協): 신군은 사단급인 '진(鎭)'과 여단급인 '혼성협(混成協)'으로 편제되어 있었다. 사단급인 '진'의 최고지휘관 직책은 '통제(統制)'였고, 여단급인 '혼성협'의 최고지휘관 직책은 '협통(協統)'이었다.

연관성이 없었다면, 아마도 중국의 기나긴 역사에 별 영향을 끼치지 못하는 아주 자그마한 사건에 불과했을 것이다. 그러나 시대 상황은 서방 열강의 침입, 입헌 실패, 혁명 분위기 고조, 황족 내각의 어리석은 통치 등 연이은 악재로 인해 대청제국이 무너지기 일보 직전이었다. 이런 상황에서 무창봉기는 낙타의 등을 부러뜨리는 마지막 지푸라기 역할을 한 사건이었다.

제5장 성 위에 바뀐 깃발이 내걸리다

1912~1928년의 중국

중화민국이 대청제국을 대체하고 공화제가 전제 정치를 대체한 것은 중국 역사에서의 불후의 진리인 "크게 부숴야 크게 세울 수 있다."는 말을 입증한 파격적인 사건이었다. 하기야 수천 년 동안 지속된 봉건 군주제도가 이로써 종지부를 찍었으니 중국 역사에서 대서특필할 만한 사건이 아닐 수 없었다. 만약 공화제가 순조롭게 실시됐더라면 중국의 국력은 단기간에 구미 열강들을 따라잡았을 것이다. 그러나 중화민국 창건자들의 창조력은 그들의 조상보다 별로 나은 점이 없었다. 일국의 공화제 실현이 어찌 말처럼 쉬운 일이겠는가.

공화제의 원조 국가인 프랑스도 계몽운동의 유래가 깊고 민권 이념이 대중에게 보급됐음에도 불구하고 멀고도 구불구불한 길을 걸어 가까스로 공화제를 실현하지 않았던가? 이에 반해 중국은 공화제를 받아들일 준비가 전혀 돼 있지 않았다. 공화제의 근간도 마련돼 있지 않았고 민주적인 분위기도 형성되지 못한 상태였다. 게다가 의욕만 앞선 혁명가들은 단시간에 큰 성과를 거두려고 욕심을 부렸다. 따라서 중국의 공화제로 향하는 길은 우여곡절로 점철될 것이라는 건 이미 예견된 일이었다.

한술 더 떠 이 시기 여러 외교 사건에 일련의 외교 사건에 대한 중국 정부의 부적절한 대응은 갓 설립된 중화민국도 중국의 비참한 국운을 돌려세우지 못했다는 사실을 시사한다. 심지어 중국이 계속 쇠퇴하고 있다는 것을 보여주는 많은 조짐들도 나타나 중국이 앞으로도 가야 할 길이 멀었음을 잘 보여 줬다.

청의 멸망과
중화민국의
건국

　　　　　　　　　무창봉기는 중국 전역에서 이른바 도
미노 현상을 일으켰다. 이런 도미노 현상은 이후의 혁명운동에서도 자주
나타났다. 혁명을 촉구하는 목소리는 갈수록 높아졌다. 심지어 신해혁명
을 다룬 루쉰의 소설 《아큐정전》에서도 절강 동부 시골에 살고 있는 아큐
선생까지 비구니들의 암자에 가서 혁명을 언급했을 정도였다.

　전국 각지의 신군들이 앞을 다퉈 혁명군으로 변신해 청나라 정부에 반
기를 들었다. 예비 입헌 기간에 각 성에 설립된 자의국咨議局도 이 무렵에
는 대부분 혁명파로 기울어져 있었다. 한 달도 안 되는 사이에 혁명의 깃
발이 전국 방방곡곡에서 나부꼈다. 중국 전역의 22개 성 중에서 17개의
성이 연달아 독립을 선포하기도 했다. 중국 내 정세는 사람들의 상상을
초월할 정도로 빠르게 변하고 있었다. 복잡한 정세를 통제할 수 있는 사
람이나 단체는 전혀 없었다.

하지만 정작 봉기의 횃불을 제일 처음 들었던 무한에서의 군사적 상황은 그다지 좋지 못했다. 청나라 중앙정부에서 통제하고 있던 북양육진北洋六鎭[1] 중 무창봉기를 진압하기 위해 나선 2개의 진鎭이 이미 무한의 턱밑까지 쳐들어와 있었던 것이다. 그 뒤를 이어 후속 지원 부대도 북경에서 무한까지 이어진 경한선京漢線을 따라 꾸준히 남하하고 있었다. 청나라 정부가 통제하고 있던 북양군北洋軍은 중국 전역의 신군 중에서 전투력이 가장 강력한 부대였다. 따라서 무한의 봉기군은 군사적으로 완전히 열세에 몰린 상태였다. 그러나 조정의 진압 명령을 받고 남하하는 북양군北洋軍의 2개 진鎭은 처음부터 늑장을 부리면서 좀처럼 속도를 내지 않았다. 원인은 아주 간단했다. 부대의 총사령관인 위안스카이가 군영에 없었기 때문이었다.

위안스카이의 속셈과 야망

그 시간 위안스카이는 고향인 하남성에서 일엽편주에 앉아 초겨울 낚시를 즐기고 있었다. 3년 전에 섭정왕 재풍에게 호된 욕을 먹고 혼비백산해 궁궐에서 기어 나오던 초라한 모습은 온 데 간 데 없었다. 그는 북양군의 충성심을 의심해본 적이 없었다. 또 자신이 다년간 심혈을 기울여 키워낸 부대가 언젠가는 자신을 도와 재기의 기회를 만들어줄 것이라는 사

---

1 북양육진(北洋六鎭): 위안스카이의 지도아래 독일 육군을 본떠 만든 신군이다. 1902년 호북성 보정(保定)에서 북양육진의 모태인 북양상비군으로 편성되었고, 1905년에 북양육진으로 확대·편성되었다. 제1진만 기병으로 만주족 귀족인 철량(鐵良)이 통솔했고, 나머지 5진은 보병으로 위안스카이의 통제 아래 있었다. 1개의 진은 현재의 1개 사단 규모였기 때문에, 북양육진은 6개 사단급의 전력을 갖추고 있었다. 북양육진의 주요 지휘관인 돤치루이, 펑궈장, 왕스천, 쉬스창, 차오쿤, 장쉰 등은 위안스카이가 천진 소참에서 근무했을 때부터 인연을 맺었던 부하들로써, 위안스카이의 강력한 군사적 후원세력이었다.

청나라 말기 최고의 무력을 보유했던 북양군의 행진 모습. 6개 진으로 구성되어 있었다.

실도 믿어 의심치 않았다. 도롱이를 걸치고 삿갓을 쓴 위안스카이는 숨을 죽인 채 수면만 응시했다. 그는 마음속으로 곧 낚아 올릴 물고기의 무게를 저울질하고 있었다.

　무창봉기로 마음이 다급했던 황제는 위안스카이의 원대복귀를 재촉하는 조서를 연거푸 내려 보냈다. 위안스카이는 청나라 정부로부터 필요한 조건은 뭐든지 들어준다는 확답을 받고서야 드디어 정세를 조종할 시기가 됐다는 사실을 확신하고 황제의 청을 받아들였다. 무창봉기가 발생한 지 보름이 지난 1911년 10월 25일, 위안스카이는 '호랑이虎 장군 돤치루이 段棋瑞 · 단기서'와 '개狗 장군 펑궈장馮國璋 · 풍국장' **2**에게 전보를 보내 속히 북양군의 2개 진鎭을 이끌고 무한 전선으로 진격하라는 명령을 내렸다.

2　북양삼걸(北洋三傑): 위안스카이를 영수로 하는 북양군에서는 왕스천, 돤치루이, 펑궈장 이 세 장군을 일컬어 북양삼걸(北洋三傑)이라고 불렀다. 당시 왕스천은 용 장군, 돤치루이는 호랑이 장군, 펑궈장은 개 장군으로 비유됐다.

무창봉기 진압군으로 나선 북양군이 한구를 포격한 직후의 모습이다.

　이틀 뒤 북양군은 한구漢口에 도착하자마자 현지에 주둔하고 있던 봉기 부대를 격파했다. 10월 말 위안스카이는 여장을 꾸려 머물고 있던 하남성의 창덕彰德을 떠나 무한으로 갔다. 그는 무한으로 떠나기 하루 전에 미리 무창봉기의 지도자인 호북군정부 도독 리위안홍에게 화의和議를 요구하는 편지를 보냈다. 화의를 요청하며 무창에서 봉기한 부대의 진의眞意도 파악하기 위해서였다.

　리위안홍은 답신에서 위안스카이에게 귀순을 권하면서 혁명이 성공하면 그를 총통으로 추천하겠다고 약속했다. 위안스카이는 뜻밖의 제안에 뛸 듯이 기뻤다. 그러나 그에게는 아직 시간이 더 필요했다. 그는 건성으로 무한 전선을 한 바퀴 빙 둘러본 다음 황급히 북경으로 향했다. 그는 북경에서 군정 대권을 독점하기 위해 내각을 개편하고, 다른 한편으로는 모사謀事로 유명한 양도楊度와 순친왕 암살 실패 후 갓 출옥한 왕징웨이汪精衛에게 정부와 반란군의 화친을 촉구하도록 여론을 조성하게 했다. 무창봉기를 기화로 세상 모든 일이 위안스카이의 뜻대로 술술 풀리는 것 같았다.

그러나 어리벙벙한 펑궈장이 무한 전선에서 하마터면 위안스카이의 야심찬 계획을 송두리째 망칠 뻔했다. 정치적 감각이 별로 없던 개 장군 펑궈장은 무한삼진 중 한양漢陽을 기세등등하게 점령하고, 단번에 무창까지 손에 넣으려고 부대를 인솔해 장강을 건너려던 참이었다. 위안스카이는 이 소식을 듣고 노발대발했다. 즉각 장거리 전화로 펑궈장에게 당장 군사행동을 중지하라고 명령했다.

"한심한 놈 같으니라고. 나더러 다시 하남에 돌아가서 물고기나 낚게 하려는 거야, 뭐야?"

그는 속으로 정치에 문외한인 펑궈장에게 한바탕 욕을 퍼붓지 않을 수 없었다. 위안스카이의 의도는 아주 단순하고 분명했다. 적을 키워 황제를 압박해 결국 퇴위시키려는 속셈이었다. 강적을 이용해 황제를 퇴위시키는 이런 수단은 적절하게 잘 활용하기만 하면 큰 효과를 거둘 수 있었다. 따라서 당시의 형세에서 북양군은 혁명에 나선 봉기군과의 싸움에서 이겨도 안 되고, 져서도 안 됐다. 이렇게 해야만 정부와 혁명당에 동시에 압력을 가할 수 있었던 것이다.

무창봉기를 시발점으로 청나라 정부로부터 독립을 선포한 각 성省의 대표들은 호북군정부 도독 리위안홍의 제의로 임시정부 설립에 관한 상의를 시작했다. 이 협상은 처음에는 무한에서, 나중에는 남경으로 자리를 옮겨서 계속 됐다. 이즈음 북양군과 혁명군도 암암리에 평화협상을 계속했다. 12월 중순 위안스카이의 전권대표 탕사오이唐紹儀·당소의와 막 설립을 앞둔 임시정부 대표들은 상해에서 비밀 회담을 가졌다.

동맹회의 간부인 황싱과 왕징웨이를 비롯해 회담에 참가한 모든 대표들

은 곧 설립될 중화민국의 대충통 적임자로 위안스카이를 만장일치로 선정
했다. 임시정부 설립을 위한 만반의 준비를 갖추게 된 것이다. 물론 유일하
게 대충통 선거만 빼놓고 있기는 했다. 이 자리는 비워둔 채 위안스카이를
기다리고 있었으니까 말이다. 멀리 북경에 있는 위안스카이는 이 모든 상황
을 불 보듯 뻔히 알고 있었다. 그는 솟구치는 기쁨을 주체하지 못한 채 북경
에서 황제의 퇴위를 강요하는 일에 박차를 가했다.

중화민국의 건국과 임시 대충통 쑨원

바로 그 절묘한 시간에 혁명의 지도자 쑨원孫文이 돌아왔다. 6개월 전
황화강 봉기가 실패로 돌아간 뒤, 쑨원은 해외로 망명을 떠나지 않으면 안
됐다. 소문에 의하면 중국에서 중대한 사건들이 연달아 발생하던 그 시기
에 쑨원은 미국 콜로라도의 중국 음식점에서 설거지 아르바이트를 하면
서 어렵게 생계를 유지하고 있었다. 그는 중국에서 벌어지던 대사건들은
까마득히 모른 채 혁명자금을 마련하려 캔자스로 가던 도중 현지 신문에
서 중국의 혁명 소식을 처음 알게 됐다고 한다.

정치적 감각이 타의 추종을 불허했던 쑨원은 중국의 혁명 과업이 아흔
아홉 번의 실패를 겪은 다음 드디어 승리를 향한 마지막 기회를 잡았다는
사실을 직감했다. 그는 즉시 설거지 아르바이트 일을 집어치우고 황급히
워싱턴으로 달려갔다. 이어 잇따라 영국 런던과 프랑스 파리도 다녀왔다.
그는 미국, 영국, 프랑스 등 서방 각국 정부로부터 곧 발생할 중국 내전에
대해 중립을 유지할 것이라는 확답을 받은 다음, 파리에서 중국으로 귀국
했다. 그 후 그는 크리스마스에 자신의 오른팔인 후한민胡漢民·호한민과 함
께 배를 타고 혁명 대표들이 모여 있던 상해에 도착했다.

중화민국 초대 임시 대총통에 당선된 쑨원은 1912년 1월 1일에 남경에서 취임했다.

쑨원은 결코 짧지 않은 혁명 생애를 통해 국내외에서 대단히 높은 신망을 쌓아 놓은 상태였다. 또 그가 주장한 '민치民治 건국 이론'은 중화민국의 정신적 토대가 됐다. 그는 동맹회에서도 타의 추종을 불허하는 영향력을 행사하고 있었다. 이 몇 가지 이유 때문에 중국 내 17개에 이르는 성의 혁명 대표들은 쑨원이 상해에 도착한 지 나흘 만에 투표를 통해 그를 중화민국 임시 대총통으로 추대할 수밖에 없었다.

1912년 1월 1일 22시, 쑨원은 남경에 있는 옛 양광총독부에서 중화민국 임시 대총통에 취임했다. 그는 오른손을 높이 들고 사람들을 매료시키는 낭랑한 목소리로 취임선서를 했다.

"만주족 전제 정권을 전복하고 중화민국을 공고히 하면서 민생의 행복을 도모하는 것은 전 국민의 총의라고 해야 한다. 나 쑨원은 국민의 뜻에 따라 국가에 충성하고 국민을 위해 일하겠노라. 전제 정부를 무너뜨리고 국내에 변란이 없도록 하게 할 뿐 아니라, 중화민국이 우뚝 솟아 열강들의 공인을 받을 수 있도록 쑨원은 임시 대총통 직을 맡으면서 국민 앞에서 선서하는 바이다!"

갑자기 국부國父가 된 쑨원은 눈앞의 상황을 누구보다 더 잘 알고 있었다. 중화민국은 초라한 골조만 있을 뿐 내용물은 아무것도 없는 빈털터리에 불과했다. 게다가 국가를 유지하는데 가장 중요한 군사력과 재정력도 대단히 빈약한 상태였다. 사람들은 우스갯소리로 쑨원을 '공수空手부대 사령관'이라고 불렀다. 군사 한 명도 거느리지 못한 허울뿐인 사령관이라는 뜻이었다. 이 시기 새로 탄생한 중화민국의 군대는 모두 각 성의 도독들이 장악하고 있었다. 게다가 이들이 가지고 있던 군사력은 위안스카이의 북양군에게 전혀 상대가 되지 못했다. 소문에는 쑨원이 해외에서 1,000만 위안의 지원금을 얻어왔다고 했지만, 정작 쑨원 본인은 그런 일이 없다고 해명했다. 쑨원 본인이 말한 것처럼 그가 해외에서 가져온 것은 오로지 혁명 정신뿐이었다.

임시 대총통에 취임한 쑨원은 항상 모든 일에 진심으로 대했다. 이런 쑨원의 마음은 그가 위안스카이에게 보낸 전보문에도 잘 드러나 있다. 쑨원은 이 전보문에서 "저는 부득이 임시로 대총통을 맡고 있을 뿐입니다. 자리를 비워놓고 주인을 기다리는 저의 이 마음은 언젠가는 꼭 밝혀질 것입니다. 하루 빨리 큰 뜻을 밝히고 4억 국민의 소망을 이뤄주십시오."라며 위안스카이에게 진심으로 대총통 자리를 넘겨주려는 자신의 마음을 담고 있다.

임시정부가 과도정부라는 사실을 분명하게 밝힌 이상 쑨원이 대통총 직무를 위안스카이에게 넘겨주는 것은 시간 문제였다. 따라서 임시정부의 급선무는 법으로 미래 총통인 위안스카이의 권력을 제한하는 것이었다. 임시정부가 출범한 지 얼마 지나지 않아 각 성의 대표들을 구성원으

---

3 중화민국 임시약법: 1912년 3월 11일에 공포된 중화민국의 임시헌법이다. 7장 56조로 구성되어 있으며 유럽의 민주제도와 삼권분립사상을 참고하여 국가권력, 정부의 조직형태 및 국민의 권리 등을 규정하고 있다. 그러나 사실 이 임시약법은 곧바로 대총통으로 취임할 위안스카이의 권력을 제한하려고 했던 성격이 강했다. 훗날 권력의 힘이 위안스카이 쪽으로 기울자 임시약법은 유명무실해졌고, 1914년 5월 총통의 권한을 대폭 강화한 '중화민국약법(신약법)'이 공포되자 중화민국 임시약법은 폐기되었다.

로 하는 최고 입법기관인 임시 참의원이 설립됐다. 임시 참의원은 단시일에 수십 종의 법률을 제정했다. 그중 가장 중요한 것은 헌법의 성격을 지닌 〈중화민국 임시약법3〉이었다.

출중한 재능을 지닌 동맹회 회원 쑹자오런朱敎仁이 하룻밤 사이에 초안을 작성한 이 임시 헌법은 장래의 내각은 직접 국회에 대해 책임을 지고, 대총통은 중화민국의 상징적 원수라는 사실을 규정했다. 중국의 유명한 역사학자 탕더강唐德剛은 이 규정이 당시 군사력을 장악하고 있던 위안스카이를 겨냥한 것이 틀림없다고 지적했다. 한마디로 말해 임시 참의원이 미래의 대총통인 위안스카이에게 던진 불신임에 대한 표현이자, 임시정부의 일방적인 안배라는 것이었다. 그러나 이러한 법률적 안배도 훗날 대총통의 권력을 키우기 위해 끊임없이 임시 약법의 규정을 위반한 위안스카이를 막지는 못했다.

대청제국의 멸망과 대총통 위안스카이

비록 임시라고는 하지만 중화민국 초대 대총통의 영예를 쑨원에게 빼앗긴 위안스카이는 화가 머리끝까지 났다. 그래서 대총통 자리를 넘겨줄 것이라는 다짐을 몇 번이나 받은 다음에야, 다시 강경책과 유화책을 동원해 황제에게 퇴위를 강요하는 일에 전념하게 된다. 동시에 위안스카이의 사주를 받은 무한 전선의 돤치루이는 북양군의 고위 장군 44명을 시켜 전국 각지에 전보를 보냈다. 그는 전보에서 만주족 황제의 퇴위를 촉구하고 공화제를 적극적으로 선전했다. 혁명파의 끊임없는 암살 행위도 황제 퇴위를 강요하던 위안스카이에게 큰 도움을 줬다.

이와 같은 어려운 상황에 처하자 일부 만주족 지배층들은 대청제국의 발원지인 동북東北 지방으로 물러나 저항세력을 조직하려고 했다. 그러나 이들의 생각은 위안스카이가 청나라 황실을 대표한 융유황태후隆裕皇太后와 '대청황제 퇴위 후의 우대에 관한 조항4'을 타결하자 모두 수포로 돌아갔다. 위안스카이는 퇴위 협상에서 황제에게 퇴위 이후 가족과 함께 자금성에 계속 살게 해주겠다고 약속했다. 또 황실 재산을 그대로 보유하면서 중화민국으로부터 연 400만 위안의 연금을 받을 수 있다는 등의 여러 가지 솔깃한 조건도 내걸었다.

1912년 2월 12일 선통제 푸이는 정식으로 황제위에서 물러난다는 퇴위 조서를 반포했다. 위안스카이는 퇴위 조서의 끝머리에 "위안스카이는 황제의 전권을 위임받아 임시 공화정부를 조직하고 군민과 협상해 구체적인 방법을 통일한다."는 내용을 덧붙였다. 선통제 푸이의 퇴위 조서가 발표되면서 중국대륙을 지배했던 청나라는 건국 296년 만에 멸망하고, 중국의 수천 년 전제 정치도 함께 막을 내렸다. 지금까지 혹심한 고난의 세월을 견뎌온 중국인들에게 이제 밝은 미래가 손짓하는 듯했다.

선통제의 퇴위 조서가 발표된 다음날, 쑨원은 임시 참의원에 정식으로 사임서를 제출했다. 이어 그 다음날 위안스카이는 만장일치로 중화민국 제2대 임시 대총통에 당선됐다. 중화민국은 임시약법의 규정에 따라 남

---

4 대청황제 퇴위 후의 우대에 관한 조항(關於大淸皇帝辭位後優待之條件): 청나라 황실을 대표한 융유황태후(隆裕皇太后·선대 광서제의 황후)는 위안스카이가 제시한 황제 퇴위 후의 조건을 받아들였다. 양측이 합의한 조건은 다음과 같다. 1. 퇴위 후에도 황제의 존호는 존속되며, 중화민국은 외국 군주를 대하는 예(禮)로 그를 대한다. 2. 퇴위 후에도 황제의 세비는 400만 냥이며, 새로운 화폐를 발행한 후에는 400만 위안이다. 3. 퇴위 후 황제는 자금성에서 거주하다가 나중에 이화원으로 거처를 옮기며 시위 인원은 예전과 같다. 4. 퇴위 후에도 황제는 종묘와 능침에 대해 봉사하며, 중화민국에서 적절하게 위병(衛兵)을 설치해 보호한다. 5. 선대 덕종(광서제)의 릉(陵)은 아직 완공되지 않았지만, 옛 규정대로 건설하고 봉안 의식도 치른다. 6. 궁궐에서 일했던 인원은 예전처럼 계속해서 고용하지만 이후 환관은 고용할 수 없다. 7. 황제 퇴위 후에도 황제의 사유재산은 중화민국에서 보호한다. 8. 금위군은 중화민국 육군부로 귀속되며 봉급은 그 전과 같다.

경을 수도로 정했다. 따라서 위안스카이는 마땅히 남경에 가서 대총통에 취임해야 했다. 이 대총통 취임 문제를 협상하기 위해 차이위안페이蔡元培·채원배5와 왕징웨이를 필두로 한 8명으로 구성된 중화민국 특사단이 북경으로 향했다. 그러나 북경에 눌러앉으려는 위안스카이의 결심은 쑨원이 예상했던 것보다 훨씬 더 완고했다.

특사단이 북경에 도착한 지 사흘 째 되던 밤, 북경과 천진 등의 도시에서 시의적절하게 쿠데타가 일어났다. 특사단이 투숙한 호텔도 공격을 받았다. 특사들은 옷도 제대로 입지 못한 채 황급히 담을 넘어 도망쳤다. 이소식이 남경에 전해지자 쑨원은 할 수 없이 위안스카이에게 북경에서 취임해도 된다고 허락했다. 3월 10일 완전 군복 차림의 위안스카이는 특사

임시 대총통에 취임한 위안스카이(가운데)와 이를 축하하기 위해 모인 외국 사절단 일행.

---

5 차이위안페이(蔡元培): 중국의 윤리학자이자 교육자로서 혁명단체인 광복회(光復會)를 조직하는 데 큰 힘을 보탰다. 중화민국 성립 후에는 초대 교육청장이 되어 근대 중국의 학제를 기초하고 북경대학 학장을 역임하면서 5·4운동의 아버지라고 불렸다.

단이 참석한 가운데 북경에서 임시 대총통 취임식을 가지고 취임 선서를 했다.

1911년 10월 10일에 발발한 무창봉기부터 1912년 2월 12일에 있었던 선통제 푸이의 퇴위조서까지, 불과 몇 달 사이에 중국에서는 많은 변화가 있었다. 중국에 관심이 많던 외국인들조차 어리둥절해야할 정도로 많은 사건이 급속하게 한꺼번에 이뤄졌다.

중화민국中華民國의 건국은 중국 역사에서 가장 획기적인 사건이었다. 이 점만 보더라도 중국 혁명의 아버지라고 불리는 쑨원은 칭찬을 받아 마땅한 사람이었다. 그러나 '부수는 것'과 '세우는 것'은 별개의 일이었다. 낡은 것을 부숴버린다고 해서 새로운 것이 세워지는 것은 아니었다.

전제 정치는 백성들이 제왕의 권위에 절대적으로 복종할 것을 요구하며, 절대적인 복종을 요구하려면 혹독한 억압이 필요하다. 그러나 일방적인 억압이 지속되면 불만과 반항이 잠재되기 쉽고, 일단 억압이 반항으로 연결되면 그 파괴력은 마치 화산이 폭발할 때만큼 엄청나다.

그런데 문제는 반기를 든 사람들이 낡은 사회를 완전히 무너뜨린 다음 무엇을 해야 할지 모른다는 것이었다. 장기적인 억압을 받아 이들의 창조력이 거의 소진된 상태였기 때문이다. 따라서 폐허 위에서 새롭게 태어난 정권은 이름만 새로 바뀌었을 뿐, 예전 정권과 다른 점이 없었다. 중국의 역대 봉건 왕조들은 이런 식으로 끊임없이 순환했던 악순환의 역사를 가지고 있었다.

중화민국이 대청제국을 대체하고, 공화제가 전제 정치를 대체한 것은 중국 역사 불후의 진리인 "크게 부숴야 크게 세울 수 있다."는 말을 입증한 파격적인 사건이었다. 하기야 수천 년 동안 지속된 봉건 군주제도가 이로써 종지부를 찍었으니 중국 역사에서 대서특필할 만한 사건이 아닐 수 없었다.

만약 이 시기에 중화민국에서 공화제가 순조롭게 시행됐더라면 중국의 국력은 단시일 안에 구미 열강들을 따라잡았을 것이다. 구미의 선진 열강들이 가지고 있던 공통된 조건 즉, 넓은 영토와 풍부한 자원, 풍부한 노동력과 개혁 정신 등 여러 가지 조건들을 신생국가 중화민국도 가지고 있었기 때문이었다.

그러나 중화민국을 세운 사람들의 창조력은 그들의 조상에 비해 별로 나은 점이 없었다. 일국의 공화제 실현이 어찌 말처럼 쉬운 일이겠는가? 공화제의 원조 국가인 프랑스도 계몽운동의 유래가 깊고 민권 이념이 대중에게 널리 보급됐음에도 멀고도 구불구불한 길을 걸어 가까스로 공화제를 실현하지 않았던가? 이에 반해 중국은 공화제를 받아들일 준비가 전혀 되어 있지 않았다. 이 시기의 중국은 공화제의 근간도 마련되지 않았고 민주적인 분위기도 형성되지 못한 상태였다. 게다가 의욕만 앞선 혁명가들은 짧은 기간에 큰 성과를 내려고 급급했다. 따라서 중국이 공화제로 향하는 길이 우여곡절로 점철될 것이라는 사실은 이미 예견된 일이었다.

중화민국의 헌법이었던 임시약법은 하룻밤 사이에 작성돼 며칠 사이에 반포됐다. 어떤 의미에서는 기초자의 출중한 재능과 중화민국 정부의 높은 효율성을 반영한다고 해도 좋았다. 그러나 일국의 근간인 헌법을 이토록 성급하게 출범시킨 것은 다소 경솔한 처사가 아닐 수 없었다. 이 시기 중국의 백성들은 열에 아홉이 까막눈이었다. 심지어 외딴 시골에 사는 사람들은 여전히 청나라 황제인 선통제만 알고 있었고 중화민국이 무엇인지도 모르고 있었다. 이런 상황에서 온전한 선거 구역과 선거인이 있을 리 없었다. 선거 구역도 선거인도 없으니 국회의원을 어떻게 뽑는 다는 말인가? 여차저차해서 국회가 만들어졌다고 치자. 이렇게 만들어

진 국민 국가인 중화민국의 국회가 과연 '국민'의 뜻을 제대로 헤아릴
수 있을까?

더욱 놀라운 것은 임시약법이 먹물도 채 마르지 않았는데 위안스카이
가 제멋대로 북경에서 대총통에 취임해 임시약법의 선례를 깨기 시작했
다는 사실이었다. 한 번이 있으면 두 번, 세 번도 있게 마련이다. 훗날 위안
스카이의 행태는 이 진리를 입증했다. 결과적으로 부수는 것은 쉬웠으나
세우는 것은 어려웠다. 명실상부한 국민의 국가를 건립하고 공화제로 향
하는 길은 몇 년 사이에 서너 가지 법전으로 결코 완성될 수 있는 것이 아
니었다.

황제 폐하
만세

위안스카이는 이름만 있고 실권이 없는 허수아비 원수 자리가 탐이 나 대총통에 취임한 것은 아니었다. 평생 권력과 여자만 좋아했던 정객이지만 그의 정치적 수완은 대단히 탁월했다. 그는 그중에서도 특히 중국 전통 방식의 권모술수에 능했다. 그랬으니 정계가 완전히 엉망진창이 되고 혼란스럽기 그지없었던 중화민국 초년에 그가 맹활약을 하게 된 것은 너무나 당연한 일이었다.

위안스카이는 임시 대총통에 취임한 지 사흘째 되는 날, 지난날 혁명당과의 평화협상 대표를 맡았던 탕사오이唐紹儀에게 내각을 구성하도록 지시했다. 그와 친형제처럼 여러 난국을 돌파해온 탕사오이는 친구의 입맛에 딱 맞게 내각을 구성했다. 중요한 실권 부서는 모두 그의 심복과 측근이 틀어쥐게 하고 그다지 중요하지 않은 직위는 다른 사람들에게 넘겨줘 뒷소리가 없도록 했다. 내각 장관들은 모두 위안스카이의 명령에 절대적

국민당의 모태인 동맹회 성립대회 기념사진. 동맹회는 쑹자오런의 노력으로 중국국민당으로 개편됐다.

으로 복종했다. 내각이 직접 국회에 대해 책임진다는 임시약법의 규정은 아예 뒷전이었다. 이와 같은 내각이 무엇을 해낼 수 있었겠는가? 결국 3개월 후 탕사오이조차도 곳곳에서 제약받는 것이 싫어 작별인사도 없이 위안스카이 곁을 떠나버렸다.

중화민국 국회는 미국의 양원 체제를 모방해 참의원과 중의원 양원을 설치하고 총 841개의 의석을 두기로 했다. 때문에 사람들은 800여 명의 국회의원을 '팔백 나한羅漢'에 비유해 풍자했다. 그리고 당시 어수선한 형세에서는 선거구를 정하고 선거인을 조직하는 일이 불가능했기 때문에, 궁여지책으로 국회의원 수를 각 성에 할당할 수밖에 없었다. 할당을 받은 각 성에서는 각 당파와 각 단체에서 국회의원을 선정했다. 그래서 전국 각지에서 갑자기 창당과 입당 붐이 활기차게 일기 시작했다. 입당해 국회의원이 되는 것을 과거 급제나 벼슬길에 올라 부자가 되는 것과 같은 지름길로 생각한 사람이 많은 것은 당연한 일이었다. 각양각색의 당이 창당되고 형형색색의 입당 지원자들이 득실거리는 것도 한동안 유행했다.

국민당의 탄생과 비극

이 무렵 초대 대총통을 지낸 쑨원은 전국 철도를 관리·감독하는 중국 철도총공사의 총지배인을 맡고 있었다. 대총통에서 고작 일개 기관의 총지배인으로 변신한 대혁명가 쑨원은 줄곧 "고관이 되지 못해도 좋으니 큰 일만 하면 된다."는 소신을 가지고 있었다. 때문에 과거 서태후를 위해 특별 제작한 전용열차를 타고 전국을 순회하면서 자신의 '건국 강령'에 부합되는 산업을 발전시킬 계획을 연구하고 있었다. 또 다른 혁명의 지도자였던 황싱도 위안스카이의 명령에 따라 중국철도총공사 총지배인인 쑨원의 일에 협조하고 있었다.

이 밖에 젊은 쑹자오런은 국가와 백성을 위해 과감하게 동맹회를 개편하는 중책을 짊어지게 됐다. 특히 그는 동맹회를 중국 최대 정당으로 키워 곧 출범할 중화민국 국회에서 다수 의석을 차지한 다음, 법에 따라 정당내각을 조직함으로써 위안스카이의의 권력을 제약하려는 시도에 적극 나섰다.

쑹자오런에 대해 국학의 대가이자, 동맹회 회원이었던 장빙린**6**은 동맹회 지도자들을 평가할 때, "공로로 따지면 황싱이 으뜸이고, 덕으로 따지면 왕징웨이를 따를 사람이 없다. 반면 재능으로만 따지면 쑹자오런이 으뜸이다."라고 말한 바 있다. 중화민국 임시정부의 정책 법규를 대부분 쑹자오런이 기초한 것은 그래서 하나도 이상하지 않았다. 심지어 그는 하룻밤 사이에 임시약법의 초안을 완성시키기도 해서 '호남성 태생의 천재'라

---

6 장빙린(章炳麟): 청말 민국 초기의 학자이자 혁명가로 호(號)인 태염(太炎)으로 유명해 '장태염'으로 알려져 있다. 원래 광복회를 출범시키는 데 커다란 힘을 보탠 핵심 간부였으나 개인 자격으로 동맹회에 가입했다가 후기에는 쑨원과 행동을 같이했다.

는 명성도 허명이 아니었다는 사실을 보여주었다. 그는 동맹회를 개편할 때에도 글재주 못지않은 재능을 선보였다. 결과적으로 그는 갖은 노력 끝에 동맹회를 중국국민당中國國民黨으로 개편하는데 성공했다.

1912년 8월 25일 북경에서 열린 국민당 창당식에서 동맹회 창시자인 쑨원은 압도적인 지지로 국민당 이사장에 당선됐다. 그러나 철도총공사 총지배인 직무가 더 마음에 들었던 쑨원은 한사코 국민당 이사장 직위를 사양했다. 그래서 쑹자오런이 국민당 대리 이사장을 맡을 수밖에 없었다. 쑹자오런은 만 30세의 젊은 나이로 중화민국 제1당 당수가 된 것이다.

그해 말 국회의원 선거에서 국민당은 예상했던 대로 완승을 거뒀다. 젊고 혈기 왕성한 쑹자오런은 전국 각지에서 연설을 할 때 의기양양한 모습으로 거침없이 현 정부인 위안스카이 정부를 비난했다. 또 그는 곧 자신이 주도한 순수한 정당내각이 출범한 것이라는 사실을 표명하는 데도 인색하지 않았다. 1913년 초봄 그는 위안스카이로부터 "북경으로 와서 긴요한 정무에 대해 논의하자."는 내용의 전보를 받았다. 이때까지만 해도 사람들은 젊고 패기 있는 이 젊은이가 곧 내각총리를 맡을 것임을 믿어 의심치 않았다.

3월 20일 쑹자오런은 상해 북역에서 기차에 올랐다. 초봄의 밤 날씨는 매서운 바람이 불고 매우 싸늘했다. 그는 배웅 나온 각계 요인들에게 둘러싸인 채 플랫폼으로 향했다. 밤 10시께 왜소한 몸집의 수상한 한 젊은이가 쑹자오런의 등 뒤로 다가가더니 갑자기 5연발 권총을 빼들고 그의 허리에 연속 세 발을 쏜 뒤 황급히 사라졌다. 급소를 맞은 쑹자오런은 그 자리에 쓰러졌다. 위대한 혁명가이자 일대의 영웅인 쑹자오런은 이렇게 세상을 떠났다[7]. 황싱은 쑹자오런을 애도하는 글을 지어 범인을 지목하

---

7 쑹자오런의 유언: 쑹자오런은 세상을 떠날 때 "우리는 전국의 힘을 합쳐 외국에 대항해야 한다."는 말을 남겼다. 혁명 선구자의 애국심을 엿볼 수 있는 유언이다.

는 것을 잊지 않았다. "너는 웅계형應桂馨이라 하고, 그는 홍술조洪述祖라고 하네. 그러나 나는 위안스카이를 꼽으련다."

황싱이 언급한 웅계형과 홍술조는 모두 쑹자오런 암살 사건의 주모자였다. 상해 경찰은 쑹자오런이 사망한 다음날 총을 쏜 범인 무사영武士英을 체포했다. 부랑자였던 무사영은 내무부 특수 요원인 웅계형으로부터 은화 1,000위안을 받고 쑹자오런을 암살했다고 자백했다. 보다 세밀한 조사를 거쳐 웅계형의 배후 인물인 홍술조와 그의 배후 인물인 조병균趙秉均도 밝혀졌다. 당시 홍술조는 내무부 비서, 조병균은 전국의 경찰을 관리하는 내무총장 겸 내각 대리 총리를 맡고 있었다. 당대 학자인 장밍張鳴은 "조병균은 쑹자오런 암살 계획을 깔끔하게 실행하지 못했다. 그러나 경찰들을 잘 다스린 것만은 확실하다. 지방 경찰이 중앙 상관이 저지른 사건마저 완벽하게 조사해냈으니 말이다." 라는 글로 조병균을 조롱했다.

또다시 망명지로 향하는 쑨원

비보를 들은 쑨원은 즉시 일본 여행을 중단하고 상해로 돌아왔다. 국민당 지도자들은 긴급회의를 열었다. 강경파와 온건파 사이에 격론이 일었다. 쑨원을 위시한 주전파는 군대를 동원해 위안스카이를 제압할 것을 주장했다. 반면 황싱을 대표로 하는 주화파는 법률적 수단을 이용해 평화적으로 해결할 것을 강조했다.

더구나 이때 쑹자오런 암살 사건과 관련된 사람들은 조병균 내각총리를 비롯해 전부 영문 모르게 죽임을 당했거나 자취를 감춘 뒤였다. 설령 위안스카이가 진짜 주모자라고 할지라도 사법적으로 자신의 유죄를 증명할 증거를 남겨놓았을 리 만무했다. 따라서 국민당은 정당한 법적 수단을 동원해서는 위안스카이 제거라는 목적을 달성하기 어려웠다. 최선책은 정치적 수단을 사용하는 것 뿐이었다.

다시 말해 국회가 위안스카이에게 압력을 가해 하야하게 만드는 것이었다. 공화제의 기틀이 이미 초보적으로 형성된 이상 공화를 주창하는 사람들은 이 기틀 안에서 모든 문제를 해결하는 것이 마땅했다. 물론 암살은 비겁한 짓임에 틀림없었다. 그러나 그렇다고 해서 다른 방법이 없는 것도 아닌 상황에서 폭력으로 폭력에 맞서는 것은 '공화와 법치' 이념에 배치되는 행동이었다. 하지만 국민당 내부에서 쑨원의 말은 곧 법이었다. 쑨원이 무력을 결정하자 중화민국은 내전으로 향하는 일촉즉발의 상황으로 치달았다.

이 무렵 멀리 북경에 있던 위안스카이는 일처리를 잘못한 부하들을 욕하며 이 일을 어찌 풀어야 할지 걱정하고 있었다. 그런데 갑자기 국민당이 먼저 무력을 동원한다는 소식이 들려왔다. 그의 걱정은 곧 기쁨으로 바뀌었다. 지난 1년 동안 그는 하는 일마다 국민당의 방해에 직면했다. 그러다 보니 대총통이라고 해도 전혀 기쁘지 않았다. 그렇다고 명분도 없이 무턱대고 무력을 동원할 수도 없었다. 그런데 지금 국민당이 먼저 폭력을 쓰려고 하지 않은가? 전쟁이라면 나 위안스카이를 당할 자가 있더냐? 한평생 군인 생활을 해온 위안스카이는 회심의 미소를 지었다. 때마침 2년이나 질질 끌면서 해결되지 않았던 '5국 은행 차관 협정[8]'도 이 무렵에 극적으로 타결됐다. 거액의 자금도 얻었겠다, 더 이상 전쟁을 미룰 이유가 없었다. 위안스카이의 북양군 주력 부대는 곧바로 황하를 건너 남하하기 시작했다.

---

8 5국 은행 차관협정: 1913년 4월 27일, 중화민국 국회의 반대를 무릅쓰고 위안스카이가 영국, 독일, 프랑스, 일본, 러시아 등의 5국 은행단으로부터 2,500만 파운드에 달하는 거액의 차관을 도입한 차관협정이다. 위안스카이는 이 돈으로 독재를 위한 재정기반을 다지려고 했다.

1913년 7월 12일 파양호와 장강이 만나는 강서성 호구湖口에서 국민당과 위안스카이 군대 사이의 일전을 알리는 총소리가 울려 퍼졌다. 이 전쟁은 훗날 역사학자들로부터 '2차 혁명'으로 불린다. 위안스카이의 부하 장군 펑궈장은 이곳에서도 큰 위용을 뽐냈다. 두 달도 안 되는 사이에 각 성에서 위안스카이의 토벌군은 승리를 거뒀다. 펑궈장은 일거에 강남을 평정했고 쑨원은 또다시 눈물을 머금고 일본으로 망명할 수밖에 없었다.

위안스카이는 눈엣가시 같던 장애물을 제거했으니 더 이상 두려울 것이 없었다. 위안스카이 대총통은 제멋대로 임시약법을 폐지하고 중화민국약법(약칭 '신약법新約法')9을 새로 제정했다. 그런 다음 잇따라 총통 선거법도 수정했다. 그토록 원하던 대총통 종신제를 확립한 것이다. 이로써 혁명가들이 3년 동안 온갖 심혈을 기울여 수립한 중화민국의 공화제도는 완전히 붕괴됐다. 모든 것은 다시 예전으로 돌아갔다.

제1차 세계대전의 도화선

쑹자오런이 암살당한 이듬해인 1914년, 유라시아 대륙의 반대편 발칸 반도의 사라예보에서 19세밖에 안 된 세르비아 청년 가브릴로 프린치프 Gavrilo Princip가 세르비아 병합을 강력히 주장해온 오스트리아—헝가리제국의 페르디난트 황태자 부부를 암살했다. 쑹자오런 암살 사건이 중국 내전을 촉발한 것처럼 사라예보 사건은 세계대전世界大戰을 촉발시켰다. 그러나 사실 사라예보 사건이 발생하기 10여 년 전부터 유럽 각국의 관계는 대

---

9 중화민국약법: 위안스카이는 대총통으로 전횡을 휘두르는 것도 모자라 아예 종신직으로 장기집권을 하고 싶어했다. 그래서 1914년 5월, 10장 28조로 구성된 '중화민국약법'을 제정했다. 주요 내용은 국민당의 해산을 명하고 대총통의 임기는 연임이 가능한 10년으로 하고, 대총통의 권한을 대폭 강화하고 국회의 권한은 대폭 약화시키는 등 철저히 자신에게 유리한 내용으로 채웠다.

단히 위태로웠던 형세였다. 발칸반도, 아프리카, 극동아시아 등 여러 지역에서 열강들의 이익 충돌로 일촉즉발의 위기상황이었다.

1차 세계대전이 발발하기 전인 1913년 독일의 상선 규모와 대외 무역은 세계 1위인 영국을 거의 다 따라잡았던 상태였다. 또 독일 제조업 생산량이 세계에서 차지하는 비중은 14.8퍼센트로 영국보다 1.2퍼센트 높았고, 또 프랑스보다는 2.5배 이상이었다. 비교적 후발주자임에도 신흥 산업 강국으로 부상한 독일이 전통 자본주의 국가들 틈에서 좁은 시장을 가지는 것으로는 만족할 수 없었다. 독일의 거대 기업가들과 대지주들은 독일이 진정한 의미에서의 세계 강국으로 도약하기를 간절히 바랐다. 독일 황제 빌헬름 2세도 "독일은 유럽의 좁다란 변경을 벗어나 중대한 역사적 사명을 완수할 것이다."고 선언했다.

일촉즉발의 세계대전에서 중요한 역할을 하게 된 또 다른 국가는 오스트리아─헝가리제국이었다. 유럽의 기득권 국가들 중에서 오스트리아─헝가리제국은 국력이 가장 약한 국가였다. 그럼에도 불구하고 1900년을

가브릴로 프린치프가 페르디난트 황태자 부부를 암살한 직후 체포되는 사진. 이 사건은 결국 1차 세계대전의 도화선이 됐다.

전후한 거시경제 통계수치는 그다지 나쁘지 않았다. 1차 세계대전 발발전 오스트리아—헝가리제국의 인구는 프랑스와 이탈리아를 훨씬 넘어서 5,200만 명에 육박했다. 또 석탄 생산량, 철강 생산량과 에너지 소모량은 양대 동맹국인 프랑스, 러시아와 별반 차이가 없었다. 심지어 오스트리아—헝가리제국의 GDP가 산업 강국인 프랑스에 맞먹는다는 통계수치도 있었다.

그러나 이토록 막강한 산업 잠재력을 갖춘 오스트리아—헝가리제국이라도 전략적 지위에서는 완전히 수세에 몰려 있었다. 무엇보다 오스트리아—헝가리제국의 주변에는 유럽 일류 강국들이 포진해 있었고, 독특한 지리적 위치로 인해 이웃 국가들과의 관계도 매우 복잡했다. 여기에 헤아릴 수 없이 많은 잠재적 라이벌도 주위에 두고 있었다. 설상가상으로 국내에서 갈수록 증폭되는 민족 간 갈등으로 인해 국가는 언제든지 해체될 위기에 처해 있었다. 오스트리아—헝가리제국의 통치자들은 내우외환의 처지에서 빠져나오기 위해 이류 국가의 힘으로 일류 국가의 역할을 담당하려고 시도했다. 이렇게 해서 사면초가에 빠진 이 제국은 가장 먼저 전쟁의 불씨를 지폈다. 어찌 보면 당연한 일이었다.

전쟁 전야의 프랑스는 오스트리아—헝가리제국보다 훨씬 더 많은 우위를 확보하고 있었다. 우선 과거 영국과의 해외 식민지 쟁탈전에서 수세에 몰리기는 했으나, 영국에 버금가는 세계에서 두 번째로 많은 해외 식민지와 방대한 식민지 군대를 보유하고 있었다. 또 다카르에서 사이공에 이르는 지역에 수많은 해군기지를 건설해 놓고 있었다. 프랑스의 금융업도 이 시기에 크게 발전해 글로벌 산업 투자, 외국에 대한 차관 제공 등 금융활동을 활발히 하고 있었고, 철강 산업, 석탄 산업, 기계 제조업 및 일부 신흥 산업 부문도 크게 발전해 세계 선두 지위에 올라섰다.

이 시기 슈나이더, 푸조, 미쉐린, 르노 등 프랑스 기업들은 전 세계에서 이름을 날리고 있었고, 미국의 포드가 자동차 생산 라인을 발명하기 전까지만 해도 프랑스 자동차 생산량은 줄곧 세계 1위였다. 전통적인 라이벌 독일과 비교할 때 프랑스의 산업 잠재력은 독일의 40퍼센트, 철강과 석탄 생산량은 독일의 6분의 1 정도에 지나지 않았다. 그러나 프랑스의 대국적 지위는 전혀 흔들리지 않았다. 더욱 중요한 것은 오랜 숙적이었던 프랑스와 영국이 1904년에 식민지 분쟁을 해결하고 우호 관계를 맺었다는 사실이다. 따라서 프랑스가 독일의 서슬 퍼런 공세를 쉽게 막아낼 수 있다고 믿는 사람이 매우 많았다.

'대국 클럽'의 또 다른 멤버는 제정 러시아였다. 러시아는 어마어마한 국토와 영국의 세 배에 달하는 인구만으로도 다른 국가들을 압도하고 있었다. 세계대전이 임박할 무렵 러시아는 유럽 최대 규모인 130만 명의 정규군을 보유하고 있었고, 500만 명에 육박하는 예비군도 있었다. 여기에다 러시아의 산업 생산량 성장률은 여러 해 동안 5~8퍼센트 수준을 유지했다. 1913년의 철강 생산량은 프랑스, 일본, 이탈리아와 오스트리아-헝가리제국을 능가할 정도였다. 석탄 생산량도 3,600만 톤에 달했다. 게다가 러시아는 세계 제2위 산유국이기도 했다. 당시 세계 제4위 산업 대국이었던 러시아는 각종 경제지표가 강대국인 미국, 영국, 독일에 비해 훨씬 뒤처졌고, 암흑 정치의 양상도 뚜렷했다. 여기에 1904~1905년에 있었던 러일전쟁의 패배로 인해 정부의 부패와 무능도 여지없이 드러난 상태였다. 그럼에도 불구하고 곧 다가올 구미 열강들 간 세력 각축전에서 러시아는 절대로 방관자가 되고자 하지 않았다.

이탈리아 반도에 있는 이탈리아는 유럽의 대국들 중에서도 가장 약한 국가였다. 비록 통일 이후 인구가 3,000만 명으로 증가했으나, 1914년까지 군사력은 별로 강하지 못했다. 육군과 해군을 다 합쳐봤자 일본이나 미국보다 좀 더 많은 34만 명에 불과했다. 해군 함대 총적재량도 겨우 50만 톤으로 오스트리아-헝가리제국보다 약간 높은 수준이었다. 이탈리아에서는 석탄도 나지 않았다. 따라서 자국에서 사용하는 에너지의 90퍼센트를 수입에 의존해야 했다. 1913년의 철강 생산량은 독일의 17분의 1에 지나지 않았다. 따라서 이탈리아 제조업이 세계 제조업에서 차지하는 비중은 고작 2.4퍼센트로 영국과 독일의 6분의 1 , 미국의 13분의 1 수준밖에 되지 않았다.

자국의 약점을 누구보다 잘 알고 있는 그들은 유럽의 복잡한 형세를 눈치껏 관망하면서 믿음직한 배경을 찾고 있었다. 갓 열강의 반열에 오른 이탈리아는 지리적 위치가 아주 좋았다. 그래서 구미 열강들은 이탈리아를 적으로 삼기보다는 자기편으로 만들어, 필요할 때마다 이용하려는 국가가 대부분이었다. 결국 이런 점 때문에 이탈리아 역시 참혹한 세계대전의 운명을 피해갈 수 없었다.

이 시기 유럽 각국은 이런 복잡한 자국의 상황과 이익을 고려해 서로 편을 만들고 동맹을 맺어 패거리를 맺었다. 그 결과 독일과 오스트리아-헝가리제국을 핵심으로 하는 '동맹국同盟國'과 프랑스와 영국을 주축으로 하는 '연합국聯合國'의 양대 진영이 형성됐다. 이런 일촉즉발의 무거운 분위기 속에서 양측은 군비를 확충해 언젠가 있을지도 모를 전쟁 준비에 박차를 가했다. 이런 상황에서 벌어진 오스트리아-헝가리제국의 황태자 암살사건은 마치 화약통에 떨어진 불꽃처럼 발칸반도에서 전쟁의 도화선을 댕겼다.

사라예보 사건이 발생한 지 한 달 만인 1914년 7월 28일, 오스트리아-헝가리제국은 독일의 무조건적인 지원을 등에 업은 채 세르비아에 선전포고를 했다. 얼마 후 다른 국가들도 연달아 전쟁에 가담했다. 광활한 유럽 대륙에 여러 개 전장이 생겼고 양대 진영 간 불꽃 튀는 혈전이 시작됐다. 처음에 유럽에서 시작된 이 전쟁은 얼마 후 유럽 이외의 국가들도 연달아 참전하면서 전 세계로 확산됐다. 역사학자들은 이 전쟁을 일컬어 제1차 세계대전이라고 했다.

결국 동맹국의 패배로 끝난 1차 세계대전은 세계 판도를 크게 바꿔놓았다. 유럽 열강들은 이 전쟁으로 인해 원기를 크게 잃었고, 대영제국은 세계 1위 강국 자리를 내놓아야 했다. 또 1차 세계대전 중에 러시아 국내에서 발발한 혁명은 제정 러시아의 정권을 바꿨고, 패전국 독일은 영토를 할양하고 배상금을 지불하는 등 비참한 처지에 빠졌다. 그러나 모든 국가가 손해를 본 것만은 아니었다. 일부 국가들은 1차 세계대전을 계기로 당당히 세계 최고 강국의 반열에 올라섰기 때문이다.

전쟁의 최대 수혜자 일본과 미국

1차 세계대전의 최대 수혜자는 단연코 일본과 미국이었다. 20세기 초 이탈리아가 '대국 클럽'에서 주목받지 못하던 회원국이었다면, 당시의 일본은 대국클럽에 가입할 자격에도 못 미치던 국가였다. 그러나 유럽에서 전쟁이 발발하자 영리한 일본인들은 유럽의 대재앙이 다이쇼大正 시대10에 일본 국운을 발전시킬 수 있는 절호의 기회라는 사실을 본능적으로 직감했다. 일본은 이 기회를 꽉 쥔 채 '일본의 세계적 위상을 드높이는 동시에

---

10 다이쇼(大正) 시대: 다이쇼 시대는 일본의 요시히토(嘉仁) 천황이 통치하던 1912년 7월 30일부터 1926년 12월 25일까지의 시기를 가리킨다. 다이쇼(大正)는 요시히토 천황 시기의 연호(年號)이며, 우리나라에서는 '대정시대'라고도 부른다.

동아시아 세력 범위를 확장하는' 계획을 세웠다.

8월 23일 일본은 독일에 선전포고를 했다. 잇따라 불난 집에서 도둑질을 하는 격으로 남태평양에 있는 독일령 식민지인 마셜 제도와 마리아나 제도, 그리고 캐롤라인 제도를 신속히 점령했다. 그런 다음 무력을 동원해 독일이 산동성에 가지고 있던 조계지를 비롯한 여러 가지 이권을 빼앗았다. 또 전쟁 기간에 유럽 경제가 침체되면서 물자 부족이 극심해지자 일본은 이 기회를 이용해 떼돈을 벌어들였다.

1차 세계대전이 막을 내린 1918년, 일본 국내의 선박 생산량은 전쟁 전보다 6배나 늘어 세계 6위로 부상했다. 또 일본 국내 기업은 전쟁 전보다 1만 개 이상 증가했다. 기업 투자는 25억 엔에서 400억 엔으로 늘어났고, 산업 총생산액은 50억 엔 이상 성장했다. 또 도쿄-요코하마, 오사카-고베의 도시들을 축으로 하는 양대 공업지대가 형성됐다. 이러한 영향으로 1919년에 이르러서는 사상 처음으로 일본의 공업 생산액이 농업 생산액을 초과해 사회경제 구조의 변환도 실현했다. 이 밖에도 수출액은 전쟁 전보다 2.5배나 증가했고, 금 보유량도 3억 엔에서 20억 엔으로 급증했다. 이렇게 일본은 1차 세계대전을 계기로 수입국에서 수출국으로, 채무국에서 채권국으로 완벽한 변신에 성공하며 대국의 반열에 당당하게 올랐다.

구미 열강이나 일본과 비교하면 북미 대륙의 미국은 완벽에 가까운 국가였다. 미국은 다른 국가들이 확보한 경제적 우위를 전부 다 가지고 있었을 뿐만 아니라, 불리한 조건은 하나도 갖고 있지 않았다. 선진적인 사회 제도는 미국이 줄곧 활력을 유지할 수 있는 원천이었다.

20세기 초 라이트 형제가 발명한 4기통 12마력 가솔린 엔진 비행기가 성공적으로 하늘로 날아올랐다. 사람들은 라이트 형제의 비행 성공이 '미국의 우주 비행 시대'의 도래를 예고한다고 말했다. 1913년 표준화 생산, 이동식 조립 및 과학적 관리가 일체화된 '포드 시스템'이 개발됐다. 같은 해 미국은 정부 주도로 파나마운하를 건설하기 시작했다. 운하 공사장에서 울려 퍼진 커다란 폭발음은 태평양과 대서양의 지리적 경계가 곧 무너지게 된다는 사실을 의미했다.

1914년 미국 내 철도 총연장은 25만 킬로미터에 달해, 광활한 땅덩어리를 가볍게 하나로 이어놓을 수 있었다. 또 인구는 9,800만 명, 국민 총생산액은 370억 달러, 1인당 GDP는 377달러에 달했다. 이러한 수치는 영국, 프랑스, 독일, 러시아 등의 강국들을 가볍게 넘어선 것이었다. 이 밖에 미국의 석탄 생산량은 독일이나 영국의 2배인 4억 5,500만 톤에 달했고, 철강 생산량은 영국, 프랑스, 독일, 러시아의 철강 생산량을 합친 것과 맞먹었다. 자동차 생산량과 보유량도 미국을 제외한 전 세계 자동차 생산량과 보유량을 초과했고, 에너지 소비량은 유럽 전체의 소비량과 엇비슷할 정도였다. 가히 대국의 면모를 보이고 있었다.

미국 경제가 이 속도로 발전하면 1925년쯤 유럽 전체를 추월할 수 있었다. 그러나 정말 시의적절하게도 유럽에서 발발한 세계대전은 이 과정을 크게 단축시켰다. 전쟁으로 무기와 철강 주문량이 급증하면서 미국의 산업은 활기를 띠고 급속히 발전했다. 이렇게 미국은 일본 못지않게 전쟁을 통해 떼돈을 벌었다. 1차 세계대전이 끝난 후, 세계 부의 40퍼센트가 미국으로 집중되었으니 더 이상의 설명은 필요하지도 않을 것이다.

미국은 전쟁 전에 채무국이었다. 그러나 전쟁 후에는 일약 채권국으로 탈바꿈했다. 미국이 1925년쯤에 유럽을 전면 추월할 것이라던 예상은 1차 세계대전의 발발과 기존 대국들의 경제적 손실 및 정상적인 사회질서의 심각한 불균형 등의 호재에 힘입어 무려 6년이나 앞당겨진 1919년에 실현됐다. 게다가 더욱더 중요한 것은 미국이 1차 세계대전 막바지에 참전함으로써 영국, 프랑스 등의 국가와 함께 전승국이 됐다는 사실이었다. 이를 통해 미국은 전후 국제 문제에 대한 커다란 발언권을 획득했다. 이로써 유럽이 세계를 지배하던 시대는 끝나고 미국의 시대가 찾아왔다.

　이론적으로 1차 세계대전은 중국이 기사회생할 수 있는 절호의 기회라고 해도 좋았다. 새로 설립된 중화민국 정부는 참전을 계기로 서구 열강들과 평등하게 대화할 수 있는 기회를 잡을 수 있었다. 이뿐만 아니라 운이 좋으면 과거 청나라 정부가 서구 열강들과 체결한 불평등 조약을 폐기할 수도 있었다. 그러나 중국은 오랜 쇠퇴를 겪은 탓인지 쉽게 활기를 찾지 못했다. 하기야 당시의 상황을 보면 그럴 만도 했다. 위안스카이가 집권하던 당시의 중화민국 정부는 복잡한 내정을 다스리고 독재 체제를 수립하기 위해 눈코 뜰 새 없었다. 한마디로 말해 세계대전에 신경 쓸 여유가 없었던 것이다.

　훗날의 일이지만 위안스카이 사후 중화민국 정부는 1차 세계대전 하반기에 참전을 선포하고 전승국이 됐다. 그러나 전후 협상 과정에서 이익을 얻기는커녕 오히려 온갖 굴욕을 당했다. 처음부터 연합국 편에 서서 싸운 것이 아니라 내내 관망하다가, 연합국이 승기를 잡자 연합국 측에 붙었기 때문에 승전국으로서의 대우를 당연히 받을 수가 없었던 것이다. 물론 이것은 나중의 일이다.

　일본은 독일에 대한 선전포고를 1주일쯤 앞두고 중국 정부에 최후통첩을 보냈다. 만약 독일이 한 달 안에 청도를 포함한 산동의 교주만膠州灣을 전부 일본에 넘겨주지 않을 경우, 일본은 '영일동맹英日同盟11'의 의무를 이행하기 위해 무력을 동원할 것이라는 위협적인 내용이었다. 얼마 후 일본은 과연 그들의 말대로 행동했다. 군대를 출동시켜 청도와 교제선膠濟線12 철도를 강점한 것이다. 일본의 욕심은 독일이 중국 산동에 가지고 있는 세력 범위를 빼앗는 데 그치지 않았다. 서방 각국이 정신없이 싸우는 틈

독일이 전쟁을 치르느라 어수선한 틈을 타서 청도를 점령하는 일본군(1914년).

을 이용해 이른바 대륙 진출 정책을 실시하고 일거에 중국을 병탄하는 것
이 일본의 진정한 목적이었다.

　1915년 초였다. 신임 주중 일본 공사는 산서성에서 위안스카이를 만나
극비문서 한 통을 직접 넘겨줬다. 이 문서에서 일본은 중국 정부에 '5개 항
목 21개 조항[13]'의 조건을 요구했다. 한마디로 말해 일본 혼자서 중국을 먹
어치우겠다는 속셈이었다. 아무리 비열하고 야비한 위안스카이라고 할지

---

11 영일동맹(英日同盟): 원래는 1902년 영국과 일본 양국이 러시아에 대항하기 위해 맺었던 동맹을 의미
　하지만, 1911년 중국 산동반도에서 독일에 대항하기 위해 양국이 맺은 '제2차 영일동맹'도 여기에 속
　한다. 협정의 내용은 크게 '양국은 청나라(영국)와 조선(일본)에서 특수한 이익을 갖고 있으므로 다른
　나라로부터 이익이 침해될 때는 필요한 조치를 취하고, 제3국 혹은 여러 나라가 영국이나 일본과 교전
　할 때 동맹국은 참전하여 공동작전을 편다.'는 등의 내용을 담고 있다.

12 교제선(膠濟線): 산동반도에 있는 청도(靑島)에서 산동성의 성도(省都)인 제남(濟南)까지 연결하는 철
　도노선이다.

13 5개 항목 21개 조약: 1915년 1월 18일, 일본은 위안스카이에게 5개 항목의 큰 틀을 설정하고 그 항목
　에 딸린 21개 조약의 이권을 요구했다. 일본이 요구한 5개 항목의 내용은 다음과 같다. '산동성의 철
　도와 광산에 대한 일본의 이권을 인정한다.', '만주와 동부 내몽골에 일본의 조차지(租借地)를 설정하
　고 일본에 우선권을 준다.', '제철철광탄광 연합기업인 한야평공사(漢冶萍公司)를 중국과 일본이 공동
　관리한다.', '중국 정부는 중국 연안의 항구와 도시를 타국에 양여하거나 대여하지 않는다.', '재정·
　정치·경찰 사무에 일본인 고문(顧問)을 두어 내정을 간섭할 수 있도록 한다.' 등 일본이 요구한 조약
　은 거의 반식민지나 다름없는 조건이었다.

라도 달갑게 매국노의 오명을 뒤집어쓰려 하지 않을 것은 당연했다. 그는 젊은 외교관 한 명을 불러 교묘하게 위장시킨 뒤 영국, 미국 등의 영사관에 들어가 21개 조항 요구의 내용을 만천하에 공개하게 했다. 그의 발 빠른 대응은 탐욕스러운 일본에 작지 않은 타격을 줬다.

그러나 중화민국 정부는 일본의 군사적 위협을 못 이겨 결국 일본과 21개 조항 요구에 대한 재협상을 개시하고 말았다. 4개월 뒤 중일 양국은 북경에서 '중일신약中日新約'을 체결했다. 새 조약은 21개 조항처럼 가혹하지는 않았지만, 중국 입장에서는 별다를 게 없는 불평등 매국조약임이 확실했다. 이 조약에 의해 일본은 중국 동북 지역에 이민을 보낼 수 있는 권리를 얻었고, 여순과 대련의 조차 기간도 99년으로 연장됐다. 21개 조항 요구가 신약新約으로 탈바꿈된 것은 만족할 만한 결과가 아니었지만, 그나마 위안스카이가 외교적 수완을 기울여 얻은 최소한의 성과라고 할 수 있었다.

하지만 이에 반해 영국과 티베트 문제에 대해 협상할 때와 러시아와 몽골 문제에 대해 협상할 때 위안스카이는 무지함과 무능함을 드러냈다. 인도와 티베트의 경계선인 맥마흔라인14은 훗날 중국과 인도가 벌이는 국경 분쟁의 단초가 됐고 지금까지 해결되지 않고 있다. 또 중국 땅이었던 몽골 지역도 내외몽골이 분리되어 외몽골 지역이 중국 정부의 통제를 벗어나 러시아의 통제로 넘어가고 말았다. 일련의 외교 사건에 대한 중국 정부의 잘못된 대응은 갓 설립된 중화민국도 중국의 비참한 국운을 돌려세우지 못했다는 사실을 시사한다. 심지어 중국이 계속 쇠퇴하고 있음을 보여주는 많은 조짐이 나타나고 있었다.

---

14 맥마흔라인(McMahon Line): 1914년 3월 인도정청(印度政廳) 외무장관 맥마흔에 의해 히말라야 산맥 중간의 분수령을 기점으로 약 885킬로미터에 걸쳐 설정된 인도와 티베트의 경계선이다. 훗날 인도와 중국 간의 국경분쟁의 원인이 된다.

위안스카이의 권불십년

1915년 12월 참정원(參政院)은 위안스카이를 황제로 추대했다.

위안스카이에게 있어서 국가의 발전이나 민족의 운명 따위는 별로 염려할 가치가 없는 듯했다. 환갑 나이에 접어든 그는 대총통의 지위를 튼튼히 다진 다음 소인배 정객들의 부추김에 넘어가 갑자기 황제가 될 꿈에 부풀었다. 그래도 중국 근대사에서는 뛰어난 재능과 원대한 지략을 갖춘 정치인으로 정평이 나 있었던 그는 이 무렵에 이르러 완전히 타락해 부끄러움을 모르는 정치 동물로 전락해버렸다.

1915년 8월 말, 위안스카이를 황제로 추대하기 위해 설립된 '주안회籌安會'라는 조직이 전국 각지 주요 신문 1면에 회원 모집 공고를 실었다. 내용은 중국에 가장 적합한 정치체제를 연구하기 위해 전국에서 회원을 모집한다는 것이었다. 복벽復辟[15]을 통해 왕조의 부활을 꾀하는 추잡한 연극이 드디어 막을 올렸다. 갓 설립된 주안회가 이 지저분하기 짝이 없는 드라마의 연출을 맡았다. 다시 말해 주안회가 발표한 회원 모집 공고는 전제 정치 복귀를 위해 이론적인 준비를 하고 필요한 여론을 조성하기 위한 것이었다.

---

15 복벽: 물러났던 왕이 다시 왕위에 오른다는 뜻으로 전제 왕조 정치의 부활을 뜻한다.

위안스카이의 측근 겸 모사꾼인 주안회의 영수 양도楊度는 4개월 전에
〈군헌구국론君憲救國論〉이라는 제목의 글을 써서 위안스카이로부터 호평
을 받은 적이 있었다. 그리고 이 글은 주안회가 설립된 지 얼마 지나지 않
아 신문에 실렸다. 이렇게 해서 군주제와 공화제의 우열에 대한 논쟁은 한
동안 중국 여론을 떠들썩하게 달궜다. 군주 제도가 사라진 지 얼마 안 되
는 중국에서 백성들은 주안회의 계획을 열렬하게 지지하고 나섰다. 흑막
정치 드라마가 성공적으로 방영되기에 이른 것이다. 전국 각지의 지방정
부, 대소 관리, 민간단체, 노동조합, 상회들이 앞을 다퉈 전제 정치를 옹호
한다는 입장을 표명했다.

민중이 자발적으로 결성한 청원 단체들은 밤낮을 가리지 않고 자금성
신화문 밖에서 전제 정치 복원을 위한 청원 운동을 벌였다. 그중에서도
가장 눈에 띈 청원단은 북경 8대 골목(옛 북경의 홍등가)의 기생들로 구성된
청원단이었다. 이들은 참의원 의원들에게 여색을 밝히는 위안스카이를
중화제국의 황제로 추대할 것을 강력하게 청원했다. 결국 그해 말 각 성省
의 대표 1,993명으로 구성된 국민대표대회에서 중화민국을 중화제국中華
帝國으로 바꾸는 안건이 만장일치로 통과됐다.

그리고 1915년 12월 20일, 위안스카이는 자금성 중남해中南海의 거인당
居仁堂에서 백성들의 추대를 받아 중화제국의 초대 황제인 홍헌제洪憲帝로
등극했다. 참의원 부의장은 여러 의원들을 거느리고 맨 먼저 황제 폐하를
알현했다. 이들은 다 같이 옥좌 앞에 꿇어 엎드린 채 고리타분한 목소리
로 '황제 폐하 만세'를 외치는 촌극을 벌였다.

양도를 위시한 주안회가 전제 정치 복원에 열을 올릴 때, 량치차오梁啓
超는 〈이른바 국가 정치 제도에 대한 다른 견해〉라는 글을 발표하며 전제
정치 추종자들을 신랄하게 비난했다. 홍헌제를 성토한 이 격문은 무려 10

상태제천 의식을 치르는 홍헌제 위안스카이. 과욕은 결국 위안스카이의 파멸을 불렀다.

만 자에 달하며, 지금까지도 중국인들이 즐겨 읽는 명문장으로 꼽힌다.
량치차오의 수제자 차이어蔡鍔·채악와 운남순안사 탕지야오唐繼堯·당계요
등은 위안스카이가 스스로 황제를 칭한 지 닷새 만에 운남성에서 호국군
護國軍을 조직해 홍헌제 토벌에 나섰다. 호국 운동은 또 한 번 도미노 현상

을 일으켜 중국 전역에서 위안스카이와 북양군을 상대로 호국전쟁護國戰爭에 동참하는 행렬이 늘어났다.

이듬해 3월 "위안스카이를 토벌하자."는 호국전쟁의 목소리가 높아지는 가운데 위안스카이는 즉위 83일 만에 결국 군주제 폐지를 선언했다. 그러나 난리를 일으킨 주모자를 제거하지 않으면 나라가 태평할 수 없는 법, 중국 남방의 각 성에서는 위안스카이를 상대로 한 반란이 끊이지 않았고, 과거 위안스카이에게 무한 충성하던 북양군 장군들마저 반기를 들었다. 전장에서 무소불능의 재능을 뽐내던 위안스카이의 부하 펑궈장馮國璋도 4월 말에 위안스카이에게 하야를 요구했고, 북양군의 명장 장쉰張勳·장훈과 17개 성 대표들도 남경에서 위안스카이 퇴위를 촉구하는 대회를 열었다.

결국 위안스카이는 각 방면의 압력을 못 이겨 앓아누웠고, 결국 1916년 6월 6일 중국 국민의 원성을 뒤로 한채 허망하게 죽고 말았다. 한 시대의 영웅이자 절세의 호걸이었던 위안스카이는 만년에 절조를 크게 잃어 58세의 젊은 나이로 세상을 떠난 것이다. 그의 만세를 바라던 추종자들의 기대에 크게 어긋난 나이였다.

권력이냐
몰락이냐

위안스카이 권력의 핵심은 북양군이
었다. 위안스카이가 벼락출세한 것도, 중국을 쥐락펴락했던 것도 북양군
의 지원이 있었기 때문에 가능했다. 그는 북양군의 충성심을 추호도 의심
해본 적이 없었다. 그러나 그가 꿈에도 생각지 못한 것이 있었다.

그가 최악의 궁지에 몰렸을 때 북양군의 양대 우두머리인 호랑이 장
군 돤치루이와 개 장군 펑궈장이 수수방관한 것은 말할 것도 없고, 나중
에는 배반의 조짐을 보이기까지 했다는 사실이다. 돤치루이와 펑궈장은
북양군 주력 부대의 총수이자, 위안스카이의 충성스러운 옛 부하였다.
위안스카이가 황제의 꿈을 이루기 위해서는 반드시 이 두 사람의 도움
이 필요했다. 그런데도 이 두 사람 모두가 위안스카이를 도와주지 않았
으니 황제의 꿈이 물거품이 될 수밖에 없었다.

새로운 권력의 핵심 돤치루이

안휘성 합비合肥 태생인 돤치루이는 이홍장이 창설한 북양무비학당北洋
武備學堂 1기 졸업생으로, 독일 유학을 마치고 귀국한 다음 위안스카이의
심복 부하가 됐다. 그는 북양군의 명실상부한 원로급 인물이었다. 청나라
말 중화민국 초기 위안스카이가 높은 주가를 올리고 북양군이 독주체제
를 달릴 때, 북양군의 으뜸 수령인 그도 자연스럽게 그 덕을 입었다. 그래
서 안하무인격으로 거들먹거렸고 사람을 밥 먹듯이 죽이곤 했다.

그러나 돤치루이는 자신의 상관인 위안스카이처럼 평생 재물을 탐하
지는 않았다. 사유재산도 갖지 않았다. 오직 권력만 탐했다. 그는 또한 육
식도 전혀 하지 않았고 마치 고행하는 승려처럼 살았다. 이처럼 사람이
다른 취미가 없이 오로지 권력만 탐한다면 그는 정치인이 아니라 정치 동
물에 불과하다. 이런 점은 다른 사
람들에게 공포의 대상이 될 수밖
에 없었다.

위안스카이 사후 권력을 움켜쥔 돤치루이. 그는 환계군벌의 영수였다.

중남해에서 황제 부활 촌극이 떠
들썩하게 진행될 때 돤치루이는 북경
의 서산西山에서 유유자적 휴가를
즐기고 있었다. 그간 위안스
카이 대총통이 그에게 여러
번 안부를 물었으나 그는
한 번도 회답하지 않았다.
또 위안스카이의 행동에
가타부타 입장도 표명하지

않았다. 그는 참모와 사적인 대화를 나눌 때 그 이유를 이렇게 말했다.

"위안스카이는 나에게 태산 같은 은혜를 준 사람이다. 그러나 나는 국가와 법을 위해 그의 나쁜 짓에 동조할 수 없다. 또 개인적 정분 때문에 그의 은혜를 원수로 갚을 수도 없다. 따라서 최선책은 한마디 말도 안하고 입을 꾹 다물고 있는 것이다."

사실 돤치루이처럼 조용히 관망하다가 기회를 엿봐 행동하는 것은 위안스카이가 과거 청나라 정부를 대할 때 사용하던 상투적인 수법이었다. 다만 제자가 스승보다 더 유연하게 활용했을 뿐이었다. 하여튼 '홍헌제의 촌극'으로 중국의 정세가 걷잡을 수 없이 악화되자 돤치루이에게 대운이 텄다. 청나라 말기에 혁명파를 비롯해 전 국민이 국내 정세를 안정시킬 수 있는 인물로 위안스카이를 꼽았다면, 이때는 전 국민이 위안스카이를 제지할 수 있는 유일한 인물로 돤치루이를 꼽고 있었다.

돤치루이는 위안스카이가 황제 제도를 폐지한 그날 참모총장에 임명됐다. 이어 한 달 뒤부터 내각을 구성하기 시작했다. 정치적 관찰력이 남달리 예민한 데다 침착함과 냉정함까지 겸비한 돤치루이는 드디어 권력의 핵심에 접근했다. 권력을 목숨처럼 아끼는 사람은 다른 사람과 함께 일을 하지 못한다. 돤치루이도 그랬다. 내각총리內閣總理에 임명된 후에는 옛 상관인 위안스카이와 갈등이 끊이지 않았다. 위안스카이는 그래서 죽기 몇 달 전부터는 오랫동안 함께해왔던 옛 부하와 거의 결별하다시피 했다. 심지어 위안스카이가 죽은 후에 그의 가족들은 돤치루이에게 멸문지화를 당하지 않을까 하루에도 몇 번씩 걱정을 했다.

위안스카이가 죽고 난 후, 보살이라는 별명을 가진 리위안훙黎元洪이 대총통의 자리를 이어받았다. 그러나 돤치루이는 리위안훙에게도 역시 협조를 하지 않아 총통부와 내각은 하루가 멀다 하고 옥신각신했다. 사실 예전부터 돤치루이는 리위안홍을 업신여기고 있었다. 리위안홍이 호북湖北의 신군에서 여단장으로 복무하고 있을 때, 그의 직속상관인 군단장으로 근무하고 있던 사람이 바로 돤치루이였기 때문이다. 그런 이유로 돤치루이는 리위안홍을 '시국이 어수선한 틈을 타 운 좋게 명성을 얻은 애송이'라고 깔봤고, 심지어 주변 사람들에게 "리위안홍은 나를 도와 문서에 도장을 찍던 아랫사람"이라고 말하곤 했다. 그러나 이때의 리위안홍은 과거처럼 돤치루이의 명령을 받던 여단장의 신분이 아니었다.

1917년 중화민국은 돤치루이 총리의 지휘와 미국, 일본의 권유로 패배 조짐이 역력한 독일에게 선전포고를 하려고 했다. 전후 구미 열강들과 승리의 성과를 나눠 가지려는 것이 목적이었다. 법적 절차에 따르면 먼저 내각이 선전포고 관련 의안을 국회에 제출해야 했다. 이어 국회의 표결을 거쳐 통과되면 최종적으로 대총통이 그것을 발표하는 것이 수순이다. 이런 중요한 국가 계획을 논의할 때에는 누구나 다 개인적인 원한을 털고 이성적으로 대해야 마땅하다. 그러나 정치의 저열한 본성은 끝내 표출되고 말았다.

선전포고를 주장하는 총리 돤치루이와 참전을 반대하는 대총통 리위안홍은 법률을 완전히 무시하고 서로 상대방에게 압력을 가하기에 급급했다. 그러자 13개 성의 군사 연합회인 '독군단督軍團'이 국회에 무단 침입하는가 하면, 1인당 50전씩 수고비를 주고 동원한 '국민 청원단'이 국회를 포위하고 청원 운동을 벌였다. 그러자 대총통 리위안홍은 화가 나 돤치루이 총리를 해임해 버렸다. 그러나 수하에 군사 한 명도 없는 리위안홍은 북양파의 상대가 될 수 없었다.

상황은 매우 급박하게 변해갔다. 돤치루이가 떠나자 리위안홍은 내각 총리 적임자를 찾지 못해 결국 북경은 무정부 상태에 빠졌다. 천진으로 떠난 돤치루이는 임시 내각을 조직해 계속 리위안홍에게 압력을 가했다. 북양파 장군 출신인 각 성省의 독군督軍들은 분분히 독립을 선포한 다음 돤치루이를 지지한다는 입장을 표명했다. 북경의 일도 해결하지 못했는데 각 성에서 반기를 들고 일어나니, 리위안홍 대총통은 어쩔 줄 몰라 했다. 그는 궁여지책으로 명망이 높았던 안휘성 독군 장쉰張勳에게 조정을 부탁했다.

황제에 재등극한 마지막 황제

북양파 출신의 안휘독군 장쉰. 변자군을 지휘해 변수로도 불렸다.

장쉰도 북양파 출신이다. 하지만 북양파 원로인 돤치루이나 펑궈장과는 달리 북양군이 태동한 지 한참 지난 후 가담한 점에서 차이가 있었다. 따라서 그는 북양파 핵심 인물로 볼 수 없었다. 그러나 장쉰은 젊은 시절부터 전투를 하는 데 천부적인 재능이 있었다. 게다가 성격도 급하고 흉포했다. 북양파 출신 강소성 독군 펑궈장馮國璋도 그 앞에서는 두 손 두 발을 모두 들 정도였다.

장쉰은 소문난 고집불통이기도 했다. 당시 대다수 중국인이 가졌던 꿈을 그도 똑같이 꾸고 있었다. 그 꿈은 다름이 아니라 청나라 왕조를 부활시키겠다는 것이었다. 장쉰과 그의 부하 군사들은 청나라가 멸망한 후에도 청나라의 상징인 변발을 계속하고 다녔다. 그러므로 그들은 '변자군辮子軍'으로 불렸고, 장쉰은 변자군의 수장이라는 뜻에서 '변수辮帥'로 불렸다.

변수 장쉰은 강소성 서주徐州에 머물며 공무를 처리하던 기간에도 세 번이나 각 성의 독군 회의를 소집해 '복벽'을 주장하는 것을 잊지 않았다. 스스로 '독군 대맹주'라고 칭한 그의 복벽 주장은 모든 독군들이 알만큼 유명했다.

북경에서 총통부와 내각이 물과 불처럼 갈등을 빚자, 평소 장쉰을 탐탁지 않게 생각하던 돤치루이는 장쉰을 곤경에 빠뜨릴 음모를 꾸몄다. 돤치루이는 장쉰에게 측근을 보내 리위안홍을 축출해야 하는 이유를 넌지시 알렸다. 한편 리위안홍도 장쉰에게 중앙과 각 성 독군과의 관계를 중재할 것을 요청해 결국 어릿광대인 장쉰이 연극무대에 오르게 된다.

1917년 6월 7일, 장쉰은 5,000명의 변자군과 148명의 수행원을 거느리고 자신의 본거지인 서주를 출발한다. 변자군 선봉부대는 곧장 북경의 천단과 선농단을 향해 진격했다. 리위안홍은 그제야 변자군의 기세가 심상치 않다는 것을 간파했다. 마침내 리위안홍은 장쉰이 자신과 다른 생각을 하고 있다는 것을 알아챘다. 궁지에 빠진 대총통은 모든 이해득실을 따진 끝에 결국 12일 밤 국회 해산을 선포했다. 이틀 후 북경에서 장쉰을 본 한 관리는 머리에는 과피모瓜皮帽16를 쓴 채 뒷머리를 땋아 늘이고, 테두리가 금으로 된 마고자를 입고 검은색 단화를 신은 장쉰의 모습이 마치 청나라 사람이 무덤 속에서 막 기어 나온 것 같았다고 말했다.

열흘 후 상해에 있던 보황파의 수령 캉유웨이는 장쉰의 부름을 받고 변복 차림으로 북경에 잠입해 청나라 황제가 복위한 후 시행해야 할 각종

---

16 과피모(瓜皮帽): 중국 전통 모자로 6조각의 천을 잇대어 만들어 수박을 반 자른 모양처럼 생겼고 차양이 없고 정수리에 꼭지가 달려있다. 우리나라에서는 흔히 '왕서방 모자'로 알려져 있다.

문서를 작성했다. 7월 1일 새벽, 장쉰 일당은 청나라 황실로 달려가 퇴위했던 선통제 푸이를 다시 황위에 앉혔다. 그러자 그 다음날인 7월 2일 리위안훙은 멀리 남경에 있는 부총통 펑궈장을 대총통 대리에 임명하고 역적 장쉰을 토벌할 것을 명했다. 리위안훙을 쫓아낸다는 목적을 달성한 돤치루이는 천진 이남의 마장馬場에서 이번에는 역적 장쉰을 토벌하는 데 혼신의 힘을 쏟겠다고 장엄하게 맹세했다.

열흘 후 돤치루이는 장쉰의 변자군을 무찌르고 북경을 해방시켰다. 북경에서 거들먹거리던 변자군들은 변발을 잘라버리고 앞을 다퉈 줄행랑쳤다. 캉유웨이는 다시 농민으로 변장하고 망명길에 올랐고, 장쉰은 네덜란드 공사관으로 피신했다. 선통제 푸이는 열흘 남짓했던 황제 생활을 마치고 다시 퇴위 조서를 발표해야만 했다.

마치 코미디 같은 일장 활극이 막을 내린 후 돤치루이는 '공화제를 살린' 공신의 자격으로 두 번째 내각을 구성했다. 대독일 선전포고 안은 아주 손쉽게 국회를 통과했다. 권력을 잡은 돤치루이는 리위안훙을 대총통에 복직시키는 것을 한사코 반대했다. 그런 연유로 결국 펑궈장이 8월 1일 북경에서 중화민국 제4대 대총통에 취임했다.

평생 숙적 펑궈장과 돤치루이

북양파의 양대 거물이 북경에 모여 각각 총통부와 내각을 주관하게 됐으니 전 국민의 기대가 두 사람에게 집중되는 것은 당연한 일이었다. 펑궈장은 북경에 도착한 후, "이제는 우리 두 형제가 함께 일을 하게 됐으니 총통부와 내각 사이의 분쟁은 더 이상 없을 것이다. 돤치루이의 두 손을 꽉 잡았다. 그러나 사람들은 오래지 않아 여우처럼 교활한 펑궈장이 거짓말

직계군벌의 영수였던 펑궈장. 그는 돤치루이의 친구이자 숙적이었다.

을 했다는 사실을 알게 됐다.

고향이 직례直隸인 펑궈장은 돤치루이와 북양무비학당北洋武備學堂 동기생이었다. 그는 일본 유학을 다녀온 다음 위안스카이 휘하에 들어가 크게 등용됐고, 그때부터 '북양삼걸' 중 한 사람으로 불렸다. 신해년까지만 해도 무창武昌 전선에서 위안스카이의 계획을 망칠 뻔했을 정도로 어수룩했던 펑궈장은 그 사이에 놀랄 만큼 정치적 수완이 많이 늘어나 있었다.

펑궈장은 쑨원의 2차 혁명 때 쑨원을 따르던 혁명군을 격파하고 남경을 근거지로 삼아 동남 지역에서 위세를 크게 떨쳤고, 이후 위안스카이가 참칭僭稱할 때에는 무력시위로 중앙정부와 호국군 모두에게 압력을 가하는 등 날로 강력해져서 이 시기의 펑궈장은 중국 동남 지역을 기반으로 하는 중국 최대 군벌의 자리에 올라 있었다.

그런데 사실 일반인들이 잘 모르는 사실이 한 가지 있었다. 바로 일반인들의 예상과는 달리 북양군벌의 두 거물 펑궈장과 돤치루이의 사이가 좋지 않았다는 것이다. 그 때문인지는 몰라도 위안스카이가 죽은 후 펑馮과 돤段, 이 두 사람은 서로 북양파의 영수를 자처하며 자신의 세력을 결집시켰고 이 시기 북양군은 직례성이 고향인 펑궈장의 '직계군벌直系軍閥'과 안휘성이 고향인 돤치루이의 '환계군벌晥系軍閥'로 재편돼 있었다. 설상가상으로 직계와 환계가 영역으로 삼았던 직례와 안휘 지역은 지리적으로도 서로 겹치는 부분이 있어 이 양대 군벌은 이익을 둘러싸고 자주 으르렁거렸다.

당연히 대총통에 임명된 펑궈장은 전 총통 리위안훙처럼 나약하지도 않았고, 무능하지도 않았다. 성격이 독단적이고 권력을 목숨처럼 여기는 돤치루이 또한 펑궈장에게는 단 한치도 양보하려 하지 않았다. 따라서 두 사람 간의 권력 다툼은 과거 리위안훙과 돤치루이 사이의 다툼보다 더 심했다. 돤치루이와 펑궈장은 '중국의 무력 통일 여부'를 비롯한 여러 가지 중대 국가 현안에 대해서도 자주 의견이 엇갈렸다. 양측의 갈등은 갈수록 심각해져 결국 북양파 원로인 쉬스창徐世昌을 대총통으로 선출하고, 펑과 돤 이 두 사람은 동시에 하야를 하는 것으로 정리가 됐다.

펑궈장과 돤치루이가 동시에 물러난 이듬해 말, 지병으로 고생하던 펑궈장이 갑자기 죽었다. 소문에 의하면 펑궈장이 죽은 뒤 '철면피 호랑이'로 불리던 돤치루이가 갑자기 후회하는 마음이 들었던지 펑의 영정 앞에서 대성통곡해 보는 사람들이 눈시울을 적셨다고 한다. 아마 평생의 숙적이자, 수십 년 동안의 환난을 함께 헤쳐 온 옛 친구가 갑자기 세상을 뜨자 동병상련의 측은지심을 느꼈을 것이다.

펑궈장이 죽은 후에도 직계군벌 안에는 여전히 유능한 인재가 많이 남아 있었다. 그중 하북성의 보정부保定府에서 포목장사를 하다가 북양군에 입대해 원로급 인물이 된 차오쿤曹錕·조곤과 젊은 후발주자 우페이푸吳佩孚·오패부가 눈에 띄었다. 특히 산동성 태생인 우페이푸는 젊었을 때 북경에서 돗자리를 깔고 점을 치다 북양군에 입대한 특이한 인물이다. 그는 북양군 안에서도 몇 명 안 되는 탁월한 정치적 두뇌를 가진 사람 중 한 명이었지만, 몸집이 작고 왜소해 무인의 늠름한 모습과는 거리가 있었다.

호남湖南 전투 당시 직계군의 사단장이었던 우페이푸는 위안스카이의 중앙정부가 가진 약점과 결함을 가득 들춰내 여러 차례 언론에 공개했다. 이런 방식으로 중앙정부를 공격함으로써 차근차근 백성들로부터 인망을 쌓았다. 그는 이 명성을 이용해 단시일에 정계의 핵심 인물로 부상했고, 옛 상관인 차오쿤마저도 이런 점에서는 그의 능력에 진심으로 감탄했을 정도였다.

그러나 이런 우페이푸를 못마땅하게 보던 사람이 있었다. 이미 정계에서 은퇴를 했지만 여전히 실권을 잡고 있던 환계군벌의 수령 돤치루이가 하룻강아지 범 무서운 줄 모르는 격으로 촐랑거리는 우페이푸를 단단히 혼쭐내주기로 한 것이다. 돤치루이는 중앙정부에 압력을 행사해 차오쿤과 우페이푸를 모든 직무에서 해임한 다음, '분쟁 조성, 분열 시도'의 죄명으로 엄벌하도록 했다. 그러나 우페이푸도 만만한 상대는 아니었다. 그는 옛 상관인 차오쿤과 연합해 하남, 직례 등지로 군사를 대거 이동시켜 환계군벌과 한바탕 싸울 태세를 갖췄다.

장쮀린의 등장과 군벌들의 이전투구

이 무렵 산해관山海關 밖의 중국 동북 지방에서는 오척단신의 마적馬賊 출신 장쮀린張作霖·장작림이 동북3성을 장악했다. 장쮀린은 봉천奉天을 거점으로 동북3성을 자신이 지배하는 '봉계군벌奉係軍閥'의 독립왕국으로 만든 것이다.

장쮀린은 중원에서 벌어지는 권력투쟁을 관전하면서 그야말로 손이 근질근질해졌다. 마적 출신 아니랄까봐 극심한 혼란을 틈타 어부지리를 얻으려는 속셈이었다. 하지만 장쮀린의 의도는 돤치루이에 의해 번번이 실패하고 말았다. 그러나 무력을 가지고 있던 그를 가만히 내버려둘 세력은 없었다. 얼마 후 직계군벌에서 자신들과 연합해 공동의 적인 환계군벌을 없애버리고 승리의 과실을 나눠 갖자는 제의가 온 것이다.

1920년 무더운 어느 여름날, 북양군벌의 양대 기둥인 직계와 환계가 정면으로 충돌했다. 이른바 '안직전쟁安直戰爭'이 발발한 것이다. 전쟁은 7월 14일부터 시작됐다. 첫 사흘 동안에 벌어진 두 차례의 전투는 모두 환계군벌의 승리로 끝났고, 돤치루이를 필두로 하는 환계군은 승리를 확신한 듯 며칠 안에 차오쿤과 우페이푸를 산 채로 사로잡을 것이라고 큰소리를 쳤다. 그러나 돤치루이는 우페이푸의 군사적 재능을 너무 얕잡아봤다. 게다가 봉계군벌의 참전 가능성도 전혀 예상하지 못했다.

전쟁을 시작한 지 나흘째 되던 날, 우페이푸는 직접 한 무리의 경무장한 기병을 인솔해 서쪽 전선에 있는 환계군벌 지휘부를 급습했다. 이를 통해 환계군벌의 총사령관을 비롯한 수백 명의 고위 장군들을 모두 사로잡았다. 때를 같이해 장쭤린張作霖의 봉계군벌이 군사를 휘몰아 산해관 안으로 진격해 환계군의 후방을 압박했다. 전쟁이 시작된 지 겨우 닷새 만에 환계군은 완전히 붕괴됐고, 이 일로 환계군벌은 그 후 숨을 죽이고 살아야 했다.

환계군벌을 물리치고 승리의 희열을 맛본 직계直系와 봉계奉係 양대 군벌은 서로 승리의 열매를 나눠가졌으나, 채 2년도 지나지 않아 내각의 권력을 사이에 두고 서로 맞붙어야 했다. 소위 말하는 '제1차 직봉전쟁直奉戰爭'이 발발한 것이다. 이 직봉전쟁에서도 차오쿤과 우페이푸의 직계군벌이 승리를 거뒀다. 스스로

직계군벌의 새로운 지배자 우페이푸. 그는 단시일에 정계 핵심 인물로 부상했다.

뛰어난 군사적 재능을 자랑하던 장쭤린은 중원에 진출해 이익을 얻기는
커녕 본전도 못 찾고 다시 산해관 밖으로 되돌아간 뒤, 중원의 상황을 지
켜보며 몸을 낮췄다.

환계, 봉계와 가진 전쟁에서 승리를 거둔 직계군벌의 차오쿤과 우페이
푸는 승리가 잇따르자 각자 다른 곳에 마음을 두기 시작했다. 우선 포목
장수 출신인 차오쿤은 대총통의 자리를 노렸고, 점쟁이 출신인 우페이푸
는 무력으로 중국을 통일할 야심을 가졌던 것이다. 1923년 10월, 차오쿤
은 드디어 소원을 성취했다. 한 표당 은화 5,000위안의 가격으로 국회의
원들을 매수한 끝에 중화민국 제6대 대총통에 당선된 것이다. 이에 비해
우페이푸가 소원으로 삼았던 중국의 무력 통일은 전국 각지에서 지역 군
벌들의 격렬한 방어에 부딪혀 이뤄질 수 없었다.

직계와 봉계가 맞붙었던 1차 직봉전쟁이 있었던 그 다음다음 해인
1924년 9월, 그동안 와신상담하던 봉계군벌과 이미 원기를 잃은 환계군
벌, 그리고 광동정부**17**의 쑨원이 '반反직계군벌 삼각동맹'을 결성해 재기
할 기회를 노렸다. 이어서 장쭤린의 봉계군벌이 직계군벌을 공격하는 소
위 '제2차 직봉전쟁'이 10월에 발발하자, 우페이푸는 봉계군벌을 막기 위
해 수하의 장군 펑위샹馮玉祥·풍옥상에게 병력을 주고 방어를 명했다. 하지
만 평소 우페이푸에게 불만이 많았던 펑위샹은 산해관 근처에서 말머리
를 돌려 북경으로 쳐들어가는 '북경정변北京政變' 사태를 일으켰다.

---

17 광동정부(廣東政府): 위안스카이 사후(死後) 정상적으로 국회를 회복시키지 않고 권력을 휘두르던 북
    경(北京)의 군벌정권에 대항하기 위해 쑨원이 광동성 광주(廣州)에서 여러 세력들과 합작해 세운 총
    세 번의 연립정부(聯立政府)를 말한다. 1차는 1917년 9월 쑨원과 중국 서남부 군벌이 연립한 군정부였
    고, 2차는 1921년 군벌 천중밍(陳炯明)과 연립해 쑨원이 대원수로 있던 군정부다. 마지막 3차는 1923
    년 쑨원을 대원수로 삼고 혁명파가 위주였던 정부로, 이 시기에 제1차 국공합작(國共合作) 등을 거치
    면서 쑨원의 광동정부는 비로소 정부로서 안착되기 시작했다. 이후 1925년 7월 '국민정부'로 이름을
    바꾸고, 1927년 2월 북벌전쟁을 위해 호북성 무한(武漢)으로 천도할 때까지 계속 지속되었던 정부다.

동북 지역의 왕으로 불렸던 장쭤린. 그는 마적 출신이었다.

북경에 쳐들어간 펑위샹은 옛 상관 차오쿤 대총통을 사로잡아 감옥에 감금하고, 반란으로 허를 찔린 우페이푸를 급습해 호북湖北 지역으로 쫓아냈다. 감옥에 갇힌 차오쿤은 자신의 고향인 보정부로 돌아가 장사를 하게 해달라고 부탁했으나 후환을 우려했던 펑위샹은 이를 거절했다. 그러고 나서 "중국에는 황제가 없다." 며 자금성에 살고 있던 폐황제 푸이를 자금성 밖으로 쫓아냈다.

그리고 마지막 수순으로 봉계군벌 장쭤린과 연합해 북경의 중앙정부를 통제하기 시작했다. 동북의 마적 출신 장쭤린은 다년간의 노력과 분투를 거쳐 드디어 자금성을 장악했다. 이때부터 북경에서는 허리에 권총을 차고 손에 아편 담뱃대를 든 장쭤린이 그럴듯하게 명령을 내리는 모습을 자주 볼 수 있었다.

이 시기는 중국 국민들을 우울하게 만든 그야말로 절망의 나날이었다. 북방의 대소 군벌들은 각자 보유한 군사력을 믿고, 서로 자신의 이익을 위해 분란을 일으켰다. 또 땅을 나눠 가지고 근거지에서 자신의 지위를 강화했다. 이들은 각자 세력 범위를 넓히기 위해 아귀다툼을 끊임없이 일으

컸다. 군벌 우두머리들은 적과 친구의 구분이 없었고 오직 이익에 근거해 동맹을 맺거나 원수가 됐다.

빈껍데기뿐인 중앙정부는 지방의 재정과 세수를 관리하지 못한 것은 말할 것도 없고, 인사에서조차 전혀 힘을 쓰지 못했다. 중앙정부를 좌지우지한 군벌은 군사력을 계속 유지하고 수중의 권력을 빼앗기지 않기 위해 외채에 의존하지 않으면 안 됐다. 그러나 외채를 얻으려면 구미 열강들의 요구 조건을 다 들어줘야 했기 때문에 나라를 팔고 국토를 파는 일이 비일비재했다. 불쌍한 것은 백성뿐이었다. 동란의 시대에 백성들은 하루도 마음 편하게 지낸 날이 없었다. 포성이 울리면 생계를 유지하기 위해 고달픈 유랑생활을 해야 했고, 총소리가 잠시 잠잠해진다 싶으면 또 온갖 명목의 세금에 시달려야 했다.

거함 청제국의
방황과
외침

　　　　　　　　　　　　　　　　1840년대 이후부터 70~80년 동안 중
국에서는 여러 가지 사회개조 운동이 꼬리를 물고 나타났다. 그런데도 중
국 사회는 조금도 달라지지도, 바뀌지도 않았다. 훗날 중국의 사상가들은
이 문제에 대한 해답을 얻기 위해 많은 고민을 했다.

　수십 년 동안의 유학 붐에 의해 배출된 인재들이 이번에도 선봉에 나섰
다. 해외 유학파 지식인들은 구미 각국에서 배워온 사유 방식과 도구를
이용해 중국의 역사와 사회를 재조명한 결과, 모든 문제의 근원이 중국
전통 문화에 있다고 결론을 내렸다. 이들은 중국의 고유문화를 연구해 문
제점을 개선해야 한다고 목청을 높였다. 이렇게 해서 중국 전역에서 노도
와 같은 사상 해방 운동이 활발하게 일어나기 시작했다. 2,000여 년 전 선
진先秦 시기에 활발한 논쟁을 펼쳤던 제자백가諸子百家들처럼 말이다.

반기를 드는 소장 학자들

이들은 먼저 중국의 전통 문학에 반기를 들었다. 당나라 시인 최호崔顥의 황학루黃鶴樓를 예를 들며, "깨끗한 시냇물에는 한양의 나무들이 비쳤고 향기로운 풀은 앵무섬에 빽빽하게 우거졌네晴川歷歷漢陽樹, 芳草萋萋鸚鵡洲"와 같이 율격을 강조한 창작 방식은 사람들의 감정을 지나치게 억압한다고 주장했다. 반대로 중국의 현대시인인 쉬즈모徐志摩 · 서지마의 "아무도 몰래 왔듯이 아무도 몰래 떠나네"와 같은 현대 시들은 사람들의 자유를 더 잘 표현할 수 있다고 평가했다.

문자학에 조예가 깊었던 첸쉬안퉁錢玄同 · 전현동은 더 큰 파격을 주장했다. 한자를 폐지하고 표음문자인 로마자를 도입하자고 제안한 것이다. 그의 중국어 개혁 주장에 박수갈채를 보내는 사람도 있었다. 하지만 가당치 않다고 비난하는 사람도 많았다. 특히 "한자를 완전 폐지해야 한다."는 주장은 중국 국민의 분노를 불러 일으키기까지 했다.

문학 개량 운동의 지도자로 나섰던 후스. 그는 점진적 개량을 주장했다.

훗날 천하에 이름을 날린 시인이자, 철학자인 후스胡適는 이때 〈문학개량추의〉라는 글을 발표해 문학개량 운동의 지도자로 부상했다. "백화문으로 문언문을 대신하자![18]"는 그의 주장은 이 사상문화 운동의 중국 사회에 대한 가장 위대한 공헌이었다. 컬럼비아대학교 철학박사인 그는 미국 유학 기간에

신청년을 창간했던 천두슈(왼쪽)와 중국의 대문호 루쉰(오른쪽).

실용주의 철학 거장인 존 듀이John Dewey의 제자로 있으면서 평생 동안 실용주의를 진리 검증의 표준으로 삼고 살아왔다. 급진적 혁명은 사회 발전에 백해무익하기 때문에 점진적 개량을 통해 사회를 조금씩 변화시켜야 한다는 것이 그의 주장이었다.

그는 또 중국의 빈곤, 무지, 부패, 질병, 소요 등 문제점을 해결하기 위해서는 '주의主義'를 적게 논하고 구체적 '문제' 연구에 힘써야 한다고 호소했다. 그는 학문을 연구할 때와 똑같은 방법으로 사회 문제를 탐구했다. 즉 과감하게 가설을 세우고 조심스럽게 실증을 얻는 방법이었다. 이밖에도 중국 사회의 전면적인 서구화를 주창하면서 중국에 헌정憲政을 수립하고 창당 금지를 해제해야 한다고 목청을 높였다.

---

18 백화문으로 문언문을 대신하자: 표의(表意)문자인 한자(漢字)는 말의 음가(音價)를 그대로 옮길 수 없기 때문에, 중국어 문학은 말과 글의 차이가 현격하다. 그래서 옛 중국인들은 입으로 말하는 구어를 별로 중요치 않게 여기고, 글로 쓰는 문어를 더 중요하게 여겼다. 이러한 문장을 고문(古文) 또는 서면어(書面語)라고 부르는데, 문언문은 서면어 중에서도 중국고전문학에서 사용하던 고급 언어로 일반 서민들이 사용하는 구어체 문장인 백화문과는 차이가 컸다. 이러한 괴리감을 줄이기 위해 백화문을 사용하자는 주장이다.

이 사상 해방 운동에서 후스와 나란히 이름을 올린 사람은 천두슈陳獨秀였다. 안휘성 태생인 그는 처음에는 급진 혁명파였다. 천두슈는 과거 서태후의 명으로 서양으로 시찰을 떠나는 청나라 5대신을 암살하는 임무를 맡기 위해 오월과 결투까지 벌였던 사람이다. 그는 오월에게 암살 임무를 빼앗긴 이후에는 글로써 사람들을 각성시키는 더욱 막중한 사명을 짊어졌다. 그는 북경대학에서 교직을 맡았던 1915년에 《신청년新靑年》이라는 잡지를 창간해 당시 사상문화 운동에 울타리 역할을 했을 뿐만 아니라 갈 길을 모르던 중국 청년들에게 큰 영향을 끼쳤다. 20세기 중국 정계의 양대 산맥으로 우뚝 섰던 장제스와 마오쩌둥도 당시 《신청년》의 열렬한 독자였을 정도였으니 그의 영향력이 어느 정도였는지 가늠할 수 있다.

천두슈는 1919년 1월호 《신청년》에 발표한 〈본 잡지의 죄상에 대한 답변서〉라는 글을 계기로 이름을 천하에 알렸다. 그는 독자들의 심금을 울리는 이 웅변과도 같은 글을 통해 《신청년》의 중심 사상은 '데모크라시(민주)' 와 '사이언스(과학)' 를 옹호하는 것이라고 당당하게 밝혔다.

천두슈의 눈부신 정치 인생은 1920년대에 중국 공산당 최고지도자가 되면서부터 시작됐다. 그러나 그 기간은 고작 6년밖에 지속되지 못했다. 고집스러운 성격을 지닌 그는 참담한 좌절을 경험한 후 세속에 굴복하고 쓸쓸한 노년을 보내다가 세상을 떴다. 그는 중국 사상계의 거장으로 불려도 손색이 없을 사람이었으나 정치적 풍향에 민감한 중국인들에게 철저히 외면당했다. 그가 옹호했던 '데모크라시' 와 '사이언스' 도 그 자신처럼 드넓은 중국 대지를 이리저리 떠돌다가 끝내 주류 사상이 되지 못했다.

《신청년》의 수많은 기고자들 중에서 후세에 가장 익숙한 인물은 바로 루쉰魯迅이다. 루쉰은 원래 의학을 공부했다. 하지만 병든 몸을 치유하는 것보다는 병든 중국인의 정신을 치유하는 것이 더 절실하다고 생각해 의학 공부를 그만두고 글쓰기를 시작했다. 그의 주특기는 후스나 천두슈와는 달리 소설과 잡평雜評이었다. 그의 문장은 짧지만 힘이 있었다. 중국인들의 병든 영혼을 날카롭게 풍자한 것이 특징이었다. 그의 문장은 또 기상천외한 내용과 각박한 언어 사용으로 중국 문학사에서 그 유례를 찾아볼 수 없었다.

그의 대표작으로는 《광인일기》, 《아큐정전》 등을 들 수 있는데, 중국에서는 초등학교부터 대학교까지의 교재에 모두 그의 글이 등장하고, 그의 책을 펴낸 출판물도 엄청나게 많다. 그의 이름은 부녀자와 아이들도 다 알 정도다. 그러나 문제는 많은 사람이 그의 글 속에서 정치적 정보를 얻는데 점점 익숙해졌다는 사실이다. 그 결과 그의 지위는 갈수록 높아지는데 반해 '인간 루쉰'은 사람들로부터 점점 멀어지고 말았다. 한마디로 말해 중국인들은 루쉰에게 '총 대신 붓을 드는 것'만 배웠을 뿐 다른 것을 배우지 못했다.

5·4 운동을 촉발시킨 파리평화회의

중국에서 이처럼 사상해방 운동이 한창 기세를 올리고 있을 때 유럽 전장에서도 중대한 변화가 생겼다. 1차 세계대전에서 연속된 패배로 말미암아 독일 국내 정세는 심하게 요동쳤다. 1918년 11월 9일 독일 황제 빌헬름 2세는 전쟁에 대한 책임으로 퇴위를 선포한 다음, 네덜란드로 망명했다. 그리고 이틀 뒤 독일은 콩피에뉴 숲속에서 연합국과 '정전 협정'을 체결했다. 이렇게 해서 장장 4년 3개월 동안 지속되었던 제1차 세계대전이 끝났다.

1919년 1월 각국 대표는 프랑스 파리 교외의 베르사유에 모여 '파리평화회의'를 가졌다. 미국 대통령 우드로 윌슨은 패전국, 그중에서도 독일을 관대하게 대할 것을 주장하며, 그 유명한 '민족자결주의[19]'가 강조된

14개조[20]를 주창했다. 그러나 미국의 주장에 맞장구치는 나라는 드물었다. 미국을 제외한 다른 승전국들은 패전국에 대해 윌슨처럼 관대하지 않았다. 프랑스는 전쟁으로 인해 막대한 피해를 입었다는 이유로 보복을 주장했고, 영국은 더 많은 배상금을 요구했다. 일본은 몇 년 전부터 독자적으로 주판알을 튕기고 있던 터라 아예 이번 기회를 이용해 독일이 중국에서 가지고 있는 세력 범위를 모두 빼앗으려고 작정하고 있었다.

평화회의는 졸지에 전승국들끼리 전리품을 나누고 이익을 다투는 모임으로 변해버렸다. 이번 평화회의는 처음부터 끝까지 비정상적인 모습만 보였다. 최고회의는 아예 공개하지 않았다. 각국 대표들은 공식 회의 장소로 지정한 베르사유 궁전이나 프랑스 외교부에서만 회의를 연 것이 아니었다. 클레망소 당시 프랑스 총리의 자택이나 미국 대통령 혹은 영국 총리의 임시 관저에서 비밀회의를 벌였다.

이번 파리평화회의에는 1년 전에 북경의 군벌정부가 중국을 대표해 독일에 선전포고를 했기 때문에 중국도 전승국의 자격으로 참가할 수 있었다. 중국 정부는 이번 평화회의에 큰 기대를 걸고 류정샹陸徵祥·류정상과 구웨이쥔顧維鈞·고유균을 전권대표로 파견했다. 이번 기회를 말미암아 19세기 말부터 독일에 빼앗겼던 산동반도를 되찾아오려는 생각이었다. 여기에다 유럽에서 공부하던 중국 유학생들의 건의도 받아들여, 이번 기회

---

19 민족자결주의(民族自決主義): 각 민족 집단이 스스로의 의지에 따라 그 귀속과 정치 조직, 정치적 운명을 결정하고, 타민족이나 타국가의 간섭을 받지 않을 권리를 말한다. 이 주장은 당시 중국, 조선, 필리핀, 인도차이나반도 등 열강들의 각축장이 되었던 아시아 국가들과 유럽의 약소민족들에게 커다란 반향을 불러왔다.

20 14개조(Fourteen Points): 우드로 윌슨 미국 대통령이 주창했던 〈14개조〉의 주요 내용은 크게 '민족자결주의', '비밀외교 타파와 공해(共海) 자유의 강조', 그리고 '법에 의한 통치' 등 세 가지로 요약할 수 있고, 그 내용은 일반론 5개 조(條)와 국제연맹의 안(案)을 포함한 특수문제의 9개 조(條)로 구성되어 있다.

1919년 5월 4일 북경 13개 학교의 학생 3,000명이 천안문 앞에서 시위를 벌였다. 이렇게 해서 5 · 4 운동이 발발했다.

에 1915년 일본과 체결했던 불평등 조약인 '중일신약中日新約'도 폐기하기 위해, 패전국 독일에 점령당한 산동반도의 반환을 요청하는 진술서에 '중일 신조약'도 부가해 제출했다. 4년 전에 체결한 이 조약은 일본의 산동반도 강점 음모를 드러내는 명백한 법적 증거였다.

그러나 일본 대표는 강경한 태도로 중국 측의 요구를 거절했다. 심지어 화친 조약에 서명하지 않고 평화회의에서 퇴출시키겠다면서 전승국들에 압력을 가했다. 영국, 프랑스, 미국 대표들은 일본의 압력을 견디지 못하고 "조약은 반드시 이행돼야 한다."는 구실로 중국 측의 손을 들어주지 않았다. 중국 대표단이 강경한 태도로 항의했지만 아무 소용이 없었다. 약한 국가는 외교 자주권을 가지지 못하는 법이다. 중국은 산동 문제 교섭에 실패했다.

이 소식이 전해지자 일본에 있는 중국 유학생들이 가장 먼저 듣고 일어났다. 이들은 매국노를 성토하는 격문을 전국에 붙였다. 유럽과 미국에서 귀국한 유학생들은 4월 하순부터 북경과 천진에서 전단을 배포하기 시작했다.

북경대학 학생들은 5월 3일 저녁 7시에 법과대학 강당에서 전교 학생회의를 소집했다. 회의는 사뭇 격앙된 분위기 속에서 진행됐다. 대회 참가자들 중에는 통곡하는 사람이 있는가 하면 열변을 토하는 사람도 있었다. 학생회의에서는 '전국 각 계층과 연합해 파리평화회의 결정을 거절할 것, 파리에 있는 중국 대표단에 전보를 보내 평화조약 조인을 거부하게 할 것, 전국 각계에 통전을 보내 5월 7일에 거리에서 시위를 벌일 것, 5월 4일에 천안문 광장에 모여 대규모 시위를 벌일 것' 등의 사항을 의결했다.

5월 4일 오후 2시, 대학생 수천 명이 천안문 앞에 집결했다. 금수교金水橋 남쪽에는 눈에 띄는 대련對聯 글귀를 적은 큰 깃발이 세워졌다.

큰 깃발에 적힌 문구는 "나라를 팔아 영화를 구하니, 조조曹操네 종자 무덤가의 비석에는 글자가 없고, 외세에 빌붙어 나라를 파니, 장돈章惇이 죽은 후에도 잔여 세력은 남아 있구나" 라는 문구였다.

이 문구에서 조조는 당시 교통交通 총장을 맡았던 차오루린曹汝霖·조여림, 장돈은 당시 주일 공사로 있던 장쭝샹章宗祥·장종상을 빗댄 것이다. 분노한 학생들은 차오루린, 장쭝샹과 함께 당시 조폐국 총재를 맡았던 루쭝위陸宗輿·육종여 등 세 명의 친일파에게 지난 4년 동안의 중일 담판 실패 책임을 물으며 분노했던 것이다.

천안문을 출발한 시위대는 각국의 대사관이 밀집한 동교민항東交民巷으로 기세당당하게 몰려가 각국에 항의서한을 전달했다. 이어 장안 거리와 숭문문 거리를 가로질러 동성東城에 있는 차오루린의 집으로 향했다. 이들은 차오루린의 집으로 들어가 마침 그곳에 있던 장쭝샹을 마구 구타했다. 또 물건을 파괴하고 불을 질렀다. 북경의 대학생들이 선도한 학생운동은 각계의 호응을 얻으며 들불처럼 중국 전역으로 번졌다. 전국 각지에서 시위, 청원, 동맹휴학, 동맹파업, 일본상품 배척운동이 전개됐다. 중국 정부는 국민의 압력을 못 이겨 차오루린, 장쭝샹, 루쭝위를 모든 직위에서 해임했다.

파리에 있던 중국 대표단은 6월 28일, 베르사유궁전에서 열린 강화조약 체결식에 참석하지 않았다. 이어 대표단 전원은 모든 책임을 지고 중국 정부에 사직서를 제출했다. 수석대표 류정상은 귀국한 후 남다른 대우를 받았다. 상해에서는 성대한 환영을 받았으나 북경에 도착해서는 산동 사람들로부터 온갖 비난을 받았다. 중국 대표단이 강화조약 체결을 거부함으로써 일본인들이 산동에서 보복행위를 벌였기 때문에 피해를 입은 산동 사람들이 류 단장에게 화풀이를 한 것이다.

산동 문제는 3년이 더 흘러 열린 '워싱턴회의21'에서 겨우 타결됐다. 미국 정부의 중재로 중국은 산동의 주권을 되찾아 5·4 운동의 직접적인 목적을 모두 달성했다. 5·4운동이 반영한 애국주의 정신은 지금도 중국인들에게 많은 교훈을 주고 있다.

---

21 워싱턴회의(Washington Conference): 1921년 11월 12일부터 1922년 2월 6일까지, 3개월에 걸쳐 미국, 영국, 프랑스, 중국, 일본 등 9개국이 워싱턴에서 가진 국제회의다. 이 회의 기간 동안 '해군의 군비제한 조약', '중국에 관한 9개국 조약', '태평양 지역의 속지와 영지에 관한 조약', '잠수함의 공격 행위와 독가스 사용 금지' 등 7개의 국제조약이 체결되었다. 이 회의로 각국은 1만 톤급 이상의 군함 척수 비율을 배정받았고, 영국과 일본의 동맹은 폐기, 일본은 산동에서의 각종 이권을 중국에 되돌려주게 됐다.

새로운
이념의
부상

　　19세기 말 중국에서 '서양 따라 배우기' 열기가 한창 뜨거울 때 유럽의 다양한 인문학설도 중국에 대거 전파됐다. 그중에는 사회 개조에 관한 급진적 사회주의 사상과 무정부주의 사상도 포함됐다. 특히 독일의 철학박사 카를 마르크스의 학설도 빼놓을 수 없었다.

　　카를 마르크스의 학설이 중국에 전파될 때 마르크스는 이미 이 세상 사람이 아니었다. 그가 1883년에 세상을 뜬 뒤 마르크스의 중요한 파트너인 엥겔스도 1895년에 사망했다. 이 두 사람의 학설은 이들이 세상을 뜨기 전부터 서유럽에 꽤 많은 영향을 미쳤다. 유럽 각국에서는 이에 따라 '제2인터내셔널'이나 '파리코뮌' 같은 각양각색의 사회주의 정당과 노동조합이 우후죽순 격으로 출현했다.

마르크스주의와 소련의 건국

카를 마르크스는 자본주의는 고유의 내재적 모순 때문에 생산력이 한계에 이르렀고 위기가 도처에 잠복해 있다고 봤다. 또 자체적으로 이 내재적 모순을 해결할 수 없기 때문에 궁극적으로는 새로운 경제사회 제도인 공산주의에 의해 대체될 것이라는 예언을 했다. 마르크스는 이 새로운 경제사회 제도를 이론적으로 설계해 전파했다. 이어 전 세계 프롤레타리아(임금노동자)들에게 새로운 사회를 맞이하기 위해 힘을 합쳐 분투할 것을 호소했다.

마르크스 추종자들은 사회혁명이 불가피하다는 마르크스의 주장에 대해 조금도 의심하지 않았다. 그들은 한편으로 힘을 기르면서 다른 한편으로는 급변의 시대가 다가오기만을 기다렸다. 마르크스와 엥겔스가 죽은 뒤에도 이들의 학설은 여전히 계속 발전했다.

새로운 세기인 20세기가 다가올 무렵 마르크스와 그의 학설은 중국 출판물에도 등장하기 시작했다. 그러나 지역 차이 및 언어 차이로 말미암아 마르크스와 그의 학설에 대해 소개할 때 실수가 빈발하는 것은 어쩔 수 없었다. 마르크스를 '영국 신사'라고 소개했는가 하면 마르크스 사상을 프롤레타리아들이 끊임없는 투쟁을 통해 부자들을 굴복시키고 최종적으로 사회 권력을 장악하는 것이라고 개괄하기도 했다.

또한 다른 나라에서는 "전 세계 무산자는 단결하라!"고 울려 퍼진 이 유명한 구호도 최초의 《공산당 선언》 번역본에서는 "각지의 평민들은 안전하면 분발하지 않아도 된다!"는 도대체 무슨 뜻인지 전혀 이해할 수 없는 말로 번역됐다. 그럼에도 불구하고 마르크스 사상을 배우고 연구하는 사람은 점점 더 많아졌다. 해외에 있는 중국 유학생들도 사회주의 단체를 결성했다. 다국어에 정통했던 중국인 장캉후江亢虎 · 강항호는 1909년에 벨기에 브뤼셀에서 열린 제2인터내셔널 회의에 참가하기도 했다.

중국과 이웃한 강국 러시아는 19세기부터 농노제 개혁을 시작했다. 그러나 철저하게 완성하지는 못했다. 또 1차 세계대전에 참전은 했으나 전쟁 기간이 길어지면서 낙후한 경제 체제가 막대한 전쟁비용을 감당하지 못해 붕괴 위기에 직면하고 있었다. 이로 인해 1917년에 2월 혁명이 발발하면서 러시아의 차르인 니콜라이 2세가 퇴위하고, 알렉산드르 케렌스키를 핵심으로 하는 임시정부가 구성됐다. 하지만 이들도 단시일에 사회문제를 해결하지 못했다.

1917년 11월(러시아력으로 10월) 다년간의 혁명 경험을 가지고 있는 레닌은 볼셰비키들을 인솔해 무력으로 임시정부를 뒤엎고 소비에트 정권을 수립했다. 러시아혁명의 지도자 레닌은 전 세계에 "10월 혁명은 독일인 마르크스의 학설을 지도사상으로 삼았다. 앞으로도 마르크스 이론을 토대로 사회주의 국가를 창건할 것이다."고 선포했다.

레닌은 마르크스 학설을 크게 개조했다. 마르크스 이론에 따르면, 사회주의 제도는 국가가 멸망하고 정부라는 개념이 사라진 뒤에 전 세계에 동시에 나타나는 것이 아니었다. 또 특정 국가나 특정 지역에서만 나타날 수 있는 것도 아니었다. 그러나 레닌은 사회주의 국가 건설이 충분히 가능하다고 확신했다. 실제로 그는 자신이 말한 대로 신속하게 러시아에 세계 최초 사회주의 국가인 '소비에트 사회주의 연방공화국(소련 · 蘇聯)'을 세웠다. 레닌의 프롤레타리아 혁명 이론은 그래서 '레닌주의'로 불린다. 레닌주의가 마르크스 사상과 어떤 관계가 있는지는 이론가들의 연구에 맡기기로 하고 여기서는 더 이상 언급하지 않기로 한다.

중국공산당 창당과 상해쿠데타

천두슈가 창간하고 편집장을 맡았던 《신청년》.

이 무렵 중국에서는 사상해방 운동이 한 창 벌어지고 있었다. 러시아혁명의 성공을 계기로 프롤레타리아 혁명 이론은 중국 지식인들의 사상 분야에도 불가피하게 도입됐다. 사상해방 운동 지도자들은 앞장서서 레닌주의를 선전하기 시작했다. 그중에서도 《신청년》 잡지를 창간한 천두슈와 그의 동료 리다자오李大釗 · 이대교의 영향력이 가장 컸다.

천두슈가 편집장을 맡은 《신청년》은 볼셰비키 혁명을 선전한 다채로운 글을 대거 실었다. 중국의 각 지역에서도 레닌주의를 선전하는 간행물이 대거 쏟아졌다. 대표적인 간행물들로는 상해의 《공산당》과 《노동계》, 북경의 《노동자》와 《공인월간工人月刊》, 호남의 《상강평론湘江評論》, 산동성 제남濟南의 《제남노동월간》, 광주廣州의 《노동자》 등을 꼽을 수 있었다. 또한 러시아 볼셰비키를 선전하려는 선동가들도 중국으로 왔고, 전국 각지에서는 공산주의 소조共産主義 小組가 우후죽순 격으로 생겨났다.

1921년 7월 23일 중국공산당 창당대회가 상해에서 개최됐다. 전국 각지 공산주의 소조에서 파견한 12명의 대표가 이 회의에 참가했다. 이들 중에는 신해혁명에도 참가한 적이 있는 원로 혁명가 둥비우董必武 · 동필무와 비범한 재능을 과시하며 훗날 중국의 공산당 혁명을 주도한 젊은 혁명가 마오쩌둥이 있었다. 이 밖에 덕은 없으나 재능은 있었던 저우포하이周佛海 · 주불해와 천궁보陳公博 · 진공박도 있었다.

쑨원은 군벌들에게 크게 실망하고 국민당을 개조하기로 결정했다. 그래서 천두슈 등 공산당원들을 국민당 개진방략위원
회에 영입했다.

이 밖에도 코민테른[22]을 대표해 니콜스키Nikolsky와 마링Maring도 이 회
의에 참석했다. 훗날 세계 최대 정당으로 성장한 중국공산당은 이때까지
만 해도 53명의 당원들과 코민테른의 '극동 서기처'라는 이름밖에 가지
지 못한 상태였다. 새로이 창당된 중국공산당은 "무산 계급의 독재 정권
을 수립하고 사유 재산제를 폐지하며 최종적으로는 공산주의를 건설한
다."는 목표를 정했다.

회의 참가자들의 안전을 고려해 마지막 회의는 상해에서 멀지 않은 절
강성 가흥嘉興에 있는 남호南湖의 유람선에서 열렸다. 천두슈는 이 회의에
참가하지 않았지만, 대회 참가자들은 만장일치로 천두슈를 중국공산당

---

22 코민테른(Communist International): 1919년 3월, 레닌의 발기(發起)로 국제공산당 창건대회에서 창
설되어 1943년 6월 10일까지 유지된 '마르크스-레닌주의당'의 국제적 조직체이다. 흔히 '제3국제
당' 또는 '제3인터내셔널'로도 불렸다. 당시 세계 여러 나라에서 성장 단계에 있던 공산당을 성장할
수 있게 지도하고, 각국 공산당의 연계를 강화하기 위한 목적으로 설립된 국제 공산주의 조직체.

중앙정치국 초대 총서기로 선출했다. 천두슈의 엄청난 영향력을 엿볼 수 있는 대목이다. 이 대회에서는 또 노련하고 신중한 학자 리다李達·이달와 젊고 혈기왕성한 장궈타오張國燾·장국도를 정치국 위원으로 선출해 천두슈를 보좌하도록 했다. 장궈타오는 천두슈의 제자이자 5·4 학생운동의 지도자로 활약한 인물이었다.

이로써 드디어 중국에서 전대미문의 혁명 정당인 중국공산당이 창당됐다. 중국공산당의 창당은 중국 역사상 천지가 개벽할 만한 대사건이었다.

그러나 처음부터 중국공산당이 대중의 지지를 폭넓게 받으며 확산됐던 것은 아니다. 처음에는 성장 초기인 탓에 강력한 세력을 형성하지 못했다. 그러다 1920년대 초기부터 중국 근대화의 영향으로 중국 각지에서 봇물 터지듯 하던 여러 노동운동에 적극 참가하고 이 운동들을 주도함으로써 성장의 기틀을 다졌다. 특히 1922년 5월 광주廣州에서 있었던 '제1차 전국노동대회'와 '제1차 전국대표대회'를 통해 그 존재를 세상에 널리 알렸다. 동시에 이 양대 대회를 통해 남방정부南方政府23의 쑨원孫文에게까지 영향을 미쳐 훗날 '연소용공聯蘇容共정책24'을 바탕으로 하는 '국공합작國共合作'까지 이끌어낸다.

쑨원이 연소용공으로 혁명방침을 바꾼 것을 계기로 1924년부터 중국

---

23 남방정부(南方政府): 중국 북방에서 활동하던 북경의 군벌정부에 대응하기 위한 개념으로, 쑨원과 장제스 시기의 '광동정부', '광주정부', '국민정부', '남경정부' 등 중국 남부 지방에 터를 잡았던 국민당 정부의 명칭을 하나로 아우르는 개념이다.

24 연소용공(聯蘇容共) 정책: 쑨원의 국민당이 1924년부터 1927년까지 시행했던 정책으로, 국민당이 소련(蘇聯)과 손을 잡고 당시 코민테른의 극동서기처였던 중국공산당을 포용해 혁명을 추진하려고 했던 정책이다. 계기는 1922년 6월, 서남군벌에 의해 상해로 쫓겨난 쑨원에게 소련 정부가 혁명을 위한 자금과 물자를 지원하겠다는 의사를 보이면서부터다. 당시 북경의 군벌정부를 정통으로 인정하던 서방 각국들의 방침 때문에 서구의 지원이나 경제적 지원을 못 받던 쑨원은 소련의 원조 제의를 기꺼이 받아들일 수밖에 없었다.

국민당과 중국공산당의 국공國共 양당은 서로 협력해 적들을 상대하는 이른바 '1차 국공합작'의 시간을 갖게 된다. 이 기간에 국민당과 공산당은 자신들의 혁명 역량을 '반反제국주의, 반反봉건주의, 반反군벌'에 맞춰 활동하며 중국 전역의 군벌을 토벌하는 과정에서 커다란 성과를 보인다. 그러나 양당의 합작은 쑨원이 죽고 국민당 전면에 등장한 장제스가 좌파세력의 확장을 경계하며 반공주의를 표방하면서부터 끝날 수밖에 없었다.

1927년 봄, 남방 국민정부의 북벌 전쟁은 순조롭게 진척되고 있었다. 그러자 자국의 정세를 정확하게 판단한 상해 금융계는 국민정부를 전폭 지원하기 시작했다. 국민정부의 돈주머니가 두둑해지자 국민정부는 소련의 지원과 관심이 귀찮아졌고, 중국공산당의 세력 확장을 못마땅하게 여기는 사람들도 국민당 내부에 많이 생겨났다. 이러한 상황이 지속되다 보니 국공합작 여기저기서 불협화음이 속출하기 시작했다. 결국 국민정부가 수도를 남경으로 옮기기 일주일 전인 1927년 4월 12일, 장제스는 자위를 명목으로 상해에서 대대적인 공산당 소탕작전을 개시했다. 이른바 '상해쿠데타' 사건이 벌어진 것이다.

이 사건으로 국민정부와 국민군에 있던 공산주의자들이 대규모로 학살됐다. 7월 15일에는 또 한 명의 국민당 지도자인 왕징웨이汪精衛도 무한武漢25에서 국공합작을 결렬시킨다고 선포했다. 장제스는 약간의 성과를

---

25 국민당 무한(武漢) 정부: 1927년 2월부터 9월까지 호북성 무한(武漢)에 있던 국민당 좌파와 공산당이 구성했던 국민당의 또 다른 정부다. 1926년 7월 국민당은 장제스(蔣介石)를 총사령관으로 하는 국민혁명군을 조직해 중국 북부지역의 군벌을 토벌하도록 했다. 국민혁명군이 북벌(北伐)을 개시한 지, 불과 몇 개월 만에 파죽지세로 북진(北進)하자 효율적인 작전을 위해 정부 소재지를 천도(遷都)할 필요성이 있었다. 이때 국민당 우파는 강서성 남창(南昌)을, 국민당 좌파와 공산당은 호북성 무한을 내세우다 급기야 국민당 좌파와 공산당은 단독으로라도 천도를 단행했다. 이러한 상황에 맞서 평소 공산당의 세력 확장에 위협을 느꼈던 장제스는 1927년 4월 12일 상해(上海)에서 반공(反共)쿠데타를 일으켜 공산당을 축출하고, 4월 18일 남경(南京)에서 정부를 수립해 국민정부 안에 2개의 정부가 생기는 분열상을 표출한다.

얻은 다음 자신의 정치 밑천을 늘리기 위해 동맹자였던 중국공산당을 향해 칼을 휘둘렀다. 그가 목적을 위해서는 쉽게 배신도 할 수 있는 비정한 사람임을 증명한 대목이다.

'중국혁명의 비극'으로 불리는 당시 상해의 대학살 사건은 훗날 중국혁명의 흐름을 결정했다. 더불어 장제스 본인의 정치적 생애에도 위험 요소를 가득 심어놓았다. 이 참극에서 요행으로 목숨을 건졌다가 훗날 중국공산당의 핵심 지도자가 된 사람들은 신의를 헌신짝 버리듯 하고 잔인하고 악랄한 장제스의 인간성을 머릿속에 깊이 각인시켰기 때문이다.

그해에 주더朱德·주덕와 저우언라이周恩來·주은래는 강서성 남창南昌에서 봉기를 일으켜 강압에 굴하지 않는 공산주의자들의 혁명정신을 세인들에게 보여줬다. 마오쩌둥이 인솔한 농민군도 강서 남부의 산속에 들어가 새로운 길을 모색하기 시작했다. 이후 중국공산당은 여러 차례 패배와 고난을 경험한 후, 1930년대부터 점차 강대해지기 시작해 최종적으로 중국에서 거역할 수 없는 세찬 기세로 전국을 휩쓸었다.

피바다 속의
청천백일기

　　쑹자오런 암살사건과 뒤이은 '2차 혁명'의 패배는 '혁명' 만이 중국을 구원할 수 있는 유일한 방법이라고 믿었던 쑨원에게 큰 타격을 줬다. 성격이 강직하고 줄곧 투혼을 잃지 않았던 쑨원은 일본으로 망명을 떠난 후 뜬눈으로 밤을 지새울 때가 많았다.

　　쑨원은 일본에서 깊은 분석과 여러 가지 생각을 거쳐 드디어 중국 혁명의 실패 원인이 '신해혁명 성공 후 혁명가들이 명예와 이익만 추구하고 혁명 계획을 제대로 실천하지 않았기 때문'이라는 결론을 내렸다. 이런 분석에 부응하기라도 하듯 쑹자오런이 재편한 국민당은 구성이 복잡하고 단결이 되지 않았다. 또한 몇 차례 좌절을 겪은 후에는 당원들의 기강도 완전히 해이해진 상태에 있었다. 혁명을 성공시키기 위해서는 국민당에 대한 개조가 미룰 수 없는 과제로 떠올랐다. 쑨원은 이와 같이 혁명 사업에 박차를 가하기 위해 망명지인 일본에서 중화혁명당中華革命黨[26]을 창당하는 등 국민당 개조를 항상 염두에 두고 활동했다.

소련과 연합을 추진한 쑨원

위안스카이가 세상을 뜬 1916년 가을에 귀국한 쑨원은 새로 조직된 중앙정부에 큰 기대를 걸고 "약법約法을 회복하고 민의기관을 존중하자."는 내용의 선언문을 발표했다. 그러나 중국의 정치는 갈수록 혼란스러워졌다. 정국은 예전보다 나아지기는커녕 오히려 더 악화됐다. 총통부와 내각 간의 분쟁, 군부의 정치 간섭, 내각 붕괴, 의회 해산, 배신, 복벽 등 별의별 위법 사건이 꼬리에 꼬리를 물고 일어났다. 이런 상황에서 약법을 회복한다는 것이 말이나 되는 소리인가?

결국 쑨원은 1917년 9월에 광동성 광주에서 서남西南 지역27 군벌들과 연합해 중화민국 군정부를 조직했다. 이른바 '광동정부廣東政府'를 수립한 것이었다. 이어 본인이 스스로 광동정부의 대원수를 맡아 중화민국 원년元年에 제정한 임시약법을 수호하자는 '호법護法 운동'을 전개했다. 당시 북경은 물론이고 전국 각지에서 위법 사건이 빈발했으니 쑨원이 호법 운동을 선도한 것은 매우 정의로운 행동이었다.

그러나 쑨원이 펼쳤던 이른바 호법 운동에도 문제는 있었다. 임시약법

---

26 중화혁명당(中華革命黨): 쑨원이 일본 망명 중이던 1914년에 기존 국민당의 혁명 실패요소를 연구하고 이를 극복하기 위해 만든 혁명적 비밀정치결사이다. 기존 국민당과의 차별화를 위해 중화혁명당 조직원들은 '전제정치의 배제', '완전한 민국 건설', '민권주의와 민생주의의 실행' 등을 목표로 하고, 쑨원에 대한 복종과 엄격한 규율 준수 및 비밀엄수를 요구받았다. 하지만 비밀조직의 특성상 일반 대중과의 소통에 커다란 한계가 있자, 결국 1919년 10월 10일 중국국민당(中國國民黨)으로 흡수, 통합됐다.

27 서남(西南) 지역: 중국의 '6대 지리구' 구분법에 의하면, 현재 중국의 서남(西南) 지역은 중국 서남부의 중경(重慶市)과 사천성(四川省), 운남성(雲南省), 귀주성(貴州省)과 티베트 자치구(西藏自治區)까지 포함하는 광대한 지역이다.

에는 따로 정부를 조직해도 된다는 조항이 없었다. 따라서 쑨원이 따로 정부를 조직한 것도 엄밀히 말하면 분명한 위법이었다. 그렇다면 법을 수호하기 위해 위법 수단을 사용하는 것은 합법적인가 아니면 불법인가? 전국 각지에서 위법 사건이 빈발한 것은 이미 하루 이틀 전의 일이 아니었다. 그런데 중국에 정부가 두 개씩이나 생겨나서 서로 견제와 비방을 일삼고 있었으니 국민에게 분열, 할거 등 좋지 않은 인상만 남겼을 뿐이었다.

그러나 사실 호법 운동을 펼쳤던 중국 남방 지역도 평안하지는 못했다. 양광(兩廣·광동과 광서), 운귀(雲貴·운남과 귀주) 지역에서는 군벌軍閥들이 제멋대로 온갖 악행을 저질렀다. 당시 이 지역의 정세는 북방 지역의 군벌들도 저리 가라고 할 정도로 혼란스러웠다. 쑨원의 호법 운동은 중화민국 해군 제1함대의 충실한 지지를 얻은 것 외에는 이렇다 할 성과를 얻지 못했다.

당시 중국 남부의 권력은 서남西南, 양광 지역의 군벌 손에 집중돼 있었다. 지방 군벌들이 당시 쑨원의 남하南下를 환영한 이유는 간단했다. 호법의 명분을 빌려 각자 자신들의 세력을 튼튼히 하려는 목적 외에는 다른 것이 없었다. 당연히 쑨원에게는 그 어떤 실권도 주려고 하지 않았다. 지방 군벌들은 쑨원 군정부의 이름으로 계속 위법 행위를 저질렀다. 한마디로 말해 호법을 핑계로 백성들을 못살게 굴었다.

이 시기 쑨원은 군벌정부의 돤치루이와 치른 '호법전쟁護法戰爭'을 비롯한 여러 가지 굵직한 사건을 벌였다. 하지만 쑨원이 호법을 위해 시도했던 여러 가지 시도들은 대부분 군벌들의 배신이나 훼방으로 모두 실패하고 말았다. 쑨원으로서는 고난과 시련의 연속이었다.

1920년대에 들어서자 북방 군벌들은 서로 아귀다툼을 벌이느라 쑨원에게 신경을 쏟을 겨를이 없었다. 쑨원은 이 기회를 이용해 삼민주의 학설을 다시 정리하고 동지들과 함께 당무를 새롭게 살피기 시작했다. 1924

년 1월, 중국국민당 제1차 전국대표대회가 광주에서 열린 것을 기점으로 그는 소비에트연방(소련)과 연합하자고 주장했다. 쑨원의 이 주장 이후 중국국민당과 중국공산당은 혁명을 위해 서로를 합작의 대상으로 인정하고 함께 혁명전선에 나서게 된다.

이즈음 영국과 미국을 비롯한 서구 열강들은 북경 군벌정부를 협상의 정식 상대로 삼았는지 아니면 쑨원의 혁명론에 실망했는지 몰라도 과거처럼 적극적으로 쑨원을 지원하지 않았다. 이에 반해 1917년 러시아혁명 이후 수립된 소비에트 볼셰비키 정권은 중국에서 레닌주의를 대거 선전하는 동시에 새로운 합작 파트너를 물색하기 시작했다. 쑨원이 소련과의 연합노선을 채택한 것도 바로 이런 이유 때문이었다. 쑨원의 선택은 뒷날 중국 정치의 흐름을 크게 바꾼 계기였다. 물론 이 당시에는 그런 조짐이 전혀 보이지 않았다.

1924년 우여곡절 끝에 훗날 중국을 움직인 장군들의 모교로 이름을 떨친 황포군관학교[28]가 설립됐다. 원래 쑨원은 폭력 혁명을 주장한 인물이었다. 그러나 군대만큼은 개인이나 당파의 소유물이 되면 안 되고 국가의 소유가 돼야 한다고 보았다. 그래서 그는 단 한 번도 군대나 정부를 장악한 적이 없었다. 심지어 그의 신념은 신생국가 중화민국을 순순히 위안스카이에게 내준 적도 있었다. 그러나 역설적이게도 쑨원이 심혈을 기울였던 군대는 소인배 위안스카이에게 맡겨져 최종적으로는 혁명을 배신한 도구로 사용되는 예상치 못한 결과를 빚기도 했다.

---

28 황포군관학교: 1924년에 있었던 중국국민당 제1차 전국대표회의에서의 결의에 따라, 소련공산당의 원조를 받아 국공합작체제로 광주(廣州) 교외의 황포에 설립한 군관학교다. 정식 명칭은 '중국국민당 육군군관학교(中國國民黨 陸軍官學校)'로 중국의 뤄루이칭(羅瑞卿), 쉬샹첸(徐向前), 린뱌오(林彪) 등 국공내전 과정에서 활약을 펼친 국민군과 공산군 장군들의 모교로 이름이 높다. 우리에게도 항일투쟁과 한국전쟁에서 활동한 많은 남북한 군인들의 모교로 이름이 익숙한 곳이다

쑨원 지고 장제스 뜨다

쑨원은 새로 개관된 황포군관학교의 초대 교장으로 장제스蔣介石를 임명했다. 국민당의 군사 인재를 육성하는 중대한 임무를 신예 장제스에게 맡긴 것이다. 쑨원은 젊고 혈기왕성한 장제스가 노고를 마다하지 않고 어떤 어려움도 강인한 의지로 헤쳐 나갈 것으로 기대했다. 과연 쑨원의 바람대로 황포군관학교는 훗날 중국 혁명에서 중요한 역할을 했다. 그러나 다른 한편으로는 이 학교에서 유능한 장교들이 많이 배출되면서 사실상 장제스의 독재정권 수립과 유지를 위한 도구로 사용되기도 했다. 이는 쑨원의 당초 생각과는 거리가 먼 것이었다.

1925년 3월 12일 쑨원은 "아직도 혁명은 성공하지 못했다. 동지들은 계속 노력해야 한다."는 유언遺言[29]을 남기고 운명을 달리했다. 국민혁명에 40년 동안 힘을 바쳤으나 대업을 이루지 못하고 혁명이 성공하는 그날을 보지 못한 채 세상을 떴으니 절세의 영웅호걸로서는 정말 유감이 아니라고 할 수 없다. 그나마 운명한 쑨원의 영령을 위로할 수 있었던 것은 남방에서의 혁명운동이 점차 좋은 방향으로 나아가고 있다는 점이었다.

쑨원이 세상을 뜬 이듬해인 1926년 6월, 국민정부는 장제스를 국민혁명군 총사령관 겸 군사위원회 주석에 특별 임명했다. 이로써 그는 육·해·공 3군을 총괄하는 권력을 얻었다. 그리고 7월 1일 장제스는 군사위

---

29 쑨원의 유언 전문: 쑨원은 다음과 같은 유언을 남겼다. "나는 국민혁명에 무릇 40년 동안 힘을 바쳤다. 그 목적은 중국의 자유와 평등을 찾는데 있었다. 40년의 경험을 쌓아 깊이 알게 된 것은 이 목적에 도달하고자 바란다면 반드시 민중을 일깨우고 세계에서 우리를 평등하게 대하는 민족과 연합해 공동으로 분투해야 한다는 것이다. 아직도 혁명은 성공하지 못했다. 무릇 우리 동지들은 내가 쓴 〈건국방략〉, 〈건국대강〉, 〈삼민주의〉, 〈제1차 전국대표대회 선언〉에 따라 마땅히 혁명에 계속 노력해 관철시켜야 한다. 나는 최근에 국민회의를 개최할 것과 불평등조약을 폐기할 것을 주장했다. 그러니 동지들은 반드시 단시일에 이를 실천할 것을 간곡히 당부하는 바이다."

1924년 5월 광주 혁명정부는 공산당과 소련 정부의 지원을 얻어 광주 황포에 국민당 육군군관학교, 즉 황포군관학교를 설립했다.

원회 주석의 명의로 전군에 다음과 같은 북벌전쟁 동원령을 내렸다.

"국민혁명군은 대원수의 유지를 받들어 혁명 주장을 관철하고 민중의 이익을 보호하기 위해 모든 군벌을 타도하고 반동 세력을 숙청함으로써 삼민주의를 실천하고 국민혁명을 완성하고자 한다. 첫 목표는 대군을 집결시켜 호남성 삼상三湘을 평정하고 무한武漢을 점령한 다음, 우군인 펑위샹馮玉祥의 국민군國民軍**30**과 합류하는 것이다. 우리의 목표는 중국을 통일하고 중화민족을 부흥시키는 것이다."

7월 9일 장제스는 국민혁명군 총사령관 취임식에서 정식으로 '북벌전쟁北伐戰爭'의 개전을 선포했다. 국민혁명군 제4군과 제7군이 먼저 호남으로 들어가 그곳에 있던 제8군과 합류해 대부대를 위해 길을 열어놓았다. 제1,

---

30 펑위샹(馮玉祥)의 국민군(國民軍): 1924년 제2차 직봉전쟁 때 반란을 일으켜 북경을 장악했던 펑위샹은 함께 손을 잡았던 봉천파의 장쭤린(張作霖)과 벌인 내전에서 패해 1926년 당시에는 섬서성과 하남성, 영하회족자치구의 일부에서만 영향력을 행사하고 있었다. 모스크바에 갔다가 돌아와 중국국민당에 입당한 펑위샹은 1차 북벌전쟁에서 서북국민연합군 총사령관으로서 자신 휘하의 군을 지휘해 여러 군벌들과 전쟁을 벌였다.

2, 3, 5, 6군은 광동 등지에서부터 장강 중하류 지역으로 곧장 진격했다.

장제스가 북벌의 기치를 내걸고 힘차게 진군하던 이 시기, 중남中南 지역31과 화동華東 지역을 비롯한 중원의 여러 지역에서 각자 군벌을 형성하고 있던 북양군은 이미 원기를 잃고 쇠퇴일로에 있었다. 여러 해 동안 계속된 파벌 간의 내전은 모두에게 심각한 피해를 입혔다. 또한 이랬다저랬다 변덕이 많은 우두머리들 때문에 수하 장병들의 도덕관과 가치관은 변태적으로 바뀌었고, 장병들은 도대체 누구를 위해 목숨을 바쳐야 하는지, 무엇 때문에 싸워야 하는지 알지 못했다. 또한 거듭된 전투에 지쳐 전투에 대한 자신감마저도 완전히 잃은 상태였다.

이런 혼란상은 사실 위안스카이가 죽은 후 모두가 진심으로 따를 만한 지도자가 북양군에 나타나지 않았기 때문에 야기된 것이다. 각 계파의 우두머리들은 각자 자신들을 총수라고 치켜세웠으나, 이들은 모두 재물만 밝히고 총소리만 울리면 도망치기에 바쁜 소인배들이었다. 아무튼 북양군은 운이 나빴다. 그들을 토벌하러 오는 사람이 다름 아닌 훗날 중국 정계에 우뚝 서서 세상을 호령할 인물 장제스였기 때문이었다. 드디어 북양군벌에게 어마어마한 재난이 들이닥친 것이다.

북벌군北伐軍 선발대는 호남성에서 파죽지세로 밀고 나갔다. 1주일 사이에 당시 호남성과 호북성을 장악하고 있던 우페이푸吳佩孚의 군대를 궤멸시키고, 장사長沙 등 호남성 내의 주요 도시를 해방시켰다. 대패한 우페이푸의 부대는 호북성 지역으로 철수한 다음 험준한 지세에 의지한 채 완강하게 저항했다. 8월 중순부터 하순까지 국민혁명군 제4군 주력 부대와

---

31 중남(中南) 지역: 중국의 6대 지리구' 구분법에 의하면, 현재 중국의 중남 지역은 하남성(河南省), 호북성(湖北省), 호남성(湖南省), 광동성(廣東省), 광서장족자치구(廣西壯族自治區), 해남성(海南省)과 홍콩(香港)과 마카오(澳門)까지를 포함하는 지역이다.

국민혁명군이 북벌전쟁 출정을 앞두고 궐기 대회를 했다. 10만 명의 북벌군은 세 갈래로 나뉘어 진군했다.

제1군, 제7군의 일부 부대는 호북성 함녕咸寧의 요충지인 정사교汀泗橋에서 직계군벌의 우페이푸 부대와 격전을 벌였다.

장제스도 호북성 악주岳州에서 직접 작전을 지휘했다. 우페이푸도 최전선에서 전투를 지휘했다. 그는 자신의 최정예 특공대인 대도대大刀隊에게 명령을 내려 뒷걸음치는 자가 있으면 장교와 병사를 불문하고 모두 목을 자르도록 했다. 이런 위협적인 방법은 확실히 효과가 있었다. 직계군은 사력을 다해 싸웠다. 싸움이 얼마나 치열하고 처절했는지 산과 강이 흔들리고 해와 달이 빛을 잃을 정도였다. 북벌전쟁에서 가장 참혹했던 전투로 평가받는 이 혈전은 최종적으로 국민혁명군의 승리로 끝났다.

북벌군 부대는 한달음에 호북성 무한까지 진격해 10월 10일부터 무창武昌 성벽 위에는 국민혁명군의 깃발이 나부끼기 시작했다. 북벌군이 호남성湖南省과 호북성湖北省을 완전히 장악한 것이다. 이 여세를 몰아 11월 6일 국민혁명군 제7군은 리쭝런李宗仁·이종인의 지휘 아래, 절강성 남심에서 당시 중국의 남동부 지역을 장악하고 있던 직계直系 출신 군벌 쑨촨팡

孫傳芳·손전방의 주력군을 일거에 격파했다. 다음날 바로 강서성 남창南昌이 해방됐다. 12월에는 허잉친何應欽·하응흠이 인솔한 국민혁명군 부대가 역시 쑨촨팡이 영향력을 행사하던 복주福州를 해방시키고 복건성福建省을 평정했다.

국민혁명군은 이어 여러 갈래로 나눠 동시에 절강성, 안휘성, 강소성과 상해 지역을 공격했다. 마침내 1927년 3월 25일 국민혁명군은 강소성 남경南京을 수복했다. 4월 18일 국민정부는 전체 장병들에게 쑨원의 유언에 따라 수도를 남경으로 정한다는 담화문을 발표했다. 훗날 장제스는 쑨원의 유언을 따라 북벌이 완성된 1928년 10월, 역대 중국의 6개 왕조가 수도로 삼았던 유서 깊은 도시인 이곳 남경에서 정식으로 국민정부의 주석主席에 취임했다.

1928년 2월, 당시의 국민혁명군은 총병력 70만 명에 육박한 대부대로 성장해 있었다. 장제스는 국민혁명군을 전면 개편해 총 4개의 집단군集團軍으로 나누어 편성했다. 장제스 자신의 군대를 제1군으로 하고, 펑위샹馮玉祥의 군대를 제2군, 얼마 전 귀순해 국민당에 입당한 산서성 군벌 출신 옌시산閻錫山·염석산의 군대를 제3군, 리쭝런李宗仁의 신계군을 제4군으로 재편했다. 물론 국민혁명군의 총사령관은 장제스 자신이 맡았다.

연전연승으로 기세가 오른 국민혁명군은 1928년 5월 1일 산동성 제남濟南을 해방시켰다. 당시 북경北京의 군벌정부를 장악하고 있던 장쭤린張作霖과 봉계군벌은 국민혁명군이 자신들의 눈앞인 산동성까지 제압하자 이후의 전략을 고심할 수밖에 없었다. 결국 국민혁명군의 기세가 심상치 않다는 것을 눈치 챈 장쭤린과 봉계군벌은 6년 전 '1차 직봉전쟁直奉戰爭' 때처럼 산해관山海關 밖의 동북 지역으로 모두 철수해 전면 수비 작전을 펼치며 기회를 엿보기로 결정했다.

1928년 6월 6일 국민혁명군은 드디어 무주공산이 된 북경에 유혈사태를 치르지 않고 진입하는데 성공했다. 곧 이어 국민정부는 북경을 북평32으로, 직례성直隸省을 하북성河北省으로 이름을 바꾼다고 선포했다. 이렇게 해서 국민혁명군은 중국의 화북華北 지방 전역을 평정하는데 성공했다.

이제 마지막으로 동북東北의 효웅梟雄 장쒀린을 제압하고 중국을 통일시키려던 찰나 예상치도 못했던 사건이 터졌다. 국민혁명군이 북경에 진입하기 이틀 전, 북경을 비우고 자신의 원래 근거지였던 동북으로 이동해 기회를 엿보려던 장쒀린이 봉천奉天 부근의 황고둔皇姑屯에서 폭사爆死한 사건이 발생한 것이다. 절세의 영웅이자, 녹림의 호걸이었던 그의 죽음은 만주에서 일본의 뜻대로 움직이지 않던 장쒀린을 제거해 만주 지역을 자신들의 통제 아래 두려던 일본 관동군關東軍의 책략에서 벌어진 사건이었다.

장쒀린이 폭사하자 당시 북경에 있던 장쒀린의 아들 장쉐량張學良·장학량은 급히 봉천으로 들어가 동북3성의 복잡한 정세를 수습했다. 그리고 1928년 12월 29일, 동북3성의 군벌 수령들은 전국에 공개 전보를 발송해 국민정부에 귀순한다고 선포했다. 드디어 중국의 동북 지방도 국민정부의 영향력 안으로 들어와 중국의 통일이 실현된 것이다. 도탄 속에서 허덕이던 중국 국민은 이 대사건으로 다시 한 번 아름다운 미래를 설계할 꿈에 부풀었다.

---

32 북평: 남경(南京)이 수도였던 시기(1928~1949년)에 현재의 북경(北京)을 부르던 이름이다. 국민정부가 수도를 남경으로 정하자 북경은 이름에서 수도를 뜻하는 '경(京)'자를 빼고 북평(北平)으로 격하되었다. 이후 1949년 중화인민공화국을 수립하고 수도를 북평으로 정하자, 다시 이름이 북경으로 격상·환원되었다.

제6장　드디어 세상이 밝아오다

1929~1950년의 중국

북벌전쟁이 승리한 후에도 남경정부는 이름만 중앙정부였지 실질적으로 구실을 다하지 못했다. 당시 중국의 혼란상은 앞서 군벌들이 할거하던 때와 전혀 차이가 없었다. 한 차례의 참혹한 전쟁이 휩쓸고 지나갔는데도 근본적인 문제는 해결되지 않았다. 군벌할거 시기와 다른 점을 굳이 찾는다면 전국의 군사력 판도에 큰 변화가 생긴 것뿐이었다.

1930년대 대공황은 구미 각국을 심각한 경제난에 허덕이게 했다. 이치대로 생각한다면 구미 각국이 남을 돌볼 겨를이 없는 이 시기가 중국이 정신을 바짝 차리고 국운을 돌려세울 수 있는 절호의 기회라고 할 수 있었다. 그러나 오래된 고질병은 고치기가 매우 어려운 법이다. 끝없이 이어지는 내란 때문에 1930년대 중국은 구미 각국보다 더 심각한 위기에 빠져들고 있었다. 드디어 호시탐탐 기회만 노리던 일본이 중국을 침략할 기회를 포착했다. 그리고 얼마 후 중국 동북에 있던 일본 관동군은 남경정부가 제 코가 석자인 상황에서 마침내 행동을 개시했다.

1950년 11월 초 한국전쟁에 참전한 중국 인민해방군은 한반도의 서쪽 전선에서 미국 제1기병사단을 격파해 미군의 천하무적 신화를 깼다. 그해는 중국 군대가 청일전쟁에서 참패한 지 56년이 된 때였다. 또 영국이 추악한 아편 무역을 하기 위해 중국 동남 연해에 침입한 지 110년이 지난 후였다. 그리고 겉보기에는 태평성세처럼 보였으나 실상은 사면초가에 몰려 있던 1750년으로부터 정확하게 200년이 지난 후였다. 200년 동안 비탄에 잠겨 있던 중국은 세계 최강국과의 전쟁에서 첫 승리를 거둠으로써 막 일어나기 시작한 중국 국민의 마음속에 희망의 불씨를 지펴줬다.

권력은
총구에서
나온다

국민정부가 마지막 남은 동북까지 세력 범위에 넣으면서 중국 전역에서 청천백일기[1]가 나부꼈다. 그러나 알 만한 사람들은 다 알고 있었다. 이번 통일은 겉보기만 통일이었지, 실상은 아직도 멀었다는 사실을 말이다.

국민혁명군은 북벌전쟁이 후반기로 접어들던 1928년 2월부터 4개의 집단군 체제로 편성돼 운영되고 있었다. 그러나 북벌전쟁이 끝난 후 장제스의 제1집단군만 남경 국민정부의 지휘를 받고 있었고, 중원에 버티고 앉아 있던 펑위샹馮玉祥의 제2집단군, 화북 지역을 지키고 있던 옌시산閻錫

---

1 청천백일기(靑天白日旗): 정식 명칭은 '청천백일만지홍기(靑天白日滿地紅旗)'로, 쑨원의 삼민주의 사상을 표현한 색깔인 파란색, 빨간색, 하얀색으로 구성되어 있다. 파란색은 민권주의와 자유, 빨간색은 민족주의와 혁명에 몸을 바친 사람들의 피와 우애, 하얀색은 민생주의와 평등을 상징하며 현재 대만(臺灣)의 국기다. 1912년에 제정되어 1928년까지 사용된 당시의 국민정부 깃발은 빨강, 노랑, 파랑, 하양, 검정을 가로로 배치한 형태의 깃발이었다.

山의 제3집단군, 양광 지역을 세력 범위로 삼은 리쭝런李宗仁의 제4집단군과 산해관 지역에 둥지를 튼 장쉐량張學良의 동북군東北軍은 모두 각자 독립적인 체계를 갖추고 국민정부의 통제를 거부했다.

이들은 각자 자신들의 세력 범위에서 스스로 군정軍政과 재정은 물론, 심지어는 외교권까지 행사하며 마치 독립국가처럼 행동했다. 물론 겉으로는 중앙정부의 명에 따른다고 말했다. 그러나 중앙정부는 이들에게 전혀 권위가 없었고, 중앙정부의 명령은 이들의 세력 범위 안에서 거의 먹혀들지 않았다. 한마디로 이들은 자신들의 군사력을 믿고 중앙정부를 우습게 본 것이다.

이런 이유로 이 시기 남경 국민정부의 직접적인 관할 범위는 장강 중하류 지역의 몇 개 성에 지나지 않았다. 따라서 이름만 중앙정부였을 뿐 사실은 지방정부와 전혀 다를 바 없었다. 그러나 명색이 중앙정부인 이상 중앙정부의 책임을 이행하지 않으면 안 됐다. 관할 범위 밖에서는 단 한 푼의 재정 수입도 얻지 못하면서도 중국의 천문학적인 외채는 중앙정부가 혼자 부담해야 했던 것이다. 당시 남경 중앙정부와 지방의 실력자들 사이의 갈등이 얼마나 컸는지 알 수 있는 대목이다.

중원전쟁의 발발과 힘겨루기

북벌전쟁을 통해 위상을 드높이고, 정치자금을 마련한 장제스는 기세등등했다. 그러나 실상 국민당 내부와 국민정부에서의 장제스의 위치는 반석과 같이 탄탄하지 못했다. 줄곧 쑨원의 후계자를 자처하던 국민당 좌파의 우두머리였던 왕징웨이汪精衛와 서산회의파2의 국민당 원로들이 장제스의 독주체제를 우려해 다양한 방법으로 장제스를 견제했기 때문이

장제스의 독재를 견제했던 국민당 요원들의 모임인 서산회의파.

다. 이 같은 상황에서 정치적 수단을 사용해 평화적으로 모순을 해결한다는 것은 불가능한 일이었다. 장제스는 정치적 수완을 최대한 발휘했는데도 별 소득이 없자 마지막 수단으로 무력을 동원할 수밖에 없었다. 다른 사람과 다른 점이라면 장제스는 중앙정부의 명의로, 그리고 통일을 구실로 무력을 동원했다는 사실이었다.

이 시기 중국의 혼란상은 앞서 군벌들이 할거하던 1920년대 초중반과 거의 차이가 없었다. 한 차례의 참혹한 군벌전쟁이 휩쓸고 지나갔는데도, 가장 근본적인 문제였던 국민정부의 중앙집권화는 아직도 멀었고, 지방 무장 세력의 득세는 여전했기 때문이었다. 굳이 그 전에 군벌이 할거할 때와 다른 점을 찾는다면, 무장 세력의 명칭이 '군벌'에서 '국민혁명군 집단군'으로 명칭이 바뀌고, 중국 전역의 군사력 판도에 세력 변화가 생긴 것뿐이었다.

---

2 서산회의파(西山會議派): 1925년 11월 23일 국민당의 일부 중앙집행위원, 중앙감찰위원과 집행위원 후보들이 북경의 서산(西山) 벽운사(碧雲寺)에서 불법으로 국민당 1기 제4차 중앙위원회 전체회의(四中全會)를 열었다. 이 회의에 참가한 국민당 요원들을 서산회의파라고 불렀다.

1928년 말~1929년 봄, 남경에서 국민혁명군 집단군 개편회의가 열렸다. 그러나 군사 감원 수와 관련한 각 집단군 측의 의견이 크게 엇갈렸다. 이 바람에 회의는 아무런 결론도 내리지 못하고 서로 간의 감정만 상하고 끝났다. 급기야 장제스와 다른 군사집단 사이의 갈등이 표출됐고, 장제스와 펑위샹은 각자 양립불가兩立不可를 선언하면서 적극적인 전쟁 준비에 돌입했다. 중앙정부를 배반했다는 오명을 짊어지기 싫은 다른 군사 집단들도 분분이 장제스에 대해 반대하는 이른바 '반장反蔣'을 표방하고 나섰다. 병력 감축을 사이에 둔 무장 세력 간의 감정싸움은 점점 일촉즉발로 치닫고 있었다.

1930년 3월 14일, 제2·제3·제4집단군의 장군 57명은 연명으로 장제스의 하야를 촉구하는 성명을 발표했다. 이어 다음날에는 옌시산을 중화민국 육·해·공군 총사령관, 펑위샹과 리쭝런을 부사령관으로 추대하고 무력으로 장제스를 토벌할 것을 선언했다. 이에 맞선 장제스는 4월 5일에 반란군 토벌령을 내렸다. 결국 한때는 함께 싸웠던 국민혁명군 집단군 사이에 '중원대전中原大戰'이 터진 것이다. 당시 멀리 산해관 밖에 있던 동북군은 이 전쟁의 승패를 좌지우지할 중요한 역할을 할 위치에 있었으나 선불리 참전하지 않았다. 교전 양측은 모두 육·해·공군 부사령관 자리를 미끼로 장쉐량張學良을 끌어들이려 했다. 그러나 젊었음에도 경험이 풍부했던 장쉐량은 가타부타 이렇다 할 말 한마디 없이 강 건너 불구경하듯 중원의 상황을 수수방관할 뿐이었다.

중원대전은 농해선3, 진포선4, 평한선5 일대에서 전개됐다. 전쟁 초기

---

3 농해선: 감숙성(甘肅省) 란주(蘭州)에서 강소성(江蘇省) 연운항(連雲港)까지 이르는 철도노선이다.
4 진포선: 천진(天津)에서 포구(浦口)까지 이르는 철도노선이다.
5 평한선: 남경정부 시절 북평(北平)으로 불리던 북경(北京)에서 무한(武漢)까지 이르는 철도노선이다.

에는 장제스에 반발했던 연합군이 순조로운 진척을 보였다. 더구나 용맹스럽고 싸움을 잘하기로 유명한 펑위샹의 서북군은 거듭 승리를 거두고 있었다. 그러나 연합군도 문제가 없지 않았다. 정규군인 것은 틀림없었으나, 집단군 수장마다 각자 다른 속셈을 가지고 있었기 때문에 단결이 되지 않았고, 무엇보다도 병참 지원이 많이 부족했다. 결국 1930년 8월을 기점으로 장제스의 우세로 역전됐고, 9월 18일에는 멀리서 관전만 하던 장쉐량이 장제스의 중앙정부를 지원하겠다며 11만 명의 동북군을 거느리고 산해관으로 들어왔다. 결국 1930년 11월 4일 연합군은 완패했고, 옌시산과 펑위샹은 하야를 선포하고 은거隱居에 들어갔다.

얻은 자와 잃은 자

사실 장제스는 동북군의 지원을 얻기 위해 장쉐량에게 은화 1,000만 위안과 원래 옌시산과 펑위샹의 세력 범위였던 화북華北 지역과 산동山東반도의 청도靑島를 넘겨주겠다는 조건을 제시한 상태였다. 결국 약속대로 장쉐량은 전쟁이 끝난 다음 황하 이북의 광활한 지역을 장악했고, 또한 패배한 옌시산과 펑위샹의 군대를 개편할 수 있는 권한도 넘겨 받아 이번 중원대전에서 가장 큰 이익을 봤다. 아마 장쉐량이 동북 지역을 넘겨받은 2년 사이에 거둔 가장 큰 성과였을 것이다. 그러나 아쉽게도 그것이 장쉐량의 마지막 눈부신 성과였다.

이 시기 중국 동북東北 지역의 정세는 재능과 지략이 뛰어난 장쉐량이라도 통제할 수 없을 정도로 심각해져 있었다. 일본은 오래전부터 중국 동북 지역에 군침을 흘리고 있었다. 일본은 청일전쟁淸日戰爭 때부터 중국의 동북 지역을 차지하려는 야욕을 한시도 버린 적이 없었다. 일본 관동군은 1915년에 '중일신약中日新約'을 체결한 후부터 호시탐탐 기회만 노리고 있었고, 심지어는 일부러 트집을 잡아 싸움을 일으키기도 했다. 그러나 장쉐량은 위기에 빠진 동북 지역을 돌볼 생각을 하지도 않고 생뚱맞게 화북 지역을 손에 넣고 기뻐하고 있었다. 이 점만 보더라도 30세밖에 되지 않은 이 철없는 동북군 총수는 젊고 혈기만 왕성했을 뿐, 멀리까지 내다보는 안목이 부족했다.

중원대전의 최대 패배자는 펑위샹馮玉祥이었다. 중원대전이 끝난 후에도, 옌시산과 리쭝런은 모두 자신의 근거지와 군대를 보전하는데 성공했다. 그러나 유독 펑위샹만 자신의 활동 기반과 원래 북양파의 혼성여단으로 시작해 20여 년간 애지중지하며 길러왔던 서북군西北軍까지 모두 잃었다. 원래 펑위샹과 장제스의 사이는 아주 좋았다. 심지어 펑위샹이 하남성河南省 정주鄭州에 장제스의 동상을 세울 정도로 둘의 사이는 좋았다. 그러나 두 사람은 나누어 가질 수 없는 권력의 속성상, 서로 상대의 목에 총을 겨눌 수밖에 없었다:

펑위샹은 정치에는 문외한이었다. 그는 늘 "이기면 강남에 가서 새로운 정부를 수립하고, 지면 같이 죽어버리면 된다."는 고지식한 생각을 가지고 있었다. 그래서 줄곧 자신에게 퇴로를 남겨두고 행동하는 법이 없었다. 모든 일은 해결책이 있게 마련이라고 생각했다. 그 해결책 중 하나가 바로 자신에게 유리한 방향으로 이랬다저랬다 변덕을 부리는 것이었다. 동시대를 살았던 많은 사람들은 그의 변덕스러운 성격을 아주 싫어했지만, 그 변덕스러운 성격 덕택에 그가 북경정변北京政變을 일으키고 그렇게 승승장구할 수 있었을지도 모른다.

이렇듯 정치에는 문외한이었던 펑위샹이었지만, 그가 뛰어난 군사 지도자였음은 부정할 수 없다. 그가 인솔했던 서북군은 용맹스럽고 싸움을 잘하기로 소문이 자자했다. 서북군은 중원대전이 종식된 이후 해체됐으나, 제29군 등 살아남은 일부 서북군 부대와 쑹저위안宋哲元·송철원, 장즈쭝張自忠·장자충을 비롯한 많은 서북군 출신 장군들은 훗날 발발한 중일전쟁에서 혁혁한 공로와 위용을 떨친다.

탄탄한 입지를 다지는 장제스

중원대전에서의 승리를 확신한 장제스는 1930년 10월 10일, 즉 중화민국 건국일에 전 국민들에게 고하는 글을 발표하면서, "반란군은 전국의 각 반동反動 파벌을 규합해 이번 전쟁에 임했으나 최종적으로 멸망을 피하지 못했다. 이번 전쟁을 계기로 다시는 군벌들이 국가의 통일을 파괴하고 당과 정부를 배신하는 일이 없을 것이다." 라고 득의양양하게 말했다.

그러나 아이러니한 것은 장제스가 반동파와 군벌로 지목했던 인물들은 모두들 과거에 장제스와 매우 친밀한 사람들이었다는 사실이다. 심지어 일부 군벌들은 그와 의형제를 맺기도 했다. 그래서 전쟁 초기에 장제스의 측근들은 걱정했다. 오늘은 '갑甲'을 제거하고 내일을 '을乙'을 쳐부순 후, 모레는 '병丙'과 싸우는 방식으로 계속 긴장되고 두려운 사회 분위기를 조성하면, 그 후폭풍을 어떻게 책임질 것인가 하는 우려였다.

이런 우려에 대해 장제스는 버럭 화를 내면서 무릇 관직과 돈을 필요로 하는 사람이 계속 있는 한 해결책은 많다고 자신만만하게 대답했다. 정치적 수완으로 말하면 장제스는 장쉐량이나 펑위샹보다는 100배 더 노련했다. 그는 다른 사람들이 쉽게 간파하지 못하는 인성人性의 약점을 잘 파악해 이용할 줄 알았다. 그래서 의형제를 맺는 방식으로 다른 사람과 동맹을 맺을 줄 알았고, 또 의형제 간에 반목하게 되면 조금도 사정을 두지 않고 무력을 동

1929년 8월 국민당 개편 회의 기간 중에 펑위샹(왼쪽), 장제스(가운데), 옌시산(오른쪽)이 찍은 사진. 이 회의가 끝난 후 곧바로 중원대전이 발발했다.

원할 줄도 알았다. 또한 참혹한 전쟁이 끝난 후에는 높은 관직과 재물을 미끼로 잡음 없이 뒷수습도 할 줄 알았다. 한마디로 말해 장제스는 상황에 따라 당근과 채찍을 자유자재로 사용할 줄 아는 노련한 사람이었다.

　장제스는 중원대전을 통해 적지 않은 수확을 올렸다. 먼저 개인적으로는 이번 전쟁을 통해 국민당과 국민정부에서 위상이 크게 높아졌다. 또한 군사적으로 보면 최대 라이벌이었던 펑위샹을 완전히 제거하고 옌시산과 리쭝런으로부터 굴복을 받아냄과 동시에 동북의 왕으로 불리던 장쉐량과도 우호적인 관계를 맺었다. 무엇보다도 커다란 수확은 경제 분야와 외교 분야에서 찾을 수 있었다. 먼저 국민정부는 중원대전 후에 각 지방정부의 '이금釐金'과 '관여關餘6'를 취소해 중앙정부에서 관세의 자주성

6　관여(關餘): 중국 전역에서 징수한 조세 수입에서, 청말민국초(淸末民國初)에 빌린 외채(外債) 상환에 들어갈 돈과 신축조약에 의거해 열강들에게 지불해야 할 배상금(賠償金)을 제외한 조세 수입이다.

을 확보했고, 외교적 성과로는 이 전쟁을 계기로 중앙정부가 중국의 외교권을 행사할 수 있는 유일한 주체가 된 것을 들 수 있었다.

그러나 중원대전으로 얻은 수확을 논하기에는 중원대전으로 인한 피해가 너무 컸다. 이 전쟁에는 총 150만 명이 참전했고, 그중 사상자의 숫자는 무려 30만 명을 넘었다. 게다가 거액의 자금과 재물이 전쟁에 동원된 데다 자신들의 생존 터전이 전쟁터로 바뀐 백성들의 피해는 이루 헤아릴 수 없었다. 또 지방의 실력자들이 각자 근거지를 만들어 군대를 보유하는 현상도 완벽히 사라지지 않아 전국의 군사력 판도에 큰 변화가 생겼을 뿐이었다.

장제스가 중원대전에서 승리를 거둔 후 맹목적으로 기뻐하기만 했다고 생각하면 큰 오산이다. 정치적 통찰력이 남달랐던 그는 중일전쟁이 피할 수 없는 미래라는 사실을 잘 알고 있었다. 그는 단지 중국이 일본과 싸워 이길 실력이 안 된다는 게 안타까울 뿐이었다. 따라서 무엇보다 중국의 국력을 높이는 일이 매우 시급했다. 장제스는 처음부터 "국내를 안정시킨 후 외적을 진압한다."는 뜻의 이른바 '안내양외安內攘外'를 주장해왔다. 그는 또 "형제는 집안에서 싸우다가도 밖으로부터 오는 위협에는 같이 대응해야 한다."는 이치도 잘 알고 있었다.

아무튼 장제스는 만신창이였던 국민정부를 이끌고 군벌들을 격파하고 중원대전까지 승리로 이끈 영웅이었다. 하지만 중원대전으로 당시 중국의 복잡했던 정치 문제까지는 해결하지 못했다. 따라서 장제스는 중원대전이 끝난 후에도 계속 끊임없이 무력을 동원해야 했다. 그의 무력 행동 중에서도 가장 파괴력이 컸고, 또 가장 심혈을 기울였던 것은 바로 '중화소비에트공화국中華蘇維埃共和國'을 정복하기 위한 것이었다.

중화소비에트공화국과 대장정

1927년 4월에 있었던 장제스의 '상해쿠데타' 이후, 국민당에서 '국민 당 내부의 공산당 숙청'과 '공산당과의 결별'을 선언한 다음, 공산당의 활동은 극도의 침체기에 접어들었다. 공산당과 함께 무한정부武漢政府를 구성했던 국민당 좌파마저도 공산당과의 결별을 선언했으니 그럴 수밖 에 없었다.

이러한 상황에서 중국공산당은 무장봉기의 필요성을 느끼고, 국민당 의 관심이 비교적 덜하고 방어가 허술한 몇몇 지역에서 무장혁명을 일으 키기로 결정했다. 그래서 선택된 첫 번째 도시가 강서성江西省에 있는 남 창南昌이었다. 당시 남창은 비교적 허술하게 방비되고 있었고, 무엇보다 도 공산주의에 우호적이던 주더朱德가 남창의 공안을 맡고 있었기에 이러 한 시도가 가능했다.

1927년 8월 1일 새벽 2시를 기해 허룽賀龍·허룡과 저우언라이周恩來 등이 주도한 공산주의자 약 3만여 명이 여러 방면에서 남창을 기습 공격해 도 시를 점령하는 데 성공했다[7]. 하지만 국민당군의 대대적인 역습에 불과 닷새 만에 남창을 포기하고, 광동성廣東省의 광주廣州와 산두汕頭를 거쳐 결 국 강서성 정강산井岡山으로 후퇴할 수밖에 없었다.

남창을 공격했다 패퇴한 공산군이 광동성 일대를 떠돌던 무렵이던 1927년 9월 7일, 이번에는 마오쩌둥이 호남성과 강서성 일대의 농민들을 규합해 추수철에 맞춰 농민 무장봉기인 '추수봉기秋收蜂起'를 일으켰다. 추수봉기 초창기에는 그 일대 농민들의 대대적인 호응으로 규모가 커지

---

7 인민해방군 건군기념일: 인민해방군의 건군 기념일은 8월 1일로 중국공산당 무장조직이 최초로 무장 투쟁에 나선 것을 기념하기 위해서이다.

고 봉기가 성공하는 듯했다. 그러나 역시 정규군인 국민당군의 대대적인 반격을 마오쩌둥이 급조한 농민군대가 당해낼 수 없었다. 결국 살아남은 추수봉기 부대는 강서성江西省과 호남성湖南省의 접경지대인 정강산井岡山으로 후퇴해 남창봉기 부대와 함께 홍군**8**을 조직하고, 이후 정강산 일대를 거점으로 삼아 진압에 나선 국민당군의 대대적인 토벌작전에 맞서 여러 차례 수성에 성공했다.

이 시기 공산당을 이끌던 마오쩌둥은 호남성 태생으로 당시 나이가 서른 남짓에 불과했다. 그러나 적은 나이임에도 불구하고, 당시 공산당 세계의 주류를 형성하고 있던 소비에트연방의 혁명이론인 '레닌-마르크스주의'를 중국에 그대로 적용하기에는 무리가 있다는 사실을 발견했다. 즉 도시 노동자를 혁명의 주체로 삼은 소비에트연방 모델은 농촌과 농민이 대다수인 중국 현실에 맞지 않다는 사실이었다. 이런 마오쩌둥의 발상은 훗날 중국식 공산주의, 즉 마오이즘Maoism을 완성하게 해 중국공산당이 급격히 세력을 확산할 수 있게 만든 1등 공신이었다.

마오쩌둥은 이런 생각에서 광대한 농업사회를 가진 중국의 특성상 가장 먼저 선행되고, 가장 기본적으로 필요한 것은 '토지개혁'이며, 혁명의 뿌리는 '농민'이 돼야 한다고 생각했다. 이런 생각에서 출발한 마오쩌둥의 토지개혁 운동은 농민들의 열렬한 지지 속에서 커다란 성과를 거뒀다. 이런 마오쩌둥의 '친 농민 정책'에 힘입어 공산당의 근거지인 정강산과 그 주변 지역, 나아가 강서성, 호남성, 복건성 일대에서 공산당의 세력은 급속도로 커지면서, 중국 내 여타 다른 지역과는 달리 활기차고 생기 넘

---

8 홍군(紅軍): 정강산에 모인 남창봉기와 추수봉기의 잔류병들은 마오쩌둥과 주더에 의해 정규군인 '중국공농혁명군(中國工農革命軍)'으로 편제됐다. 정식 명칭은 공농혁명군이었지만, 중국공농홍군(中國工農紅軍)으로도 불렸다. 홍군(紅軍)이라는 명칭은 여기서 나왔다.

치는 모습을 보였다. 공산당은 결국 마오쩌둥의 지도 아래 1931년 11월 7일 강서성 서금(瑞金·루이진)에 '중화소비에트공화국中華蘇維埃共和國'을 수립하는 데 성공했다.

이러한 공산당의 급성장을 경계하며 못마땅하게 여기는 사람이 있었다. 바로 장제스였다. 공산당이 거점으로 삼았던 강서성은 국민정부의 소재지인 강소성 남경과 가까이 있었다. 장제스는 중앙정부 옆에 다른 정부가 있는 것을 달가워하지 않았다. 그는 또다시 대규모 무력을 동원해 공산당의 본거지를 공격하기 시작했다. 1930년 10월부터 연속 다섯 차례나 강서성의 공산당 거점을 철옹성처럼 포위하고 토벌한 것이다.

젊은 공산당원들은 이미 몇 년 전부터 장제스의 폭력적이고 잔혹한 본질을 간파하고 있었고, "총구에서 정권이 나온다."는 이치도 잘 알고 있었다. 남창봉기와 추수봉기를 계기로 끊임없이 국민당에 맞서 싸우는 과

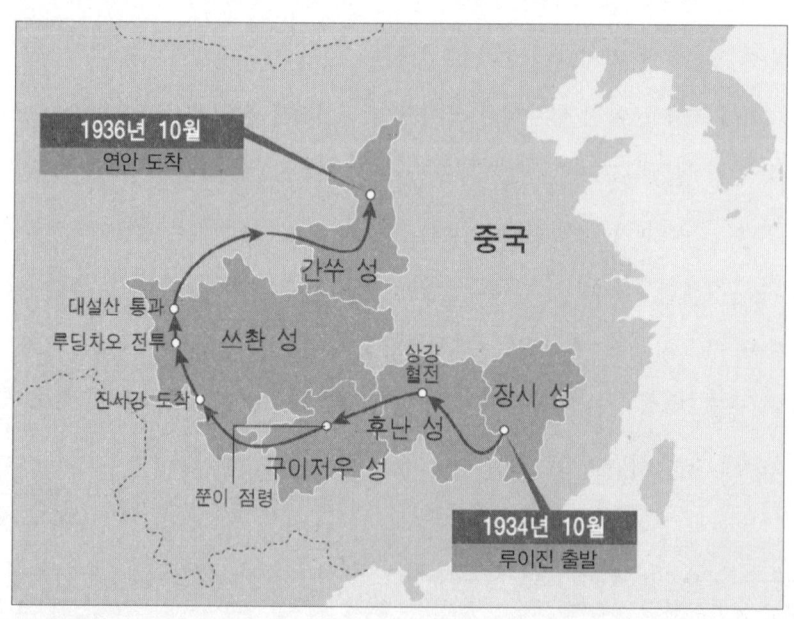

중국공산당 대장정 여정도. 중국공산당은 국민당의 토벌을 피해 2년여 동안 1만 킬로미터가 넘는 거리를 이동했다.

정에서 홍군은 나날이 강대해졌고, 홍군의 혁명 근거지도 상당히 커진 상태였다. 덕분에 홍군은 네 차례에 걸친 국민당의 토벌 작전에 완강하게 저항할 수 있었다.

그러나 국민당의 다섯 번째 토벌작전은 달랐다. 토벌에 나선 국민당군의 전력이 애초부터 홍군과 비교하지 못할 정도로 많고 강했다. 게다가 공산군의 게릴라 전법을 분쇄하기 위해 독일 군사전문가의 자문을 받았다. 이에 반해 홍군은 코민테른 군사 고문의 잘못된 지휘와 왕밍陳紹禹·천사오위의 그릇된 혁명노선 주장 등 여러 가지 문제점들이 한꺼번에 겹치면서 공산당은 궤멸에 가까운 커다란 타격을 입었다.

결국 중과부적을 느낀 공산당 지도부와 홍군은 1934년 10월 중화소비에트공화국의 거점이었던 강서성을 버리고, 1만 킬로미터가 넘는 대장정길에 올랐다. 말로 못할 험난한 여정과 수많은 전투 끝에 대장정을 떠난지 2년여 만에 홍군은 목표로 했던 섬서성陝西省 북부에 도착했다. 애초 전군 30만여 명이 출발했으나 목적지에 도착한 사람은 겨우 3만여 명에 불과했다. 당시의 대장정이 얼마나 처참한 고난의 길이었는지 조금이나마 짐작해 볼 수 있다.

공산당이 섬서성 북부의 연안延安에 터를 잡은지 몇 해 지나지 않아, 중국 대륙을 노리던 일본이 '중일전쟁'을 일으켰다. 그러자 공산당과 국민당은 장쉐량의 중재로 국가와 민족의 이익을 위해 과거의 앙금을 뒤로하고 손을 잡게 된다. 이른바 '2차 국공합작國共合作'이 이뤄진 것이다. 이후 국공國共 양당은 일본이 패망할 때까지 일본 제국주의에 맞서 함께 싸우게 된다.

1930년대 중국의 위기

1930년대의 세계는 한마디로 말해 '불황의 시대'였다. 제1차 세계대전 종식 이후 유럽 전승국들은 우드로 윌슨 미국 대통령의 '국제 신질서 구축' 제의를 수용하지 않았다. 따라서 이 시기 세계에는 여전히 위기, 사기, 야만, 비리가 판쳤다. 역사학자들은 이 시대를 일컬어 '어둡고 망가진 시대'라고 불렀다.

1929년 10월, 미국에서 '대공황'의 시작인 '주식시장 대붕괴'가 발생했다. 1차 세계대전의 승전국으로 끝 모를 호황을 누리던 미국에서 금융경제의 붕괴로 시작된 대공황은 미국의 실물경제는 물론 전 세계의 금융, 실물경제까지 모두 붕괴시켰다. 미국에서 시작된 세계 경제위기는 1차 세계대전의 피해를 채 복구하지도 못한 유럽에 들이닥쳤다. 카를 마르크스가 50년 전에 예언했던 것처럼 자본주의의 모순은 악화될 대로 악화됐다. 또 자유방임경제는 한계에 이르렀다. 이 시기 전 세계적인 불황은 피할 수 없는 추세였다.

세계를 덮친 대공황의 여진

과거 세계의 맹주였던 영국에서는 그 옛날의 장밋빛 정치, 경제가 더 이상 나타나지 않았다. '해가 지지 않는 제국'으로 불리는 영국은 1차 세계대전 이후 영토가 또 증가했다. 그러나 전쟁으로 인해 심각한 인명 및 재산 피해를 입었기 때문에 영토에 대한 지배력은 전쟁 전보다 훨씬 약해졌다. 국내 제조업은 심각한 불경기에 빠져 전통 방직업 생산은 3분의 2나 감소됐고, 조선업도 생산량이 전쟁 전의 70퍼센트밖에 안 되는 등 급격한 하락을 보였다. 전 세계 상업에서 차지하는 비중도 끊임없이 하향세를 탔다. 과거 세계 1위 강국은 이 무렵 본래 가지고 있던 밑천을 까먹으면서 근근이 강국의 체통을 유지하고 있었다.

프랑스는 거액의 전쟁배상금을 받았기 때문에 전후 한동안 경제가 상승세를 나타냈다. 그러나 1930년대 이후부터는 프랑스 경제도 크게 흔들리기 시작했다. 제반 산업이 큰 타격을 받았다. 대외무역은 거의 붕괴 직전에 이르렀다. 프랑스 화폐 가치가 급격히 하락하면서 대량의 황금이 외국으로 유출됐다. 프랑스의 국제 신용 등급도 크게 추락했다. 경기 침체는 훗날 군사적 실패를 초래한 근본 원인이 될 수밖에 없었다.

파리강화회의에서 영국과 프랑스의 압력에 못 이겨 1차 세계대전의 모든 책임을 떠맡게 된 독일은 베르사유조약에 의해 13퍼센트의 국토와 12퍼센트의 인구를 잃었다. 또한 육군은 10만 명으로 제한됐고 공군은 해체됐다. 이렇게 치욕적인 베르사유조약은 독일 국민의 강렬한 반감을 불러일으켜 전국 각지에서는 민족주의 감정이 들끓었다. 그러나 독일은 패전국임에도 불구하고, 전쟁이 독일 본토까지 파급되지 않았기 때문에 산업 체계는 조금도 손상을 입지 않았다. 이에 따라 독일 경제는 영국과 프랑스에 비해 훨씬 더 빠른 속도로 회복될 수 있었다. 자존심 강한 게르만 민족은 독일제 최고급 크루프 대포로 유럽의 이웃들과 한 번 더 싸우려고 단단히 별렀다.

대공황으로 전 세계 경제위기를 촉발시킨 미국의 상황은 심각했다. 1929년 10월 '검은 목요일Black Thursday'로 불리는 뉴욕 증시의 대폭락으로 촉발된 대공황은 이전 10년간 경기호황으로 미국 경제에 자신감을 가졌던 국민들에게 커다란 충격을 줬다. 사람들은 앞을 다퉈 보유하고 있던 고평가 주식을 팔아버렸고, 이로 인해 검은 목요일부터 단 2주간 시가총액 300억 달러가 증발해버렸다. 미국 국민이 평생 아껴서 저축한 달러가 단 며칠 사이에 사라져 버린 것이다.

사람들은 뜨거운 가마 속의 개미처럼 허둥대면서 월스트리트를 배회했다. 금융위기 발생 이후 미국에서는 800개 은행이 파산했고, 900만 개 은행 계좌가 사라졌다. 또한 14만 개 기업이 파산했기 때문에 인구의 4분의 1이 실직한 것은 이상한 일이 아니었다. 200만 명이 넘는 사람들이 집도 없이 마치 들짐승처럼 황야를 떠돌아다녔다. 이 시기 미국인들의 호기와 열정은 오간 데 없이 사라졌다.

1931년 중국의 위기는 한층 더 깊어졌다. 장제스가 여러 차례 무력을 동원했음에도 불구하고 중국은 진정한 의미에서의 통일을 이루지 못해 중국 전역에는 10여 개의 독립된 군정부가 난립하고 있었다. 대표적으로 강소성 남경南京의 중화민국과 강서성 서금瑞金의 중화소비에트공화국을 제외하고도, 국민당 내부에서 장제스를 반대하는 세력이 왕징웨이汪精衛를 중심으로 광동성 광주廣州에 '반장反蔣 국민정부'를 수립하는 등 여러 정부의 난립으로 중국의 정세는 한치 앞도 분간하기 힘들었다.

중국 중앙정부의 재정은 이들 사이에 끊임없는 군사 충돌로 인해 계속 약해지기만 했다. 그나마 뛰어난 재능을 갖춘 쑹쯔원宋子文·송자문과 쿵샹시孔祥熙·공상희가 현대식 재정 예산 시스템을 구축한 덕분에 국민정부의 재정 상황은 예전에 비해 크게 호전됐지만, 끊임없이 거액의 전비戰費를 대느라 국가의 다른 산업과 건설은 불가피하게 영향을 받을 수밖에 없었다.

중화민국 정부가 직면한 위기는 37년 전에 청나라 정부가 청일전쟁淸日戰爭을 치를 때보다 더 심각했다. 당시 청나라는 적어도 하나의 통일국가였기 때문에 전국적으로 힘을 동원할 수 있었다. 그러나 중화민국은 사실상 사분오열된 국가로 전 국민의 힘을 모으는 일이 불가능했다. 2개의 국민정부와 중화소비에트공화국, 그리고 사실상 독립한 것이나 마찬가지인 다른 군정부들이 서로 상대방을 무너뜨리려고 아귀다툼을 벌이고 있었기 때문이다.

순리대로라면 서양 각국이 남을 돌아볼 겨를이 없는 이때가 중국이 정신을 바짝 차리고 국운을 돌려세울 수 있는 절호의 기회였다. 그러나 오래된 고질병은 고치기 어려운 법이다. 끝없이 이어지는 내란 때문에 1930년대의 중국은 구미 각국보다 더 심각한 위기에 빠져 있었기 때문이다.

야심을 드러내는 일본

이 시기 아시아의 맹주를 자처하던 일본도 전 세계적인 대공황의 여파로 힘든 나날을 보내고 있었다. 많은 기업이 도산하고 수백만 명에 달하는 실업자가 거리에 넘치자, 일본 정부는 국민들의 불만을 밖으로 돌리고, 일본의 경제 위기를 만주滿洲라는 새로운 식민지를 개척해 돌파하려

만주국 건국을 축하하는 만주국 집정 푸이와 관동군 요인 및 만주국 내각 요원들.

고 생각했다.

이런 일본의 야심도 모른 채 중국이 자중지란에 빠져있자, 호시탐탐 기회만 노리던 일본이 드디어 중국 침략의 기회를 포착해 행동을 개시했다. 1931년 9월 18일 밤 10시께였다. 일찍 자는 습관이 있는 요녕성 봉천 시민들은 꿈나라를 헤매고 있었다. 동북에 주둔한 일본 관동군 산하 독립 수비대는 이 기회를 틈타 남만南滿철도 유조호柳條湖 부근의 철로를 폭파해 버렸다. 뒤이어 일본 군관 하나야 다다시花谷正가 여순旅順에 있는 관동군 총사령부에 "중국 군대가 봉천 북부 북대영北大營 서쪽 철도를 파괴하고 일본 수비대를 기습해 중·일 양군 사이에 충돌이 벌어졌다."는 거짓 전보를 보냈다. 새벽 0시 40분 관동군 사령관 혼조 시게루本莊繁가 동북 지역 각지에 있는 중국 군대를 향해 총공격을 명령했고, 동북에 주둔 중이던 관동군 제2사단 주력 부대는 봉천을 공격하기 시작했다. 이렇게 해서 '만주사변'이 발발했다.

그러나 사실 일본군은 혼조 시게루가 공격 명령을 내리기 두 시간 전, 유조호 부근의 철로에서 폭발음이 울린 지 얼마 지나지 않아 이미 봉천에 대한 공격을 개시한 상태였다. 먼저 대포로 봉천 시내에 있는 동북군 북대영을 포격한 다음, 미리 담장 밖에 매복해 있던 독립 수비대 제2보병대가 대포의 엄호 속에 동북군 제7여단을 향해 진격을 한 것이다. 한창 단잠에 빠져있다가 기습 공격을 받은 동북군 병사들은 변변한 저항조차 못하고 속절없이 쓰러져 갔다. 한때 위풍당당하던 동북군은 주력 부대가 여기저기 흩어져 있었고, 지도자 장쉐량마저 북경에 있었기 때문에 제대로 싸워보지도 못하고 무너졌다.

다음날 일본군은 봉천의 동북변방군 사령부, 성 정부, 은행, 무기 공장, 비행장을 차례대로 점령했다. 이어 침략작전을 시작한 지 닷새 만에 요동과 길림성吉林省 대부분 지역을 장악했다. 그리고 이듬해인 1932년 2월에는 흑룡강성의 하얼빈까지 점령해 동북3성을 모두 손아귀에 넣었다. 이를 바탕으로 1932년 3월 1일, 일본의 괴뢰국가인 만주국이 건국되었다. 두 번 등극했다가 두 번 다 퇴위했던 청나라 마지막 황제 푸이는 1932년 3월 만주국의 집정으로 취임하고, 2년 뒤인 1934년 3월 만주국 황제인 강덕제康德帝로 즉위해 자신의 생애를 통틀어 세 번째 황제로 등극해 일본의 꼭두각시로 활동했다.

'9·18 만주사변'이 발생한 지 4개월도 되지 않아 일본은 상해에서도 비열한 수작을 부렸다. 1932년 1월 18일 주일 공사 보좌관 다나카 류키치田中隆吉와 여간첩 가와시마 요시코(川島芳子·중국 이름 진비후이)는 삼우 실업의 중국인 노동자들을 매수해 마옥산로에서 일본 승려들에게 돌을 던지고 시비를 걸어 싸움을 일으켰다.

다음날 밤 상해의 일본 교민들은 일본 승려가 중국인에게 맞아죽었다는 구실로 삼우실업에 불을 지르고, 중국 경찰을 포함해 3명을 흉기로 살해했다. 그 다음날에는 일본 교민 1,000여 명이 시위를 벌이며 일본 총영사와 일본군 해병대가 나서서 해결해줄 것도 요구했다. 급기야 1월 28일 밤에는 상해에 주둔한 일본 제1파견 함대가 자국민 보호를 핑계로 상해의 갑북閘北구를 기습하고, 일본 정부에 군 병력의 증원을 요청했다. 이렇게 '1·28 제1차 상해사변'이 발발한 것이다.

그러나 이번에는 동북 지역에서처럼 일본군이 승승장구하지 못했다. 호영 (상해와 남경) 지역의 방위를 맡은 제19로군路軍 전 장병이 총사령관 장광내와 군단장 차이팅카이의 지휘 아래 일본 해병대와 사투를 벌였기 때문이다. 국민정부의 최강 부대인 제5군도 전쟁이 발발하자마자 상해로 달려갔다. 그러나 증원군 규모는 일본군이 훨씬 더 많았다. 2월 말까지 일본은 군사 9만 명, 군함 80척과 전투기 300대를 이 전쟁에 투입시켰다.

군사력 차이가 확연한 상황에서 중국군은 결국 눈물을 머금고 후퇴를 결정했다. 그리고 얼마 후 처음부터 일본군과의 전면전을 원하지 않았던 국민정부는 영국, 미국, 프랑스, 이탈리아의 중재로 5월 5일에 일본군과 '정전협정'을 체결했다. 정전협정을 끝으로 해서 '1·28 상해사변'은 일단락됐다. 그러나 더 큰 침략이 중국을 기다리고 있었다. 원래 상해사변은 일본이 세계의 눈을 만주국 건국공작에서 돌리게 하려고 일부러 도발한 책략이었다. 그러나 당시 공산당 토벌작전에 사활을 걸고 있던 국민정부가 일본과의 전쟁을 꺼리는 것을 보고 일본은 이참에 중국 화북華北 지방까지 자신들의 거점으로 삼으려고 침략의 야욕을 드러냈기 때문이다.

1933년 1월, 이번에는 만주 관동군關東軍이 정당한 이유도 없이 동북 지방과 화북 지방의 경계 지역인 열하성熱河省 임유현臨榆縣을 포격하며 무력

도발을 감행했다. 이른바 '열하사변熱河事變'이 발발한 것이다. 이틀 뒤에는 일본군이 산해관마저 함락해 열하성 전체가 위기에 빠졌다. 급기야 3월 초, 관동군 3만여 명이 열하성의 성도省都인 승덕承德으로 진군하자, 당시 열하성 정부 주석이던 탕위린湯玉麟·탕옥린은 제대로 싸워보지도 않고 줄행랑을 쳤다. 일본군은 불과 128명의 기병만으로 손쉽게 승덕에 진입했고, 며칠 뒤에는 열하성 전체를 함락시켰다.

열하는 장쉐량이 3년 전 중원대전이 끝난 후 장제스로부터 포상 차원에서 넘겨받은 지역이었고, 책임자 탕위린도 동북군 출신 장성이었다. 열하 함락 소식이 전해지자 여론은 들끓었고 어쩔 수 없이 장쉐량은 화북華北 책임자 자리에서 내려와야 했다. 장쉐량은 3년 전 동북에서 대군을 이끌고 기세등등하게 화북 지역에 자리를 잡았다. 그런데 자신의 기반인 동북 지역을 일본군에게 고스란히 빼앗겼고 화북에서도 더 이상 머물러 있을 수 없었다. 결국 동북군은 이 사건 이후로 뿔뿔이 흩어지고 말았다.

장쉐량의 후임자로 부임한 허잉친何應欽은 일본군이 열하성으로만 만족하지 않을 것이라고 판단하고 일본군과 전선戰線을 형성하고 있던 만리장성 각 요새에 방어 진지를 탄탄하게 구축했다. 과연 일본군은 열하를 점령한 다음, 즉각 남하해 장성의 각 요새를 공격하기 시작했다.

3월 중순부터 중국군과 일본군은 만리장성의 '희봉구喜峰口-나문욕羅文慾峪', '고북구古北口-남천문南天門', '냉구冷口' 등의 관문에서 치열한 접전을 벌였다. 중국군은 지난 수십 년 동안 줄곧 얻어맞기만 하던 나약한 이미지에서 벗어나 만리장성 관문전투에서만큼은 그 누구보다도 잘 싸웠다. 그중에서도 특히 쑹저위안宋哲元의 제29군은 이 전투에서 무위武威를 떨쳐 '철의 군대'로 이름을 날렸다. 희봉구 전투에서 일본군이 크게 패하자 일본 신문은 '황군皇軍이 60년 만에 처음 당하는 치욕'이라고 탄식했다.

5월 말 양국 정부 사이에 협상이 타결되면서 양측 간 전투도 끝났다. 1933년 5월 31일 중국과 일본은 '당고협정9'을 체결했다. 국민정부는 '당고협정'을 통해 일본의 동북3성과 열하를 비롯한 하북 동부 지역의 점령 현실을 기정사실로 받아들였다. 이로써 옛 북경인 북평北平은 동쪽과 남쪽, 북쪽의 삼면三面에서 일본군의 위협을 받게 됐다.

이때는 '노구교사건'이 발생하기 4년 전의 일이었다. 국민정부는 울분을 참는 대가로 4년 동안의 평화를 얻어냈다. 아니 좀 더 정확하게 말하면 훗날 있을 일본과의 전쟁에 4년이라는 준비 시간을 얻은 것이었다.

---

9 당고(塘沽)협정: 천진의 외항인 당고(塘沽)에서 일본군과 중국 국민정부군 사이에 체결된 5개 항의 정전협정이다. 중국군의 하북성 동북부로부터의 철수, 일본군의 만리장성 선(線)까지의 복귀, 양군 중간 지대의 치안 유지는 중국 경찰이 담당하는 것이 주요 내용이다. 이 협정으로 중국은 만주의 현실을 기정사실로 받아들이게 됐고, 일본군은 화북 침략의 첫 단추를 끼웠다.

남경이여
남경이여

'당고협정'이 체결된 후 광활한 화북
평원 일대는 일본군의 연병장으로 변해버렸다. 일본군의 실전 훈련 장소
는 1936년 10월부터 북평 서남쪽의 풍대豊臺와 노구교蘆溝橋 일대, 북녕선
10 철로 주변까지 확대됐다. 북평 주민들은 시도 때도 없이 울려 퍼지는
일본군의 총소리에 단잠에서 놀라 깨어나기 일쑤였고, 영정하永定河를 사
이에 두고 일본군과 전선을 맞대고 있던 중국 수비군도 신경이 쓰일 수밖
에 없었다.

---

10 북녕선(北寧線): 북평(北平)에서 요녕성 봉천(奉天)까지 운행하던 철도 노선이다.

노구교사건과 2차 상해사변

1937년 7월 7일 오후, 풍대에 주둔한 일본군의 한 중대가 노구교 북쪽에 있는 용왕묘 사당 근처로 다가왔다. 밤 10시께 용왕묘 일대에서 총소리가 크게 들렸다. 완평성宛平城의 중국 수비군은 일본군이 지척에서 실전에 가까운 군사훈련을 하고 있다는 사실을 깨닫고, 즉시 훈련 부대의 움직임을 치밀하게 감시하기 시작했다.

밤 11시 40분 일본군 특무 기관장 마츠이松井가 중국의 화북정무위원회華北政務委員會 외교 부서에 전화를 걸었다. 그는 "일본군의 1개 중대가 노구교 부근에서 군사훈련을 하던 중 현지에 주둔한 중국 제29군의 공격을 받았고, 이 와중에 일본 병사 한 명이 실종됐다."고 전했다. 그는 이어 "실종된 일본 병사가 중국군에게 납치당해 완평성 안으로 끌려갔을 가능성이 높으므로 부대를 파견해 수색하겠다."고 무리한 요구를 했다.

이 같은 마츠이의 요구에 중국 수비군 사령부는 일본군의 요구를 단호하게 거절하면서 이같이 회답했다. "노구교는 중국의 영토다. 일본군이 중국의 사전 동의를 거치지 않고 이곳에서 군사훈련을 한 것은 국제법에 위반된다. 중국 주권을 침해하는 행위이기도 하다. 따라서 중국은 일본 병사의 실종에 대해 책임질 수 없다. 나아가 일본군은 불필요한 오해를 막기 위해 성 안에 들어와 수색해서는 안 된다. 단, 양국 간 우호 관계를 고려해 날이 밝은 후 현지 군경들을 동원해 실종된 일본 병사를 찾도록 조처하고, 실종된 병사를 발견하는 즉시 일본군에 송환할 것이다."

중국군의 대응 방식에 불만을 품은 일본군은 노구교 일대로 병력을 대거 이동시키기 시작했다. 중국군도 민첩하게 대응했다. 제29군 사령부는 완평에 있던 제110여단 219연대의 지싱웬吉星文·길성문 연대장에게 긴급

1937년 7월 7일 일본군이 완평을 포격해 제29군의 길성문 연대가 반격에 나섰다. 이 사건은 중일전쟁의 신호탄이었다.

작전 명령을 내렸다.

"영토를 보위하는 것은 군인의 마땅한 임무다. 우리 군은 외적을 물리치는 영광스러운 임무를 맡았다. 연대의 전체 장병들은 목숨을 걸고 진지를 고수하라. 완평과 노구교를 아군의 무덤으로 삼고 우리 국토를 한 치도 적에게 양보하지 말라."

완평성 안에 있던 장병들은 즉시 노구교로 긴급 출동했다. 하늘에는 새벽달이 희미하게 걸려있었다. 부드러운 달빛이 800년의 역사를 가진 다리를 쓰다듬는 슬프고도 아름다운 새벽이었다. 8일 새벽 5시께 일본군이 먼저 완평을 포격하면서 전투가 시작됐다. 새벽 달빛이 흘러내리던 노구교의 아름다운 풍경은 풍비박산이 났다.

노구교에서 무력충돌이 발생하자 바로 그 다음날인 7월 8일, 섬서성 북부에서 중국공산당 중앙위원회가 전 국민을 상대로 항전을 호소하는 전보를 발송했다. 전보문에는 전 국민과 정부, 군부대가 힘을 합쳐 민족통일전선을 구축해 일본 침략자를 몰아낼 것을 호소했고, 특히 마오쩌둥,

주더, 펑더화이彭德懷·팽덕회, 허룽 등의 공산당 지도자들은 장제스에게 "홍군 장병들은 국가를 위해 목숨을 아끼지 않고 장제스의 지휘에 따라 싸울 것"이라고 공개적으로 밝혔다. 또한 국민정부가 신속히 전국 총동원령을 내려 북평, 천진과 화북를 보위하고 잃은 영토를 수복해야 한다는 내용도 덧붙였다.

그런데 이 무렵 국민정부는 외교 경로를 통해 일본과의 분쟁을 평화적으로 해결하려고 했다. 당시 공산당을 토벌하고 있던 장제스는 공산당 토벌이 우선이고, 일본을 완벽히 제압할 힘도 없다는 사실을 잘 알고 있었기 때문이었다. 그러나 전쟁의 또 다른 축인 일본은 처음부터 중국과 쓸데없는 평화협상을 할 생각이 없었다. 일본은 동북 지역과 한반도에 주둔해있던 2만 명의 병력과 전투기 100여 대를 신속히 화북전장에 투입했다. 일본 육군 참모본부는 화북에서 중국군과 한바탕 전투를 벌일 요량으로 이미 화북전장에 총 40만 명의 병력을 동원한다는 계획까지 세워놓은 터였다.

예상대로 평화회담은 물 건너갔다. 7월 17일 장제스는 강서성 려산의 고령진에서 특유의 억양으로 대국민 담화를 발표했다. 아마 그의 평생을 통틀어 가장 멋진 연설이었을 것이다. 그는 전 국민에게 이렇게 호소했다.

"정부는 노구교사건과 관련해 시종일관 한 가지 방침과 입장만 고수한다. 우리는 평화를 원하지만 일시적인 안일을 원하지는 않는다. 우리는 응전 준비를 하되 주도적으로 출격하지는 않는다. 우리는 항전이 시작된 후의 국세를 알고 있다. 희생을 각오하고 끝까지 싸울지언정 추호의 요행 심리도 가져서는 안 된다. 일단 전쟁이 시작되면 지역, 나이를 불문하고 전 국민이 항전의 책임을 져야 한다. 전 국민이 목숨을 걸고 국토를 보위할 결심을 해야 한다. 따라서 정부는 큰일에 직면해 각별히 신중성을 기하고 있다. 전 국민도 침착하게 방위 준비에 만전을 기해야 할 것이다. 생사존망의 기로에 서 있는 현재, 전 국민이 일치단결하고 기율에 복종하면서 질서를 엄격히 준수하는 것 외에는 달리 길이 없다. 여러분은 각 지방에 돌아가 정부의 뜻을 전 국민에게 전달해 시국을 정확히 살펴 국가에 충성을 다할 수 있기를 바란다."

장제스도 이미 중국과 일본 간의 전면 전쟁은 피할 수 없다는 것을 잘 알고 있었다. 장제스가 '9·18 만주사변' 직후부터 '노구교사건'이 발생할 때까지 6년 동안이나 일본군과의 정면 승부를 결심하지 못한 이유는 당시의 현실을 고려했기 때문이다. 당시 공산당 토벌이라는 1차 목표도 있었지만, 무엇보다도 중국의 군사력이 일본과 싸워 이길 힘이 안 됐기 때문이었다. 그래서 장제스는 6년이라는 기간 동안 일본과의 전쟁을 준비했다. 독일 고문을 초빙해 독일 육군 훈련 교본에 따라 보병들을 훈련시켰고, 또 현대식 무기와 탄약을 충분하게 공급하고, 공군도 규모를 확충했다.

이와 함께 도로와 철도를 대거 부설하고, 충분한 전쟁 자금을 마련하기 위해 재정 개혁에도 박차를 가했다. 더불어 병역법을 발표해 군사를 모집하고, 외교 주도권을 얻기 위해서 미국, 영국, 프랑스 등 대국 정부를 상대로 널리 홍보를 해 나갔던 것이다.

장제스는 곧 닥쳐올 전쟁에서 완벽하게 승리할 자신이 없었다. 그럼에도 전쟁의 최후 승자는 일본이 아닌 중국일 것이라고 단언했다. 그는 노구교사건이 발생하기 2년 전에 쓴 일기에서 일본의 중국 침략 절차와 최종 결과에 대해 예측하면서, 전쟁이 발발하면 여러 단계를 거쳐 10년 안에 최종적으로 중국이 승리할 것으로 예측했다. 공산당 지도자 마오쩌둥도 노구교사건이 발생한 그 이듬해 섬서성 연안의 토굴집에서 쓴 그 유명한 〈지구전을 논함〉이라는 글을 통해, 중일전쟁이 발발하면 전략적 방어, 전략적 대치, 전략적 반격의 세 단계를 거쳐 지구전에 돌입하고, 최종 승자는 결국 중국이 될 것이라고 예측했다.

국공 양당 지도자들이 서로 다른 방법으로 분석해서 얻어낸 결론은 놀랍게도 일치했다. 즉 중일전쟁의 최종 승자는 중국이라는 것이었다. 따라서 장제스를 핵심으로 하는 국민정부와 마오쩌둥을 위시한 공산당은 누구를 막론하고 모두 끝까지 항전할 것이라는 큰 결심을 굳혔다.

특히 마오쩌둥은 이 전쟁 승리의 근원은 군민이라면서 중일전쟁이 최종 승리를 이루기 위해서는 전 국민, 전 사회를 철저하게 동원해 전무후무한 전쟁을 치르는 길밖에 없다고 강조했다. 장제스도 훈령에서 "남경이 함락되면 수도를 중경重慶으로 옮긴다. 만약 중경이 함락되면 수도를 티베트 라싸拉薩로 이전한다. 또 라싸마저 함락되면 해외에 망명정부를 조직할 것이다."라고 결사항전에 대한 굳은 결심을 표했다. 그러나 당시 중일 양측 군사력의 뚜렷한 차이는 이 중일전쟁이 지구전이면서, 나아가 세계 전쟁사에서도 가장 참혹한 전쟁이 될 것이라는 사실을 시사했다.

노구교사건이 발생한 지 얼마 지나지 않아 북평이 함락됐다. 중국군은 화북전장에서 계속 패전을 일삼았고, 탐욕스러운 일본은 화북 지역을 점령한 것으로는 만족하지 않았다. 1937년 8월 9일, 상해 주재 일본 해병대 장병 두 명이 차를 몰고 홍교虹橋 공항에 침입해 무력도발을 하다가 중국 경비대의 총에 맞아 죽었다. 좋은 구실을 얻은 일본 해병대는 8월 13일 홍구虹口 진지에서 탱크를 몰고 보산로寶山路를 따라 상해로 진격했다. 이렇게 해서 '제2차 상해사변'이 발발했다.

이틀 뒤 장제스는 전 국민 총동원령을 내렸다. 중국군 주력 부대는 화동華東 지역을 집중 방어함과 동시에, 일본군 후속 부대의 상륙을 막기 위해 송호淞濩에 있는 일본 해군기지를 격파하려고 시도했다. 9월부터 전쟁은 한층 더 격화됐다. 양측 증원 부대가 속속 도착해서 병력 배치에도 변화가 생겼다. 장제스도 친히 제3전역 사령관을 맡아 송호전투를 진두지휘했다.

11월 초까지 일본은 송호 전장에 총 10개 사단 28만 명의 병력, 군함 30척, 전투기 500대, 탱크 300대를 투입했다. 반면 중국은 70개 사단의 병력, 전함 40척, 전투기 250대를 투입했다. 11월 5일 새벽녘 일본군은 안개가 짙게 낀 틈을 타 항주만杭州灣 상륙에 성공해 송호는 일본군에 의해 완전히 포위당했다. 이후 전세는 일본군 쪽으로 급격히 기울었고, 장제스는 사흘 후 전군에 퇴각명령을 내렸다. 결국 이렇게 해서 일본군이 상해 전역을 점령한 것은 12월 12일의 일이었다.

30만 명이 살해된 남경대학살

상해에서 남경까지는 그야말로 엎어지면 코 닿을 만할 거리였다. 게다가 도중에 수비에 적합한 요새도 없어 일본군은 곧장 중화민국의 수도인 남경을 향해 진격했다. 그러자 국민정부는 11월 20일 수도를 남경에서 중국 서부의 깊숙한 내륙 지대인 중경으로 옮기기로 결정했다. 국민정부가 남경을 수도로 정한 지 겨우 10년이 조금 지난 시점이었다.

이때 장제스는 수도는 옮기되 남경을 고스란히 일본에 빼앗기기는 싫었는지 남경에서 최후의 전투를 준비시켰다. 장제스의 이 결정은 아직까지도 많은 사람들의 의아함을 자아내는 대목이다. 남경의 코앞 송호전투에서 패했으니 수도를 옮기는 것은 불가피한 결정이었다. 그런데도 장제스는 무엇 때문에 끝까지 남경을 사수하려고 했을까? 굳이 불가능한 일

인 줄 뻔히 알면서도 끝까지 그것을 고집한 이유는 이 시기에 장제스가 연이은 패배로 인해 이성을 상실한 것으로밖에는 해석되지 않는다. 어찌 보면 장제스의 이 같은 감정적인 대응이 얼마 후 남경에 몰아닥칠 참혹한 비극을 불러왔다고도 볼 수 있다.

국민정부의 최후 반격인 '남경전투'는 탕성즈唐生智 · 당생지가 지휘하기로 결정됐다. 그는 호남성 군벌 출신으로

남경 수비전을 지휘했던 무능했던 탕성즈. 그는 가장 먼저 도망쳤다.

북벌전쟁 때 국민정부에 귀순한 사람이었다. 그는 목숨을 걸고 남경을 지키겠다고 맹세한 다음, 장강長江가에 있는 배들을 전부 불태워버렸다. 소위 말하는 '배수의 진'을 친 것이다. 탕성즈는 이런 방식으로 남경과 생사존망을 같이하겠다고 비장한 결심을 나타냈던 것이다.

1937년 12월 4일, 일본군은 전투기와 폭격기를 앞세워 남경을 공격하기 시작했다. 퇴로가 완전히 막힌 상태에서 남경을 수비하던 중국군 부대는 일본군과 결사항전을 벌이며 그런 대로 잘 막아내고 있었다. 그러나 우세한 화력과 대군을 동원해 공격하는 일본군의 공격을 끝까지 막을 수는 없었다. 일본군의 남경 함락이 점점 현실화되고 있을 무렵, 어처구니없는 일이 벌어지고 말았다. 불과 며칠 전까지만 해도 목숨을 걸고 남경을 지키겠다고 큰 소리를 뻥뻥 치던 3군 사령관 탕성즈가 수십만 명의 병

일본군의 남경대학살 장면. 피해자 숫자는 적게는 수만 명에서 많게는 수십만 명까지 추산된다.

사와 시민들을 내버려둔 채, 사전에 몰래 숨겨놓았던 배를 타고 가장 먼저 남경에서 도망을 친 것이다. 사령관이 뺑소니치자 병사들은 어찌할 바를 몰라 갈팡질팡하다가 그대로 해체되고 말았다. 남경은 졸지에 사투를 벌이며 머리끝까지 화가 난 일본군 앞에 무방비 상태로 노출됐다.

12월 13일 아침 일본군 다니 히사오谷壽夫 사단이 가장 먼저 중화문을 거쳐 남경에 진입해 중산북로中山北路와 중앙로中央路의 빈민 지역을 피로 물들였다. 다음날 다른 3개 사단도 잇따라 남경 시내로 진입했다. 압도적인 전력 차이에도 불구하고 일본군에 맞서 용감하게 저항했던 중국군에게 보복이라도 하듯, 일본 군인들은 여섯 왕조의 수도였던 남경에서 군인과 양민을 가리지 않고, 차마 필설로 형언하기 힘들 정도로 잔혹한 대학살을 감행했다. 후세 사가들이 치를 떨며 기록하고 있는 '남경대학살'이 시작된 것이다. 1937년 12월 13일부터 1938년 2월까지, 대략 6주 동안 살해된 남경사람들은 아무리 적게 잡아도 수만 명, 많게는 수십만 명까지 집계되고 있어 당시 일본군의 무자비함을 단적으로 증명하고 있다.

일본군은 국민정부의 수도 남경을 점령한 후, 중국군에 대한 안하무인 격의 자신감과 자국 군사력에 대한 자만심이 극도에 달했다. 일본 군영에서는 속전속결을 주장하는 목소리가 팽배했다. 그들은 일본의 100만 대군이 하찮은 중국 전장에 발이 묶이는 것을 원하지 않았다. 그들의 욕심대로라면 일거에 중국의 주력군을 섬멸하고 국민정부를 강요해 화친조약을 체결해야 마땅했다. 그러나 이후의 형세는 일본군의 바람과 완전히 다른 방향으로 흘러갔다. 일본군이 남경에서 저지른 만행을 보면서 더 이상 퇴로가 없다고 판단한 국민정부가 점점 더 강경한 태도를 보인 것이다.

장제스는 항전에 대한 군은 결심을 보여주고 군 기풍을 진작시키기 위해, 싸우지도 않고 산동 지역을 일본에 넘겨준 패장 한푸쥐韓復榘를 사형에 처했다. 원래 펑위샹의 부하였던 그는 장제스에게 투항했고, 당시 산동성 주석으로 그의 휘하에 10만여 명의 정예 병력을 거느리고 있었다. 그러나 이런 장군이 일본군이 쳐들어오기도 전에 소문을 듣고 도망을 친 것이다. 한푸쥐는 처형 직전에 남경南京을 내버리고 도망간 탕성즈와 자신과 마찬가지로 싸우지도 않고 하남河南 지역을 잃은 류치劉峙의 죄는 덮어두고 자신만 처형당하는 것에 대해 억울함을 호소했다.

사실 장제스의 형평성에는 문제가 있었다. 류치는 한푸쥐와 같은 죄를 지었지만, 북벌전쟁에서 맹활약한 명장이자, 장제스의 직계 부하였기 때문에 이미 구제가 된 상태였다. 눈앞에 강적이 닥친 상황에서 법과 기율을 바로잡기 위해서는 한푸쥐 같은 자를 죽이는 것은 백번 마땅한 일이었다. 그러나 장제스는 자신과의 친소를 구별해 상벌을 결정했기에 공정하

454

게 일처리를 하지 못했다. 이러한 일처리는 그의 치명적인 결점이었다. 따라서 한푸쥐를 사형시킨 것만으로는 일벌백계의 효과를 얻지 못했다. 훗날 장제스가 여러 사람들에게 버림을 받은 것도 모두 이 때문이었다고 해도 과언이 아니다.

1938년 초부터 중국군과 일본군은 흔구炘口, 서주徐州, 태원太原, 무한武漢 등지에서 몇 차례 대결전을 벌였다. 전투는 대부분 중국군의 패배로 끝났고, 그때마다 중국 영토가 무더기로 일본의 손에 넘어갔다. 그러나 전쟁이 장기전으로 치달으면서 일본군의 재력, 물력, 병력도 점점 바닥나기 시작했다. 급기야 10월 이후부터는 일본군도 대규모 공격을 감행할 힘을 잃었다. 중일전쟁은 서서히 교착상태에 들어갔다.

제2차 세계대전

1930년대 대공황은 구미 각국을 심각한 경제난에 허덕이게 만들었다. 1차 세계대전 패전국인 독일은 베르사유조약으로 인해 가뜩이나 부담이 커졌다. 설상가상으로 경제 위기까지 덮쳤다. 갓 회복되기 시작한 경제는 또다시 찬 서리를 맞기 시작했다. 공장들은 줄줄이 파산하고 실업자는 600만 명에 이르렀다. 독일 대지주, 대기업가를 비롯한 기득권 세력은 독일 경제를 회복시키려는 목적으로 파시스트Fascist 운동을 방임하기 시작했다. 그래서 빈에서 떠돌이 생활을 하던 히틀러Hitler가 역사 무대에 등장하게 됐다.

1933년 초 히틀러가 독일 총리로 취임한 후 독일은 국제연맹과 군축회의에서 탈퇴함으로써 베르사유조약의 속박에서 벗어났다. 이어 재무장을 대대적으로 추진하기 시작했다. 그는 세계적인 경제난으로부터 독일 경제를 살려내기 위해 정부가 개입해 경제군사화 정책을 실시했다. 그러나 빠르게 회복되는 독일 경제도 나날이 증가하는 군비 지출을 감당하기에는 무리가 있었다.

이때부터 생존 공간 확장을 주장하는 나치 이론이 주류를 차지하기 시작했다. 1936년부터 히틀러는 끊임없이 군사적 도발을 감행해 국제사회의 반응을 엿봤다. 이를테면 비무장지대인 라인란트에 군대를 주둔시키는가 하면 스페인 내전에도 관여하고, 오스트리아를 병탄하기도 했다. 나중에는 이른바 뮌헨협정을 이용해 체코슬로바키아를 강점하는 등 도발을 멈추지 않았다.

영국과 프랑스는 히틀러의 야심을 뻔히 들여다보고 있었다. 그러나 굳이 제지하려고 하지 않았다. 히틀러를 이용해 유럽의 세력 균형을 유지하려는 속셈이 있었기 때문이다. 더구나 갓 취임한 체임벌린 영국 총리는 쇠약해질 대로 쇠약해진 자국 경제와 군사력을 우려해 독일에 대한 유화정책을 계속하고 전쟁을 회피하는 데 급급했다. 가급적 나치독일의 끝없는 탐욕을 만족시켜줌으로써 유럽의 위기를 미연에 방지하려고 했던 짧은 생각 때문이었다.

그러나 히틀러의 욕심은 끝이 없었다. 1939년 9월 1일 새벽, 나치독일은 폴란드를 침공했다. 훗날 영국 총리가 된 윈스턴 처칠이 "전쟁이 두려워 계속 양보할지라도 최종적으로 전쟁을 피할 수는 없다. 그것은 결국 우둔한 짓이 될 것이다."고 말한 바와 같았다. 독일이 폴란드를 침공한 지 사흘 만에 영국과 프랑스는 독일에 선전포고를 했다. 이렇게 해서 유럽에서 제2차 세계대전이 발발했다.

유럽에서의 전쟁 발발 소식에 장제스는 기쁨을 감추지 못했다. 중국이 중일전쟁을 시작한 지 2년 만에 드디어 고대하던 국제 전쟁이 터진 것이

1945년 9월 9일 남경의 전 중앙사관학교 강당에서 중국 육군 사령관 허잉친(좌)이 중국 침략군 총사령관 오카무라 야스지(우)로부터 항복문서를 넘겨받는 장면.

다. 잘만 이용한다면 중국이 전화위복의 기회를 얻을 수도 있기 때문이다. 과연 2차 세계대전은 중일전쟁의 전세를 역전시키는 계기로 작용했다.

1941년에는 나치독일의 전략적 파트너이자, 주축국의 일원인 일본이 태평양 지역에서 지배권을 확장하기 위해 하와이의 진주만 기지를 공습했다. 그때까지 잠자코 있던 미국도 드디어 일본을 상대로 선전포고를 했다. 이렇게 해서 제2차 세계대전의 또 한 축인 태평양전쟁이 발발한 것이다.

미국의 경우 당시 루스벨트의 뉴딜정책 덕분에 대공황을 신속하게 극복할 수 있었다. 1933년 32대 대통령에 취임한 프랭클린 루스벨트는 경제학자 케인스의 사상을 바탕으로 뉴딜 정책을 실시함으로써, 자유방임주의의 당연한 결과물인 경제 위기에 대해 극약처방을 내렸다. 루스벨트의 뉴딜 정책에는 정부의 국가경제에 대한 본격적인 간섭, 정부지출 증가, 고용 확대, 분배정책 조정, 서민복지 증진 등의 내용이 망라돼 있었다. 미국 경제는 빠른 속도로 회복되기 시작했고, 새로 활기를 얻은 미국의 제 조업은 미국과 미국 동맹국인 중국이 최후의 승리를 얻는 데 결정적인 역할을 했다.

진주만 공습이 있었던 이듬해인 1942년 6월, 미국 해군은 태평양 미드웨이 섬과 남태평양 산호해 근해에서 일본 해군에 큰 타격을 가한 '미드웨이해전'을 통해 태평양 전장의 전세를 일거에 역전시켰다. 이후 미군의 전략은 수세에서 공세로 전환됐다. 미드웨이해전 이후 3년이 지난 1945년 2월, 미국은 2만 명의 병력을 희생시키는 대가로 일본 남부의 이오지마(硫黃島 · 유황도)를 함락시켰다. 이로써 도쿄를 비롯한 일본 본토 전역이 미군 전투기의 폭격 권역 아래 놓이게 됐다.

나치독일이 항복한 지 두 달 후인 7월 26일, 중국, 미국, 영국은 공동으로 포츠담 선언을 발표해 일본의 항복을 촉구했다. 그러나 일본 정부는 포츠담 선언을 거부했다. 일본 군부는 육지 특공작전으로 결사항전을 계속하겠다고 선포했다. 이에 미국은 일본을 상대로 최후의 일격을 결정했다. 8월 6일 일요일 오전, '에놀라 게이'라는 이름을 가진 미군의 B29 전략 폭격기가 일본 히로시마 상공에서 원자폭탄을 투하했다. 사흘 후 미국은 나가사키에도 원자폭탄을 투하했다. 10만 명이 넘는 인구가 그 자리에서 목숨을 잃었다. 일본인들의 정신세계는 완전히 붕괴됐다. 미군이 일본에 두 번째 원자폭탄을 투하한 그날, 소련도 일본에 선전포고를 했다. 소련의 붉은 군대는 중국 동북에서 일본 관동군과 격전을 벌였다.

8월 15일 점심 무렵, 일본 천황 히로히토(裕仁)는 떨리는 음성으로 라디오 방송을 통해 무조건 항복을 선언했다. 일본의 중국 침략군 사령부 장군 전원은 남경의 뜨거운 햇볕 아래에 줄지어 서서 흐리멍덩한 눈빛으로 천황의 육성을 잠자코 들어야 했다. 1945년 9월 9일 오전, 남경에 있는 전(前

중앙사관학교 강당에서 중국 침략군 총사령관 오카무라 야스지岡村寧次는 도장이 찍힌 항복문서를 중국 육군 사령관 허잉친何應欽에게 두 손으로 공손히 바쳤다. 이렇게 해서 전쟁은 모두 끝났다.

재기 기회를
잡은
중국호

        비록 수많은 어려움과 많은 사람들의
희생이 따르긴 했지만 중국은 아편전쟁 이후 100여 년 만에 처음으로 승리
를 거뒀다. 중국의 중일전쟁 승리는 전 세계 인민의 반파시스트 전쟁 승리
의 중요한 한 부분이었다. 따라서 중국은 전후에 당당하게 세계 대국의 일
원으로 인정받을 수 있었다.

    제2차 세계대전이 막바지에 이르렀을 때 연합국 수뇌들은 전후 국제평
화 유지를 목적으로 하는 '국제연합(國際聯合 · United Nations)' 설립에 대해
논의하기 시작했다. 미국의 루스벨트 대통령은 자국과 타국을 위해 큰 대
가를 치른 미국, 소련, 영국, 중국 등 4개국이 전후 국제 현안과 관련해 가
장 큰 발언권을 가지고 있다고 주장했다. 그동안 중국은 대서양 헌장, 연
합국 공동 선언, 국제연합헌장 및 세계 인권선언 등의 국제적인 조약에
최초로 서명한 국가 중 하나여서, 2차 대전 때부터 장제스는 루스벨트, 처

세계대전 중 장제스(왼쪽), 루스벨트(가운데), 처칠(오른쪽)이 모여 전후 처리에 대해 구체적으로 의견을 나눈 카이로 회담.

칠, 스탈린 등 국제적으로 유명한 정치인들과 심심찮게 국제회의에 모습을 보였다.

결국 유엔 창립 과정에서 중국은 2차 세계대전 종식 후 유엔의 창설국 및 안보리 5대 상임이사국 중 하나가 됨으로써 대국의 풍모를 한껏 과시했다. 얼마나 체면이 서는 일인가? 중국이 서구 열강들 앞에서 이렇게 체면을 세우는 것은 처음이었다. 중국은 과거 3,000년 동안 당해보지 않았던 온갖 굴욕을 1840년 이후부터 100여 년 동안 계속 당해왔다. 그런데 쥐구멍에도 볕들 날이 있다고 드디어 재기할 기회를 얻은 것이다.

원수에게 관용을 베푼 중국 정부

전쟁이 끝난 후 중국은 패전국 일본에 관용을 베풀었다. 거액의 전쟁배상금을 포기함으로써 대국의 넓은 아량을 보여줬다. 그러나 일본은 지금까지 어떠했는가? 청일전쟁 때 중국으로부터 거액의 전쟁배상금을 받아 냈고, 신축조약 때도 8개국 연합군의 일원으로 '경자배상금'을 받지 않았던가? 나아가 대만, 동북3성 등 점령지역에서 무자비한 약탈을 감행하지 않았던가? 일본의 중국 침략전쟁은 중국에 수천 억 달러의 경제적 손실을 초래했다. 따라서 국제관례를 좇아 이성적으로 처리하든, 아니면 감정적으로 처리하든 간에 중국이 일본으로부터 배상금을 요구하는 것은 너무나 당연한 이치였다.

그러나 중국 정부는 중국 땅에 있는 일본 자산을 인수한 것 말고는 일본 측에 그 어떤 다른 요구도 일절 하지 않았다. 장제스는 일본이 무조건 항복을 선포한 그날, "중국 국민은 지난날의 잘못을 따지지 않고 타인에게 선을 행하는 것이 중국인들의 더할 나위 없는 미덕임을 반드시 알아야 한다. 우리의 적은 무력을 남용한 일본 군부지 일본 국민이 아니다. 우리 동맹국의 공동 노력으로 적군을 이미 무너뜨린 현재 우리는 적국이 항복할 때 약속한 모든 조항들을 충실히 이행하도록 책임지고 감독할 의무가 있다. 그러나 우리는 보복을 원하지 않는다. 더구나 적국의 무고한 국민을 모욕하는 짓은 하지 않을 것이다." 와 같은 내용의 연설을 통해 대국의 넓은 아량을 보여줬다.

그러나 조금이라도 생각이 있는 사람이라면 당시 중국이 껍데기로만 대국이라는 사실을 알 수 있을 것이다. 당시 중국의 국력과 국제적 지위는 미국, 소련, 영국 등 명실상부한 대국들에 비할 바가 전혀 못 됐다. 또 일본에 전쟁배상금을 요구하지 않은 것도 대국의 풍모를 보여주기 위한 정치적 쇼에 불과했다.

종전 후 국민정부는 일본에 빼앗겼던 땅을 되찾았으나 그 과정에서 벌어진 일들은 완전 난장판에 가까웠다. 당시 정치는 어둡고 도덕은 상실됐다. 또 관리들의 부패상은 차마 눈뜨고 볼 수 없을 지경이었다. 일본군이 점령했던 지역들은 일본이 항복을 선언한 이후부터 접수 부대가 진입하기 전까지, 사실상 무정부 상태에 처해 있었다. 치안은 없었고 강도와 도적이 들끓었다. 정신적 준비는 물론 마땅한 대비책마저도 갖추지 못한 국민정부는 각양각색의 접수 부대가 들어가는 것을 속수무책으로 방임할 수밖에 없었다. 온갖 종류의 접수 부대는 강도들보다도 더 흉악했다. 험상궂은 모습으로 일본인이 점령했던 지역으로 몰려들어 온갖 악행을 다 저질렀으니, 이른바 '접수接收'가 '겁수(劫收·약탈)'로 탈바꿈했던 시기였다.

국민정부의 접수 작업은 일괄적으로 진행된 것이 아니었다. 여러 갈래로 나뉘어 이뤄졌다. 중앙군사위원회, 국민당 당부黨部, 정부 기관, 군대, 지방정부 등이 제각각 피被점령 지역에 접수 기구를 설립했다. 접수기구 명칭도 〈일본 침략자와 매국노, 괴뢰정권자산 접수위원회〉, 〈부동산 처분위원회〉, 〈일본 침략자, 매국노 및 괴뢰정권이 점령한 민영 상공기업 처리위원회〉 등 그야말로 각양각색이었다. 각 접수기구 배후에 있는 이익 집단들은 서로 치열한 쟁탈전을 벌였다. 일부 지역에서는 심지어 이익 집단 간 무력 충돌이 빚어지기도 했다. 총을 가지고 있는 자들이 제일 거들먹거렸다. 이들은 "매국노를 수색, 체포한다."는 구실로 닥치는 대로 재물을 약탈했다. 제일 불쌍한 것은 힘없는 서민이었다. 접수 부대가 접수를 핑계로 서민들의 사유재산마저 심심찮게 빼앗았기 때문이었다.

호남성 악양岳陽에서는 접수 부대가 현지의 각종 물자를 외지로 운송하기 쉽도록 저녁마다 계엄을 선포했다. 일본군이 악양에 건설한 공장의 기계 설비는 죄다 팔아 치운 지 오래였다. 안휘성 무호蕪湖에서는 경찰서장과 부하가 작당해서 국가 창고에 있는 쌀을 외지에 가져다 팔았다. 상해에서는 갑북閘北 경찰서장이 상인들과 결탁해 차압한 전매품인 설탕을 아예 배로 가득 실어 날라 팔았다. 북평北平에서는 일본 괴뢰정권의 자산 중 5분의 1만 국고에 귀속시키고 나머지는 개인들이 나눠 가졌다. 당정군黨政軍 관리들은 이때 서양을 치켜세우고 동양을 비난하면서 은화를 약탈했고, 금, 자동차, 여자, 집과 돈이라면 뭐든지 덥석덥석 받았다.

힘 있는 자들의 무절제한 약탈 행위는 지식인들의 우려를 자아냈다. 일부는 장제스 위원장에게 이대로 가다가는 국토를 수복해도 계속 민심을 잃게 될 것이라고 강력하게 경고했다. 그러나 사실 그로서도 속수무책이었다. 위대한 광복은 '승리 후의 재난'으로 바뀌고 있었고, 불과 짧은 몇 달 사이에 국민당의 위신은 바닥으로 추락했다. 국민당이 중일전쟁을 하면서 축적했던 정치 자본도 손에 들어온 물질적 자산에 완전히 파묻혀 모두 사라졌다.

당시 평진平津·북평과 천진) 일대에서는 "당 중앙, 당 중앙, 기다리고 기다리던 당 중앙이 오니 오히려 재앙을 당하는구나!"라는 내용의 민요가 유행했었고, 유력 신문인 《대공보大公報》에도 "불과 얼마 전까지도 수천만 국민은 열광적으로 승리에 환호했다. 그런데 지금은 물보다 깊고 불보다 더 뜨거운 극심한 고통을 겪고 있다."는 내용의 기사까지 실려 당시 힘 있는 자들의 약탈 행위가 얼마나 심각했는지 엿볼 수 있다.

만주국의 기반이었던 동북3성 지역은 16년 동안이나 일본의 지배 아래 있었다. 이 기간에 일본은 전쟁 물자를 조달하기 위해 동북 지역에 필요한 공업 체계를 구축했고, 그중에서도 특히 군수공업을 대대적으로 발전시켰다. 동북 지역은 원래부터 천연 자원과 인적 자원이 풍부한 데다 중일전쟁 후반기에는 일본 본토의 중요 산업부문도 미군의 폭격을 피하기 위해 동북으로 많이 이전한 상태였다. 이런 이유로 1945년 일본이 항복할 당시의 동북 지역 산업 총생산량은 일본 본토를 초과할 정도였다.

동북3성에서 소련군이 사용했던 100위안 군표. 이 돈은 중국 정부가 갚아야 했다.

1945년 8월 9일, 소련은 대일 선전포고를 하고 곧바로 동북 지역을 장악했다. 그로부터 엿새 뒤 일본이 항복을 선언했다. 소련군은 단 엿새만 전쟁을 치르고 동북을 장악한 것이다. 소련이 이토록 정확하게 출병 시기를 정한 이유는 도탄에 빠진 동북 인민을 구하기 위해서였을까? 물론 아니었다. 소련군은 동북 지역을 점령하자마자 가장 먼저 모든 은행의 현금과 금은을 전부 인출하고, 잇따라 동북의 산업 설비와 각종 물자들을 대량으로 뜯어내 소련으로 가져갔다. 대신 소련군은 이 기간 동북 지역에서 군용표軍用票를 발행해 소련군 주둔 기간의 모든 경비를 중국 정부가 부담하도록 했다.

당시 동북3성에 있던 대부분 산업 설비는 소련이 '6일 전쟁'의 전리품으로 가져갔다. 중국은 겨우 5분의 1 정도만 회수한 것으로 추정된다. 그러나 소련이 가져가고 남은 고작 5분의 1밖에 안 되는 산업 설비만으로도 동북 지방이 중국에서 가장 튼튼한 산업 기지로서의 역할을 했으니, 당시 중국의 산업 체계가 얼마나 뒤처졌는지 짐작할 수 있는 증거였다.

소련군은 동북 지역에서 철수할 때 분명한 입장을 취하지 않고 국민당과 공산당 양당에 양다리를 걸쳤다. 따라서 국민당 군대와 공산당 군대가 모두 동북에 진입해 국민당은 도시를 중심으로 남만주를 통치했고, 공산당은 농촌을 근거지로 북만주를 장악했다. 이 같은 구도는 향후 양측이 군사행동을 벌일 것을 암시한 사건이었다.

50년 만에 돌아온 대만

1895년에 체결된 시모노세키조약下關條約에 의해 일본으로 넘어갔던 대만은 일본의 항복과 함께 50년 만에 다시 중국의 품으로 돌아왔다. 국민정부는 제70군을 파견해 대만을 인수하도록 했다. 1945년 10월 17일 3,000여 명의 장병과 대량의 군수품을 실은 40여 척의 미국 선박이 대만 북부의 기륭基隆항에 상륙했다. 그리고 1주일 뒤 새로 대만 행정장관에 임명된 천이陳儀 · 진의도 대북臺北시에 도착했다.

그러나 천이의 집권 기간은 그리 길지 못했다. 처음 대만에 온 국민정부의 관리들은 온통 이해할 수 없는 광경들을 보고 큰 충격에 휩싸였다. 그럴 만도 한 것이 대만은 장장 50년 동안이나 일본에 의해 식민 지배를 받다보니 모든 면에서 대륙과 큰 차이를 보였다. 무엇보다 거리와 골목에는 일본어 간판이 걸려 있었다. 대륙에서 '찬팅餐廳'이라고 부르던 음식점이 대만에서는 '식당食堂'이라고 불렸고, 주택가에서는 일본 노래가 심심찮게 흘러나왔다. 또 행인들은 딸각딸각 소리 나는 나막신을 신고 다녔고, 한자를 쓸 줄 모르거나 심지어 중국어를 할 줄 모르는 사람도 많았다. 이런 현실에서 권력 이양은 쉽게 이루어질 수 있을지는 몰라도, 정서와 문화 차이는 단시일에 극복할 수 있는 것이 아니었다.

이러한 정서와 문화의 차이는 불과 1년 뒤에 무력충돌을 불러왔다. 당시 대만 주둔군은 군기가 흐트러져 있었고, 정부 관리들마저 부패하기 이를 데 없었다. 게다가 대륙에서 벌어지던 국공내전까지 대만 경제가 지원해야 했기 때문에 대만 경제지표는 급락하고 물가 폭등까지 이어졌다. 엎친 데 덮친 격으로 대만 본토박이 본성인들과 대륙에서 건너온 외지인인 외성인들 간의 갈등마저도 점점 첨예해졌다.

급기야 1947년 2월 27일 밤, 국민정부 경찰들이 담배 암거래 현장에서 현지의 지역민을 구타하고 이에 항의하던 사람들에게 발포하면서 한 명이 죽고, 한 명이 부상하는 사건이 발생했다. 이에 자극받은 대만 본토인들이 2월 28일 대만 전역에서 대규모 시위를 벌이며 국민당 정부의 폭압 정치에 항의했다. 그러자 국민정부는 가장 단순하고도 가장 난폭한 방법으로 이 시위를 진압했다. 시위 대열을 향해 기관총을 난사한 것이다.

이런 식의 무식한 진압방법은 안 그래도 터지기 직전이었던 대만 본토인들의 가슴에 불을 지른 격이었다. 결국 격분한 시위대는 경찰서와 관공서, 방송국 등을 습격하고 주둔군과 전투를 벌이기 시작했다. 이에 놀란 대만 행정장관 천이陳儀는 본토에서 내전을 지휘 중이던 장제스에게 도움을 요청해 진압군의 증파를 요청했고, 이렇게 파견된 진압군은 시위를 진압한다는 명목으로 대만 본토인들을 무자비하게 학살하기 시작했다. 이 사건이 바로 대만 역사의 비극으로 불리는 '2·28사건'이다. 지금까지의

2·28 사건은 국민당 정부의 폭압적 통치에 맞서 대만 본성인(本省人)들이 일으킨 항쟁이다.

연구에 의하면 이 과정에서 2만~3만여 명이 목숨을 잃은 것으로 추정된다. 이 사건 이후에도 본성인과 외성인 간의 문화적 차이와 심리적 간극은 줄어들기는커녕 오히려 분노와 증오로 바뀌어 수십 년이 지난 지금까지도 사라지지 않고 있다.

2·28사건 이후 천이는 행정장관 직에서 해임됐다. 국민정부는 대만 현지인들을 달래기 위해, 당시 대만을 국민당의 군사 점령지처럼 관리했던 방침을 바꾸고 대만성臺灣省 정부를 조직했다. 1년 뒤 국민당 부대는 대륙에서 벌어지던 내전에서 수세에 몰리자 대거 대만으로 철수하기 시작했다. 1949년 말까지 총 200만 명의 국민당 병사와 지지자들이 대만으로 이주했고, 장제스도 연말에 성도成都에서 비행기로 대북臺北으로 날아갔다. 이때부터 국민정부는 중국 동남쪽의 작은 섬 대만에 둥지를 틀었다. 또 이때부터 200만 명의 외지인과 600만 명의 현지인들은 함께 역사의 소용돌이에 말려들어 바다를 사이에 두고 조국을 바라만 보는 삶을 살게 된다.

전후 중국 경제는 더욱 악화됐다. 국민정부는 항일抗日 전쟁 기간에 전국 경제를 독점하기 위해 법폐[11]의 발행량을 대폭 늘렸다. 일본군이 넓은 면적의 국토를 점령해 세수입이 급감한 상황에서 막대한 군정 경비 지출을 충당하기 위해서는 법폐를 추가로 발행할 수밖에 없었다. 실제로 중일전쟁이 벌어지기 전의 법폐 발행량은 약 14억 위안에 불과했지만, 일본이 항복을 선언했던 1945년 8월의 법폐 발행량은 무려 5,569억 위안에 달했다.

그러나 법폐의 추가 발행은 여기서 그치지 않았다. 일본군이 물러간 뒤에도 법폐는 계속 발행돼 더 큰 문제를 일으켰다. 국공합작이 결렬되고 국공 내전이 발발하자 국민정부의 군비 지출은 더욱 급증했다. 하지만 당

---

11 법폐(法幣): 법정화폐의 줄임말로 국민당 정부 시절인 1935년 11월부터 1948년 8월까지 중국에서 통용되던 지폐를 말한다.

시 실제 재정 수입은 재정 예산의 15퍼센트밖에 되지 않아 또다시 법폐를 추가 발행할 수밖에 없었다. 결국 1947년 4월의 법폐 발행량은 중일전쟁 전에 비해 무려 1만여 배가 늘어난 약 16조 위안에 달했다.

화폐 발행량이 급증함에 따라 당연하게도 물가가 미친 듯이 올라 백성들은 기본적인 생계도 유지하기 어려워졌다. 북평北平시 순의順義현의 곡물가격 변화를 예로 들어 당시 물가 상승 상황을 알아보자.

1946년 7월 22일에 1소두(小斗 · 15근)당 1,900위안이었던 흰 옥수수 가격은 8월 28일 2,450위안으로 올랐고, 10월 4일에는 2,800위안으로 뛰어 올라 불과 두 달여 사이에 1.5배의 가격 상승을 보였다.

그러나 1946년의 물가 상승은 애교에 불과했다. 1947년 1월 27일 1소두小斗당 2만 위안 이하에 거래가 됐던 좁쌀의 경우, 이후 6월 28일에는 4만 3,000위안이 됐고, 그해 말인 12월 13일에는 무려 11만 위안에 거래가 됐다. 1948년의 물가 상승은 더욱더 심해졌다. 노란 옥수수 1소두小斗당 가격이 2월 15일에는 12만 위안이었는데, 7월 24일에는 300만 위안으로 급증했고, 급기야 그해 10월 8일에는 무려 1,200만 위안이라는 어마어마한 금액으로 뛰어 올랐다. 이런 상황이었으니 당시 사람들의 고단함은 이루 말로 표현할 수가 없었다.

당시 사천성四川省의 물가 상승 수준을 기록한 자료를 보자.

- 1946년: 4월 5일부터 물가가 뛰기 시작했다. 그중에서도 토산품과 식량 공급이 달렸다. 버스표는 150위안에서 250위안으로 상승했다. 신문 가격과 인쇄비는 각각 100퍼센트와 170퍼센트 상승했다. 물가는 지속적으로 상승했다. 12월 3일 전기세와 교통비의 상승으로 인해 셔츠, 수건, 양말 등 일용품 가격은 3,000~5,000위안 상승했다.

- 1947년: 1월 8일 중경重慶시 물가는 연일 상승세를 나타냈다. 특히 쌀 값 상승폭이 매우 컸다. 1월 7일 상품의 하숙미河熟米 가격은 1섬당 3만 3,000위안으로 전일 대비 3,000위안 올랐다. 10월 23일 중경시 물가 조사결과에 의하면 5월부터 10월 10일까지 철물 가격은 425퍼센트, 목재 가격은 468퍼센트, 연료 가격은 343퍼센트, 피복 가격은 280퍼센트 상승했다.

- 1948년: 6월 17일 저녁 중경시 곡물 가격이 심상치 않았다. 일부 점포에서는 850만 위안, 심지어 1,200만 위안을 부르는 점포도 있었다. 생계에 위협을 느낀 시민들은 앞을 다퉈 식량 강탈에 나섰다. 70여 개 정미소와 쌀가게가 쌀 7,000여 섬을 강탈당했다. 11월 9일, 항공료와 뱃삯도 원가 대비 200퍼센트 상승했다. 정부의 재정 개혁은 실패에 직면했다.

- 1949년: 1월 9일 의빈宜賓에 있는 중원 제지공장과 낙산에 있는 가락 제지공장이 치솟는 물가를 감당 못해 생산을 중단해 직원들이 실직했다. 4월 1일 정부가 5,000위안 및 1만 위안짜리 금원권金圓券과 5만 위안 및 10만 위안짜리 어음을 대량으로 발행하면서 물가는 미친 듯이 상승했다. 4월 7일 성도成都의 물가는 하루사이에 1.5배 상승했다. 이런 대혼란은 어디라고 할 곳도 없이 중국 내 다른 지역도 마찬가지였다.[12]

위의 기록들만 살펴봐도 1950년대가 다가올 무렵의 중국 경제는 거의 파탄 직전에 이르렀다는 것을 알 수 있다. 당시 중국의 GDP는 세계 GDP에서 겨우 2퍼센트를 차지하는데 그쳤다. 이 수치를 이 시기보다 200년

---

12 상해에서는 5인 가족 기준으로 1개월 최저 생활비가 1946년 봄에는 약 15만 6,000위안, 1946년 여름에는 30만 위안이던 것이 1947년 여름에는 270만~300만 위안으로 급증했다. 1946~1947년의 상해 가계 생활비 자료는 1946년 2월 20일자 《전선일보(前線日報)》를 참조했다.

전인 1750년의 33퍼센트, 90년 전인 1860년의 20퍼센트, 50년 전인 1900년의 6.2퍼센트와 비교해보면 얼마만큼 중국경제가 급격하게 몰락했는지 알 수 있는 수치다. 중국은 건륭제 이후 200년 동안 자만에 빠진 채 세상의 변화에 귀 기울이지 않다가 대내외적으로 엄청난 경제력이 소모되면서 어느새 현대화 세계로부터 저만치 멀어지고 말았다.

전쟁 속에서
다시
태어나다

중국은 중일전쟁에서 승리를 한 후에
도 여전히 문제점이 적지 않았다. 시급히 해결해야 할 문제가 따로 있었
기 때문이었다. 그것은 중국의 국제적 위상을 높이는 일도, 국가를 재건
하는 일도, 부정부패를 척결하는 일도 아니었다. 코앞에 닥친 과제는 바
로 혼란스러운 국내 정치 문제를 해결하는 것이었다.

통일 국가 정권을 수립하기 위해 국민당, 공산당, 기타 신흥 정치 단체
들이 어떤 방식으로 연합해야 하는지, 구성 성분이 복잡하고 규모가 방대
한 군대들을 어떻게 개편해 국가 소유로 만들어야 하는지 등 골치 아픈
문제들이었다. 게다가 내전과 분열의 위험도 여전히 존재하고 있었다. 오
랫동안 전란의 고통을 겪어온 중국의 4억 국민들은 간절히 평화를 갈망
했다. 국민은 정치 지도자들의 탁월한 리더십을 기대했다.

제2수도 중경에 있던 국민정부의 장제스는 일본의 공식 항복을 전후해

1945년 8월 14일, 20일, 23일 등 연속 세 번이나 공산당 지도자 마오쩌둥에게 "중경에 와서 국가 대사를 함께 상의하자."는 내용의 전보를 보냈다. 28일 마오쩌둥, 저우언라이, 왕뤄페이王若飛·왕약비 등으로 구성된 공산당 대표단이 할리 주중駐中 미국 대사와 장즈중張治中 국민정부 특사와 동행해 섬서성 연안에서 특별기를 타고 중경에 도착했다. 당시 유력 신문《대공보》는 다음날 신문에 이 국공 회담과 관련해 감개무량한 논평을 싣고 국공 양당의 역사적 만남을 기대했다.

"마오쩌둥 선생이 중경에 도착했다. 마오쩌둥과 장제스 주석은 19년 만에 다시 만났다. 오랜 기간의 내전과 8년 중일전쟁, 이 세월 동안 얼마나 많은 슬픔과 기쁨, 이별과 만남이 있었던가. 중국이 대승리를 거둔 오늘 두 사람이 다시 손을 잡으면 역사에 유례가 없는 대단한 해피엔딩이 연출될 것이다."

마오쩌둥과 장제스의 운명적인 만남

각자 서로 다른 군대와 근거지를 가지고 있는 두 정당은 아름다운 산간 도시 중경에서 드디어 어려운 협상을 시작했다. 그러나 서로에 대한 거리감이 너무 커서일까, 양측 간 협상은 처음부터 끝까지 줄곧 냉담한 반응과 적의로 점철됐다. 국민당은 한 나라가 사분오열된 상황에서 민주주의가 웬말이냐면서 통일을 먼저 주장했다. 이에 대해 공산당은 민주주의가 없는 통일국가는 국민에게 전혀 도움이 안 된다면서 날카롭게 맞섰다. 국민당은 '정령政令과 군령軍令의 통일'을 핵심으로 하는 협상 원칙을 제시했다. 반면 공산당은 '평화, 민주, 단결'을 구호로 내놓았다. 양측 의견이 엇갈린 부분이 매우 많았음에도 불구하고 40여 일간 밤낮으로 집단 협상

중경에서 만난 마오쩌둥과 장제스. 국공 양당 간에는 견해 차이가 컸다.

과 개별 협상을 추진한 덕분에 국공 쌍방은 드디어 10월 10일에 일명 '쌍십협정雙+協定'으로 불리는 '국공 쌍방대표 회담기록 요강'에 서명했다.

양측은 이 협정에서 평화적 건국, 내전 중지, 국민당 훈정 폐지, 민주정치 실현, 국민의 민주와 자유 보장, 모든 정당의 평등하고 합법적인 지위 인정, 지방자치 실시, 민주적인 정치협상회의 개최 등 표면적인 문제에 대해 의견일치를 봤다. 반면 국민대회 개최, 군대의 국가화, 해방구 지방정부, 무력충돌 중지 등 실질적인 문제에 대해서는 합의를 이루지 못했다. 양측의 의견은 여전히 크게 엇갈렸던 것이다. 그럼에도 협상은 계속됐다. 다행히 국공 쌍방의 평화협상이 초보적인 성과를 거둔 것만으로도 평화에 대한 희망이 보이는 듯했다.

그러나 평화협상 기간에도 끊이지 않고 들려오는 내전의 총소리는 사람들에게 평화에 대한 불안감을 심어줬다. 예컨대 옌시산閻錫山의 국민당 군대는 산서성 상당 지역에서 류보청劉伯承, 덩샤오핑의 공산군과 대규모 군사 충돌을 일으켰다. 또 국민당 10만 대군은 하북성 한단邯鄲 지역에 있는 공산군 해방구를 공격했다.

　　국공 담판 기간에 장제스는 그가 10년 전에 작성했던 〈비적 토벌 수첩〉을 전국의 각 지역 사령관들에게 새로 발급하며, 다음과 같은 내용의 밀령을 내렸다.

　　"이번 공산 비적 토벌 사안은 국민의 행복과 연결된 중대한 것이다. 따라서 반드시 예전의 항전 정신을 바탕으로 중정(中正·장제스)의 〈비적 토벌 수첩〉에 따라 신속히 공산비적 토벌임무를 완성하도록 부하들을 독려하기 바란다. 국가를 위해 공을 세우는 자에게는 큰 상을 내릴 것이다. 반면 임무에 태만해 일을 그르치는 자는 엄벌에 처할 것이다. 이 사항을 소속 부대 장병들이 모두 따르고 지키도록 잘 전달하기 바란다."

　　9월, 마오쩌둥은 중경에서 각계 명사들을 두루 방문하고 나서 자신이 9년 전에 썼던 〈심원춘 설沁園春 雪〉이라는 친필 시를 그의 오랜 친구인 류야쯔柳亞子·류아자에게 줬다. 얼마 후 이 시는 중경의 주요 신문들에 속속 게재됐다.

심원춘沁園春
설雪

북국의 풍광
천리에 얼음 덮이고

만리에 눈 날리네.

장성 안팎을 바라보니

망망함만 남아 있고

도도히 흐르던 큰 강도

삽시에 기세를 잃었구나.

산은 춤추는 은 뱀인 듯

고원은 줄달음치는 흰 코끼리인 듯

하늘과 높이를 비기려 하네.

날이 개어 바라보니

붉은 단장 소복차림

유난히 아름다워라.

강산이 이렇듯 아름다워

수많은 영웅들 좌절케 했구나.

애석하게도 진시황, 한무제는

문재가 좀 모자랐고

당태종, 송태조는

시재가 좀 무디었더라.

천하의 영웅

칭기즈칸도

활 당겨 독수리 쏠 줄밖에 몰랐거니

모두가 지나간 일들이라

풍류인물 세려면

오늘을 보아야 하리.

이처럼 장제스의 살기등등한 밀령과 마오쩌둥의 호방하고 거칠 것 없는 시는 국민당과 공산당의 상극 관계를 암시했다. 따라서 많은 사람은 국공내전이 피할 수 없는 일이라고 우려했다.

국공내전과 중화인민공화국 수립

'쌍십협정' 체결 후 6개월도 채 안 된 1946년 4월, 중국 동북 지역인 길림성 사평四平에서 전쟁이 터졌다. 국공 양군이 남만주와 북만주의 요충지인 사평을 차지하기 위해 혈전을 벌인 것이다. 중일전쟁 시기에 크게 성장한 황포군관학교 출신 장군 두위밍杜聿明·두율명이 국민당 5개 군단을 이끌고 공산당이 점령하고 있던 사평을 포위하고 공격했다. 약 한 달간의 결전 끝에 황포군관학교 1기 졸업생인 두위밍이 후배인 4기 졸업생 린뱌오林彪의 군대를 격파했다.

큰 타격을 입은 공산당의 '동북민주연군東北民主連軍'은 사평을 버리고 북만주로 철수했다. 그러나 1년 뒤 린뱌오는 다시 사평으로 쳐들어갔다. 이번 싸움에서 그는 선배인 황포군관학교 1기 졸업생 천밍런陳明仁·진명인을 격파해 1년 전의 패배를 설욕했다. 이에 맞서 수십만에 달하는 국민당 대군은 사평四平 보위전이 끝난 지 한 달쯤 지났을 때, 당시 공산당의 통치 아래 있던 하북의 선화점宣化店을 비롯한 중원 지역의 공산당 세력권을 공격하기 시작했다. 이로써 중국대륙의 운명을 좌우할 국공 양당의 전면적인 내전이 시작된 것이다.

이 무렵 국민당의 병력은 400만~500만 명에 달했고, 훌륭한 군사와 현대식 장비들도 갖춘 상태였다. 특히 국민당 직속 중앙군 부대는 전부 미국식 장비로 무장해 전투력도 대단히 강했다. 이런 국민당군에 맞서 싸우는 공산당군의 전력은 병력 100만 명에 장비는 언급하기가 초라할 정도였다. 이렇게 현저한 군사력 차이로 말미암아 공산당의 세력 범위는 급속히 줄어들고 있었다.

1947년 3, 4월에 이르러서는 공산당 인민해방군**13**의 3대 주력군인 '서북야전군西北野戰軍', '화북야전군華北野戰軍', '화동야전군華東野戰軍'이 섬서 북부, 산서 서남, 강소 북부의 좁은 지역으로 밀려났다. 공산당의 지휘 본부 소재지였던 연안마저도 한때 국민당군에게 빼앗길 정도로 공산당의 형세는 매우 위급했다.

강소성 북부의 귀퉁이까지 쫓겨 간 화동야전군은 퇴로가 완전히 차단된 상황에서 전세를 역전시키기 위해 반격을 결정했다. 다행스럽게도 원래 흩어져 싸우던 부대들이 국민당 군대에게 쫓기는 과정에서 한곳에 모이게 됐다. 이것은 뜻밖의 수확이었다. 화동야전군은 배수진을 치고 전투에 임했다.

운 나쁘게 화동 야전군의 상대가 된 것은 국민당 최강 부대인 제74사단이었다. 5월 14일 화동야전군은 9개 종대 30개 사단의 총병력을 동원해 산동성 남부의 맹량고孟良崮에서 국민당 제74사단을 완전 포위했다. 사흘간의 전투를 거쳐 국민당 제74사단은 섬멸됐고, 74사단장 장링푸張靈甫·장영보도 총에 맞아 죽었다. 또 구원을 위해 달려온 국민당군 제83사단의 일부 부대도 몰살당했다.

---

13 인민해방군(人民解放軍): 1927년 8월 1일에 창군한 중국공산당의 군대는 1947년 3월 이전까지 홍군(紅軍), 적군(赤軍), 팔로군(八路軍) 등의 여러 명칭으로 불리다가 1947년 3월 5일 인민해방군이라는 명칭으로 통합되었다. 최초 편성될 당시의 인민해방군 부대는 서북(西北)야전군, 중원(中原)야전군, 화동(華東)야전군, 동북(東北)야전군, 화북(華北)야전군의 총 5개 야전군으로 구분돼 편성되었다가, 이후 1948년 11월 1일에 서북야전군은 제1야전군, 중원야전군은 제2야전군, 화동야전군은 제3야전군, 동북야전군은 제4야전군으로 개편되고, 화북야전군은 인민해방군 총사령부 직할부대인 화북병단으로 개편됐다.

이 맹량고 전투 장면은 훗날 영화에 많이 등장하면서 중국 사람들에게 널리 알려졌다. 중국의 극작가들로부터 '국공 3년 내전 중에서 가장 멋진 전투'로 평가받은 맹량고 전투는 국민당 부대로부터 큰 위협을 완전히 해소하기에는 역부족이었으나, 인민해방군의 사기를 크게 진작시키고 형세를 안정시킬 수 있었다. 또한 향후 대규모 전투를 치르는데도 좋은 경험이 되어, 인민해방군이 내전 기간에 치른 가장 중요하고 의미 있는 전투였다.

1947년 7월 하순 마오쩌둥은 산동 서남 지역에서 고전하고 있는 류보청劉伯承과 덩샤오핑鄧小平의 중원야전군에게 과감하게 후방을 버리고 보름 안으로 대별산大別山으로 진격할 것을 지시했다. 이것은 정말 위험천만한 결정이었다. 무엇보다 산동 서남에서 대별산까지의 거리는 1,000리가 넘는 데다 도처에 국민당 군도 포진해 있어 자칫하면 전군이 몰살당할 수 있었다. 그러나 이렇게 하지 않으면 안 되는 이유가 있었다. 류보청과 덩샤오핑이 지휘하던 부대는 살길을 찾으려면 반드시 포위를 뚫고 나와야 했기 때문이었다. 더욱 중요한 것은 공산당 중앙의 수비대 역할을 하는 서북야전군이 혼자 힘으로는 국민당군의 대공세를 버티기 힘들어 다른 부대의 지원을 급히 요청한 것과도 관련이 있었다.

8월 7일 황혼 무렵 류보청과 덩샤오핑의 중원야전군 12만 대군은 간편한 장비만 갖춘 채 산동의 서남 지역을 출발했다. 이어 20일 동안 부지런히 행군해 황범黃泛, 사하沙河, 회화淮河 지역을 경유해 8월 27일에 마침내 대별산에 도착했다. 류보청과 덩샤오핑은 전투 끝에 국민당군을 몰아내고 잠깐 숨을 돌리면서 대별산 지역이 전세 역전에 큰 도움을 줄 수 있는 중요한 요충지라는 놀라운 사실을 발견했다.

류보청과 덩샤오핑의 생각대로 대별산은 호북성, 하남성, 안휘성 3성

인민해방군이 장강을 넘어 공격을 개시하는 장면. 장강 도강 작전은 마지막 남은 국민당의 숨통을 움켜쥔 사건이었다.

이 맞닿은 전략적 요충지로 국민정부 수도인 남경南京과 장강 중류의 요새 도시인 무한武漢의 중간에 있었다. 또 북쪽으로는 회하, 남쪽으로는 장강과 인접해 있어 수상 교통을 이용하기에도 용이했다. 한마디로 말해 이 대별산 지구를 근거지로 삼으면 적군의 심장인 남경까지 쳐들어가는데 전혀 거칠 것이 없었다.

이로부터 1년 후 전세는 크게 바뀌었다. 공산당이 기층 군중을 동원한 효과가 점차 가시화되면서 해방군은 중국 북부의 전투에서 순조로운 진척을 볼 수 있었다. 1948년 여름에 이르러서는 국공 쌍방의 군사력이 2년 전 갓 내전이 발발했을 때와 비교하기도 어려울 정도로 역전되어 있었다. 일부 지역에서는 해방군이 그야말로 압도적인 우세를 차지하기도 했다. 장강 이북의 대부분 땅이 공산당의 손에 넘어가면서 원래 현지에 주둔하고 있던 국민당 작전 부대는 여러 갈래로 뿔뿔이 흩어졌다.

국민당은 완전히 수세에 몰렸다. 드디어 최후 결전의 시기가 다가왔다고 판단한 해방군은 1948년 9월부터 1949년 1월까지 요심遼瀋, 평진平津, 회해淮海에서 총공격을 개시했다. 이 3대 전투를 통해 해방군은 장강 이북의 국민당 대군을 철저하게 굴복시켰다. 이렇게 해서 4월쯤 인민해방군 100만 대군은 장강 북안北岸에 도달할 수 있었다.

4월 1일 국공 쌍방 대표는 북평北平에서 긴급 평화회담을 개시했다. 이미 장강 북안에 도착한 해방군 100만 대군을 등에 업은 공산당은 예전과 달리 협상 석상에서 시간을 질질 끌려고 하지 않았다. 늦어도 20일 안에 협상을 끝낼 것을 요구했다.

공산당이 요구한 협상 마감 기한이 지난 4월 21일, 마오쩌둥은 인민해방군에게 총공격령을 내렸다. 해방군의 도강 작전은 이미 전날 밤부터 시작됐다. 국민당군이 심혈을 기울여 구축한 장강 방어선은 예상했던 대로 힘없이 무너졌다. 4월 23일 밤 도강 부대의 돌격대 제35군이 남경에 진입했다. 1927년 국민정부가 남경을 수도로 정한 이후 22년이 지난 시점이었다. 5월 27일에는 22년 전에 장제스가 무자비하게 공산당을 숙청했던 비극의 현장인 상해가 해방됐다. 당시 요행으로 목숨을 부지한 공산당원들은 22년이 지난 후 드디어 승자로서 다시 상해로 돌아온 것이다.

1949년 9월까지 대만과 대륙의 서남西南 지역 및 광서와 광동의 일부 지역만 빼놓고 중국 전역에서 해방군의 붉은 깃발이 나부꼈다. 이 여세를 몰아 1949년 10월 1일 중화인민공화국 중앙인민정부가 수립됐다. 마오쩌둥 중앙인민정부 초대 주석은 북경 천안문 성루에서 전 세계를 향해 "중국 인민들은 일어섰다."고 장엄하게 선포했다. 천안문 광장에 모인 중국 국민은 주체할 수 없는 기쁨으로 팔을 휘두르면서 큰 소리로 "공산당 만세!"를 외쳤다. 마오쩌둥 역시 손에 쥔 모자를 휘두르면서 열광적인 군중을 향해 "인민 만세!"를 외쳤다. 그 소리는 아직 초연이 완전히 가시지 않은 중국 상공에서 오래도록 메아리쳤다.

한국전쟁에 참전한 중국인민해방군

1950년 여름 한반도에서는 장마가 막 시작됐다. 맹렬히 쏟아지는 비와 가끔 휘몰아치는 태풍 때문에 아름다운 한반도는 불안정하게 흔들렸다. 6월 25일 새벽 4시, 38선 부근에서 갑자기 총소리가 울려 퍼지면서 한반도에서 전쟁이 발발했다.

초기에는 북한군이 승세를 잡은 듯했다. 당시 주일 극동군 사령관이었던 더글러스 맥아더 장군은 전쟁 발발 직후에 "북한군이 코브라처럼 갑자기 덮쳤다."고 말했다. 전쟁 발발 후 사흘째 되는 날, 해리 트루먼 미국 대통령은 한국전쟁에 참전을 선언하고 미 해군 제7함대에 대만 해협 진입을 명령했다.

트루먼 대통령의 명령이 있던 날, 저우언라이周恩來 중앙인민정부 외교부장은 중국 정부를 대표해 미국이 북한과 대만을 침략하고 아시아 현안에 간섭한다며 강경하게 비난했다. 더불어 '평화, 정의와 자유를 옹호하는 전 세계 사람들, 특히 침략과 압박을 받고 있는 동방의 각 민족과 인민' 들에게 "함께 일어나 미 제국주의의 새로운 침략에 맞서자."고 호소했다.

그러나 중국 정부의 강경한 성명에도 불구하고 미국은 참전 계획을 바꾸지 않았다. 9월 15일 미군을 중심으로 조직된 7만 5,000명의 유엔군은 한반도 서해안의 인천항에 상륙했다. 신중국 건국 1주년인 10월 1일 유엔군은 38선을 넘어 북한의 수도 평양을 점령하고 북한과 중국의 국경 지대인 압록강 쪽으로 진군하기 시작했다.

1950년 10월 19일 중국인민지원군은 비밀리에 압록강을 건너 한국전쟁에 참전했다.

10월 25일 아침 7시께 한국군 제1사단의 선봉대는 평안북도 운산군 북쪽 지역에서 정체를 알 수 없는 군대의 습격을 받고 뒤로 후퇴했다. 엷은 아침 안갯속에서 밀물처럼 밀려와 썰물처럼 빠져나간 군대에게 엄청난 타격을 입은 국군 선봉대는 자신들을 공격한 상대가 누군지도 모른 채 벙어리 냉가슴 앓듯 전전긍긍했다.

미군의 무기 전문가는 정밀한 분석을 거쳐 이 같은 총과 대포를 사용하는 군대가 중국군이라고 밝혔다. 미군 전문가의 말은 틀리지 않았다. 중국인민지원군 선두부대 12만 명이 장갑차를 비롯한 각종 중화기를 가지고 1주일 전에 이미 압록강을 건너 북한의 험산준령에 매복해 있었던 것이다. 중국인민지원군 총사령관으로 참전한 펑더화이彭德懷도 10월 19일에 이미 요동遼東에서 압록강 철교를 건너 북한에 들어가 있었다. 이 밖에도 중국의 수십만 예비군이 압록강 이북의 중국 동북부 지역에 집결해 출발 준비를 마친 채 명령만 기다리고 있었다.

내전이 끝난 지 1년도 채 안 된, 아직 내전의 정리가 덜 끝난 신생국가 중화인민공화국이 신식 장비로 완전무장한 미국과의 대결을 결심했으니 그 용기 하나는 칭찬받아 마땅했다. 똑같은 한반도 문제로 1890년대에 일본과 전쟁을 벌일 때 청나라 정부가 보여줬던 나약한 대응방식과는 그야말로 천양지차라고 해도 좋았다.

중국군이 한국전쟁에 참전한 지 며칠 안 된 1950년 11월 초, 중국인민지원군은 한반도 서쪽의 평안북도 운산에서 펼쳐진 전투에서 당시 미국의 최정예군으로 불리던 미 육군 제1기병사단을 크게 격파했다. 이는 당시까지 지속되던 '천하무적 미군'의 신화를 깬 것이었다. 그해는 중국 군대가 청일전쟁에서 참패한 지 56년이 지난 후였다. 또 영국이 추악한 아편 무역을 하기 위해 중국 동남 연해에 침입한 지 110년이 지난 후였다. 더불어 중국이 겉보기에는 태평성세처럼 보였으나 실상은 사면초가에 몰려 있었던 1750년으로부터 정확히 200년이 지난 후였다.

지난 200년 동안 비탄에 잠겨 있던 중국은 세계 1위 강대국 미국과의 전쟁에서 첫 승리를 거둠으로써, 막 부상하기 시작한 신생 중국 국민들의 마음속에 희망의 불씨를 지펴줄 수 있었다.

제7장 세계 최빈국에서 G2를 넘어 G1으로

1951~2012년의 중국

중국은 건륭제 때만 해도 세계경제의 3분의 1을 차지하는 대국이었으나, 마오쩌둥과 공산당 지도부가 신중국을 건설하던 1949년에는 완전히 종이호랑이로 전락해 있었다. 그 큰 덩치로 고작 세계 GDP의 1퍼센트만 차지하는 빈곤국가가 된 것이다. 진짜 0퍼센트대로 떨어지지 않은 것이 신기할 정도였다.

이후에도 이런 사정은 크게 변하지 않았다. 특히 마오쩌둥의 지도력을 의심케 하는 대약진운동의 실패, 문화대혁명의 혼란기 도래는 중국 경제에 대재앙을 몰고 왔다. 실제로 중국은 덩샤오핑이 등장해 개혁·개방 정책을 실시하기까지 오랫동안 죽의 장막으로 남아 세계경제의 궤도에서 완전히 이탈해 있었다.

그러나 개혁·개방 정책 이후에는 언제 그랬느냐는 듯 고도성장을 거듭해 지금에 이르고 있다. 외환보유고는 3조 2,000억 달러를 쌓은 데다, 미국 국채 1조 2,000억 달러까지 보유하는 기적을 일궈 이른바 G2로 우뚝 선 것이다. 1퍼센트까지 떨어졌던 세계경제에서의 중국 경제 점유율은 이제 9.5퍼센트 전후에 이르렀다. 미국과 비교할 때도 전체 경제 외형이 40퍼센트를 넘어서게 됐다.

시진핑이 이끌 2013년부터는 더욱더 이 비율을 높여 2023년에는 아예 미국을 제치고 명실상부한 경제 1위의 경제 대국, 즉 G1이 될 가능성도 높다. 과연 중국은 어떻게 해서 이런 기적을 일궈냈을까? 1950년대 이후 중국의 궤적을 추적해본다.

바닥을 친
중화인민국공화국의
경제

　　　　　　신생 공산주의 국가 중국은 한국전쟁
에 참전해 자존심을 지켰다. 자신들의 신념에 대입해 보면 미 제국주의자
들의 원자폭탄 공격 위협으로부터 자국의 영토도 보위했다. 건국 과정에
서 겪게 마련인 내부 혼란도 어느 정도 극복해가고 있었다. 게다가 경제
지표도 건국 당시보다 좋아지고 있었다.

　　건국 당시에 전 세계에서 차지하는 비중이 고작 1퍼센트에 불과했던
경제력이 이때는 2.8퍼센트 정도로 회복돼 있었다. 얼핏 보면 엄청난 회
복세였다고 해도 과언이 아니다. 그러나 이는 1949년 전후 거의 궤멸 직
전에 있던 중국의 경제 현실이 부른 착시 현상이었다. 겨우 이전 수준으
로 회복하기 위한 초입 단계에 진입했음에도 불구하고 워낙 과거 상황이
엉망이었던 탓에 그렇게 보인 것이다.

　　실제로 이때에도 국민생활은 여전히 피폐하기 이를 데 없었다. 1인당

GDP가 달랑 66위안으로, 당시 시세로 환산하면 약 30달러에 불과했다. 1952년을 기준으로 할 때 1,300달러의 1인당 GDP를 자랑하던 미국의 43분의 1, 패전국 일본의 10분의 1 정도에 지나지 않은 데다, 심지어는 한국전쟁으로 국토가 황폐화된 한국보다도 많다고 하기가 어려웠다. 당시 중국의 1인당 GDP는 세계 평균의 25퍼센트에 불과했다.

게다가 이후의 경제 회복도 몹시 더뎠다. 신생 공산국가의 탄생에 열광적으로 성원을 보냈던 중국 인민들은 곧 자신들의 기대가 너무 컸다는 사실을 깨닫기 시작했다. 엎친 데 덮친 격으로 인플레이션이 폭발할 조짐도 보여 국민 생활은 더욱더 나빠질 수밖에 없었다. 그러나 다행스럽게도 우려했던 인플레이션 기미는 금방 진정이 됐다.

주목할 만한 점은 이 무렵 장제스를 중심으로 하는 이른바 중화민국 4대 가문[1]의 관료 자본이 완전히 몰수된 다음 토지개혁이 이뤄졌다는 사실이다. 1950년 6월 30일에 공포된 〈중화인민공화국토지개혁법〉에 의해 추진된 이 개혁은 1953년 봄까지 일부 소수 민족 지역을 제외한 중국 대륙 거의 모든 곳에서 무리 없이 이뤄졌다. 이 조치로 말미암아 무려 3억 명에 이르는 땅 없는 농민들이 1952년 말까지 7억 무(1무는 200평)의 농지를 무상으로 받게 됐다. 중국 대륙에서 2,000여 년이 넘도록 내려온 봉건제 아래 토지 소유제는 이로써 완전히 폐지된 것이다.

---

[1] 중화민국 4대 가문: 중국 국민정부(國民政府) 시기에 정치와 경제를 독점적으로 지배한 장제스(蔣介石), 쑹쯔원(宋子文), 쿵샹시(孔祥熙), 천리푸(陳立夫) 등의 네 가문을 일컫는다. 이들은 모두 장제스의 혈연과 측근들로서 이들은 중화민국 시기에 장제스의 권력을 이용해 최대한 부를 쌓고 영향력을 행사했다. '장쑹쿵천(蔣宋孔陳)'으로도 불리며, 중국에서는 권력과 밀착해 부를 쌓은 부정한 가문의 전형으로 꼽히기도 한다.

중국이 생산한 최초의 자동차 제팡. 눈에 보이는 1차 5개년계획의 성과였다.

경제발전 5개년계획과 대약진운동

1953년에는 지금까지도 이어져 오고 있는 '국민경제사회발전 5개년
계획'이 드디어 막을 올렸다. 이로써 마오쩌둥의 리더십이 본격적인 시
험대에 올랐다고 할 수 있었다. 그러나 결론부터 말하면 그의 리더십은
크게 빛났다고 하기는 어려웠다.

전체적으로 156개 프로젝트의 추진을 내세운 1차 5개년계획이 1957년
에 나름의 성과를 올린 채 마무리되기는 했으나, 이 기간 중 '대약진大躍進
운동'으로 연결되는 대재앙의 씨앗이 서서히 잉태되고 있었던 것이다.

훗날 '문화대혁명文化大革命'과 함께 중국 현대사 최대 비극으로 기록되는 이 운동은 아이러니하게도 1차 5개년계획의 나름 그럴듯한 성과로 고무된 분위기 속에서 잉태된 것이었다.

정말 1차 5개년계획이 성과가 있었는지는 이 계획이 시행된 지난 5년 동안의 산업 총생산 증가액이 연평균 18퍼센트를 기록한 것만 봐도 잘 알 수 있다. 또 당장 눈에 보이는 외견적인 실적도 괜찮았다. 무엇보다 이 기간에 중국 최초의 제트 비행기가 제작됐고, 요녕성 안산鞍山에 안산강철공사가 설립돼 산업 발전에 필요한 기본적인 철강재를 안정적으로 공급할 수 있게 됐다. 또한 길림성 장춘의 디이第一자동차 공장에서 중국 최초의 승용차인 '제팡解放' 브랜드를 출시할 수 있었던 것도 바로 이런 성과와 무관하지 않았다.

이런 성과들이 하나둘 눈에 보이자 당정에서뿐만 아니라 일반 인민들 사이에서도 1958년 출범한 2차 5개년계획에 대한 기대감이 한껏 높아졌다. 아나나 다를까 새해 벽두부터 당 기관지《인민일보人民日報》는 "젖 먹던 힘까지 다해 선진국 대열에 들어가도록 노력하자!"라는 내용의 사설로 분위기를 잡았다. 슬로건 역시 분명하게 내걸었다. 국가를 대대적으로 발전시킨다는 이른바 '대약진大躍進'이었다.

국가가 대대적으로 시행하는 프로젝트에 구체적인 목표가 없을 까닭이 없었다. 5년 안에 영국을 넘어서고, 10년 안에 미국을 따라잡는다는 것이 목표였다. 1958년 6월 '초영간미超英趕美'라는 말로 압축된 이 목표는 국가계획위원회가 청사진을 그린 2차 5개년계획의 중점 목표로 확정됐다. 이어 이 내용은 마오쩌둥에게 보고됐고 마오쩌둥은 당연히 기뻐하며 이를 승인했다.

이렇게 해서 대약진운동은 중국의 최고 지도자가 인정하고, 목표를 달

성하라고 격려하는 전국적인 대중 운동으로 추진됐다. 이때 이른바 삼면
홍기三面紅旗라는 슬로건도 등장했다. 이는 '총노선', '대약진', '인민공
사' 등 세 가지를 상징적으로 이르는 말로, '사회주의 건설 총노선의 주
도로 경제의 대약진大躍進을 추진하고 인민공사人民公社2를 설립' 하는 전국
적인 대중 운동을 의미했다.

수치상으로만 보면 대약진운동의 성과는 좋았다. 제2차 5개년계획이
시행된 첫 해인 1958년의 농공업 생산 총액은 전년도인 1957년과 비교했
을 때 무려 48퍼센트나 늘어났다. 또 그 이후에도 비약적인 성장을 이룬
것으로 보고됐다. 하지만 이는 중국의 고질적 병폐인 과장 보고에 따른
엉터리 통계였다. 실제 현실은 아예 참담했다고 해야 옳았다. 그럴 수밖
에 없었다. 대약진운동이 벌어지던 1958년부터 1960년까지 3년 동안이나
엄청난 자연재해가 있었고, 설상가상으로 당시 중국이 유일하게 의존할
수밖에 없었던 소련이 양국 관계의 악화를 틈타 1960년 이후 대중국 원조
를 중단했기 때문이었다.

그러나 대약진운동의 실패에는 이런 외부적인 영향만 있는 것이 아니
었다. 실패할 수밖에 없었던 커다란 내부 원인이 따로 있었다. 먼저 중국
농촌의 모든 가구家口를 '인민공사人民公社'로 조직해 인민들의 불만과 반
발을 불러온 것을 들 수 있다. 집단생활을 강요하는 인민공사에서의 삶은
사생활과 사유재산을 없애 인민공사에 참여한 사람들의 태업怠業을 불러
생산성이 크게 떨어진 것이 첫 번째 원인이었다.

---

2 인민공사: 1958년 대약진운동과 함께 발족한 중국의 사회생활 및 행정조직의 기초단위로서 집단농장
체제와 비슷하다. 인민공사는 크게 3단계로 구성되었고, 가장 아래층에 20~30호(戶)로 이루어진 '생
산대(生産隊)'가, 그 위로 10개 내외의 생산대로 모여 이루어진 '생산대대(生産大隊)'가, 그리고 가장
위층에 8~10개의 생산대대로 이루어진 '인민공사(人民公社)'가 있는 형태였다. 토지, 가축 등의 생산
수단을 공사(公社)의 집단소유로 규정해 여기에 참여한 농민들의 생산 의지를 꺾고, 집단생활로 가정
이 해체되는 부작용 등으로 농민들의 불만을 불러 대약진운동 실패의 한 원인으로 꼽히고 있다.

두 번째로 공산당 지도부가 도저히 이룰 수 없는 생산량을 할당해 하달한 것도 한몫을 했다. 공산당 지도부는 도저히 달성할 수 없는 생산 목표량을 제시하고 이의를 제기하는 현장책임자는 즉시 축출했다. 이에 따라 현장책임자는 과중한 목표를 달성했다고 중앙당에 거짓보고를 하게 되고, 이로 인해 다시 더 많은 목표량을 달성하라는 지시가 내려오는 등 악순환에 빠져 나중에는 도저히 이룰 수 없는 지시를 받고는 모두가 자포자기의 심정으로 일을 내팽개쳤기 때문이다.

이같이 터무니없는 일이 벌어졌던 것은 대약진운동이 시작되기 바로 직전인 1956년에 있었던 '백화제방백가쟁명百花齊放百家爭鳴운동3'의 후폭풍이 불었기 때문이다. 당시 마오쩌둥은 '소통의 정책'이라는 미명 아래 당에 대한 비판을 자유롭게 할 수 있도록 유도하고서는, 1957년 '반우파反右派투쟁'이라는 명목으로 공산주의와 공산당을 곧이곧대로 비판한 순진한 지식인 수만 명을 죽이고 추방한 전력이 있었다. 이런 살벌한 분위기에서는 누구라도 공산당 정책에 침묵할 수밖에 없었다.

또 대약진운동과 함께 시행된 '용광로(토법고로 · 土法高爐) 건설운동'도 대약진운동을 실패로 이끄는 데 한몫을 했다. 공산당은 마을마다 소형 용광로를 설치해 철을 생산함으로써 공업화를 앞당기겠다는 계획을 세우고 농민들을 동원해 '용광로 건설운동'을 전국 곳곳에서 벌였다. 하지만 이 용광로에 들어갈 철광석의 조달 책임을 농민들에게 떠넘겼기 때문에 농민들은 자신들의 농기구까지 용광로에 던져 넣어야 중앙당의 목표 생

---

3 백화제방백가쟁명(百花齊放百家爭鳴) 운동: 1956년 당시 중국공산당 선전부장이던 루딩이(陸定一)가 연설에서 처음 언급한 것으로 알려져 있다. 이 운동의 초창기에는 '한꺼번에 100가지 꽃이 피고, 100가지 학파가 경쟁한다.'는 글자의 뜻처럼 다양한 비판과 의견, 사상 등을 수렴하기 위한 운동이었으나, 점차 지식인들의 비판이 공산주의와 중국공산당을 향한 강한 비판으로 옮겨가자 태도를 바꿔 이 지식인들을 반체제(反體制), 반당(反黨) 인사로 몰아 숙청해 수만 명의 지식인들을 죽이고, '자기개조의 시간'이라는 미명 아래 농촌으로 쫓아낸 사건이다.

산량을 달성할 수 있었다. 결국 이런 정책은 농기구 부족과 농업 노동력의 부족으로 이후 3년간 경지면적의 40퍼센트가 황폐화되고 심각한 농업 생산량의 하락을 불러오는 결과를 빚어냈다.

이제 대약진운동의 현실이 어느 정도였는지를 살펴봐야 할 것 같다. 우선 농업 생산이 마이너스로 돌아서버렸다. 1958년 2억 2,500만 톤을 생산했던 농업 생산량이 1960년에는 1억 8,000만 톤으로 쪼그라들었다. 또 용광로 건설운동을 통해 중국 곳곳에 급조한 수만 개의 소형 제철소에서 생산한 철은 태반이 기술 부족과 생산관리의 허점 등으로 인해 쓸 수 없는 무용지물이었다. 그러나 무엇보다도 이 대약진운동 기간의 가뭄과 태풍 등의 자연재해가 농업생산성 하락과 맞물려 무려 4,000만 명[4]이 넘는 중국 인민들이 굶어죽은 것으로 밝혀져 대약진운동이 얼마나 큰 실패였는지를 분명히 보여주고 있다.

대약진운동의 실패와 펑더화이

그렇다면 마오쩌둥은 대약진운동의 현실을 알고 있었을까? 처음에는 마오쩌둥도 희희낙락했다. 대약진운동 기간에 전국에서 날아오는 보고서마다 목표치를 달성한 거짓 내용들로 채워져 있었으니, 인人의 장막에 둘러싸인 그가 알아내는 것은 쉽지 않았을 것이다. 그러나 시간이 지날수록 그도 바보가 아닌 이상 상황이 이상하다는 것을 눈치 채지 못할 까닭이 없었다.

조짐은 1959년 7월 2일부터 8월 1일까지 강서성 려산廬山에서 열린 〈당

---

4 대약진운동의 아사자(餓死者): 중국 당국의 공식 발표로는 대약진운동 기간에 사망한 사람의 숫자는 2,100만 명이다.

정치국 확대회의〉에서 분명하게 엿보였다. 당시 이 회의에는 정치국 위원 및 각 성과 시, 자치구의 당 제1서기 등 당 중앙과 국가기관의 책임자들이 대거 참가하고 있었다. 이 회의의 분위기는 좋았다. 어쨌거나 공식 통계에는 중국 경제가 잘 나가고 있었으니 말이다. 하기야 그랬으니 이때의 회의를 '신선회神仙會'라고 불렀는지도 모른다.

마오쩌둥은 이 회의를 주재하면서 자신의 입장을 분명히 밝혔다. 대약진과 인민공사화 운동을 더욱 거국적으로 추진해 결실을 볼 수 있도록 하겠다는 것이었다. 그러나 회의가 개막한 지 12일이 지난 7월 14일 저녁에 엉뚱한 일이 발생했다. 한국전쟁 때 인민해방군 총사령관으로 참전했던 펑더화이彭德懷 부총리 겸 국방부장이 작심하고 당시 상황에 대한 자신의 생각을 글로 정리해 마오에게 편지를 보낸 것이다. 이른바 '만언서萬言書'로 불리는 이 편지에서 펑은 다음과 같은 요지의 주장을 펼쳤다.

"전체 인민의 이익을 고려해야 합니다. 지금 대약진운동은 좋은 모습을 보이지 못하고 있습니다. 그러나 이것도 외면적인 것일 뿐입니다. 지금 우리에게는 민주적인 요소가 결핍돼 있습니다. 개인숭배도 합니다. 이게 바로 모든 폐단의 근원입니다." 펑더화이의 생각은 분명했다. 대약진운동의 엉터리 성과를 냉정하게 평가하면서 극좌적 노선을 비판한 것이다.

마오쩌둥은 편지를 보고 불처럼 화를 냈다. 한국전쟁에 참전한 전쟁 영웅이 자신을 음해하기 위해 편지를 썼다고 생각한 것이다. 마오는 한발 더 나아가 펑더화이가 '우경 기회주의 노선'을 추구하고, 당권을 탈취하려 한다고도 봤다. 마오쩌둥은 급기야 펑더화이가 보낸 편지를 정치국 회의에 참석한 모든 간부들이 회람하도록 지시했다. 곧 정치국 회의에서는 이에 대한 토론이 전개됐다. 그러나 엉뚱하게도 회의 분위기는 마오쩌둥이 생각하는 것과는 달리 펑더화이의 생각에 동조하는 쪽으로 흘렀다. 특히 황커청黃克誠, 저우샤오저우周小舟, 장원톈張聞天 등이 그랬다. 마오쩌둥이 완전히 잘못 짚은 것이다. 그렇다고 순순히 현실을 받아들일 마오쩌둥이 아니었다.

마오쩌둥은 7월 23일 회의를 소집해 펑의 편지가 흔들리기 쉬운 자산계급의 기회주의적 성향을 나타내는 것이라고 비판했다. 당에 대한 공격이라고 주장하는 것도 잊지 않았다. 그러므로 그의 노선을 우경 기회주의 노선이라고 못을 박은 것은 그다지 이상한 일이 아니었다. 이때부터 회의 석상에서는 펑더화이를 비롯해 황커청, 저우샤오저우, 장원톈에 대한 비판이 봇물 터지듯 이어졌다. 이들은 자연스럽게 우경 기회주의자, 반당反黨 분자가 됐다.

이때에는 사태를 관망하던 류사오치劉少奇, 저우언라이周恩來를 필두로 하는 실권파도 마오의 편을 들어 줬다. 이들은 장제스의 국민당 군대와 20년 이상 처절한 내전을 벌인 주인공인 린뱌오林彪, 허룽賀龍, 뤄루이칭羅瑞卿을 동원했다. 이를테면 이이제이以夷制夷, 즉 인민해방군 안에서 잔뼈가 굵은 맹장들을 동원해 군부에서 거의 신과 같은 위치에 있던 펑더화이를 제거하려고 한 것이다. 이때 린뱌오는 야심이 동했는지 과거에 절친했던 동지인 펑더화이를 맹비난했다.

"펑더화이는 정말 야심가입니다. 또 음모가 많은 사람입니다. 한마디로 위선자입니다. 그리고 그는 영웅이 아닙니다. 마오 주석만이 영웅 자격이 있습니다. 그와 나는 마오 동지 근처에도 가지 못합니다. 나는 그와 같은 엉뚱한 야심이 전혀 없습니다."

린뱌오는 건국 이후 마오쩌둥을 둘러싸고 벌어진 적지 않은 정치적 투쟁들을 직접 목격한 바 있었다. 이를 통해 그는 분명한 교훈을 하나 깨달았다. 최고 권력자인 마오쩌둥의 뜻을 거슬러서는 안 될 뿐 아니라, 그를

펑더화이의 실각이 결정된 중국공산당 8기 8중전회.

적극적으로 따라야 한다는 사실을 말이다.

　류사오치 역시 펑더화이를 비판하는 대열에 가담했다. 그러나 그는 린 바오보다는 덜 적극적이었다. 게다가 은근히 자신의 입장을 합리화하면서 잇속을 챙기는 발언도 했다. 이는 훗날 그가 마오쩌둥에게 공격을 당해 실각을 당하는 이유가 됐다. 마오쩌둥은 어쨌거나 분위기를 자신에게 유리한 쪽으로 이끌었다. 이어 8월 2일부터 2주 일정으로 열릴 〈당 8기 중앙위원회 8차 전체회의〉를 칼을 갈면서 기다렸다.

　훗날 역사적으로 가장 유명한 중국공산당 회의 중 하나로 기록된 〈8기 8중전회(중앙위원회전체회의)〉는 중앙위원 75명과 중앙위원후보 74명, 중앙 각 부部와 성, 시, 자치구의 당 제1서기 14명 등이 참석한 가운데 열렸다. 의제는 분명했다. 완전히 마오쩌둥에게 찍힌 펑더화이, 황커청, 장원텐, 저우샤오저우에 대한 비판이 우선순위에 올라 있었다. 또 다른 의제는 1959년의 경제계획에 대한 조정이었다. 그래도 대약진운동이 심각한 상황에 직면해 있다는 펑의 지적만큼은 어느 정도 받아들여진 것이다. 회의는 역시 마오쩌둥의 의지대로 굴러갔다. 펑, 황, 장, 저우는 각각 국방부장과 인민해방군 총참모장, 중앙서기처 서기, 외교부 제1부부장, 호남성湖南省 제1서기 직무에서 해임됐다. 이후 국방부장의 자리는 펑더화이를 적극적으로 비판한 린뱌오에게 돌아갔다.

외면적으로 보면 이때 승리를 거둔 쪽은 경제계획을 일부 조정하더라도 대약진운동의 지속 추진을 공언한 마오쩌둥이었다. 하지만 상처뿐인 영광이었다. 무리한 대약진운동의 추진이 안으로는 중국 대륙을 곪게 만들어가고 있었던 것이다. 이로 인해 중국이 입은 내상은 대단히 심각했다. 우선 인명 피해가 제2차 세계대전의 전체 사망자 수와 맞먹는 4,000만 명에 이르렀다. 훗날 경제가 20년이나 후퇴했다는 말을 들을 정도로 엉망이 돼버렸다. 자연스럽게 모든 비난은 최고지도자 마오에게 집중될 수밖에 없었지만, 마오는 자리에서 버텼다.

그러나 대약진운동이 완전히 실패로 돌아간 1960년 이후 그의 권위는 과거와는 비교할 바가 못 되어 전국 곳곳에서 그를 비난하는 여론이 들끓었다. 책임을 지라는 당내 소수파 목소리도 계속 들려왔다. 결국 그도 견디다 못하고 작전상 후퇴를 하지 않으면 안 됐다. 마오쩌둥이 권력 2선으로의 후퇴를 선언한 것이다. 그러나 그렇다고 해서 대약진운동의 여파가 가라앉은 것은 아니었다. 중국 전역에서 무더기로 아사餓死하는 현상은 여전히 사라지지 않고 있었다. 1961년의 중국 경제성장률이 마이너스 27.3퍼센트였다면 더 이상의 말은 필요 없지 않을까 싶다.

다시 치명타를
가한
문화대혁명

　　　　　　　　　　　　　대약진 운동의 실패는 1962년 중국에
최악의 굴욕을 강요했다. 실제로 그해는 20세기 들어 경제적으로 중국이
경험한 가장 혹독한 한 해였다고 해도 좋았다. 통계를 보면 금방 알 수 있
다. 무엇보다 경제성장률이 마이너스 5.8퍼센트를 기록했다. 전년인 1961
년의 마이너스 27.3퍼센트 성장률에 비춰보면 그나마 다행인 수치였다.
　　당시의 경제 상황이 얼마나 어려웠는지 구체적으로 살펴보자. 이때 당
시 중국의 총 GDP는 1,151억 위안으로, 당시 달러 시세로 환산하면 465억
달러에 지나지 않았다. 이는 대약진운동이 시작되던 해인 1958년의 1,308
억 위안보다 훨씬 못 미치는 수치다. 당시 미국의 5,856억 달러와 비교하
면 고작 8퍼센트 전후에 불과했다. 외환보유고는 더욱 기가 막혀 겨우
8,100만 달러에 그쳤다. 또 1962년에 국가에서 먹여살려야 할 이른바 철
밥통을 들고 있던 국영기업의 종업원 숫자는 5,969만 명으로, 1958년의

2,451만 명과 비교해 보면 단 4년 사이에 두 배가 넘게 늘어나 있었다. 단 몇 년 사이에 경제가 완전히 만신창이가 되고, 또 방만하게 운영되고 있었다고 해도 과언이 아니었다.

마오쩌둥이 1959년에 국가 주석에서 물러나고 류사오치와 덩샤오핑으로 대표되는 중국공산당 내 실용주의자들에게 권력을 넘긴 것이 어쩌면 아주 다행스러운 일이었는지도 몰랐다. 이들은 경제계획에 대한 조정을 다시 혹독하게 진행하지 않을 수 없었다. 우선 낭비를 없애기 위해 인민 공사에 단체로 주던 식량을 각 가정에 분배하는 조치를 취했다. 이어 쓸모가 없다고 판단한 사회적 생산기반의 건설을 대폭 축소했다. 국영기업에 대한 대대적인 구조조정도 실시했다. 이를 통해 1,800만 명에 이르는 국영기업의 직원들을 농촌으로 돌려보낼 수 있었다.

이렇게 3년간의 혹독한 조정을 진행하자 경제 상황은 다시 좋아지기 시작했다. 1964년과 1965년의 경제성장률이 각각 17.9퍼센트와 18퍼센트를 기록한 것이다. GDP 역시 1,716억 위안(695억 달러)으로 늘어나 7,191억 달러를 기록한 미국의 10퍼센트선까지 따라 붙었다. 경제가 회생할 기미가 뚜렷하게 보였다고 해도 괜찮았다. 그러나 정말 누구도 예상하지 못한 뜻밖의 엄청난 사태가 다시 발생해 상황을 엉뚱한 곳으로 몰아가고 말았다. 저 유명한 문화대혁명文化大革命이 1966년에 막을 올린 것이다.

문화대혁명의 발발과 린뱌오의 추락

문화대혁명은 사실, 자신을 제치고 권력을 장악해가고 있던 류사오치를 제거하기 위한 마오쩌둥의 속셈에서 나왔다. 마오쩌둥은 류사오치를 그대로 놔두면 국가주석의 자리를 계속 유지할 뿐만 아니라 아예 자신의 머리 위에 올라앉을 것이라고 판단했다. 더구나 그때까지 마오쩌둥은 대약진운동 때 펑더화이를 비판하는 와중에 자신의 입지도 은근하게 넓히려던 류사오치에게 앙심을 품고 있었다.

마오쩌둥은 우선 1965년 말부터 부인 장칭江靑과 함께 비밀리에 문인文人 출신 정치가인 야오원위안姚文元에게 당시 중국 인민들에게 인기가 높았던 우한吳晗의 역사극《해서파관海瑞罷官5》에 대한 비판의 글을 발표하도록 지시했다. 외곽을 때린다는 말처럼 문학으로 선제공격을 하기로 작심했던 것이다.

그러나 마오쩌둥이 비판의 대상으로 삼았던《해서파관》은 사실 마오의 요청으로 역사학자 우한이 쓴 역사극이었다. 마오는 어떻게 명나라 역사 전문가인 우한과 엮이고 어떻게 해서《해서파관》이 탄생했던 것일까?

우한은 제2차 세계대전이 한창일 때, 장제스蔣介石와 국민당國民黨을 비판하기 위해 명나라 때의 일화를 거론한 적이 있었다. 우한은 그 일을 계기로 역사서를 즐겨 읽던 마오쩌둥의 관심을 끌었고, 대약진운동 때 마오쩌둥으로부터 근시안적이고 보수적인 관료제에 대항하면서 인민의 경제권을 지키기 위해 굳세게 싸웠던 명나라 관리 '해서海瑞'에 대한 글을 써 달라는 요청을 받았다. 우한은 마오쩌둥의 요청을 받아들여 해서에 관한 이야기를《인민일보》에 발표하고, 이 이야기를 토대로 1961년에는《해서파관》이라는 역사극도 발표했다.

이 연극은 중국의 각계각층 사람들로부터 큰 인기를 끌었다. 그러나 장칭 등은 여러 차례에 걸쳐 마오쩌둥에게《해서파관》에 문제가 있다고 주

---

5 해서파관(海瑞罷官): 역사학자인 우한이 마오쩌둥의 요청을 받고 명나라의 관리였던 해서(海瑞)에 관해 쓴 역사극이다. 해서파관의 내용은 탐관오리를 처벌하고 억울한 사람의 원한을 풀어주던 청렴 강직한 명나라 관리 해서가 황제에게 잘못 보여 파직당하는 내용이다.

장했다. 즉《해서파관》의 내용 중, '청렴 강직한 해서海瑞를 가정제嘉靖帝가 파직한 것'은 '펑더화이彭德懷를 마오쩌둥毛澤東이 1959년에 파면한 것을 묘사한 것'이므로 모종의 음모가 숨어 있다고 주장한 것이다.

처음에는 마오쩌둥은 그들의 말에 동의하지 않았다. 자신이 요청해 쓰인 글이 자신을 비판한 글이라고 여긴다는 것은 말도 되지 않았기 때문이다. 그러나 공안 책임자였던 캉성康生마저도 마오쩌둥에게《해서파관》의 내용이 러산廬山회의와 관련이 있을 뿐만 아니라, 펑더화이와도 아주 밀접한 관련이 있다고 고자질했다. 마오쩌둥은 서서히《해서파관》의 내용이 자신에 대한 비판이라는 의구심을 갖게 됐다.

1966년 4월 2일 장칭 등은 마오쩌둥의 동의 아래《해서파관》에 대해 본격적으로 문제를 제기했고, 나중에는 정적인 류사오치를 비판하는 수단으로도 활용했다. 그러자 중국의 문화계와 언론계는 이러한 비판이 표현의 자유를 위축시킬 것을 우려해《해서파관》논란을 정치문제가 아닌 순수한 학술문제로 한정하려고 노력했다. 이러한 움직임에 대해 당시 국방부장이었던 린뱌오林彪까지 끌어들인 장칭 측은 "중국 문화계를 반당反黨, 반공산주의反共産主義 사상을 가진 일부 불순세력이 지배하고 있다."고 공격했다. 반전反轉의 기회를 잡은 마오쩌둥은 '문화대혁명'을 전국적으로 발동하기 위해 5월 4일부터 26일까지 일정으로〈중앙 정치국 확대회의〉를 소집했다. 16일에는 "당과 정부, 군부 및 문화계에 침투한 흐루시초프 같은 수정주의 분자6를 타도하라."는 내용의 '중국공산당 중앙위원회 통지'가 전국에 하달됐다. 문화대혁명은 이렇게 해서 본격적으로 막이 올랐다.

1966년 6월 1일《인민일보》는 분위기를 더욱 살벌하게 몰아가는 대단히 자극적인 글을 실었다. "자본주의자와 그 주구, 나아가 자본주의적 지식인들을 반드시 숙청하자."라는 내용이었다. 곧 전국의 대학 총장과 저명한 지식인들을 겨냥한 대대적인 비판 운동이 시작됐다. 5월에 처음 모습을 보인 홍위병紅衛兵은 이미 이때 전국적으로 조직되어 시도 때도 없이 출몰하고 있었다. 1966년 7월 27일 홍위병의 대표단이 마오에게 공식적인 서한을 보내 '자오판유리造反有理', 즉 "사회와 정치를 뒤집어엎고 대량 숙청에 나서는 것이 정당화될 수 있다."고 주장했다. 마오는 이에 대해 전적인 지지와 동의를 표시했다.

8월 8일 《인민일보》에는 마오의 짧은 논평인 〈사령부를 폭격하라―나의 대자보〉라는 글이 실렸다. 마오는 이 글에서 반혁명, 우파분자들에 대한 투쟁을 전 인민에게 부르짖었다. 공식적으로 공산당 내 실용주의자인 류사오치와 덩샤오핑을 타도 대상으로 언급했다고 할 수 있었다. 이렇게 되자 홍위병은 더욱 자유롭게 활동할 수 있는 근거를 마련했다. 이들은 마오쩌둥주의자가 아닌 모든 사람들을 비판했다. 때로는 부패 혐의로 고발해 감옥에 보냈고, 설사 그렇지 않더라도 실각시키는 것은 잊지 않았다.

8월 16일 전국에서 수백만 명의 홍위병이 마오를 만나기 위해 북경에 운집했다. 마오쩌둥은 린뱌오를 대동한 채 천안문 광장의 단상에서 전국에서 올라온 홍위병들에게 여러 차례 모습을 드러냈다. 마오는 이때마다 사회주의와 공산주의를 위한 문화대혁명에서 보여준 홍위병의 행동을 칭찬해 마지않았다. 마오가 지지의사를 밝히자 홍위병은 더욱 고무됐다. 이들은 구舊사상, 구舊문화, 구舊풍속, 구舊관습의 '4구舊타파'를 슬로건으로 내걸고 모든 종교 활동에도 핍박을 가했다. 중국 전역의 사찰, 교회, 서

---

6 마오쩌둥의 흐루시초프(Khrushchyov) 비판: 스탈린 사후 1953년에 집권한 소련의 흐루시초프는 스탈린을 독재자로 규정해, 스탈린 격하운동을 벌이고 '평화 공존 정책'으로 서방과의 화해를 모색함으로써 당시 스탈린을 존중하고 서방과 핵전쟁까지 불사했던 마오쩌둥에게 큰 충격을 안겨줬다. 여기에다 소련이 1962년에 벌어진 중국과 인도의 국경분쟁에서 인도를 지지하고, 그동안 해왔던 군사원조와 경제원조마저 끊자, 마오는 흐루시초프를 '수정주의자'라고 비난하고, 소련은 '공산주의의 탈을 쓴 전체주의 국가'라고 규정하면서 중국과 소련의 관계는 사실상 단절됐다.

문화대혁명 기간에 홍위병들에게 조리돌림을 당하는 펑더화이.

원, 모스크, 도교사원 등은 문을 닫을 수밖에 없었고, 심지어는 귀중한 유물들까지 약탈되거나 파괴되는 운명도 면치 못했다. 한마디로 홍위병은 4구로 간주된 모든 것을 파괴의 대상으로 삼았다.

이 기간에 홍위병에게 찍힌 이들은 심문과 고문을 받는 게 일상이었다. 이들 중 일부는 구타와 폭행을 견디지 못하고 자살을 택하기도 했다. 인명 피해를 보면 이때의 상황이 얼마나 살벌했는지 쉽게 알 수 있다. 당시 자료를 살펴보면 북경에서는 8월과 9월에 홍위병에 의해 1,772명이 살해됐다. 상해에서는 704명이 자살하고, 534명이 살해됐다. 무한에서는 62명이 자살로 생을 마감했다. 홍위병들에게 찍혔던 덩샤오핑의 아들 덩푸팡鄧朴方이 홍위병들에게 덩샤오핑의 잘못을 인정하라는 요구에 시달리다 창문에서 뛰어내려 평생 불구의 몸으로 살게 된 것도 문화대혁명 시기의 일이었다.

사태가 이렇게 폭력적으로 진행되는 데도 관계 당국에서는 홍위병들을 제지하기는커녕 오히려 방관하는 자세로 일관했다. 마오쩌둥 역시 이런 홍위병의 살인과 폭력 행위에 대해 전혀 걱정하지 않았다. 아니 오히려 진정한 혁명가는 살인에 대한 욕망을 느껴야 한다며 "히틀러는 더 잔인했다. 더 많이 죽일수록 진정한 혁명가에 가까워진다."는 끔찍한 말도 서슴지 않았다.

문화대혁명과 맞물려 국가주석에서 쫓겨난 류사오치는 이때 하남성 개봉開封의 한 감옥에 유폐돼 있었다. 당시 나이가 칠순에 가까웠던 류사오치는 당연히 지병이 악화될 수밖에 없었다. 그러나 의사가 치료를 거부해 그곳에서 그는 결국 치료조차 제대로 받지 못한 채 1969년 사망하고 말았다.

함께 축출된 덩샤오핑 역시 이른바 재교육 과정을 세 번이나 거친 다음, 강서성 남창南昌의 한 트랙터 공장에서 중노동에 시달렸다. 이후 덩샤오핑은 저우언라이가 구해줄 때까지 몇 년을 그곳에서 보냈다. 그러나 대부분의 반혁명 분자와 우파로 찍힌 사람들은 영원히 되돌아오지 못했다.

해가 바뀌어 1967년이 되자 문화대혁명의 불길은 더욱 타올랐다. 이 시기에는 자신의 반대자나 정적을 반혁명 분자로 고발해 실각시키거나 숙청시키는 것이 아무렇지도 않던 시기였다. 심지어는 자신의 부모나 스승을 고발하는 인면수심人面獸心의 사람들도 생겨났다. 그럼에도 마오쩌둥은 이런 활동에 대해 크게 칭찬했다. 사람들은 이제 믿을 만한 사람이 아무도 없었다. 심지어 가족도 믿지 말아야 할 판국이었.

그럼에도 불구하고 이 시기에 잘 나가는 사람은 따로 있었다. 바로 린뱌오林彪였다. 그는 류사오치가 당에서 영구 제명된 그 해에 부주석으로 승진했다. 이어 명실상부한 마오쩌둥의 후계자로 공식 인정을 받기 시작했다. 하지만 그의 좋은 시절도 오래가지는 못했다. 1970년 8월 23일 〈당 제9차 중앙위원회 2차 전체회의〉가 1959년에 이어 다시 강서성 려산에서 열렸다. 이때 정치국 상무위원이었던 천보다陳伯達가 첫 번째 연설자로 나서, 마오를 찬양하고 우상화하는 발언과 함께 류사오치를 끝으로 폐지된 국가주석 제도를 복원하자고 제안했다. 어떻게 보면 천보다의 발언은 후계자로 공식 인정받고 있는 린뱌오를 위한 목적에서 비롯됐다고 할 수 있다.

하지만 마오쩌둥은 천의 제안을 크게 비판하고 정치국 상무위원 자리에서 해임해 버렸다. 천은 아부를 하다가 유탄을 맞은 셈이었다. 사실 마오쩌둥이 천을 상무위원 자리에서 해임한 것은 린뱌오에 대한 경고의 성격이 상당히 강했다. 그럼에도 불구하고 린뱌오는 〈제9차 중앙위원회〉가 끝난 후에도 계속 승진을 요구했다. 급기야 마오는 린의 의도가 최고 권력을 차지하고 있던 자신을 축출하고 린뱌오 본인이 권력을 움켜쥐려는 것은 아닌지 의심하기 시작했다.

결국 마오쩌둥의 견제로 린뱌오의 권력은 날로 축소되고 있었다. 이런 상황이 닥치자 린뱌오와 측근들은 모종의 조치를 취해야 하는 게 아닌가 하는 위기감에 빠져 있었다. 그러던 와중인 1971년 8~9월 마오쩌둥이 중국 남부 지방을 시찰하면서 린뱌오를 비판했고, 이를 린뱌오에 대한 제거 신호로 받아들인 린의 지지자들이 빠르게 움직이기 시작했다. 마오를 축출하고 린을 국가 원수로 확실하게 끌어올리기 위해 군대를 동원하기로 모의한 것이다. 그중에서도 린뱌오의 아들이자 공군 지휘관이었던 린리궈林立果는 자신의 생각을 구체적으로 실행하기 위한 정밀한 쿠데타 음모를 상해에서 꾸미고 있었다. 일설에 의하면 린은 이 음모에 거의 개입하지 않았다고 하지만, 모르고 있었다고 하기에도 석연치 않다.

성공하는 순간 정적政敵들을 모조리 체포한 다음 린뱌오가 권좌에 오르도록 한다는 시나리오를 가지고 있었던 이 쿠데타 음모는 1971년 9월 11

일 공안 당국에 적발돼 철저하게 분쇄됐다. 이때 쿠데타 음모에 연루된 많은 이들이 홍콩으로 도주하려 했으나 거의 대부분 실패했다. 이 쿠데타 모의에 참여한 20여 명의 육군 장군들도 체포되어 숙청당하는 운명을 감수해야 했다.

린뱌오라고 무사할 까닭이 없었다. 9월 13일 비행기를 이용해 옛 소련으로 탈출하다가 부인 예췬葉群, 아들 린리궈와 몇 명의 보좌관들과 함께 몽골 상공에서 추락 사고를 당해 목숨을 잃은 것이다. 중국공산당에서 공식적으로 발표한 린뱌오의 사인은 기체 결함으로 인한 비행기 추락사지만, 아직도 많은 사람들은 중국 정부가 손을 썼을 것이라는 의심의 눈초리를 거두지 않고 있다.

아무튼 이 사건을 겪으며 마오쩌둥은 자신의 가장 친밀한 부하이자 후계자였다고 생각한 린뱌오의 배신에 치를 떨었다. 아울러 자신의 뒤를 이을 후계자 문제와 당의 앞날을 근심하지 않을 수 없었다.

4인방의 등장과 몰락

바로 이즈음 상해의 젊은 공산당 간부인 왕훙원王洪文이 북경의 중앙정부에서 두각을 나타내기 시작했다. 이때가 1972년 9월 무렵이었다. 그는 원래 상해의 국영방직공장 노동자로 있었지만 1966년 상해의 문화대혁명을 주도하면서부터 마오와 그의 측근들 눈에 띄기 시작했다. 일단 마오의 눈에 든 그는 파격적인 속도로 승진했고, 1973년에는 당 부주석 자리에도 올랐다. 왕훙원이 마오쩌둥의 잠재적 후계자로 올라설 준비를 하기 시작한 것이다. 그러나 그해에 저우언라이의 건의로 실각했던 덩샤오핑이 다시 중앙에 진출해 부총리 자리에 오르자, 왕의 승승장구 인생에 급제동이 걸리지 않을 수 없었다.

이때 장칭江靑과 그녀를 따르던 사람들의 권력은 정점을 향해 달려가고 있었다. 사실 린뱌오가 제거되기 전까지만 해도 그녀의 권력은 린뱌오에 비할 바가 못 됐다.

그러나 린뱌오가 제거되고 나면서부터 그녀의 권력은 하늘 높은 줄 모르고 치솟고 있었다. 이런 상황임에도 불구하고 그녀의 야망은 그 정도에 만족하지 않았다. 그녀는 정치 선동 전문가였던 장춘차오張春橋와 야오원위안姚文元, 그리고 승승장구에 제동이 걸린 왕훙원王洪文과 연합했다. 훗날 '4인방四人幇'으로 불린 이들은 우선 미디어와 선전망을 장악하고, 저우언라이와 덩샤오핑이 실시하려는 다분히 우파적인 경제 정책에도 적대감을 드러냈다.

1973년 말 저우언라이와 덩샤오핑을 타도한 다음 정권을 탈취하겠다는 생각을 완전히 굳힌 4인방은 린뱌오와 공자를 비판하는 '비림비공批林批孔운동7'을 개시했다. 이 운동은 겉으로는 중국 문화에서 유교적 영향을 제거하고 린뱌오의 반역 행위를 비판하는 것이었지만, 사실상 저우언라이를 겨냥한 운동이라고 해도 좋았다. 그러나 대중은 이 운동에 환멸을 느꼈고 저우언라이를 실각시키려 한 4인방의 기도는 무산됐다. 이에 따라 저우언라이의 발언권은 더욱 강화됐고, 덩샤오핑 역시 미래의 개혁 · 개방 모델이 된 자신의 경제 정책에 대한 집행을 더욱 확실히 할 수 있었다. 이때부터 덩샤오핑은 자연스럽게 실세로 떠오르게 됐다.

---

7 비림비공(批林批孔) 운동: 1973년부터 1976년까지 4인방이 주도해 공자의 '극기복례(克己復禮)'는 노예제도를 복귀시키려는 것이고, 린뱌오의 '반혁명수정주의 노선' 역시 극기복례를 통해 '지주 · 자산계급의 전제(專制)'를 부활시키려는 획책이라며 공자와 린뱌오를 공격한 사상운동이다. 이 시기 중국에서는 공자의 호칭이 '공자(孔子)'에서 스승을 의미하는 '자(子)' 자를 뺀 채 '공구(孔丘)'라는 본명으로 불렸고, 심지어는 공씨 집안의 둘째아들이라는 뜻의 '공로이(孔老二)'라고도 불렸다.

도저히 끝날 것 같지 않았던 문화대혁명은 갈수록 악화되는 마오쩌둥의 건강으로 인해 끝을 향해 달려가고 있었다. 이 와중인 1976년 1월 8일 저우언라이가 방광암으로 먼저 사망했다. 다음날 북경의 천안문 광장 인민영웅기념비 앞에는 그를 추모하는 대규모 인파가 몰려들었다. 4인방은 이런 분위기가 정치적인 파고로 변질되지 않을까 우려하며, 자신들이 장악한 미디어를 통해 추모 열기를 식히기 시작했다. 그럼에도 불구하고 덩샤오핑은 저우언라이를 기리는 추모사를 낭독할 수 있었다.

2월에 접어들자 4인방은 저우언라이라는 바람막이가 사라진 자신들의 마지막 정적政敵인 덩샤오핑 당시 부총리를 공격하기 시작했다. 덩은 풍전등화의 신세였다. 그런 덩샤오핑에게 그나마 다행이었던 것은 마오쩌둥이 저우언라이의 후임 총리로 4인방 대신에 당시까지 잘 알려지지 않았던 화궈평華國鋒을 임명했다는 사실이었다.

그로부터 얼마 후인 4월 5일, 이날은 중국의 전통 명절인 청명절로써 세상을 떠난 조상을 추모하는 날이었다. 3월 말부터 천안문 광장에 모여 저우언라이를 추모하던 북경 시민들은 4인방에 대한 분노를 표출하기 시작했다. 그러자 점차 많은 군중이 몰려들었다. 나중에는 4인방을 규탄하는 포스터와 격문도 붙었다. 군중은 순식간에 수십만 명으로 늘어났다. 비폭력 항의시위로 변질되는 것은 일도 아니었다.

그러자 4인방은 중국공산당 중앙위원회의 이름으로 공안公安을 동원해 이 군중을 무력으로 해산시키도록 명령했다. 13년 후인 1989년에 폭발한 것과는 성질이 다소 다른 '제1차 천안문사건[8]'은 바로 이렇게 해서 발발했

---

8 제1차 천안문사건: 최초 저우언라이(周恩來)를 추모하기 위해 모인 북경 시민들의 화환과 추모품들을 북경시 당국과 공안들이 없애버린 것이 발단이었다. 당시 시위에서는 마오쩌둥을 등에 업은 4인방을 비판하는 시(詩)가 대량으로 나돌아 마오쩌둥 체제에 대한 불만을 엿볼 수 있었다. 4인방은 이 사건을 '반혁명사건'으로 규정하고 철저히 탄압했다. 중국에서는 '4·5운동'이라고도 부른다.

다. 이어서 4인방은 군중의 이 시위를 뒤에서 덩샤오핑이 조종했다고 주장했다. 심지어 장춘차오는 중앙위원회 회의에서 개인적으로 덩을 공격했다. 덩은 또다시 모든 직위를 박탈당하고 북경 경산景山의 자택에 연금됐다.

그러나 덩샤오핑의 불운은 오래가지 않았다. 건강에 문제가 많았던 마오쩌둥이 1976년 9월 9일 끝내 사망한 것이다. 사망 직전 그는 화궈펑에게 "당신이 맡는다면 나는 안심이다."라는 요지의 쪽지를 남겼다고 한다. 화궈펑은 자신에게 주어진 기회를 놓치지 않았다. 즉각 군부에 막강한 영향력을 가지고 있던 예젠잉葉劍英 인민해방군 원수元帥와 덩샤오핑의 협조 아래 4인방을 체포하라는 명령을 인민해방군에 하달했다. 명령을 받은 인민해방군 8341 특수 연대는 10월 10일 4인방 전원을 체포했다. 이렇게 해서 전 대륙을 10년 동안이나 대동란으로 몰아넣었던 문화대혁명은 막을 내렸다.

문화대혁명은 여러 면에서 형언하기 어려울 정도로 부작용을 양산했다. 무엇보다 사람이 많이 희생됐다. 일설에 의하면 300만 명 정도가 목숨을 잃었다고 한다. 또 중국 곳곳에 산재한 문화유적과 전통유산이 많이 파괴됐다. 수천 년 동안의 문화유산이 단 10년 만에 파괴됐다는 말이 지금도 유력하게 나돌 정도면 더 이상의 설명은 필요가 없어진다. 지금도 많은 중국 역사가들이 문화대혁명을 진시황의 분서갱유焚書坑儒에 비유하는 것은 다 이유가 있지 않나 싶다. 이 밖에도 전통 도덕과 관습의 붕괴, 각급 학교의 폐쇄로 인한 문화 및 교육 수준의 저하도 큰 폐해라고 할 수 있었다.

---

9 하방(下放): 원래 취지는 중국에서 공산당원과 국가 공무원들을 농촌이나 산간 지방, 공장 등에 보내 육체노동을 시킴으로써 정신노동자와 육체노동자 간의 거리감을 없애고, 낙후된 농촌과 산간 지역을 근대화시키려는 목적에서 시작됐다. 하지만 문화대혁명 때의 하방은 자신의 충실한 수족이었던 홍위병들에게 부담을 느낀 마오쩌둥이 하방이라는 명목으로 홍위병들을 궁벽한 시골로 내려 보내 정착시킨 것을 말한다. 이때 하방한 홍위병들 중 대다수는 끝까지 고향으로 돌아가지 못하고 과거를 숨기고 살아가고 있다.

마오쩌둥의 죽음으로 몰락한 4인방. 당과 국가의 지도권을 찬탈하려고 했다는 죄목으로 재판을 받고 있다.

이때 교육을 제대로 받지 못한 청소년 홍위병들은 대거 지방으로 하방下放⁹되는 아픔도 겪었다. 2012년 11월 〈당 18차 전국대표대회〉에서 차기 당정 지도부를 구성할 시진핑習近平 부주석과 리커창李克强 부총리도 바로 이 시기에 하방을 경험한 세대들이었다. 특히 시 부주석은 지금도 오지 중 오지로 꼽히는 섬서성 연안延安의 옌촨延川현에서 무려 7년 가까운 하방 생활을 견뎌야 했다.

그러나 역시 가장 뼈아픈 것은 중국 경제의 쇠퇴였다고 할 수 있었다. 말하자면 문화대혁명은 대약진운동이라는 카운터펀치를 맞고 빈사상태에서 헤매다가 겨우 기운을 차리려는 중국 경제를 확인 사살한 결정타였다고 해도 좋았다. 정말 그런지는 역시 각종 경제지표를 보면 알 수 있다.

먼저 문화대혁명 초창기부터 식량 생산은 해마다 500만 톤 정도씩 줄어들었다. 이로 인해 중국 당국은 이 기간에 연평균 600만 톤의 식량을 수입하지 않으면 안 됐다. 경제성장률도 크게 다르지 않았다. 1967년과 1968년 두 해에 걸쳐 마이너스 성장에 허덕일 정도였다. 각각 마이너스 5.7퍼센트와 마이너스 4.1퍼센트의 성장률을 기록했다. 이런 횡액은 문화대혁명이 끝나던 1976년에도 다시 한 번 찾아왔다. 마이너스 1.6퍼센트의 성장률을 기록한 것이다.

물론 전체적으로 봤을 때는 경제의 규모가 커진 것은 사실이다. 예컨대 1965년에 1,716억 위안(당시 환율로는 695억 달러)이었던 중국의 총 GDP는 1975년에 3,013억 위안(달러 기준으로 1,612억 달러)으로 70퍼센트 이상 늘어났다. 또 1975년의 강철, 식량, 원유 생산량도 1965년에 비해 각각 2배, 7배, 1.4배로 늘어났다. 눈에 보이는 이런 수치만 봤을 때는 문화대혁명 기간에 경제가 나름 발전하지 않았느냐고 할지 모른다.

그러나 대약진운동의 실패에 따라 생산량이 크게 감소하고, 설상가상으로 커다란 자연재해까지 겪었음에도 불구하고, 1965년에 기록했던 GDP 1,716억 위안이 1955년의 GDP 911억 위안보다 거의 두 배 가까이 늘어났다는 점을 상기해보면 그런 긍정적인 평가를 내리기 어렵다. 오히려 문화대혁명 기간에 중국 경제는 정체했다거나 빈사 상태에서 벗어나지 못했다고 평가를 해도 크게 다르지 않다. 미국과의 격차를 따져 봐도 이 사실을 잘 알 수 있다. 문화대혁명이 끝나고 마이너스 성장을 기록한 1976년 중국의 달러 기준 GDP는 1,516억 달러였고, 미국은 1조 8,520억 달러였다. 1965년에 10분의 1 수준까지 따라붙었던 양국의 GDP 격차가 다시 12분의 1 수준으로 벌어진 것이다.

문화대혁명은 좌파 급진 운동이었던 만큼 이 기간에 고도의 공유제와 계획경제를 실시했다. 사유제와 빈부 격차라는 말은 있을 수 없었다. 그래도 문화대혁명 전에는 상당한 사유 경제와 함께 이른바 개체호(個體戶·자영업체)와 농촌의 자류지(自留地·개인 소유의 땅) 등이 있었으나 지난 10년 세월 동안 이런 자본주의 시스템의 개념은 모두 사라졌고, 심지어 농촌에서는 자본주의의 꼬리를 자른다는 명목으로 자류지까지 모두 몰수됐다.

당시 이런 상황이었으니 누구를 막론하고 경제 발전에 대한 의욕이 있을 까닭이 없었다. 그대로 가다가는 과거의 영광을 찾는다는 것은 영영 불가능할 것처럼 보였다. 그러나 세상은 늘 천변만화하기 때문에 이 변화에 한시라도 한눈을 팔면 안 된다. 바로 문화대혁명의 종식으로 다시 재기에 성공한 덩샤오핑이 중국을 이끌 준비를 하고 있었기 때문이다.

쥐를
잡는
덩샤오핑

              화궈평華國鋒은 4인방을 타도하고 문화대혁명을 종식시킨 일등공신이었다. 이 점에서 그는 높은 평가를 받을 만했다. 그러나 화궈평은 상당히 실용적이었던 덩샤오핑과는 달리 1950년대 옛 소련의 통제 경제를 모델로 한 경제 구조를 선호했다. 게다가 그는 마오쩌둥이 행한 정책과 지시는 모두 옳기 때문에 이를 따라야 한다는 이른바 '양개범시兩個凡是10'에 집착하고 있었다.

    중국 인민들로서는 4인방에 의해 축출된 덩샤오핑이 그리울 수밖에 없었다. 덩샤오핑 역시 이 사실을 잘 알고 있었다. 문화대혁명이 종식되자

---

10 양개범시(兩個凡是): 화궈평이 집권한 후에 취약한 자신의 권력기반을 지켜내기 위하여 내세운 당(黨)의 강령이다. 1977년 2월 7일 인민일보와 광명일보 등의 언론을 통해 전국적으로 공언한 강령으로, 요약하면 "마오쩌둥 주석이 생전에 내린 결정과 생전에 내린 지시는 모두 옳기 때문에, 당은 이를 옹호하고 흔들림 없이 지켜 나가야 한다."는 내용을 담고 있다.

중국공산당 10기 3중전회의 주석단 사진. 왼쪽으로부터 덩샤오핑, 화궈펑, 예젠잉이다.

마자 덩샤오핑은 화궈펑에게 편지를 보내 자신을 복권·복직시켜 줄 것을 강력하게 요구했다. 군부에 커다란 영향력을 가지고 있던 예젠잉도 덩의 이런 행보에 힘을 보탰다. 화궈펑에게 노골적으로 덩이 정무원(지금의 국무원)에 복귀하지 않으면 자신도 더 이상 협조를 못하겠다는 협박성 발언을 한 것이다.

마오쩌둥이 죽기 직전에 밀어준 후계자라는 신분 말고는 다른 기반이 약했던 화궈펑은 당 내외에서 갈수록 커져가는 압력을 버티지 못했다. 결국 화궈펑은 1977년 7월에 열린 〈당 10기 중앙위원회 3차 전체회의(10기 3중전회)〉에서 덩을 다시 정무원으로 복직시켜 부총리에 임명했다. 이로써 덩은 화궈펑에 이은 당정의 2인자가 될 수 있었고, 이때를 기점으로 덩샤오핑에게는 '쓰러지지 않는 오뚝이'라는 뜻의 '부도옹不倒翁'이라는 별명이 붙었다.

〈10기 3중전회〉 회의석상에 나온 덩샤오핑은 바로 다음해인 1978년 12월 〈당 11기 중앙위원회 3차 전체회의(11기 3중전회)〉에서 확실하게 밝히게 될 자신의 생각을 대략이나마 먼저 피력했다.

"우리는 정확하게 마오쩌둥 사상을 이해해야 합니다. 그것은 바로 군중 노선과 실사구시實事求是입니다. 앞으로 이에 따라 중국을 이끌어나가 야 합니다."

덩샤오핑은 이후 과학과 교육의 중요성도 강조했다. 경제를 발전시켜 인민의 생활이 나아지도록 하기 위해서는 과학과 교육 외에는 다른 수단 이 없다고 본 것이다. 실사구시는 사실 이에 근거한 구호이기도 했다.

덩샤오핑은 그해 8월에 실사구시 정책을 더욱 확실하게 추진할 발판도 마련했다. 화궈펑, 예젠잉에 이어 중국 권력 서열 3위 정치국 상무위원 자 리에 오른 것이다. 나머지 두 자리는 리셴녠李先念과 마오쩌둥의 경호실장 출신인 왕둥싱汪東興이 차지했다. 완전히 주류로 올라선 덩은 1978년 5월 자신이 눈여겨본 후야오방胡耀邦 당 중앙조직부장을 전면에 내세우는 과 감한 공격적 행보도 선보였다. 후는 이에 보란 듯 《광명일보光明日報》에 실 은 기고를 통해 덩의 이론을 치켜세웠다. 이후 두 사람에 대한 지지 기반 은 더욱 확산됐다. 그가 9월부터 공개적으로 화궈펑의 '양개범시' 정책을 비판한 것은 어쩌면 너무나 당연했는지도 몰랐다.

개혁 · 개방을 진두지휘하는 부도옹

1978년 10월 10일 덩샤오핑은 옛 동독 대표단을 만난 자리에서 아예 노 골적으로 '개혁 · 개방 정책'을 입에 올렸다. 죽의 장막으로 불린 중국의 지도자답지 않게 서방으로부터 선진 기술과 장비를 도입해 발전의 기본 으로 삼아야 한다는 파격적인 입장도 밝혔다. 이 과정에서 이른바 농업, 공업, 과학기술, 국방의 4개 부문을 현대화하자는 '4개 현대화 원칙'도 자 연스럽게 강조됐다. 그는 12월 13일에 열린 당 중앙공작회의 폐막식에서 는 급기야 닷새 후 열릴 〈11기 3중전회〉에서 행할 자신의 연설을 미리 예고하는 듯한 내용의 말을 마구 쏟아냈다.

"사상을 해방해야 합니다. 실사구시를 지향해야 합니다. 일치단결해 앞을 보고 나아가야 합니다. 사상을 해방하지 않으면 4개 현대화 목표도 희망이 없습니다. 또 일부 지역과 일부 사람들을 먼저 부유해지도록 해야 합니다."

1978년 12월 18일 마침내 그 유명한 〈11기 3중전회〉의 막이 올랐다. 이미 실질적으로는 화궈펑을 제치고 1인자가 돼 있었던 덩샤오핑은 개혁·개방 노선 추진을 선언할 준비를 다 마쳐 놓고 있었다. 회의에서 덩샤오핑은 우선 문화대혁명 기간과 그 이전의 좌경적 착오를 수정하겠다는 입장을 분명하게 토로했다. 이를 위해 '조정, 개혁, 정돈, 제고'라는 새로운 '8자八字 방침'을 제시했다. 과거와는 근본적으로 다른 경제이론을 제시한 것이다. 당연히 계급투쟁을 강령으로 한다는 구호는 금지됐다. 덩샤오핑의 의욕은 여기에 그치지 않았다. 그는 22일 폐회식에서는 자신이 늘 입에 올렸던 '사상 해방', '실사구시', '일치단결을 통해 앞을 보고 나아가자'는 구호도 다시 한 번 강조했다.

이후 '실천이 진리를 검증하는 유일한 표준'이라는 덩의 말은 '계급투쟁'이라는 구호를 대체했고, 4개 현대화를 기본으로 하는 '사회주의 현대화 건설'이라는 구호 역시 전국 곳곳에서 울려 퍼지게 됐다. 이 시기부터 "능력 있는 사람부터 먼저 부자가 되고, 나중에 뒤처진 사람들을 도와라."는 내용을 담은 '선부론先富論'과 "검은 고양이든 흰 고양이든 쥐만 잘 잡으면 된다."는 뜻의 '흑묘백묘론黑猫白猫論'도 모르는 사람이 없을 정도로 유명한 구호로 떠올랐다.

이때부터 화궈펑은 완전히 정권을 장악한 덩샤오핑을 인정하지 않을 수 없었다. 결과적으로 자아비판을 한 다음 '양개범시' 추종은 자신의 과

오였다는 사실을 인정했다. 마오쩌둥의 충실한 추종자였던 왕둥싱도 비판에서 자유롭지 못했다. 세상은 이제 완전히 덩샤오핑의 천하가 돼 있었다. 2년 전 청명절에 발생한 천안문 사건은 이로써 공식적으로 재평가를 받게 되기에 이르렀고, 문화대혁명의 격랑에서 숨진 전 국가주석 류사오치劉少奇도 뒤늦게나마 복권돼 국장이 치러졌다.

덩샤오핑은 말로만 개혁·개방을 외치지 않았다. 아니 이를 위해 이미 오래전부터 자신의 생각을 착착 정리해오고 있었다. 그가 우선 눈을 돌린 것은 바로 서방세계를 대표하는 미국과의 국교 정상화였다.

중국은 1960년대에 들어서면서부터 옛 우방이던 소련과 극도로 사이가 나빠져 있었다. 특히 1969년의 중소국경분쟁을 겪은 후부터는 상황이 더욱 악화돼 있었다. 중국은 자칫하다가 미국과 소련 모두로부터 고립되는 신세를 면치 못할 가능성이 높아져 있었다. 따라서 중국으로서는 어떻게 해서든 미국과의 관계를 개선할 필요가 있었다. 마오쩌둥을 비롯한 중국공산당 지도부의 고민은 깊어지지 않을 수 없었다.

급기야 이런 고민은 중국과 미국의 '핑퐁외교'로 풀어지기 시작했다. 1971년 4월 10일, 중국은 일본 나고야에서 열린 세계탁구선수권대회에 출전한 미국 탁구 선수 15명과 기자 4명을 1주일 일정으로 초청했다. 이들이 초청에 응하자 중국 당국은 기다렸다는 듯 저우언라이周恩來를 내세워 이들을 직접 면담하는 파격적인 행보를 보여주고, 북경, 상해, 광주 등을 순방하면서 친선게임도 할 수 있도록 극진하게 대접했다.

이렇게 한번 물꼬를 튼 중국과 미국의 관계는 1971년 7월 헨리 키신저 미국 국가안보담당 보좌관이 중국을 극비리에 방문하고, 1972년 2월에는 드디어 리처드 닉슨 미국 대통령이 중국을 전격 방문하는 성과를 이뤄냈다. 이런 분위기에 편승해 1972년 9월 29일에는 일본과의 국교도 전격적

으로 수립했다. 이렇게 핑퐁외교를 통해 미국과의 관계 개선은 쉽게 이뤘
으나 국교 정상화까지는 쉽게 이뤄지지 못했다. 이런 상태는 덩샤오핑이
완전히 복권되기 직전인 1977년 상반기까지 계속 이어졌다.

그러나 일이 되려고 그랬는지 덩샤오핑은 복권되자마자 바로 교육 및
외교 문제까지 담당하는 부총리가 됐다. 교착상태에 빠진 미국과의 수교
협상도 당연히 그의 주요 업무 중 하나로 떠올랐다. 그는 어떻게 하면 하
루라도 빨리 미국과의 관계를 정상화시켜 개혁·개방에 나설 수 있을지
고심했다. 마침 미국도 1977년 1월에 정권 교체가 되어 민주당 소속의 지
미 카터가 새 대통령으로 일하고 있었고, 국무부 장관도 헨리 키신저에서
사이러스 밴스로 바뀌어 있었다. 양쪽 모두 약속이나 한 듯 권력이 교체
되어 있었던 것이다. 새 술은 새 부대에 담는다는 말처럼 상황이 더 좋아
질 가능성이 높아 보였다.

1977년 8월 22일, 드디어 밴스가 양국의 교착상태를 타개하기 위한 협
상을 목적으로 북경에 도착했다. 그는 우선 황화黃華 외교부장을 만나 단
도직입적으로 말했다.

"미국은 우리와 귀국 사이의 '상해 코뮈니케11'를 견지하려는 입장입
니다. 그러나 미국은 적당한 때 공개적인 성명을 발표해 대만 문제를 평
화적으로 해결하는 방안을 내놓을 생각도 있습니다. 귀국은 우리의 성명
에 부정적인 입장을 보이는 성명을 발표하지 않았으면 좋겠습니다. 특히
무력으로 대만 문제를 해결하겠다는 성명을 발표하는 것은 더욱 안 됩니
다."

---

11 상해 코뮈니케(上海 Communique): 닉슨이 중국을 방문한 1972년 2월 발표한 중국과 미국의 공동
성명이다. 중국이 주장한 5가지 평화원칙, 즉 '영토와 주권의 상호 존중', '상호불가침', '상호내정불
간섭', '평등호혜', '평화공존'과 '대만에서 미군 및 군사시설의 철수'를 중국과 미국이 합의한 성명
이다.

황화는 당연히 약한 모습을 보이지 않았다. 즉각 결연한 자세를 보였다.

"우리와의 관계 정상화를 실현하려면 미국은 반드시 대만과 단교해야 합니다. 병력을 철수시키는 것은 더 이상 말할 필요도 없습니다. 상호 방위조약도 폐기해야 합니다."

중국의 입장은 분명했다. 미국과의 수교가 절실했지만 대만 문제만큼은 양보하지 않겠다는 것이었다. 미국도 물러설 수가 없었다. 대만이 자국의 외교, 안보 차원의 이익뿐 아니라 경제적 이익과도 밀접한 관계가 있었던 것이다. 특히 무기 판매를 통해 얻는 이익은 미국이 도저히 포기할 수 없는 것이었다. 밴스는 일이 틀렸다고 생각했으나 그냥 귀국하기도 싫었다. 그는 밑져야 본전이라는 식으로 더욱 고위층의 지도자를 만나고 싶다는 입장을 황화에게 은근하게 피력했다. 당 중앙은 즉각 덩샤오핑을 밴스와 만나도록 했다.

이틀 후인 24일 덩샤오핑은 밴스를 초청해 연회를 베풀었다. 밴스는 작심하고 자신이 정리하고 있던 생각을 피력했다.

"중국은 공개적이든 암묵적이든 대만 문제 해결을 위해 무력을 사용하지 않을 것이라고 약속해야 합니다. 그런 다음 중·미 관계를 정상화시켜야 미국이 대만에 계속 무기를 팔 수 있습니다. 이런 조치를 하고나서 중국과 미국 간의 연락사무소를 대사관으로 승격시킵시다. 반면 미국의 주 대만대사관을 연락사무소로 합시다."

밴스의 어조는 차분했다. 그러나 오만하고 강경한 입장은 말 속에 여전히 그대로 녹아 있었다. 덩샤오핑은 밴스의 강경한 입장에도 당황하지 않았다. 그저 담배에 서서히 불을 붙인 다음 여유 있게 대답했다.

"양국 간에는 중요한 문제가 있습니다. 바로 대만 문제입니다. 이에 대해서는 우리와 일본과의 수교 방법을 준용하면 됩니다. 황화 외교부장이

북경 중남해에서 핑퐁외교를 통해 만난 마오쩌둥과 닉슨(1972년 2월).

아마 다 말했을 것이라고 생각합니다. 이 요구 조건만 받아준다면 우리는 더 이상의 조건을 내걸지 않고 수교 협상을 타결시키겠습니다. 실사구시라는 단어를 생각하십시오. 중요한 것은 원칙입니다. 원칙은 큰 테두리에서만 지켜지면 되는 것입니다. 그렇다면 우리도 공연한 트집을 잡지 않을 것입니다."

　미국은 덩샤오핑의 말을 통해 중국의 분명한 입장을 확인할 수 있었다. 큰 원칙을 받아들이면서 체면을 세워달라는 얘기였다. 달리 말해 훗날 미국이 원칙을 자의적으로 해석해도 좋다는 얘기라고 해도 좋았다. 황화의 말보다는 덩샤오핑의 의중이 훨씬 더 부드러웠다. 미국으로서는 더 이상 머뭇거릴 이유가 없었다. 결국 1978년 12월, 양국은 코뮈니케를 발표하고 이듬해 1월 1일자로 정식 수교가 이뤄진다는 사실을 대내외에 선포했다. 미국은 덩샤오핑의 요구대로 즉각 대만과의 단교를 선언했다. 이어 1월 28일 덩은 카터 대통령의 초청을 수락해 중국 최고 지도자로서는 역사상 처음으로 방미 길에 올랐다. 또 3월 1일에는 북경과 워싱턴에 상호 대사관이 설치됐다. 모든 것은 덩의 생각대로 흘러갔다.

개혁·개방 노선의 성과

덩은 국내외적으로 고무적인 분위기가 조성되자 더욱 적극적으로 자신의 생각을 행동으로 옮겼다. 1980년 2월의 〈제11기 5중전회〉에서 문화대혁명 기간에 숙청된 동료 펑전彭真, 허룽賀龍 등을 비롯한 다른 고위 인사들에 대한 정치적 복권을 실시한 것은 바로 이런 생각과 관련이 있었다. 또 후야오방胡耀邦을 총서기, 자오쯔양趙紫陽을 정치국 상무위원으로 발탁한 것도 크게 다르지 않았다. 개혁·개방을 더 밀어붙이기 위한 노력의 일환이라고 할 수 있었다. 덩은 이와 함께 중앙군사위원회 주석에 취임해 권력도 완전히 틀어줘었다. 당연히 화궈펑은 역사의 무대 저편으로 사라지고 말았다.

그 다음부터는 거칠 것이 없었다. 모든 것이 덩의 생각대로 굴러갔다. 5월에는 단연 탁월한 선택이라고 할 수 있는 4대 경제 특구도 설치됐다. 각각 홍콩과 마카오를 마주보는 광동성의 어촌 도시 심천深圳과 주해珠海, 산두汕頭, 복건성의 하문廈門 등이 이 결정으로 인해 혜택을 본 도시들이었다.

개혁·개방 정책을 본격적으로 추진한 1980년의 경제적 성과는 그야말로 눈이 부시다는 표현이 딱 맞는다. 언제 문화대혁명의 광풍으로 인해 경제가 카오스 상태에 빠졌었는지 의심스러울 정도였다. 경제 통계를 살

퍼보면 더 잘 알 수 있다. 우선 GDP를 살펴보면, 1980년의 중국 내 총 GDP는 4,546억 위안(3,034억 달러)을 기록해, 문화대혁명의 내상으로 엉망이 됐던 1976년의 2,943억 위안(1,516억 달러)보다 무려 50퍼센트 이상 늘어났다. 달러 기준으로 하면 4년 사이에 거의 100퍼센트 가깝게 늘어난 기록이었다. 이 수치를 미국의 GDP 2조 7,895억 달러에 대비해 보면 그 격차는 9분의 1 수준으로 줄어들었다. 경제성장률도 나쁘지 않아 전년도와 비교해 보면 7.8퍼센트 성장했다. 무역액도 전년도에 비해 30퍼센트나 늘어난 381억 달러를 기록했다. 외자 도입액도 얼마 되지는 않았으나, 성장률은 굉장히 가팔랐다. 전년에 비해 37.4퍼센트나 늘어난 6억 1,700만 달러를 달성했다. 문화대혁명 때 입은 내상이 어느 정도 치유 단계에 들어갔다고 해도 좋았다.

실제로 개혁·개방 정책이 이뤄진 1980년대는 그전과 비교했을 때 완전히 상전벽해桑田碧海라는 표현이 어울릴 정도였다. 순풍에 돛 단 배처럼, 장마철 죽순이 커나가듯이 순조롭게 중국 경제는 커나갔다. 1981년부터 1988년까지 해마다 거의 두 자릿수 성장률을 기록하고 1985년에는 15퍼센트의 성장까지 했으니 말이다. 오히려 경제 과열로 인한 경착륙을 걱정해야 할 정도였다. 이 결과 경제규모도 꾸준하게 커져 1988년에는 1조 5,000억 위안(달러로는 4,041억 달러)을 넘어서서 GDP 2조 위안 시대를 바라보게 됐다.

분위기도 더 이상 과거로 되돌리기 어려울 상황으로 치닫기 시작했다. 1982년 9월의 당 12차 전국대표대회에서는 덩샤오핑이 제안한 중국 특유의 사회주의 건설이라는 목표가 통과됐다. 이제 본격적으로 '사회주의시장경제12' 건설을 위한 목표가 확정된 것이다. 이 대회에서는 이 밖에도 20세기 말까지 국민경제 규모를 두 배로 늘린다는 목표도 확정됐다.

1983년에는 과거에는 꿈도 꾸지 못한 은허銀河라는 슈퍼컴퓨터까지 도입되는 성과가 나타났다. 이어 이듬해 1984년 10월의 〈당 12기 중앙위원회 3차 전체회의〉에서는 경제체제 개혁에 대한 결정이 통과돼 공유제의 기초 아래 계획적 상품경제를 추진한다는 원칙도 확정됐다. 또 1985년 2월에는 장강 삼각주, 주강 삼각주와 복건성 남부 구룡강九龍江 하구에 위치한 하문廈門, 장주漳州, 천주泉州의 삼각지역에 '연해 경제 개방구'를 설치하는 결정이 내려졌다. 급기야 그해 5월에는 사회주의 계획경제의 유물 정도로 여겨지던 농산물과 부식품의 통일 구매 및 판매 정책이 사라졌다.

이어 1986년에는 사회주의시장경제 고도화에 필수적인 과학기술의 제고를 위한 조치들도 취해졌다. 예컨대 그해 3월에 입안했다고 해서 '863 계획'으로 불린 과학기술 진흥 프로젝트가 그랬다. 생물, 항공우주, 정보, 레이저, 자동화, 에너지, 신소재 등의 기술이 국가적으로 발전시켜야 할 중점 분야 기술로 채택됐다. 1996년에는 여기에다 해양 첨단 기술이 추가된다. 이런 흐름 속에서 1988년 광동성 해남도海南島를 해남성海南省으로 승격시킨 후, 해남성 전체를 경제 특구로 지정한 것은 크게 이상할 것도 없었다.

역사에는 사실 가정이라는 것이 없다. 그 자체가 필연일 뿐이다. 그러나 덩샤오핑이 없었다면 중국은 과연 문화대혁명의 혼란에서 신속하게 벗어나 21세기 G2로 부상하는 80년대의 강력한 추진력을 가질 수 있었을

---

12 사회주의시장경제(社會主義市場經濟): 기존의 사회주의나 자본주의와 비교했을 때 가장 큰 차이점은 '사회주의의 골격을 유지하면서, 국가경제 운용에서는 자본주의 기법을 도입하는 것'이다. 덩샤오핑이 중국공산당 전면에 나서고 개혁·개방을 진두지휘하면서 구상하고 실천한 정책으로, 1989년에 있었던 천안문사건으로 중국공산당 내에서 무산될 뻔한 위기도 있었다. 하지만 "자본주의에도 계획이 있고, 사회주의에도 시장이 있다"고 강조한 1992년 덩샤오핑의 남순강화 이후 중국에 완전히 정착되었다.

까? 솔직히 말해 쉽지는 않았을 것이다. 그만큼 그가 내세운 이른바 '선부론'과 '흑묘백묘론' 등의 이론과 "발전이야말로 더욱 굳건한 도리이다.", "개혁·개방 정책은 100년 동안 흔들림이 없어야 한다."는 말은 지금까지도 적지 않은 충격파를 던져주는 신선한 발상이 아닐 수 없다. 더구나 덩은 자신이 스스로 쥐를 잡는 고양이가 되는 것을 마다하지 않았다. 직접 발로 뛰면서 개혁·개방 정치를 앞장서 주도한 것이다. 지금도 중국인들이 "마오쩌둥이 없었다면 중국이 없었겠으나, 덩샤오핑이 없었다면 배부른 중국이 없었을 것이다."는 말을 입에 달고 다니는 것도 이런 덩샤오핑의 열정이 있었기에 가능한 일이었다.

경제 거인으로 가는
마지막 시련
천안문사건

세상에 영원한 것은 없다는 말처럼 좋은 시절은 그렇게 오래가지 않는 법이다. 10여 년 동안의 개혁·개방 정책으로 잘 나갈 것 같던 중국 경제가 1989년 6월 4일에 일어난 예기치 못한 유혈 사태로 다시 발목을 잡힌 것이다. 훗날 천안문사건天安門事件으로 일컬어지는 이 유혈 사건은 전혀 예상하지 못한 엉뚱한 사태는 아니었다. 사태 이전의 상황을 일별해보면 그럴 수밖에 없었다는 생각이 든다.

중국 개혁·개방의 총설계사 덩샤오핑은 1978년 사회주의시장경제를 도입한 이후 이른바 '삼보주13' 목표를 내걸었다. 경제 강국의 목표를 향한 세 발걸음이라는 이 삼보주의 일보는 '원바오溫飽'였다. 다시 말해 먹고사는 문제를 해결하는 것이었다. 그 다음은 '샤오캉小康', 마지막이 '다퉁大同'으로 각각 인간다운 생활을 하는 수준, 복지 사회로 접어드는 단계를 의미했다.

당연히 덩이 이 목표를 내걸 당시 중국의 상황은 기본 의식주인 '원바오'도 미처 해결하지 못하는 단계에 있었다. 그렇기 때문에 누군가는 먼저 부유해져서 전체적인 분위기와 페이스를 끌어올려야 했다. 그가 '선부론'과 '흑묘백묘론'을 강조한 것은 바로 이 때문이었다 한마디로 말해 고육지책이었던 것이다.

　　덩의 실권 장악과 함께 완전히 대세가 된 사회주의시장경제는 1987년 10월 〈당 13차 전국대표대회〉에서 거의 중국의 국시國是로 굳어졌다. 자오쯔양 총서기가 "중국은 사회주의 초급 단계에 있다."고 주장하면서 상당 기간 사회주의의 이상을 실현하기 위한 물적 토대 마련에 전력을 기

덩샤오핑의 후계자로 거론되던 후야오방(왼쪽)과 자오쯔양(오른쪽).

13　삼보주(三步走) 전략: 덩샤오핑이 1979년 당시 일본 수상이었던 오히라 마사요시(大平正芳)와 회견을 가질 때 제시하고, 1987년에 구체화시킨 3단계 중국 경제 발전 개념이다. 덩샤오핑은 먼저 중국을 기본 의식주가 해결되는 단계인 '원바오(溫飽)' 단계로 진입시키고, 이후 중등 생활 이상으로 인간다운 생활을 하는 단계인 '샤오캉(小康)' 단계로 발전시키고 마지막으로 중국의 현대화가 이루어져 복지사회로 접어드는 단계인 '다퉁(大同)'의 순서대로 발전시켜야 한다고 주장했다.

울여야 한다고 강조했기 때문이다. 이후 이에 대해 토를 다는 것은 금기시됐고, 심지어는 덩에 대한 불경죄로 여겨지기도 했다. 자오의 뒤에는 바로 덩이 버티고 있었으니까 말이다. 게다가 외견상 경제와 관련한 모든 것은 다 잘 나가고 있었다. 농업과 기업 개혁을 통해 시장화가 급속도로 진전되면서 인민들의 생활도 급속도로 나아졌다. 일부 부유해진 특수층은 과거 보통 사람은 상상조차 못하던 자가용을 굴리는 것도 가능해졌다.

그러나 시장경제는 밝은 면만 있는 것이 아니었다. 경기 과열과 이에 따른 고물가와 실업난도 각오하지 않으면 안 되는 부정적인 요인들이었다. 실제로 이런 모습들은 시장경제 추진이 더욱 탄력을 받으면서 1988년 하반기 들어 급속히 머리를 쳐들고 있었다. 더불어 시장경제 체제 아래에서는 반드시 나타날 수밖에 없는 양극화와 부정부패 등 부작용도 전국적인 현상이 돼 있었다. 유통과 가격 질서의 무질서도 심각한 양상을 띠기 시작했다.

이렇게 시장경제의 일부 부작용이 눈에 띄자 그동안 덩의 권위에 눌려 수면 아래 잠복해 있던 보수파들이 언제 그랬느냐는 듯 목소리를 높이면서 개혁파에 대한 공격에 나섰다. 권위에서 덩에 비견될 만한 원로인 천원陳雲이 보수파의 대표적 인물이었다. 문화대혁명 이후 국무원 부총리, 정치국 상무위원 등을 역임한 바 있는 그는 신중국 건국 이전부터 일찍이 당내 유력한 경제 전문가를 자임한 인물이었다.

1982년의 〈당 12차 전국대표대회〉에서는 덩이 너무 급진적인 개혁·개방 정책을 추진하는 모습을 보고 이른바 '조롱 경제론14'을 주장하기도 했다. 경기 과열을 비롯한 각종 부작용이 천의 이론을 새롭게 부각시키자 보수파의 리더를 자임하던 리펑李鵬 총리는 보혁 논쟁에서 이길 수

---

14 조롱(鳥籠) 경제론: 조롱(鳥籠·새장)이 없으면 새가 날아가기 때문에 반드시 계획경제 아래에서 경제 활성화를 추진해야 한다는 경제론이다.

있다는 자신감을 얻게 됐다. 곧 이어 1988년 9월 사실상 천원의 이론에 근거한 '치리정돈治理整頓'이라는 정책이 발표됐다. 경제운용에 대한 정책**15**을 둘러싼 논쟁에서는 일단 보수파가 승리를 거뒀다고 할 수 있었다.

이 정책은 한마디로 말해 '경제 환경에 대한 정리 및 처리, 경제 질서에 대한 정돈'을 강조한 것으로 수요 억제, 합리적 가격으로의 개혁 중단, 산업 구조 조정 등의 강력한 긴축 정책이 포함돼 있었다. 이 강력한 긴축 조치로 인해 경기 과열로 발행한 20퍼센트에 가까운 극심한 인플레이션도 일단 브레이크가 걸렸다. 잘만 하면 연착륙을 통해 경제가 한 단계 더 부상하는 것도 어렵지 않을 가능성이 있었다. 리펑을 필두로 하는 보수파는 마치 혁명을 통해 정권이라고 탈환한 양 희희낙락거렸다. 그러나 이들에게는 개혁파와의 논쟁과는 비교가 안 되는 더 큰 시련이 기다리고 있었다. 물론 이 점에서는 개혁파도 다르지 않았다. 앞에서 잠시 언급한 천안문사건의 씨가 이때 잉태되고 있었기 때문이다.

현대사의 비극 천안문사건

1989년 6월 4일에 발생한 천안문사건은 일반적으로 정치적인 의미를 가진 사건으로 평가된다. 이를테면 2010년부터 중동과 북아프리카를 휩쓴 민주화 시위인 재스민혁명과 비슷한 개념으로 인식되고 있다. 그러나 이런 평가는 단번에 옳다, 그르다 판단하기 쉽지 않다. 천안문사건의 배

---

15 개혁 · 개방 이후 중국의 경제운용 정책별 시기: 덩샤오핑이 개혁 · 개방 정책에 나선 이후 현대 중국의 경제는 경제운용 정책에 따라 시기별로 구분할 수 있다. 먼저 농민의 생산욕구 증대를 위해 자주권을 부여했던 '농업개혁 시기(1979~1983년)'를 시작으로, 이후 기업에 경영 책임제와 시장원리를 제한적으로 도입한 '도시상공업개혁 시기(1984~1988년)', 이후 개혁 · 개방으로 야기된 부작용 논쟁이 벌어졌던 '치리정돈'(治理整頓) 시기(1988년~1991년), 그리고 1992년부터 보다 경쟁시장 체제로 접근하는 '개혁심화 · 개방확대 시기(1992년~)'로 나눌 수 있다.

천안문광장을 가득 매운 인파. 천안문사건은 여러 가지가 맞물린 복합적인 사건이었다.

경에는 단순히 눈에 보이는 정치적인 이유뿐만 아니라, 눈에 보이지 않는 경제적인 이유도 얽혀 있기 때문이다.

천안문사건이 몰고 온 파장이 워낙 컸기 때문에 가려져서 잘 보이지 않았지만, 이 사건의 배경에는 극심한 인플레이션과 실업난, 선부론의 광범위한 적용에 따른 소외 계층의 양산, 특권층의 부정부패 등의 여러 가지 요인들이 복잡하게 얽혀 있었다. 천안문사건을 한마디로 표현하자면 개혁·개방 정책으로 촉발된 시민, 학생들의 민주화 의식이 이런 여러 가지 경제적인 요인들과 만나 공산당과 중국정부에 반기를 든 정치적 사건이라고 규정할 수 있다.

사태의 공식적인 시발점은 4월 15일 덩샤오핑에 의해 실각한 후야오방 胡耀邦**16** 전 총서기의 사망이라고 할 수 있었다. 이에 후야오방에게 평소 동정적인 입장을 보냈던 북경대학 학생들이 그를 추도하는 대자보를 내걸었다. 역시 개혁 · 개방 정책의 꾸준한 실시에 따른 사상 해방의 탓이 컸다고 할 수 있었다. 이틀 후 학생들의 요구는 더욱 과격해졌다. 이들은 천안문 광장과 중남해의 신화문新華門 앞에 모여 자신들이 제시하는 7개 사항을 들어줄 것을 강력히 요구했다. 이들의 요구사항을 살펴보면 무엇보다 후야오방의 공과를 재평가할 것을 요구했다. 이와 함께 반 자산 계급의 자유화 문제를 재평가해줄 것과 당정 고급 간부들의 수입과 재산 공개, 민간에 대한 신문 발행 허가, 교육비 증액, 후야오방의 애도 활동에 대한 객관적 보도, 1987년에 공포된〈시위에 관한 10개 항〉규정의 취소 등도 요구사항 리스트에 올랐다.

이때 지난 10여 년 동안 개혁 · 개방의 세례를 확실히 받은 북경시민들은 학생들의 등장에 놀라지 않았다. 아니 오히려 학생들이 너무 늦게 자신들의 생각을 대외적으로 드러냈다고 판단했다. 더구나 경기 과열에 따른 인플레이션, 갈수록 커지는 빈부 격차에 모두들 지쳐 있던 상태였다. 특히 이 시기 있었던 돼지고기 값의 급등은 밥보다 돼지고기를 더 많이 먹는다는 중국인들의 불만을 더욱 부추겼다. 그래서 시민들이 학생들과 동조해 천안문 광장을 접수하려고 시도한 것은 아주 자연스러운 일이었다. 상황은 다급해졌다. 다음날인 18일 양상쿤楊尙昆 국가주석은 자오쯔양 총서기에게 전화를 걸었다.

---

16 후야오방(胡耀邦)의 실각: 덩샤오핑이 개혁 · 개방 정책을 추진할 때, 그의 가장 강력한 동조자는 후야오방(胡耀邦)과 자오쯔양(趙紫陽)으로 두 사람은 한때 덩샤오핑의 후계자로 거론될 정도였다. 그러나 덩샤오핑과 후야오방, 자오쯔양 사이에는 가장 큰 관점의 차이가 있었는데 바로 정치를 바라보는 관점이었다. 경제와 정치 모두에서 개혁주의자였던 후야오방, 자오쯔양과 달리 덩샤오핑은 경제에서는 개혁을 지지했지만, 정치에서만큼은 보수파와 크게 다르지 않았다. 결국 개혁 · 개방 과정에서 생기게 마련인 학생운동과 언론자유 등의 여러 가지 분야에서 대처법에 대한 이견(異見)으로 대립각을 세우다가, 1986년 안휘성 합비의 과학기술대학에서 발생한 시위가 중국 전역으로 확산되자, 덩샤오핑을 비롯한 중국공산당 내 보수파들은 민주화 운동에 소극적으로 대처하던 후야호방을 당 총서기에서 실각시켰다.

"총서기 동지, 지난 며칠 동안 학생들이 천안문을 포위하면서 후야오 방 동지의 서거에 대해 애도를 표했습니다. 어떻게 생각하십니까?"

자오쯔양이 대답했다.

"차오스(喬石 · 당시 정치국 상무위원) 동지와 후치리(胡啓立 · 당시 정치국 상무위원) 동지한테 보고를 받아 알고 있습니다. 애도 기간에 치안을 위해 학생들의 움직임을 면밀하게 관찰하라고 리시밍(李錫銘 · 당시 북경시위원회 서기) 동지에게 전화를 했습니다. 전체적으로 볼 때 우리가 학생들의 애국심에 지지를 해줘야 한다고 봅니다."

양상쿤은 자오쯔양의 엉뚱한 대답을 듣고 전화를 그대로 끊고 말았다.

19일에는 총리 리펑李鵬도 사태가 심상치 않다는 사실을 피부로 느끼고 뭔가 대책을 세워야 한다는 느낌을 받았다. 바로 이때 국가원로인 리셴녠(李先念 · 전 국가주석)으로부터 전화가 걸려왔다.

"총리 동지, 천안문에 학생들이 왔다고 하오. 도대체 어떻게 돼가는 거요? 누가 뒤에서 조종하는 것 아니오?"

"저도 그렇게 생각합니다. 철저하게 조사해야 합니다."

리펑은 곧 자신의 비서진과 경호원들을 천안문으로 급파했다. 학생과 시민들 사이에 들어가 피부에 와 닿는 정보를 탐문해오라고 지시했다. 그러나 정보를 탐문하고 돌아온 사람들의 대답은 너무나 황당했다. 돼지고기 값이 올라 못 살겠다는 답이 적지 않았던 것이다. 정치적인 배후는 당연히 없었다. 다만 학생들이 자오쯔양에게도 후야오방에 대한 감정 비슷한 호감을 가지고 있다는 사실은 알아낼 수 있었다. 그는 즉각 자오쯔양의 마음을 떠보기 위해 전화를 걸었다.

"자오쯔양 동지, 북경과 지방 도시의 시위가 격화되고 있습니다. 정치국 회의를 소집해야 하는 것 아닙니까?"

"후야오방 동지의 타계로 시위가 시작됐습니다. 학생들의 구호를 잘 들어보면 대부분의 학생들이 당과 이 나라를 사랑한다는 사실을 알 수 있습니다. 학생들의 주류는 잘하고 있습니다. 우리가 지금 할 일은 후 동지의 장례식을 잘 치르는 것입니다."

리펑은 자오쯔양의 말을 듣고 입술을 깨물 수밖에 없었다. 중국공산당 안에서 강경보수파로 꼽히는 리펑의 뇌리에서는 한바탕 정치적 풍파를 일으키지 않으면 안 되겠다는 생각이 꿈틀거리고 있었다.

당정 지도부가 현명한 해법을 찾지 못한 와중에도 시간은 흘러갔다. 4월 22일 오전 10시에는 인민대회당에서 후야오방의 장례식이 치러졌다. 장례식에는 덩샤오핑을 비롯한 당정 지도부도 대거 참석했다. 장례식이 끝나고 나서 당정 원로들은 귀가했고, 자오쯔양은 그 틈을 이용해 덩샤오핑에게 학생 운동에 대처하기 위한 세 가지 조치에 대해 보고했다.

"학생들에게 학교로 돌아가도록 만반의 조치를 취하라고 했습니다. 폭력과 파괴, 약탈을 일삼는 자들은 법이 허용하는 범위 안에서 강력하게 처벌하라고 지시했습니다. 또 학생들을 설득하라고 지시했습니다."

덩샤오핑은 이때까지만 해도 자오쯔양에 대한 기대를 버리지 않았다. 그의 조치에 대해서도 특별한 이견이 없었다. 그가 짧게 대답했다.

"좋소. 잘하고 있소."

"저는 모레 평양 방문길에 오릅니다. 그동안 리펑 동지가 당 중앙의 일을 책임지게 됩니다. 무슨 일이 생기면 저에게 보고도 할 것입니다. 저도 보고를 올리겠습니다."

그러나 리펑은 이때 이미 자오쯔양과는 정반대 생각을 하고 있었다. 대화보다는 무력 진압을 생각하고 있었던 것이다. 그는 자오쯔양이 북한으로 출국한 24일, 서둘러 정치국 상무위원회를 소집했다. 회의에서는 먼저 자오쯔양과 비슷한 생각을 가지고 있던 온건개혁파 후치리胡啓立가 발언을 했다.

"학생 운동의 상황은 아주 복잡합니다. 그러나 학생들 사이에 끼어 있는 불순분자는 소수입니다."

차오스의 발언도 강경하지는 않았다.

"불순분자를 맹목적으로 추종하는 자들은 뿌리를 뽑아야 하지만, 학생들의 애국심은 인정해줘야 합니다."

리펑과 같이 강경보수파에 속하던 야오이린(姚依林·당시 부총리)과 양상쿤의 발언 내용은 완전히 달랐다.

"불순한 목적을 지닌 자유·자본주의 분자들이 이미 학생 운동에 파고들었습니다. 동란動亂이라고 부를 만큼 세력이 커졌습니다. 가급적 빨리 이런 사실들을 인민에게 알려야 합니다."

"수도가 조용하면 전국이 평화롭습니다. 상황을 악화시키는 불순분자들을 색출해야 합니다."

분위기는 강경진압 쪽으로 흘러 대세를 뒤집기 어려웠다. 열흘 정도 흐른 5월 6일, 자오쯔양이 양상쿤과 나눈 대화는 이제 강경진압만이 남아 있다는 사실을 어느 정도 감지하도록 만들었다. 갈수록 코너에 몰리고 있는 자오쯔양이 먼저 입을 열었다.

"북한에서 돌아온 이후 상황을 파악해보려고 했습니다. 전반적인 흐름은 당과 개혁을 지지하는 것입니다. 긍정적입니다. 민주주의와 법을 통해 이 시위를 가라앉힐 수 있다고 봅니다."

양상쿤은 그러나 완전히 딴소리를 했다.

"완강한 자유주의자들, 홍콩과 대만에서 흘러든 반공산주의 분자 등 일부 외부 세력이 학생들에게 자유사상을 고취시키는 것이 사실입니다."

5월 11일, 양상쿤은 이런 자신의 생각을 평소 절친한 동향 출신인 덩샤오핑과 대화를 할 때도 피력했다.

"교사, 언론인들이 학생들을 지지하고 있습니다. 심지어 공무원도 이들을 지지하고 있습니다. 서방세계의 반중국 세력도 분명히 눈에 보입니다. 홍콩과 대만의 반혁명 조직도 영향을 주고 있는 것으로 보입니다."

덩샤오핑도 불안한 기색을 감추지 못하고 양상쿤에게 대책을 물었다.

"학생들이 무력 사용을 자초하고 있어요. 분명 불순한 의도를 가지고 반부패를 외치는 자들이 있습니다. 이들은 공산당을 와해시키고 체제를 붕괴시키려고 합니다. 어떻게 하는 것이 최선일까요?"

"며칠 전에 자오쯔양 동지를 만났습니다. 그는 마오 동지에게 자신의 의견을 말해달라고 했습니다. 학생 시위를 동란이라고 표현한 것은 너무 가혹했다는 겁니다. 또 며칠 뒤 중국을 방문할 소련의 미하일 고르바초프 대통령과의 중소中蘇정상회담이 잘 이뤄지도록 최선을 다하고 있다고 했습니다."

"고르바초프가 올 때까지는 천안문 광장의 질서를 찾아야 합니다. 국제적으로 우리들의 체면이 걸려 있습니다. 광장이 난장판이 되면 우리가 어떻게 보이겠습니까?"

"리루이환(李瑞環 · 당시 천진 시장)이 잘하고 있습니다. 대화를 하되 법의 테두리 안에서 하겠다고 합니다."

"그 사람은 철학을 아는 사람입니다. 목수 출신이라고 무시해서는 안 됩니다."

"저 개인적으로는 장쩌민(江澤民 · 당시 상해 당서기) 동지도 대단합니다."

"천원 동지는 장쩌민을 본받아야 한다고 말했습니다."

"장쩌민은 시위에 대처하는 방법을 아는 사람입니다. 언젠가 그가 연설하는 것을 봤습니다. 마르크스의 어록을 영어로 인용하더군요."

"군의 동향은 어떻습니까?"

"지휘부의 정신 교육이 아주 잘 돼 있습니다. 불화 기미는 보이지 않습니다."

"나와 양상쿤 동지, 자오쯔양 동지 이렇게 셋이 사태를 해결해야 합니다."

다시 1주일이 흘러 13일이 됐다. 고르바초프의 방중이 이틀 앞으로 다가왔다. 자오쯔양은 양상쿤과 함께 자금성 북쪽 경산景山에 소재한 덩샤오핑의 집을 찾아갔다. 자오쯔양으로서는 4월 22일 후야오방의 장례식 때 덩을 본 이후 첫 대면이었다. 이미 자오의 생각을 파악하고 있던 덩이 먼저 입을 열었다.

"소수가 다수를 움직이고 있습니다."

자오쯔양이 대답했다.

"그래서 소수를 다수의 학생으로부터 분리시켜야 합니다. 빨리 진정시키려고 하면 불상사가 생깁니다."

"대화는 좋아요. 그러나 학생들의 소요가 너무 오래 가고 있습니다. 한 달이 다 돼가고 있어요. 단호해야 합니다. 나는 경제 발전을 하려면 안정이 필요하다고 여러 차례 강조했습니다. 사태가 이 지경이면 앞으로 나아갈 수 없습니다."

"고르바초프 환영식은 제 시간, 제 장소에서 열릴 것입니다. 학생들도 환영 행사를 방해하지는 않을 겁니다."

덩의 우려와는 달리 5월 15일부터 나흘 동안 이어진 고르바초프의 방중訪中은 무사히 진행됐다. 그러나 학생들은 이를 계기로 투쟁의 강도를 더욱 높였다. 단식 투쟁에 들어간 것이다. 이즈음 천안문 광장에는 200만

진압에 나선 중국인민해방군 전차부대. 이날 천안문광장은 붉게 물들었다.

명이 넘는 시위대가 모여 있었다.

당정 지도부는 서둘러 해결책을 찾아야 하는 상황으로 내몰렸다. 경산 덩샤오핑의 집은 당정 지도부의 분주한 발걸음으로 문턱이 닳을 정도였다. 계엄령을 통한 무력진압이라는 해법도 슬슬 나오기 시작하고 있었다. 그러나 자오쯔양이 계속 반대했다. 그는 고르바초프가 출국한 날인 18일 천안문 광장에서 학생들을 만나고 집무실로 돌아온 직후 당 총서기 사임서를 작성했다. 그럼에도 이날 전격적으로 북경 지역에 계엄령이 발동됐다.

5월 19일, 덩샤오핑은 중앙군사위원회 양상쿤 부주석에게 북경에 군대를 진주시키라고 명령했다. 하지만 계엄령 선포와 군대 진주에도 불구하고 천안문의 시위는 가라앉지 않았다. 오히려 지방에서 올라온 학생들까지 천안문으로 몰려들면서 상황은 더 악화되고 있었다. 이후 천안문 광장은 완전한 해방구가 됐다.

그리고 운명의 날인 1989년 6월 3일, 덩샤오핑을 비롯한 당정 지도부는 무력 진압을 결정하기 위한 최종 회의를 소집했다. 회의 결과 강경보수파들에 의해 무력진압이 결정되고, 계엄군은 6월 4일 오전 1시를 기해 진압 작전에 돌입했다. 탱크를 앞세운 계엄군은 천안문 광장에서 시위하고 있던 시위대를 무차별적으로 진압하기 시작한 것이다. 이후의 상황은 전 세계가 다 아는 현실이 됐다. 천안문 광장이 젊은 피로 붉게 물든 것이다.

천안문사건과 상흔

대약진운동과 문화대혁명 같은 구시대의 악령과 완전히 결별하면서 죽의 장막이라는 단어조차 역사의 유물로 치워버리려던 중국에 있어서 천안문사건은 분명 엄청난 시련이었다. 무엇보다 경제에 미친 부정적 영향이 절대적이었다. 천안문사건을 계기로 미국을 비롯한 서방세계가 일제히 경제 제재를 가했으니까 말이다. 격분한 미국이 단교를 하지 않은 것마도 다행이었다는 말이 흘러나왔을 정도였으니 제재의 강도 역시 대단했다. 게다가 1980년 이후 계속 늘어만 가던 외국인 투자도 대폭 줄어들었다. 이는 1988년 160억 달러에 이르던 외자가 1989년 114억 달러, 1990년 120억 달러에 그쳤다는 사실이 무엇보다 잘 설명해준다.

이뿐만이 아니었다. 천안문사건은 전체 외자 중 70퍼센트 전후를 차지하던 대만, 홍콩의 자본들에게 중국의 개혁 · 개방에 대한 진정성까지 의심하게 만들었다. 이들의 일부가 이후 외국 자본보다 한참이나 늦게 다시 중국의 문을 두들긴 것은 그래서 별로 이상할 것도 없었다. 여기에 중국이 그토록 갈망해 마지않던 상당수 500대 글로벌기업의 철수도 중국 경제에는 상당히 부정적 영향을 미쳤다. 1989년과 1990년의 경제성장률이 4.1퍼센트, 3.8퍼센트에 그친 것은 너무나 당연한 결과였다. 마이너스 성장으로 굴러 떨어지지 않은 것이 다행이었다. 그러나 이때 중국은 이미 지난 10여 년 동안의 개혁·개방 정책을 통해 닦아놓은 기반이 있었다. 이른바 펀더멘털 Fundamental**17**, 다시 말해 중국 경제의 기초 체력이 튼튼했던 것이다.

아니나 다를까, 1991년부터 중국 경제는 천안문사건의 충격을 딛고 서서히 회복되기 시작했다. 급감했던 외자 도입액은 1991년 195억 달러로 회복되는가 싶더니 그 이듬해에는 무려 694억 달러를 기록했다. 성장률도 완전히 회복돼 9.2퍼센트를 가볍게 달성했다. GDP도 덩달아 사상 처음으로 2조 위안대를 돌파해 2조 1,781억 위안에 이르게 됐고, 이를 달러 기준으로 환산하면 4,091억 달러였다. 6조 달러를 기록한 미국에는 여전히 한참 못 미쳤으나 3조 5,000억 달러의 일본은 어느 정도 추격할 발판을 마련했다.

다행히 이때 리펑 등의 보수파가 주도하던 치리정돈 정책도 어느 정도 효과를 보고 있었다. 돼지고기 값이 안정돼 국민의 불만도 수면 아래로 다시 가라앉았다. 경제는 언제 그랬느냐는 듯 급속도로 안정을 되찾아가고 있었다.

---

17 펀더멘털(Fundamental): 한 나라의 경제가 얼마나 건강하고 튼튼한지를 나타내는 용어로, 국가의 경제 상태를 표현하는데 있어 가장 기초적인 경제성장률, 물가상승률, 실업률, 경상수지 등의 주요 거시경제지표를 아우르는 말이다.

거침없이 내달리는
브레이크 없는
홍치

천안문사건으로 다시 한 번 휘청거린 중국의 당정 지도부는 이후 찾아온 위기 역시 일반의 예상과는 달리 무사히 넘겼다. 서방세계의 경제제재에도 대단히 맷집 좋은 모습을 보였다. 그러나 천안문사건에 대한 충격이 없을 까닭이 없었다. 특히 사회주의시장경제에 알레르기 반응을 보이던 보수파는 더욱더 충격이 심했다. 더구나 1990년대에는 소련이 해체되면서 동유럽권이 무너져 내리던 때였다. 동유럽의 공산 독재자들도 형장의 이슬로 사라지거나 맥없이 권좌에서 굴러 떨어지고 있었다.

보수파 지도자들로서는 자신들도 비슷한 횡액이 닥칠 것이라는 위기의식을 느끼지 않을 수 없었다. 살아남기 위해서라도 어떻게 해서든 자오쯔양趙紫陽에 의해 대못이 박힌 개혁 · 개방 정책의 방향을 되돌려야 했다. 그러나 덩샤오핑의 생각은 달랐다. 그는 보수파와는 달리 개혁 · 개방의 중단은 오히려 공산당의 몰락을 가져올 것이라고 판단했다. "더 대담하게 실험하고 돌파하라."는 자신의 외침대로 계속 나아가는 것만이 살길이라고 굳게 믿은 것이다.

그래서 덩샤오핑이 천안문사건 이후 낙마한 자오쯔양의 자리를 이을 후임으로 보수파 최고 원로 천원陳雲의 지지를 등에 업은 총리 리펑李鵬을 마다하고 그래도 개혁·개방에 나설 가능성이 훨씬 높은 장쩌민江澤民을 낙점한 데에는 다 이유가 있었다. 덩은 자신의 생각을 바로 실천했다. 1992년 신년 벽두부터 흔들림 없는 개혁·개방을 더욱 강조하기 위해 88세의 노구를 이끌고 중국 대륙 남부 순시에 나선 것이다. 이를테면 농촌으로 도시를 포위한다는 마오쩌둥의 말처럼 우선 외곽을 때리는 전략의 실행에 나섰다고 할 수 있었다. 훗날 '남순강화南巡講話'로 이름이 붙은 그의 이 행보는 1992년 1월 18일 역사적인 막을 올린다.

덩샤오핑의 남순강화 전략

덩이 당시 자신의 전용 열차를 타고 첫 목적지인 호북성 무창武昌역 1번 플랫폼에 내린 시간은 정확하게 1월 18일 오전 10시 30분이었다. 그는 도착하자마자 마중을 나온 호북성 당위원회 관광푸關廣富 서기를 비롯한 호북성 당정 지도부에게 손을 흔들어 보인 다음 입을 열었다.

"우리 걸으면서 얘기 좀 합시다."

관광푸 서기를 비롯한 호북성 당정 지도부는 혹시라도 중요한 얘기를 하나라도 놓칠세라 덩의 뒤를 바짝 뒤쫓았다. 그 뒤로는 중남해中南海 출입 기자들 중에서 엄선했다는 덩의 수행 기자들이 뒤를 이었다. 관광푸와 기자들은 잠시 후 자신들의 귀를 의심할 만한 말들을 들어야 했다. 그 말들 중에는 기사로 쓰기에 과격한 표현들이 적잖이 많았다.

덩샤오핑은 길이가 무려 500미터나 되는 긴 플랫폼을 왔다 갔다 하면서 결코 노망이 들지 않았다는 사실을 확인시키려는 듯 분명하게 자신의 입장들을 말했다.

"좌경도 사회주의를 망칩니다. 우경도 마찬가지입니다. 우경도 경계해야 하나 지금은 우선 좌경을 경계해야 합니다. 판단의 기준은 분명합니다. 무엇이 생산력 발전과 종합 국력의 증강, 인민 생활수준의 향상에 유리한가 하는 것입니다. 사회주의를 견지하지 않거나 개혁·개방을 하지 않으면 남는 것은 분명합니다. 죽음으로 가는 길뿐입니다. 경제가 발전하지 않고 인민 생활을 개선하지 못해도 그래야 합니다."

이후 덩은 2월 21일까지 심천, 주해, 상해를 돌면서 중단 없는 개혁·개

남순강화에 나선 덩샤오핑. 사진은 무창역에서 이야기를 나누는 덩샤오핑과 호북성 당서기 관광푸.

방을 설파했다. 도중에 역사적으로 길이 남을 명언도 많이 남겼다. 가장 먼저 거론할 수 있는 것은 "계획경제가 사회주의는 아니다. 마찬가지로 시장경제가 자본주의인 것도 아니다. 자본주의에도 계획이 있고 사회주의에도 시장이 있다. 계획과 시장은 경제 수단일 뿐이다."는 말이 아닐까 싶다.

'성자성사姓資姓社', 즉 "자본주의냐 사회주의냐?" 하는 이념적 논리에만 갇혀 있던 당정 관료들에게 다시 한 번 반성을 촉구하는 말이었다. 한마디로 '흑묘백묘론'을 재차 강조한 것이었다. 또한 "관건은 하나의 중심과 두 개의 기본점[18]의 당 기본 노선을 100년 동안 흔들림 없이 견지하는 것이다."는 말도 같은 맥락이 아니었나 싶다.

그가 90세를 바라보는 고령에도 불구하고 결행한 남순강화는 예상대로 엄청난 효과가 있었다. 리펑을 필두로 하는 북경의 보수파는 속으로 불만을 삭히고 있었으나, 지방에서의 호응은 그야말로 폭발적이었던 것이다. 급기야 그의 남순강화 전문은 그해 10월에 열린 〈14차 전국대표대회〉의 보고서에도 수록됐다. 이로써 잠깐 흔들리는 모습을 보인 개혁·개방을 통한 사회주의시장경제의 추진은 더욱 탄력을 받게 됐다.

이때 덩샤오핑의 옆에는 자오쯔양이 이미 사라지고, 새로이 장쩌민江澤民이라는 충실한 대변자가 있었다. 장 총서기는 역시 덩의 기대에 어긋나지 않았다. 리펑 총리 등 보수파를 견제하면서 본격적으로 완전한 사회주의시장경제의 길을 연 것이다. 장은 또 '중국 특유의 사회주의 건설'에 관한 덩의 이론을 1997년 9월 열린 〈15차 전국대표대회〉에서의 당장黨章 개정을 통해 마오쩌둥 사상과 나란히 당 활동 지침으로 규정하기도 했다.

---

18 하나의 중심과 두 개의 기본점: 여기에서 하나의 중심은 '경제 건설'을 얘기하며, 두 개의 기본점은 첫 번째로 '개혁·개방 노선'을, 두 번째로 '사회주의, 인민민주독재, 공산당 영도, 마르크스·레닌·마오쩌둥 사상의 4개 기본 노선'을 일컫는다.

이어 1999년 3월에 열린 〈9기 전인대 2차 회의〉에서는 아예 헌법적 지위까지 부여했다.

덩은 중국의 시장경제 추진에 결정적인 원동력을 제공한 남순강화라는 기념비적인 퍼포먼스를 마친 지 5년 후인 1997년 2월 13일 세상을 떠났다. 그러나 그의 이론은 죽지 않았다. 아니 어떻게 보면 중국 경제는 그가 세상을 떠난 이후에 보다 더 시장경제적인 방향으로 접근하게 된다. 이 일을 가능하게 했던 주인공은 다름 아닌 장쩌민과 늘 세트로 움직인 주룽지朱鎔基 총리였다. 리펑의 뒤를 이어 1998년 총리에 취임한 주룽지는 시장의 기능을 존중하면서 부분적으로 문제점을 조정하는 이른바 '거시조정宏觀調控' 정책을 통해 중국 경제를 더욱 시장화의 길로 이끈 것이다. 이로써 중국은 도저히 되돌아올 수 없는 길을 완전히 건너게 됐다.

남순강화가 큰 흐름의 정책으로 정착된 이후 중국의 경제적 성과는 당연히 눈부셨다. 세기 말인 1999년의 중국 경제지표는 무엇보다 이 사실을 잘 말해준다. 우선 GDP를 보면 8조 9,677억 위안으로 남순강화가 시작되기 전의 2조 1,781억 위안보다 무려 4.1배나 늘어났다. 이는 달러로 환산하면 1조 833억 달러로 미국의 9조 2,680억 달러의 11.6퍼센트에 해당했다. 미국의 경제 규모가 이제는 추월할 수 없는 신성불가침의 대상이 아니라고 해도 좋았다. 세계경제에서 차지하는 위상도 눈부실 정도로 올라 세계 전체 GDP 중 3.4퍼센트를 차지하게 됐다. 무려 80여 년 만에 다시 기록한 실적이었다.

경제성장률도 만족할 만했다. 1999년에 중국의 경제성장률은 6.2퍼센트에 달해 2000년과 2001년 각각 10퍼센트 이상의 성장률을 기록할 수 있는 발판을 마련해줬다. 또 늘 문제를 일으켰던 물가 상승률은 아예 경이로웠다. 마이너스 1.4퍼센트를 기록해 언제 20퍼센트를 넘는 하이퍼인플레이션에 전 국민이 시달렸는지를 의심케 했다.

미시적으로 들어가도 덩의 이론이 확실하게 맞는 것이 증명됐다. 우선 중국의 전체 무역액이 무려 3조 달러에 가까운 2조 9,896억 달러에 이르렀고, 무역 흑자도 2,423억 달러에 달했다. 그러므로 외환보유고가 1조 5,000억 달러를 가볍게 돌파해 2조 달러를 향해 달려간 것은 별로 이상한 일도 아니었다.

분야별 생산량을 살펴봐도 좋다. 원유가 1억 6,000만 톤, 식량이 5억 839만 톤, 면화가 382만 톤에 이르렀다. 모두가 10여 년 전과 비교하면 상상조차 하지 못할 엄청난 실적이었다. 최소 2~3배에서 최대 10배까지 늘어났다. 이때는 중국인들의 밥상에 없으면 안 되는 돼지고기 공급도 완전히 안정권에 들어가 있었다. 당시 돼지 사육 두수가 무려 4억 3,000만 마리를 넘어서고 있었다.

중국은 세기 말에 이르러서는 과거의 모습에서 완전히 벗어났다. 더 이상 과거의 빈국, 동아시아의 병자라는 오명을 깨끗이 벗은 것이다. 심지어 1997년 말에 발생한 아시아 금융위기 때는 한국을 비롯한 아시아의 여러 나라를 지원해 금융위기에서 벗어나게 하는 큰형님의 역할까지 수행했다. 여기에 1997년과 1999년에 각각 반환된 홍콩과 마카오의 인수는 중국을 글로벌 강국으로 더욱 우뚝 서게 만들었다. 중국의 최고급 세단 브랜드 홍치紅旗가 브레이크 없이 도로를 달리는 모습이 그렇지 않을까 싶다.

드디어
대망의 G2로
우뚝 서다

      중국에 있어서 20세기의 대부분은 치욕의 세기였다. 하기야 건륭제 때 세계경제의 3분의 1을 차지할 정도로 막강했던 국력이 1949년에 1퍼센트까지 쪼그라든 것만 봐도 이런 말을 들어도 할 말은 없다. 여기에 인류사의 대재앙으로 기록될 대약진운동, 문화대혁명 등 야만적 동란으로 인해 실추된 이미지까지 더하면 중국은 20세기 역사의 상당 부분에서 부끄러워 얼굴을 제대로 못들 정도다. 그러나 괄목상대라는 말이 있듯 21세기는 완전히 달라질 가능성이 높다. 중국은 2000년을 전후한 시기에 전 세계를 상대로 이런 조짐을 이미 확실하게 각인시켰고 21세기에 들어와서는 이를 증명이라도 하겠다는 듯 맹위를 떨치기 시작했다.

      이런 사실은 2000년 말 중국 국가통계국에 의해 공식적으로 증명되기도 했다. 대망의 GDP 1조 달러 돌파 사실을 정부 차원에서 세계에 선포한 것이다. 물론 중국은 1998년과 1999년에도 GDP 1조 달러를 조금 웃도는 기록을 세우기는 했다. 그러나 이는 인민폐의 달러화에 대한 환율 탄력성을 고려하면 완벽한 1조 달러로 보기는 어려웠다. 중국 당국은 바로 이 때문에 GDP가 1조 1,983억 달러를 기록한 2000년에야 비로소 중국이 1조 달러 클럽에 가입했다는 사실을 공식적으로 발표할 수 있었다. 이는 같은 해에 9조 8,170억 달러를 기록한 미국의 12퍼센트에 해당하는 규모였다. 비로소 미국을 따라 잡을 수 있다는 희망을 가지게 만드는 실적이었다.

이후 중국 경제에는 그야말로 홍치의 더욱 거침없는 질주만 남아 있었다. 2001년 7월 13일 중국 역사상 최초로 올림픽 개최권을 북경이 따낸 것은 그 서막이었다. 중국 경제가 계속 헤매고 있었다면 올림픽을 개최할 엄두도 내지 못했을 것인 만큼 이렇게 표현해도 과하지 않는다. 이어 11월에는 카타르 도하에서 그토록 열망하던 세계무역기구wTO 가입을 확정 짓는 기염도 토했다. 때문에 연말인 12월 27일에 미국으로부터 정상 무역 관계의 지위를 영구적으로 부여받은 것은 당연한 일이었다.

14년 동안 총서기로 활약한 장쩌민이 공식적으로 은퇴하는 해가 된 2002년에도 중국의 국운 상승 기운은 꺾일 줄 몰랐다. 미시적으로 들어가면 바로 증명이 된다. 우선 GDP가 사상 최초로 10조 위안을 확실하게 돌파한 12조 332억 위안을 기록했다. 달러로 환산해보면 1조 4,538억 달러였다. 미국의 10조 4,700억 달러와 비교하면 14퍼센트 가까운 규모에 해당했다. 그해에 중국은 해외 투자도 본격화했다. 2조 달러를 넘은 미국이나 일본과는 비교할 바 못 됐으나 어쨌든 그해 말까지 기록한 누계 350억 달러의 해외 투자는 상징적인 의미가 있다고 해도 좋았다.

중국의 경제성장률이 전 세계 경제성장률에 미치는 공헌도는 경악 그자체였다. 무려 20.1퍼센트를 기록한 것이다. 이는 세계적으로 미국에 이은 단연 독보적인 2위다. 이런 분위기 속에서 무역 총액이 전년에 비해 21.8퍼센트 늘어난 6,208억 달러에 이른 것은 당연한 실적일 수밖에 없었다. 그해 12월 3일에 상해가 한국의 해양도시 여수를 누르고 올림픽에 버금가는 세계적 대축제인 2010년 세계 엑스포 개최권을 따낸 것도 크게 다르지 않다.

장쩌민의 후계자 후진타오 총서기 겸 국가주석이 본격적으로 중국을 이끌기 시작한 첫 해인 2003년에도 중국호의 모든 것은 잘 나갔다. 그러다가 전혀 예기치 않은 갑작스런 사태가 발생했다. 중증 급성호흡기 증후군인 사스 SARS가 4월 말부터 창궐해 3개월여 동안 중국 전역에서 기승을 부린 것이다.

이 기간에 중국 전역은 거의 공황 상태에 빠졌다. 경제도 제동이 걸리면서 잠시 주춤했다. 특히 공장을 돌려야 하는 제조업, 관광 및 엔터테인먼트 산업의 피해는 상당히 큰 것처럼 보였다. 그러나 이 역시 아주 잠깐이었다. 6월 24일 세계보건기구가 중국이 사스를 성공적으로 퇴치했다고 발표하면서 모든 게 바로 정상으로 돌아왔다. 2003년 상반기 중국의 경제성장률도 세간의 우려와는 달리 8.2퍼센트를 기록했다. 하반기에 더욱 피치를 올린 덕분에 전체적으로는 10퍼센트를 가볍게 달성할 수 있었다.

날개를 단 중국호, 쾌속 질주하다

이후 중국의 발전 속도를 살펴보면 국운國運이라는 것이 아예 지난 세기와는 반대로 중국에 너무 편향되지 않았나 하는 생각을 지우기 어렵다. 우선 2004년에 세계 최초로 상업운행을 시작한 자기부상 고속열차가 상해에서 선보였다. 불과 25년여 전에 "외국의 선진 기술을 도입해 종이호랑이 중국을 부흥시켜야 한다."고 외쳤던 덩샤오핑의 시점과 비교해보면

후진타오를 만난 덩샤오핑(1992년 10월).

완전히 격세지감이다.

2005년 8월 1일에는 사상 최초로 미국을 상대로 한 '전략대화'가 북경에서 열렸다. 이후 이 회의는 2008년 12월까지 모두 6차례 걸쳐 열렸고, 2009년 7월부터 중미中美 간 경제문제까지 아우르는 '전략경제대화(SED · Strategic Economic Dialogue)'로 격상돼 워싱턴에서 최초 회의를 가졌다. 이제 미국의 유일무이한 카운터파트는 옛 소련의 적통을 이어받은 러시아도, 경제대국 일본도, 유럽 국가들의 모임인 유럽연합(EU)도 아닌 중국이라는 것이 부동의 사실이 됐다.

물론 21세기 들어 중국도 피해가기 어려운 여러 가지 사건들이 있었다. 지난 2008년 북경 올림픽을 앞두고 미국에서 발생한 글로벌금융위기가 쓰나미처럼 밀려왔다. 또 사천四川성에서는 무려 10만 명 이상의 희생을 불러온 대지진도 발생했다. 2009년에 위그르족과 티베트족 등 소수 민족 지역에서 발생한 시위와 소요 사태는 엎친 데 덮친 격이었다. 흔히 말하는 '삼중고三重苦'가 따로 없었다. 그러나 놀랍게도 후진타오가 이끄는 중국은 결코 간단치 않은 이 위기들을 가볍게 극복해 냈다.

대지진은 중국인들이 합심해 피해복구를 했고 사상 처음으로 올림픽에서 미국을 누르고 종합 1위를 차지해 쓰촨 대지진의 눈물을 닦아줬다는 평가를 들었다. 또 소수 민족 지역에서의 폭동과 소요사태 역시 크게 다르지 않았다. 공산당 정부가 비록 평화적인 방법을 동원하지는 않았지만 더 이상 사태가 악화되는 것은 확실하게 막았다. 글로벌금융위기는 그동안 쌓아놓은 넉넉한 국고로 극복할 수 있었다. 2008년 11월에 무려 4조 위안(720조 원)을 푸는 아주 간단한 방법으로 내수를 진작해 미국이나 유럽연합이 걸은 길과는 완전히 반대되는 길을 걸었다.

대약진운동과 문화대혁명 등 산전수전을 다 겪은 다음 개혁 · 개방 정책 추진 이후 비교적 순탄한 길을 걸어온 중국 경제의 현재 모습은 그야말로 휘황찬란하다는 표현이 걸맞다. 우선 가장 기본적인 GDP를 봐야 할 것 같다. 2011년 말을 기준으로 중국의 총 GDP는 6조 3,000억 달러를 기록해 미국의 GDP 대비 40퍼센트를 넘어섰다. 일본의 GDP는 이미 넘어서서 특별한 일이 없는 한 영원히 뒤처지지 않을 것으로 보인다. 전 세계에서 중국이 차지하는 비중도 놀랍다. 거의 10퍼센트에 가깝다. 미국과 유럽연합, 일본이 모두 헤매고 있던 것과 확연하게 비교되는 경제성장률도 주목해야 한다. 2011년에 9.2퍼센트의 경제성장률을 기록해 세계를 덮친 금융위기에서 유일하게 벗어난 듯한 모습을 보였다. 단연 세계 최고인 외환보유고와 미국 국채 보유 규모를 운운하는 것도 이제는 진부하다고 해야 한다.

중국 경제의 쾌속 질주는 과거에는 상상조차 못한 거부들의 탄생도 가능하게 만들었다. 지난 2005년까지만 해도 미국의 유명 격주간지 《포브스Forbes》가 매년 발표하는 전 세계 부자 랭킹에서 중국 부자들의 이름은 찾아보기가 거의 힘들었다. 그러나 2006년부터 서서히 순위에 이름을 올리는가 싶더니 2011년에는 무려 115명이나 이름을 올렸다. 전체 400명 중에서 무려 30퍼센트 가까운 수치였다. 특히 중국 최대 검색 사이트인 바이두百度의 리엔훙李彦宏 회장은 전 재산이 94억 달러로 전 세계 중국인 부호 중 1위를 차지했다. 지난 2001년 중국 부호 1위에 올랐던 룽이런榮毅仁 전 국가 부주석의 재산(13억 달러)보다 무려 7배나 많다. 《포브스》에 이름을 올린 이들의 전체 재산은 더욱 경악스럽다. 2005년에 비해 무려 평균 70배가량 증가했다. 중국 부자 연구 보고서인 《후룬胡潤보고서》에 따르면 2011년 기준으로 중국 대륙에는 자산 1,000만 위안(18억 원) 이상을 가진 이른바 천만장자가 96만 명에 이른다. 중국 인구를 13억 명으로 보면 인구 1,400명 중 한 명꼴로 천만장자가 있는 셈이다. 당연히 앞으로 천만장자의 숫자는 더욱 늘어날 것으로 보인다.

국가와 국민의 부가 폭발적으로 늘어나는 상황에서 기업들이라고 잘나가지 않을 까닭이 없다. 미국의 유력 경제지 《포천Fortune》지에 따르면 확실히 그렇다고 단언해도 좋다. 2011년 세계 500대 기업 랭킹에 중국 본토 기업 61곳이 이름을 올렸다. 이는 1년 전보다 15개나 늘어난 것이다. 지난 2003년에만 해도 겨우 11개 기업이 이름을 올렸다는 걸 상기해보면 그야말로 격세지감이다. 순위에 오른 61개 중국 기업의 매출 총액도 경이롭다. 무려 2조 8,906억 달러에 이른 것으로 파악됐다. 이는 중국 GDP의 47.8퍼센트에 해당한다. 이 같은 추세를 볼 때 앞으로 100개 이상 기업이 세계 500대 기업 랭킹에 오를 날도 그다지 머지않은 것 같다. 지금까지 살펴본 여러 가지 경제지표를 종합해 보면 조만간 '팍스 시니카Fax Sinica' 시대가 도래할 것이라는 전망은 조금도 무리한 것이 아니다.

G1을 향해
세계 최강을 향해

중국이 종이호랑이에서 재정위기를 겪고 있는 유럽연합까지 지원을 바라는 슈퍼 파워로 성장한 원인은 이루 헤아릴 수 없이 많다. 그러나 큰 줄기를 잡으라면 대략 세 가지를 들 수 있다. 우선 개혁·개방이라는 큰 흐름을 흔들림 없이 밀고 나간 뚝심을 거론해야 할 것 같다. 중간에 몇 번 브레이크가 걸릴 뻔한 위기가 있었다는 사실을 감안해보면 이것은 반드시 거론해야 한다. 여기에다 기본적으로 슈퍼파워가 될 만한 국가적인 저력을 시의적절하게 잘 활용한 사실도 간과해서는 안 된다. 예컨대 무궁무진한 인력, 없는 게 없는 자원 등을 대표적으로 꼽을 수 있다. 그중에서도 특히 인력 부문에서 개혁·개방 이후 유학을 갔다가 돌아온 이른바 수십만 명의 하이구이海歸, 다른 말로 하면 바다거북海龜**19**들이 핵심적 역량을 발휘한 것도 매우 중요한 대목이다.

한 명의 지도자가 역량을 제대로 발휘해도 그 국가는 엄청나게 성장하고 발전하게 마련이다. 그런데 중국에서는 그런 지도자가 연속으로 등장했다. 덩샤오핑, 장쩌민, 후진타오를 필두로 하는 제2, 3, 4세대의 지도자들이 바로 그들이다. 그들이 리더십을 발휘해 중국을 확실하게 이끌었다는 사실도 반드시 짚고 넘어가야 한다. 실제로 이들 지도자들은 처음부터 시작한다는 겸허하고도 열린 마음으로 중국을 다시 세계 최강으로 일으켜 세우는 데 크게 기여했다. 이를테면 작은 나라인 한국으로부터도 배울 것은 배우려는 낮은 자세를 보인 유연한 행보 등이 그랬다. 수년 전부터 중앙과 지방정부 할 것 없이 거의 모든 지도자들이 대규모 대표단을 보내 새마을운동 등 한국의 리더십을 벤치마킹한 것은 바로 이런 행보와 같은 맥락이다.

이런 환경과 분위기 속에서 당연히 중국의 미래 전망은 긍정적일 수밖에 없다. 국제통화기금(IMF)을 비롯한 각종 국제기구나 싱크탱크, 세계적인 언론에서도 이에 대해서는 거의 약속이나 한 듯 비슷한 목소리를 내고 있다. 그들의 주장을 종합해보면 대체적으로 2020년 이후에는 중국의 모든 경제지표들이 1세기 가까이 슈퍼파워로 군림한 미국을 능가할 것으로 보인다.

우선 GDP는 2023년에 중국이 미국을 넘어설 가능성이 높다. 예측에 의하면 2023년 미국이 18조 5,800억 달러에 이를 것으로 보이는 반면, 중국은 19조 750억 달러가 될 것으로 전망된다. 이때 일본은 고작 7조 달러를 넘을 것으로 보인다. 일본으로서는 중국을 쳐다보는 것조차 힘겨워진다는 얘기다. 이때 전 세계에서 중국이 차지하는 GDP는 25퍼센트 전후가 될 것이 확실해 명실상부한 경제대국의 위용을 보일 것으로 예측된다.

---

19 하이구이(海龜): 해외에서 유학을 하고 중국으로 돌아가(海歸) 일하는 유학생들을 가르키는 별칭이다. 발음이 같은 데다 출생한 곳으로 돌아가 알을 낳는 바다거북(海龜)의 습성에도 딱 들어맞아 이 별칭이 일반화됐다.

무역액도 폭발적인 성장세를 지속할 것으로 보인다. 2020년 이후에는 전체 교역액 7조 달러 시대를 확실하게 열어 미국뿐 아니라 그 시기 세계 최대 무역국으로 예상되는 독일도 가볍게 뛰어넘을 전망이다. 이때쯤이면 위안화의 기축통화基軸通貨 가능성도 100퍼센트 현실이 될 것이다. 당연히 지금보다도 더 막강한 파워를 자랑할 가능성이 높다. 이 경우 대미 달러 환율이 지금보다도 더 강세를 보여 2030년 이전에 중국 국민의 1인당 GDP 2만 달러 시대가 열릴 가능성도 높다.

세계 각지의 직접 투자 정책인 '저우추취走出去'의 투자 규모도 급격히 늘어날 것이 확실하다. 2010년의 투자액은 2000년과 비교해 볼 때 25배가 늘어난 688억 달러에 달했고, 2020년 이후에는 최소한 연평균 2,000억 달러 이상의 해외 투자가 가능할 것으로 보인다. 이 중 상당 부분은 자원 확보를 목적으로 아프리카와 중남미에 계속 투자될 가능성이 크다.

물론 중국의 미래에 암운을 드리울 부정적인 요인들도 전혀 없지는 않다. 너무나도 심각한 빈부 격차와 지역 불균형을 의미하는 쌍둥이 양극화, 성장률 하락에 따른 대규모 도산과 대량실업 사태 가능성, 10조 위안(1,800조 원) 이상으로 평가되는 지방정부의 부채 등이 대표적인 부정적 요인들로 손꼽힌다. 그중에서도 특히 빈부 격차를 나타내는 지니계수Gini coefficient[20]가 무려 0.47에 이를 정도로 빈부 격차 문제가 불거지는 것도 큰 고민거리다.

후진타오胡錦濤 총서기 겸 국가주석 등 지도부도 이런 여러 가지 문제들에 대한 위험성을 경고하는 것도 다 이유가 있는 것이다. 대표적인 닥터 둠(Dr. Doom · 경제비관론자)으로 불리는 누리엘 루비니Nouriel Roubini 뉴욕대학 교수가 틈만 나면 중국 경제의 경착륙 위험성을 경고하는 것도 바로 여기에서 연유

---

[20] 지니계수: 소득 분배의 불평등도를 말해주는 지수로 보통 0.4를 넘으면 불평등하게 소득 분배가 이루어진다고 본다. 우리나라의 지니계수는 0.32 수준이다.

현재 중국을 이끌어가는 7인의 상무위원들. 앞줄 좌측이 시진핑 주석, 바로 뒤가 리커창 총리이다.

하는 것이다. 심지어 그는 중국의 연착륙이 '미션 임파서블Mission impossible' 이라면서 2013년이나 2014년에 중국 경제의 경착륙 가능성을 기정사실화하고 있다.

그러나 그의 주장에도 불구하고 중국의 미래는 밝은 면이 훨씬 더 많다. 2012년 11월의 〈당 18차 전국대표대회〉에서 권좌에 오를 시진핑習近平 주석으로 대표되는 신임 중국 지도부가 '안정 속에서 발전을 추구한다.' 는 뜻의 '온중구진穩中求進' 을 화두로 삼아 경제를 운용할 것이 확실하기 때문이다. 잠재된 위험을 알고 경제를 이끌어나가는 것이 아무 대책 없이 낙관적인 입장만 견지하는 것보다는 훨씬 낫다는 사실을 감안해 보면 정말 그렇다고 볼 수 있다.

이뿐만 아니다. 중국인들도 이미 극성기에 나락으로 떨어졌던 건륭제 이후의 역사를 반면교사로 삼아 미래를 대비하는 것도 잊지 않고 있다. 더욱 중요한 것은 최소한 미래 50년 정도는 맹자가 '한 번의 침체기가 있으면 부흥기가 온다.'는 이른바 '일치일란一治一亂'의 사이클에서 분명한 치세의 시대에 해당한다는 사실이 아닐까 싶다. 운명적으로 볼 때에도 중국에 조락凋落의 시기는 지나갔고 국운 상승의 시기가 확실하게 도래했다는 얘기다. 그럼에도 만약 이 기회를 놓친다면 중국은 영원한 조락의 늪에 빠져 헤어 나오지 못할 수밖에 없다. 이런 사실은 그 동안의 중국 역사가 입증한다.

중국을 알면 한국의 미래가 보인다

편집자는 적어도 1년에 두세 차례 중국을 다녀온다. 지난 3월과 9월에 갔다 왔으니 올해도 세 차례는 확실하게 다녀올 것 같다. 다음번에는 좀 더 지평을 넓혀 내륙 깊숙한 곳에도 가보려고 한다. 중국의 경제발전과 역동성, 그리고 역사 현장을 눈으로 직접 확인하고 싶어서다.

중국이라고 하면 우선 땅덩어리가 몹시 넓고 인구 또한 엄청나게 많다는 생각을 지울 수 없다. 13억이라는 수치가 상상이 가지 않을 정도다. 이제 5,000만 명을 돌파한 우리나라 인구만 생각하면 감이 잡히지 않는다. 일례로 중국 곳곳의 기차역이나 버스터미널에서 버스를 타기 위해서나, 혹은 베이징의 지하철을 타보면 사람이 얼마나 많은지 실감할 수 있다. 출퇴근 시간 때가 아닌 낮이나 밤에도 사람들이 철철 넘쳐난다. 쇼핑몰에 가도 그렇고 심지어 사우나탕에 가도 크게 다르지 않다. 그러나 고령화 사회로 접어든 우리나라와 달리 중국은 매우 역동적이다. 그런 분위기는 대륙 어디에서도 확인할 수 있다. 이런 힘은 과연 어디에서 나올까?

이 책《중국사 재발견》을 읽다 보면 참으로 놀라운 몇 대목을 발견할 수 있다. 그중 대표적인 것은 1750년 당시 세계 최부국이었던 중국이 불과 200여 년 사이에 세계 최빈국으로 추락했다는 점이다. 또 세계 꼴찌 수준으로 전락했던 중국이 다시 G2를 넘어 G1을 향해 욱일승천하고 있다는 사실이다. 물론 앞에서 설명하고 있지만, 편집자는 그 동력은 바로 일치된 힘이라고 생각한다.

톈안먼 광장 앞, 자금성 정문에는 먹고사는 문제, 즉 중국 경제를 일으켜 세운 개혁·개방의 아버지 덩샤오핑이 아니라 신중국을 통일한 마오쩌뚱의 대형 사진을 걸어 놓았다. 그를 중국의 국부로 추앙하고 있는 것이다. 왜 그럴까? 아마 중국 공산당 정부는 마오쩌뚱을 중국대륙을 통일했던 진시황, 주원장, 누루하치 등을 능가하는 위대한 지도자로 보이게 하려는 것 같다. 그래서 세계만방에 통합의 힘, 일치의 힘이야말로 세계 최강 신중국을 일으켜 세운 원동력임을 은연중에 드러내려는 것이다. 동서고금을 막론하고 어느 나라나 어느 왕조든 그 나라가 패권을 잡고 나면 국민을 하나로 통합시켜야 했다. 그래야 그 힘을 바탕으로 번영과 안정을 구가하게 되기 때문이다.

현재 중국은 당 총서기나 주석의 1인 지배체제가 아니라 정치국 상무위원(임기 5년, 연임 가능)이 전국대표대회(전대)를 대표하여 중국 인민을 이끌어 가는 집단체제를 채택하고 있다. 다시 말해, 황제 중심의 1인 권력 지배체제를 용인하지 않는다.

중국이 조락의 시대로 주저앉은 때는 이른바 강건성세의 시대인 강희제, 옹정제 체제를 지나고 건륭제가 통치하던 청나라 최고 전성기였다. 그런 중국이 영국을 비롯한 서구 열강에 의해 물어뜯기고 온갖 수모를 다 당한 다음, 멸망의 길로 치달았던 이유는 건륭제의 리더십 부재가 가장 큰 원인이었다. 즉, 절대군주인 건륭제는 오만과 자만에 빠져 간신배들을 중용하는 등 시대를 보는 눈이 턱없이 부족했던 것이다. 게다가 무리한 남방순유와 부정부패로 인해 나라 곳간이 텅텅 비게 되고 탐관오리가 들끓게 되니 나라가 쓰러지지 않았다면 그것이 오히려 더 이상한 일이었다.

설상가상 이럴 때면 지도자는 분별력을 잃고 쾌락을 추구하게 된다. 그래서 강직하고 충직한 사람들, 즉 나라의 미래를 걱정하는 학자들과 신하들을 멀리하고 심지어는 그들을 내치기까지 한다. 그러므로 실력 있고 유능한 신료들은 점점 멀어지고 아첨꾼과 모리배들만 조정에 넘쳐났다. 즉 정치권력이 부패한 것이다. 예를 들면, 당시 건륭제의 최측근 겸 탐관이었던 화신은 돼지고기 요리 한 접시를 만들기 위해 돼지 50마리를 잡고 나머지 부위는 모두 버릴 정도였다. 뿐만 아니라 낙타요리 한 접시를 먹기 위해 낙타 서너 마리를 잡았을 정도로 사치가 심했다. 백성들은 먹을 것이 없어서 굶어 죽어가고 있었는데도 말이다.

중국에서 지식인들이 제 목소리를 내지 못하게 된 것은 분서갱유를 강행한 진시황 때부터였다. 그때 대량의 사상서적을 빼앗아 태워 없애고 수많은 학자들을 생매장했던 역사가 있었다. 그로부터 2,000여 년이 지난 18세기 후반, 스스로 세계의 중심으로 자처했던 청나라에서는 시대에 역행하는 문자옥文字獄 사건이 기승을 부렸다.

'제2분서갱유' 로 불리는 문자옥은 지식인들의 사상을 탄압하고 문화를 속박하면서 19세기 중국 사회 발전에 극도의 악영향을 끼쳤다. 당시 중국인들이 무지몽매한 오랑캐라며 하찮게 여겼던 서양인들은 공화, 의회, 민주, 자유를 지향하는 사회개조 운동을 활기차게 전개하고 있었는데도 말이다.

그렇다면 단군 이래 최고의 태평성세를 맞아 경제협력개발기구(OECD) 10위권이라며 으쓱대는 우리나라의 현실은 과연 어떨까? 이럴 때 우리는 어떻게 해야 할까?

편집자는 우리 국민은 너나 할 것 없이 이 책에 나오는 중국 근현대사를 반면교사로 삼아야 한다고 본다. 여기에는 중국의 조락은 물론 성공으로 치닫는 역사가 또렷하게 드러나기 때문이다. 우리는 그 중국역사의 교훈을 학습하면서 나라의 번영과 국민의 행복 추구뿐만 아니라 국가 발전에 적극 대입해야 한다. 그렇게 하기 위해서는 대통령을 비롯한 국가 지도자는 물론 각계각층의 리더는 청렴결백해야 하고 책을 가까이 하는 사람, 소통하는 사람이어야 한다고 본다. 즉 말과 행동이 일치하는 삶을 영위하는 리더여야 한다. 그렇게 하기 위해서는 다음과 같은 것이 전제돼야 한다.

첫째, 사상적인 면에서 조금 더 민주적·도덕적 자세를 견지해야 한다. 얼마 전 국회 인사청문회에서 장관 추천을 받은 모 인사에게 부동산 부정 취득과 관련해 질의를 하자, 그는 "땅이 좋아서 논을 구입했다"는 군색한 답변을 늘어놓았다. 도대체 국민이 납득할 수 없는 상식 밖의 발언을 한 것이다. 이런 행태가 자꾸만 일어난다면 민심이 이반되고 냉소주의가 판을 치게 되어 나라 발전에 큰 장애가 된다.

둘째, 우리 국민의 정신적·문화적 수준을 좀 더 높여야 하고 나아가 정부 관료를 비롯한 정치 지도자들이 청렴해야 한다. 역사적으로 볼 때 국민의 수준이 낮고 부정과 부패에 물든 왕조나 군주는 결코 오래가지 못하고 멸망하고 말았다. 그러므로 국가는 공무원, 군인, 교사 등에게는 최상의 대우를 해 주는 대신, 부정부패에 가담하면 일벌백계해야 한다. 싱가포르의 정책을 도입할 필요가 있다.

셋째, 국가 간의 경쟁에서 승패를 결정짓는 것은 국력, 그중에서도 경제력이 중요하다. 국력은 경제력, 과학기술력, 군사력, 인력 등의 여러 가지 구성요소를 지닌다. 그러므로 경제를 발전시키기 위해서는 국가 지도자는 물론 각계각층의 지도자가 일하는 분위기, 공부하는 분위기를 조성해야 한다. 특히 과학기술 발전에 더 많은 관심을 가져야 한다. 최근 그리스에 이어 스페인과 유럽경제 3위인 이탈리아마저 국가부도 상황을 맞았다. 왜 그럴까? 정답은 일을 하지 않고 각종 혜택만 많이 받으려 했기 때문이다.

넷째, 독서하는 사회가 돼야 한다. 현재 우리나라 국민의 독서량은 OECD국가 중 최하위권이라고 한다. 국가가 진정으로 강건해 지려면 문학, 역사, 철학 등 기초 학문이 발전해야 한다. 학문을 탐구하고 권장하는 사회가 돼야 한다. 그런데 우리나라는 독서정책이 없다. 전무하다. 그래서 정부는 독서정책을 시급히 마련하고, 각 사회단체는 책 읽는 분위기 조성에 힘써야 한다. 그리고 장관급 이상 국가 지도자들에게 독서량은 어느 정도인지, 독서가 지도자의 인생에 어떤 영향을 끼쳤는지를 묻는 TV 토론회 등을 활성화해야 한다. 또 대통령을 비롯한 권력자들은 언론의 자유를 보장해야 하고 공영방송을 비롯한 언론을 정권의 나팔수로 삼으려고 해서는 안 된다. 자신의 측근을 중앙 언론사 사장으로 임명하는 등 인사권을 남용해서도 안 된다. 행정부, 사법부, 입법부에 이어 제4의 권부라고 불리는 언론이 권력자의 하수인이 되면 나라가 매우 불행해지기 때문이다.

다섯째, 국가 지도자는 국민한테 겸손한 마음을 가져야 한다. 특히 미래 사회의 패자霸者가 되기 위해서는 함께하려는 섬김의 리더십을 발휘해야 한다. 게다가 미국을 비롯한 우방들과의 관계를 돈독히 해야 하고 중국이나 북한과의 관계 개선에도 많은 노력을 기울어야 한다. 아울러 일본, 인도, 싱가포르, 말레이시아, 태국, 베트남, 필리핀, 인도네시아 등 아시아 국가들과의 긴밀한 협조 역시 매우 중요하다. 항상 낮은 자세와 겸손한 마음가짐으로 실리를 추구하는, 그러나 동반자적 협력을 주고받는 글로벌 외교라인을 구축해야 한다.

이상과 같은 대안을 생각해 보았다. 편집자는 중국 근현대사를 경제사적 관점에서 재조명한 《중국사 재발견》을 기획하고 편집하면서 저자가 강조하는 대목이 바로 위에 열거한 다섯 가지 조항이라고 느꼈음을 밝힌다. 끝으로 이 책을 추천하고 감수한 홍순도 인형께 감사 말씀을 드린다. 홍순도 중국 전문기자의 협조와 번역을 맡은 김영진 교수가 아니었더라면 이 책은 출판되지 못했을 것이다. 아무쪼록 이 한 권의 책이 독자 여러분 모두에게 온고지신하는 계기가 됐으면 하는 마음을 감출 수 없다.

중국사 재발견
중국역사 뒤흔든 108장면

초판 1쇄 발행 | 2012년 10월 22일
개정 2쇄 발행 | 2015년 5월 20일
지은이 | 왕중추 · 왕샤오위
옮긴이 | 김영진
펴낸이 | 김정동
펴낸곳 | 서교출판사
등록번호 | 제 10-1534호
등록일 | 1991년 9월 12일

주소 | 서울시 마포구 합정동 371-4 덕준빌딩 2F
전화번호 | 3142-1471(대)
팩시밀리 | 3142-8225
이메일 | seokyodong1@naver.com
홈페이지 | http://blog.naver.com/seokyobooks
ISBN | 978-89-88027-90-5 13320

서교출판사는 독자 여러분의 투고를 기다리고 있습니다. 특히 중국 관련 원고나 아이디어를 환영
합니다. 원고나 아이디어가 있으신 분은 seokyobooks@naver.com으로 간략한 개요와 취지 등을
보내주세요. 출판의 길이 열립니다.